Andere boeken van Gabriel García Márquez:
Het kwade uur; roman
De kolonel krijgt nooit post; novelle
Afval en dorre bladeren; novelle
De ongelooflijke maar droevige geschiedenis van de onschuldige Eréndira en haar harteloze grootmoeder; verhalen
De uitvaart van Mamá Grande; verhalen
De herfst van de patriarch; roman
Het verhaal van een schipbreukeling
Ogen van een blauwe hond; verhalen
Toen ik nog gelukkig was en ongedocumenteerd; reportages
Kroniek van een aangekondigde dood; roman

Meulenhoff Editie

Gabriel García Márquez
Honderd jaar eenzaamheid

Vertaald door C. A. G. van den Broek
Meulenhoff Amsterdam

Eerste druk, maart 1972
Tweede druk, oktober 1972
Derde druk, januari 1974
Vierde druk, november 1974
Vijfde druk, juli 1975
Zesde druk, april 1976
Zevende druk, december 1976
Achtste druk, juni 1977
Negende druk, maart 1978
Tiende druk, april 1979
Elfde druk, augustus 1979
Twaalfde druk, februari 1980
Dertiende druk, september 1980
Veertiende druk, juli 1981
Vijftiende druk, maart 1982

Oorspronkelijke titel Cien años de soledad
Copyright © Editorial Sudamericana S.A.,
Buenos Aires, Argentina
Copyright Nederlandse vertaling © 1972 Meulenhoff Nederland bv,
Amsterdam
Omslag T. do Amaral
Grafische vormgeving Joost van de Woestijne
Druk Van Boekhoven-Bosch bv, Utrecht

ISBN 90 290 0014 7

Voor Jomí García Ascot en María Luisa Elío

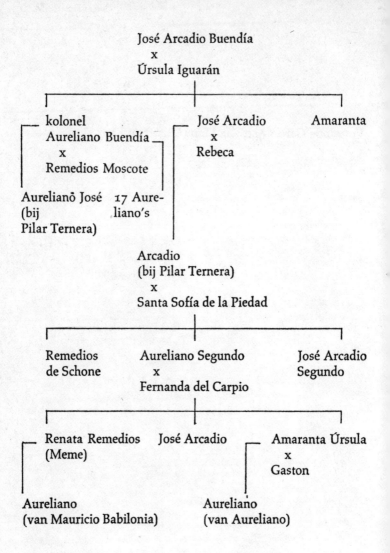

José Arcadio Buendía
x
Úrsula Iguarán

kolonel
Aureliano Buendía
x
Remedios Moscote

José Arcadio
x
Rebeca

Amaranta

Aureliano José
(bij
Pilar Ternera)

17 Aure-
liano's

Arcadio
(bij Pilar Ternera)
x
Santa Sofía de la Piedad

Remedios
de Schone

Aureliano Segundo
x
Fernanda del Carpio

José Arcadio
Segundo

Renata Remedios
(Meme)

José Arcadio

Amaranta Úrsula
x
Gaston

Aureliano
(van Mauricio Babilonia)

Aureliano
(van Aureliano)

Vele jaren later, staande voor het vuurpeloton, moest kolonel Aureliano Buendía denken aan die lang vervlogen middag, toen zijn vader hem meenam om kennis te maken met het ijs. Macondo was toen een dorp van twintig huizen, opgetrokken uit leem en riet aan de oever van een rivier vol doorschijnende wateren die zich hals over kop naar beneden stortten door een bedding van stenen, glad en wit en reusachtig als voorhistorische eieren. De wereld was nog zo jong dat vele dingen nog geen naam hadden en om ze te noemen, moest je ze aanwijzen met je vinger. Elk jaar, omstreeks de maand maart, zette een haveloze zigeunerfamilie bij het dorp zijn kermistent op en onder een luid kabaal van fluiten en trommels maakten ze dan de nieuwste uitvindingen bekend. Eerst brachten ze de magneet mee. Een zigeuner die zich aan het publiek voorstelde met de naam Melquíades – een dikke man met een woeste baard en handen als mussepootjes – gaf een schokkende demonstratie van wat hij zelf omschreef als het achtste wonder van de wijze alchemisten van Macedonië. Hij ging van huis tot huis en sleepte daarbij twee metalen staven met zich mee en iedereen zag tot zijn stomme verbazing hoe potten en pannen, tangen en stoven van hun plaats kwamen, hoe de planken kraakten onder de wanhopige pogingen van spijkers en schroeven om zich los te wrikken en hoe sinds lang vermiste voorwerpen opdoken op plaatsen waar men ze het meest had gezocht en zich in een rumoerige warboel achter de magische ijzers van Melquíades aan sleepten. 'De dingen leiden een eigen leven,' verklaarde de zigeuner met een raspend stemgeluid. 'Het komt er slechts op aan hun zielen op te wekken.' José Arcadio Buendía, wiens ongebreidelde fantasie altijd al verder ging dan het vernuft van de natuur en zelfs nog verder dan wonderen of magie, meende dat men zich van deze nutteloze uitvinding zou kunnen bedienen om het goud aan de schoot der aarde te ontrukken. Melquíades, die een eerlijk man was, bezwoer hem:

7

'Daar is het niet geschikt voor.' Maar José Arcadio Buendía geloofde in die tijd niet in de eerlijkheid van zigeuners, zodat hij zijn muilezel en een partij geiten afstond in ruil voor de twee magnetische staven. Zijn vrouw Úrsula Iguarán, die deze dieren hard nodig vond om het schamele familiebezit wat op te werken, slaagde er niet in hem van zijn plan af te brengen. 'Binnenkort hebben we goud in overvloed om er de vloeren van het huis mee te beleggen,' antwoordde haar echtgenoot. Een paar maanden lang spande hij zich in om de juistheid van zijn veronderstellingen aan te tonen. Decimeter voor decimeter onderzocht hij het gebied, met inbegrip van de rivierbodem, terwijl hij de twee ijzeren staven meezeulde en met luide stem de formule van Melquíades uitsprak. Het enige wat hij wist op te graven was een harnas uit de vijftiende eeuw, waarvan de verschillende delen aan elkaar gesmeed zaten door een dikke laag roest en dat vanbinnen een holle klank liet horen als bij een grote kalebas vol stenen. Toen José Arcadio Buendía en de vier andere leden van zijn expeditie erin slaagden het harnas uit elkaar te halen, vonden ze er een verkalkt skelet in dat om zijn hals een koperen medaille droeg met de haarlok van een vrouw.

In maart keerden de zigeuners terug. Ditmaal hadden ze een verrekijker bij zich en een lens ter grootte van een trommel, die ze tentoonstelden als de allerlaatste ontdekking van de joden van Amsterdam. Ze zetten een zigeunerin aan het uiteinde van het dorp en plaatsten de verrekijker in de ingang van hun tent. Tegen betaling van vijf realen gluurden de mensen door de verrekijker en ontwaardden de zigeunerin onder handbereik. 'Afstanden zijn door de wetenschap weggevaagd,' verkondigde Melquíades. 'Weldra zal de mens alles kunnen zien wat er gebeurt, waar ook ter wereld, zonder dat hij zijn huis hoeft te verlaten.' Op een gloeiendhete middag gaven ze een verbazingwekkende demonstratie met de reusachtige lens: ze legden een hoop droog gras in het midden van de straat en lieten het vlam vatten door de zonnestralen te bundelen. José Arcadio Buendía, die zich nog steeds niet verzoend had met het falen van zijn magneten, vatte het plan op om deze vinding als oorlogswapen te gebruiken. Opnieuw probeerde Melquíades hem daar vanaf te brengen. Maar tenslotte accepteerde hij de

8

twee magnetische staven en drie koloniale geldstukken in ruil voor de lens. Úrsula huilde van ontsteltenis. Dat geld kwam uit een kistje met goudstukken die haar vader tijdens een leven vol ontberingen had vergaard en die ze onder haar bed had begraven, in afwachting van een goede gelegenheid om ze te besteden. José Arcadio Buendía nam niet eens de moeite haar te troosten, maar gaf zich aan zijn tactische experimenten over met de zelfverloochening van een geleerde en zelfs met gevaar voor eigen leven. In een poging de uitwerking van de lens op de vijandelijke troepen aan te tonen, stelde hij zichzelf bloot aan de geconcentreerde zonnestralen en liep daarbij verbrandingen op, die later in zweren veranderden en pas na lange tijd genazen. Onder protest van zijn vrouw, die hevig verontrust werd door zo'n gevaarvolle vindingrijkheid, stond hij zelfs op het punt hun huis in de as te leggen. Hij bracht lange uren door in zijn kamer, waar hij talloze berekeningen maakte over de strategische mogelijkheden van zijn ultramoderne wapen, totdat hij de laatste hand wist te leggen aan een handleiding met een verbluffende didactische helderheid en een onweerstaanbare overtuigingskracht. Dit geschrift, vergezeld van een groot aantal rapporten over zijn bevindingen en verschillende vellen vol verklarende tekeningen, zond hij vervolgens naar de autoriteiten, onder de hoede van een boodschapper die het gebergte doorkruiste, zich verloor in onmetelijke moerassen, de loop van kolkende rivieren volgde en op het punt stond te bezwijken onder de gesel van wilde dieren, wanhoop en pestilentie, alvorens zijn weg zich kruiste met de route van de muilezels van de posterijen. Ofschoon de reis naar de hoofdstad in die tijd vrijwel onmogelijk was, verklaarde José Arcadio Buendía zich bereid de tocht te ondernemen zodra de regering hem dat opdroeg, teneinde zijn uitvinding in de praktijk aan de militaire overheden te demonstreren en ze persoonlijk te onderrichten in de gecompliceerde kunst van de zonne-oorlog. Een paar jaar wachtte hij op antwoord. Eindelijk, het wachten beu, beklaagde hij zich tegenover Melquíades over het mislukken van zijn plan en toen gaf de zigeuner hem een overtuigend bewijs van zijn oprechtheid: in ruil voor de lens gaf hij hem de gouden dubloenen terug en bovendien schonk hij hem een

9

paar Portugese kaarten en verschillende navigatie-instrumenten. Eigenhandig schreef hij een beknopt overzicht van de studies van de monnik Hermann dat hij eveneens aan José Arcadio Buendía ter hand stelde, zodat deze zich zou kunnen bedienen van het astrolabium, het kompas en de sextant. José Arcadio Buendía bracht de lange regenmaanden in afzondering door, in een kamertje dat hij achterin het huis had gebouwd om door niemand gestoord te worden bij zijn experimenten. Hij had zijn huiselijke verplichtingen geheel van zich af gezet, bleef hele nachten op de patio zitten om de loop van de sterren te observeren en haalde zich bijna een zonnesteek op de hals bij zijn pogingen een exacte methode te ontwikkelen om het middaguur te bepalen. Zodra hij vaardig genoeg was geworden met zijn instrumenten, groeide er bij hem een inzicht in de ruimte dat hem in staat stelde om onbekende zeeën te bevaren, onbewoonde gebieden te bezoeken en betrekkingen aan te knopen met de schitterendste wezens zonder dat hij daarbij zijn hokje hoefde te verlaten. Dat was ook de tijd waarin hij de gewoonte verkreeg om hardop in zichzelf te praten en waarin hij door het huis ging dwalen zonder aan iemand aandacht te schenken, terwijl Úrsula en de kinderen hun rug braken op het land bij de zorg voor de banaanboom, de yucca, de maniok, de aubergines. Plotseling, zonder enig voorteken, werd zijn koortsachtige activiteit onderbroken om plaats te maken voor een soort gefascineerdheid. Een paar dagen lang was hij als behekst en liep hij zachtjes een reeks merkwaardige formules te prevelen, zonder daarbij zijn eigen oren te kunnen geloven. En eindelijk, op een dinsdag in december, tijdens het middageten, wierp hij in één klap de zware last van al zijn kwellingen van zich af. Zijn kinderen zouden zich voor de rest van hun leven de verheven plechtigheid herinneren waarmee hun vader – rillend van de koorts, verteerd door het langdurige waken en door zijn gezwollen verbeelding – plaatsnam aan het hoofd van de tafel en hun zijn ontdekking onthulde:

'De aarde is zo rond als een sinaasappel.'

Úrsula verloor haar geduld. 'Als je zo nodig gek moet worden, doe het dan op je eentje,' schreeuwde ze. 'Maar probeer je zigeuner-ideeën niet op te dringen aan de kinderen.' José Arcadio Buendía bleef onbewogen en liet zich niet uit het veld slaan door de wanhoop van zijn vrouw, die in een vlaag van woede zijn astrolabium te pletter smeet op de vloer. Hij maakte zelf een nieuwe, verzamelde de mannen van het dorp in zijn kamertje en bewees hun – met theorieën die voor iedereen volmaakt onbegrijpelijk waren – dat het mogelijk was om op het punt van uitgang terug te keren wanneer men voortdurend naar het oosten trekt. Het hele dorp was tot de overtuiging gekomen dat José Arcadio Buendía zijn verstand verloren had, toen Melquíades arriveerde en de zaken rechtzette. Openlijk prees hij de intelligentie van deze man, die louter door astronomische navorsingen een theorie had ontwikkeld welke in de praktijk al lang getoetst was, ook al had men er in Macondo nog niet van gehoord; als bewijs van zijn bewondering gaf hij hem vervolgens een geschenk dat van beslissende invloed zou worden op de toekomst van het dorp: een alchemistenlaboratorium.

Omstreeks die tijd was Melquíades met verbazingwekkende snelheid ouder geworden. Bij zijn eerste reizen leek hij van dezelfde leeftijd te zijn als José Arcadio Buendía. Maar terwijl deze de beschikking hield over zijn buitengewone krachten, die hem in staat stelden om een paard bij de oren te grijpen en tegen de grond te werpen, leek de zigeuner daarentegen verteerd te worden door een slopende ziekte. Dat was in werkelijkheid het gevolg van de vele en zeldzame kwalen die hij had opgelopen tijdens zijn ontelbare reizen rond de wereld, zoals hijzelf aan José Arcadio Buendía vertelde terwijl hij hem het laboratorium hielp opzetten. De dood volgde hem overal op de hielen en snuffelde voortdurend aan zijn broek, zonder te kunnen besluiten of hij hem nu de genadeslag zou geven. Melquíades was ontkomen aan alle plagen en katastrofen die het mensdom ooit hadden geteisterd. Hij had de pellagra overleefd in Perzië, de scheurbuik in de Maleisische Archipel, de lepra in Alexandrië, de beriberi in Japan, de builenpest in Madagaskar, een aardbeving op Sicilië en een massale schipbreuk in de Straat van Magallaan. Deze wonderlijke figuur, die voorgaf de sleutels van Nostradamus te bezitten, was een sombere man, omgeven door een sfeer van triestheid en met een oosters aandoende blik die de keerzijde der dingen scheen te kennen. Hij droeg een hoed, groot en zwart als de uitgespreide vlerken van een raaf, en een fluwelen vest dat overdekt was met de schimmel der eeuwen. Maar ondanks zijn onmetelijke wijsheid en de mysterieuze reikwijdte van zijn persoon, ging ook hij gebukt onder de last der mensen, onder een aardse gebondenheid die hem gevangen hield in de kleine problemen van het dagelijkse bestaan. Hij klaagde over ouderdomskwalen, leed onder onbelangrijke dingen als geldgebrek en was al sinds lange tijd opgehouden met lachen omdat de scheurbuik hem van al zijn tanden had beroofd. Op de verstikkende middag dat hij zijn geheimen onthulde, kreeg José Arcadio Buendía de zekerheid dat dit het begin was van een grootse vriendschap. De kinderen luisterden verbijsterd naar zijn fantastische verhalen. Aureliano, die toen pas vijf jaar was, zou zich voor de rest van zijn leven herinneren hoe hij hem daar zag zitten – scherp afgetekend tegen de metalig flonkerende helderheid van het venster, terwijl het vet, door de hitte vloeibaar gemaakt, in stroompjes langs zijn wangen gutste en hij met zijn diepe, orgelende stem zijn licht liet schijnen over de meest duistere gebieden van de verbeelding. José Arcadio, het oudste broertje, zou dit wonderlijke beeld aan al zijn nakomelingen doorgeven als een erfelijke herinnering. Úrsula daarentegen behield een slechte herinnering aan dit bezoek, want zij kwam de kamer binnen op het moment dat Melquíades per ongeluk een flesje kwikzilversublimaat brak.

'Het stinkt hier als de duivel,' zei ze.

'Integendeel,' verbeterde Melquíades haar. 'Het staat vast dat de duivel zwavelachtige eigenschappen heeft, maar dit is niet meer dan een beetje kwiksublimaat.'

Altijd bereid om anderen te onderwijzen, begon hij aan een geleerde uiteenzetting over de duivelse eigenschappen van cinnaber, maar Úrsula lette niet op hem en nam de jongens mee om te gaan bidden. Die bijtende geur zou voor altijd in haar geheugen achterblijven, hecht verbonden aan de herinnering aan Melquíades.

Afgezien van een overvloed aan vijzels, trechters, proefbuisjes, filters en zeefjes bestond het primitieve laboratorium uit

12

een eenvoudige buisleiding, een glazen reageerkolf met een lange, smalle hals – nabootsing van het *filosofische ei* – en een destilleertoestel, door de zigeuners zelf vervaardigd volgens de moderne voorschriften betreffende de driearmige ketel van Maria de Jodin. Daarnaast schonk Melquíades hem monsters van de zeven metalen die beantwoordden aan de zeven planeten, alsmede de formules van Mozes en Zosimus voor het vermenigvuldigen van goud en een stapel notities en tekeningen over de processen van het *Groot Precipitaat* waarmee eenieder, die eruit wijs kon worden, kon proberen de steen der wijzen te vervaardigen. In verleiding gebracht door de eenvoud van de formules voor de goudvermenigvuldiging, probeerde José Arcadio Buendía wekenlang bij Úrsula in het gevlij te komen, in de hoop dat ze hem zou toestaan haar koloniale geldstukken op te graven en ze te verdubbelen, zo vaak als hij zijn voorraad kwikzilver in kleine beetjes zou kunnen onderverdelen. Als altijd gaf Úrsula zich gewonnen voor de onwrikbare vasthoudendheid van haar echtgenoot, waarna José Arcadio Buendía dertig dubloenen in een vijzel deed en ze vermengde met kopervijlsel, operment, zwavel en lood. Hij wierp alles in een ketel, bestemd voor het aftrekken van wonderolie, en bracht het mengsel aan de kook boven een laaiend vuur, totdat hij een dikke en stinkende stroop had verkregen die eerder gelijkenis vertoonde met doodgewone caramel dan met flonkerend goud. Na moeizame en wanhopige destillatieprocessen, na vermenging met de zeven planetenmetalen, na bewerking met hermetisch kwik en Cyprusvitriool en na hernieuwd opkoken in varkensvet bij gebrek aan ramenasolie, was en bleef Úrsula's kostbare erfenis gereduceerd tot een verkoold mengelmoesje dat met geen mogelijkheid van de bodem van de pan te krijgen was.

Toen de zigeuners weer terugkeerden, had Úrsula het hele dorp tegen hen opgezet. Maar de nieuwsgierigheid vermocht meer dan de vrees, want die keer trokken de zigeuners door het dorp onder een waarlijk oorverdovend lawaai van allerlei muziekinstrumenten en de omroeper kondigde de vertoning aan van de meest fabelachtige vondst van de Nacianzers. Zodat iedereen naar de kermistent trok en tegen betaling van een centavo mocht kijken naar een verjongde, hernieuwde, ontrimpelde Melquíades met een gloednieuw en glanzend gebit. Wie terugdacht aan zijn door scheurbuik vernietigde tandvlees, aan zijn ingevallen wangen en verlepte lippen, rilde nu van angst bij dit doorslaggevende bewijs van de bovennatuurlijke krachten van deze zigeuner. Die angst veranderde zelfs in paniek toen Melquíades zijn tanden, geheel intact en vastzittend in het tandvlees, uit zijn mond rukte en ze heel even aan het publiek liet zien – gedurende één vluchtige seconde, waarin hij opnieuw de afgeleefde man van vroeger tijden werd – en ze daarna weer in zijn mond deed en opnieuw glimlachte met alle gezag van zijn herstelde jeugdigheid. Zelfs José Arcadio Buendía vond dat de kennis van Melquíades tot een ondraaglijk hoogtepunt was gestegen; maar hij onderging een heilzame opluchting toen de zigeuner hem onder vier ogen uitlegde hoe zijn valse tanden werkten. Dit leek hem tegelijkertijd zo eenvoudig en toch zo wonderbaarlijk, dat hij van de ene op de andere dag alle belangstelling voor zijn alchemistische onderzoekingen verloor; hij maakte een nieuwe crisis van slechtgehumeurdheid door, kwam niet meer op regelmatige tijden aan tafel en bleef de hele dag door het huis ijsberen. 'In deze wereld gebeuren de ongelooflijkste dingen,' zei hij tegen Úrsula. 'Daarginds, aan de andere kant van de rivier, bestaan allerlei magische apparaten – terwijl wij hier maar leven als ezels.' Wie hem sinds de stichting van Macondo gekend had, kon zich er alleen maar over verbazen hoezeer hij veranderd was onder de invloed van Melquíades.

In het begin was José Arcadio Buendía een soort jeugdige patriarch geweest, die instructies gaf bij het zaaien en goede raad uitdeelde voor het fokken van vee en kinderen en die met iedereen samenwerkte, ook in lichamelijke arbeid, voor de goede gang van zaken in de gemeenschap. Aangezien zijn huis van het begin af aan het beste was geweest van heel het dorp, werden de andere huizen gebouwd naar beeld en gelijkenis van het zijne. Het bevatte een ruim en goed verlicht woonvertrek, een terrasvormige eetkamer vol vrolijk gekleurde bloemen, twee slaapkamers, een patio met een reusachtige kastanje, een goed aangelegde tuin en een erf waar geiten, varkens

14

en kippen in vreedzame gemeenschap samenleefden. De enige dieren die niet alleen in zijn huis maar in het hele dorp verboden waren, waren vechthanen.

De werklust van Úrsula hield gelijke tred met die van haar man. Actief, nauwgezet en ernstig als ze was, leek deze vrouw met stalen zenuwen – die men nog nooit had horen zingen – van 's morgens vroeg tot 's avonds laat overal tegelijk te zijn, altijd begeleid door het zachte geritsel van haar zwaar linnen rokken. Dank zij haar waren de vloeren van vastgestampte aarde, de lemen muren zonder witkalk en de ruwhouten, door henzelf vervaardigde meubelen altijd even schoon en steeg er altijd een zoete geur van basilicum op uit de oude kisten waarin ze de kleding bewaarde.

José Arcadio Buendía, zonder twijfel de meest ondernemende man die het dorp ooit had gekend, had de ligging van de huizen dusdanig bepaald, dat men vanuit elk huis met evenveel gemak naar de rivier kon gaan om water te halen; bovendien had hij de straten met zoveel inzicht aangegeven, dat tijdens de uren van hitte geen enkel huis méér zon kreeg dan een ander. Binnen een jaar ontwikkelde Macondo zich tot een gemeenschap die ordentelijker en arbeidzamer was dan alle nederzettingen waarvan de inwoners, toen driehonderd in getal, het bestaan kenden. Inderdaad, het was een gelukkig dorp waar niemand ouder was dan dertig jaar en waar nog nooit iemand was gestorven.

Al sinds de tijd van de stichting van Macondo vervaardigde José Arcadio Buendía vogelvallen en vogelkooien. Binnen korte tijd had hij niet alleen zijn eigen huis maar alle woningen van het dorp gevuld met wielewalen, kanaries, bijeneters en roodborstjes. Het zangconcert van zoveel verschillende vogels werd tenslotte zo ontstellend, dat Úrsula haar oren met bijenwas dichtstopte om haar werkelijkheidszin niet te verliezen. Toen de stam van Melquíades voor de eerste keer kwam opdagen om glazen bollen te verkopen tegen de hoofdpijn, verbaasde het iedereen dat ze dit dorp, zo diep verscholen in de sluimerende moerassen, hadden kunnen vinden en de zigeuners bekenden dat ze zich georiënteerd hadden op het gezang van de vogels.

Die sociale ondernemingsgeest verdween echter binnen korte tijd, meegesleurd door de koortsachtige betovering van magneten, astronomische berekeningen, omsmeltingsplannen en verlangens om de wonderen der wereld te leren kennen. José Arcadio Buendía veranderde van een ondernemende en nette man in iemand die duidelijk de trekken van een luiaard vertoonde, zich onverzorgd kleedde en een woeste baard liet groeien welke Úrsula maar nauwelijks wist te fatsoeneren met een keukenmes. Iedereen beschouwde hem als het slachtoffer van een vreemde beheкстheid. Maar ook degenen die het meest van zijn waanzin overtuigd waren, lieten onmiddellijk hun werk en hun gezin in de steek en maakten zich gereed om hem te volgen toen hij zijn kapmes over zijn schouder nam en aller hulp inriep om een route te openen die Macondo in contact kon brengen met de grote uitvindingen.

José Arcadio Buendía was totaal onbekend met de geografische omstandigheden van de streek. Hij wist dat in het oosten het ondoordringbare gebergte lag en aan de andere kant van dat gebergte de oude stad Riohacha, waar – zoals de eerste Aureliano Buendía, zijn grootvader, hem had verteld – in vroeger tijden Sir Francis Drake zijn favoriete sport bedreef: met kanonschoten jagen op krokodillen, die hij daarna liet prepareren en met stro liet vullen om ze te kunnen meenemen naar koningin Elisabeth. In hun jonge jaren waren José Arcadio Buendía en zijn mannen, met medeneming van vrouwen en kinderen en dieren en allerlei huishoudelijk gerei, dat gebergte overgestoken om op zoek te gaan naar een toegang tot de zee, maar na zesentwintig maanden hadden ze dat plan opgegeven en Macondo gesticht om de terugtocht niet te hoeven ondernemen. Dat was dus een route die hem niet interesseerde, want die richting kon hem slechts terugvoeren naar het verleden. In het zuiden lagen de modderpoelen onder hun eeuwige plantenkorst en verderop het uitgestrekte universum van het grote moeras dat, volgens de beweringen van de zigeuners, waarlijk geen grenzen kende. Het grote moeras verloor zich in het westen in een watervlakte zonder horizonten, waar visachtige zoogdieren leefden met een zachte huid en met het hoofd en het bovenlijf van een vrouw – wezens die alle reizigers tot

16

verderf brachten met de bekoring van hun buitengewone borsten. De zigeuners waren zes maanden in die richting getrokken voordat ze de gordel van vaste grond bereikten waarlangs de ezels van de posterijen kwamen. Volgens de berekeningen van José Arcadio Buendía bood de noordelijke richting de enige mogelijkheid tot contact met de beschaving. Vandaar dat hij dezelfde mannen bijeenriep die hem bij de stichting van Macondo hadden begeleid, ze uitrustte met kapmessen en jachtgeweren, zijn kaarten en zijn navigatie-instrumenten in een weitas deed en aan het stoutmoedige avontuur begon.

De eerste dagen kwamen ze geen obstakel van betekenis tegen. Ze trokken stroomafwaarts langs de steenachtige rivieroever tot ze de plaats bereikten waar een paar jaar geleden het harnas van de krijgsman was aangetroffen en daar drongen ze in de bossen door over een pad tussen de wilde sinaasappelbomen. Tegen het einde van de eerste week doodden ze een hert en braadden het, maar besloten het slechts voor de helft op te eten en de rest in te zouten voor de dagen die komen zouden. Met deze maatregel probeerden ze zo lang mogelijk te ontkomen aan de noodzaak, zich uitsluitend te moeten voeden met het blauwachtige papegaaievlees dat een ranzige muskussmaak bezat. Daarna zagen ze langer dan tien dagen achtereen de zon niet meer terug. De bodem werd week en vochtig, als vulkanische as, en de plantengroei werd weliger en weliger en het gekwetter van de apen en de kreten van de vogels klonken steeds verder weg en de wereld werd somber voor altijd. In dit paradijs van vocht en stilte, ouder dan de erfzonde, waar hun laarzen wegzakten in dampende oliepoelen en hun kapmessen zich door bloedende lelies en goudkleurige salamanders kliefden, werden de leden van de expeditie geplaagd door hun alleroudste herinneringen. Een week lang trokken ze als slaapwandelaars door een heelal van verdriet, bijna zonder te spreken, nauwelijks bijgelicht door het vage schijnsel van lichtgevende insekten, hun longen vervuld van een verstikkende bloedgeur. Terugkeren konden ze niet, want het pad dat ze zich onderweg hakten, sloot zich in korte tijd weer met een nieuwe vegetatie die ze bijna voor hun ogen zagen groeien. 'Dat geeft niet,' zei José Arcadio Buendía. 'Het belangrijkste is, dat we de richting niet kwijtraken.' Steeds met één oog op het kompas gericht, bleef hij zijn mannen voorgaan naar het onzichtbare noorden totdat ze uit het betoverde gebied wisten te komen. Het was op een nacht zonder sterren, maar de dichte duisternis was doortrokken van een nieuwe, schone lucht. Uitgeput door de lange doortocht door het bos hingen ze hun hangmatten op en vielen voor het eerst sinds twee weken in een diepe slaap. Toen ze wakker werden hing de zon al hoog in de hemel en bleven ze als verlamd van verbijstering staan. Vlak voor hen, omgeven door varens en planten, wit en stoffig in het stille licht van de ochtend, lag een geweldig Spaans galjoen. Het helde iets naar stuurboord over en tussen het want, versierd met orchideeën, hingen nog steeds de smerige resten van de zeilen aan de geheel intact gebleven masten en stengen. De romp, bedekt met een glinsterend pantser van versteende zuigvissen en zacht mos, was stevig geschoord op een ondergrond van stenen. Het bouwsel leek een geheel eigen terrein te beslaan, een ruimte vol eenzaamheid en vergetelheid, ontoegankelijk voor de tand des tijds en de gewoonten van de vogels. In het binnenste van het schip, dat de expeditieleden onder een koortsachtig stilzwijgen onderzochten, was niets anders te vinden dan een dicht woud van bloemen.

De vondst van dit galjoen, dat duidelijk wees op de nabijheid van de zee, maakte een einde aan de gedrevenheid van José Arcadio Buendía. Hij beschouwde het als een gril van zijn wisselvallige levenslot, dat hij eenmaal ten koste van talloze opofferingen en ontberingen op zoek was gegaan naar de zee zonder die te vinden, terwijl hij hem nu vond zonder hem gezocht te hebben – en nog wel op een plaats, waar het water als een onoverkomelijk obstakel zijn pad kruiste! Vele jaren later, toen er al een geregelde postweg was, trok kolonel Aureliano Buendía op zijn beurt door dit gebied en het enige wat hij van het schip terugvond waren de verkoolde spanten temidden van een veld vol klaprozen. Toen pas was hij ervan overtuigd dat dit verhaal niet ontsproten was aan de verbeelding van zijn vader en hij vroeg zich af, hoe dat galjoen tot hiertoe op het vasteland had kunnen doordringen. Maar toen José Arcadio

18

Buendía tenslotte de zee vond, na nog vier dagen reizen en op een afstand van twaalf kilometer van het galjoen, stelde hij zichzelf die vraag niet. Zijn dromen vonden een abrupt einde tegenover deze askleurige, vuil schuimende zee, die de gevaren en de opofferingen van zijn avontuurlijke reis niet waard was. 'Wel verdomme!' riep hij uit. 'Macondo is aan alle kanten door water omringd!'

De opvatting dat Macondo een schiereiland vormde bleef nog lange tijd voortleven, ingeblazen door de weinig betrouwbare kaart die José Arcadio Buendía na de terugkeer van zijn expeditie ontwierp. Hij tekende het ding in razende woede en maakte de moeilijke verbindingen opzettelijk een stuk moeilijker dan ze waren, als om zichzelf te straffen voor het volslagen gebrek aan inzicht waarmee hij de plaats van het dorp had gekozen. 'Nu komen we nooit ergens,' klaagde hij tegen Úrsula. 'Hier moeten we levend wegrotten zonder de zegeningen van de wetenschap te ontvangen.' Deze zekerheid, maandenlang herkauwd in het hokje waar zijn laboratorium stond, bracht hem tenslotte op het idee om Macondo te verplaatsen naar een gunstiger plek. Maar ditmaal wist Úrsula zijn bezeten plannen voor te blijven. Door een heimelijke maar vastberaden monnikenarbeid wist ze alle vrouwen van het dorp in het geweer te brengen tegen de wispelturigheid van hun echtgenoten, die zich al klaar begonnen te maken voor de verhuizing. José Arcadio Buendía heeft nooit geweten op welk ogenblik noch door welke tegenkrachten zijn plannen verstrikt raakten in een warnet van voorwendsels, tegenslagen en uitvluchten, totdat ze in louter illusies waren veranderd. Úrsula bekeek hem slechts met onschuldige aandacht en ze voelde zelfs iets van medelijden met hem, toen ze hem die ochtend aantrof in het achterkamertje, waar hij binnensmonds commentaar leverde op zijn verhuisplannen en de onderdelen van het laboratorium in hun oorspronkelijke kisten verpakte. Ze liet hem doorgaan totdat hij klaar was; ze liet hem de kisten dichttimmeren, ze liet hem zijn initialen op de deksels zetten met een kwastje inkt en ze maakte hem geen enkel verwijt, want ze wist al – ze had het hem zelf horen zeggen tijdens zijn doffe monoloog – dat hij ervan op de hoogte was, dat de mannen van het dorp

19

hem bij deze onderneming niet zouden steunen. Pas toen hij de deur van het kamertje uit elkaar begon te halen, waagde Úrsula het hem te vragen waarom hij dat deed en hij antwoordde niet zonder bitterheid: 'Aangezien verder niemand wil vertrekken, gaan wij alleen.' Úrsula wond zich niet op.

'We gaan niet,' zei ze. 'We blijven hier, want hier hebben we een zoon gekregen.'

'Maar we hebben nog geen dode,' zei hij. 'Zolang je geen dode onder de aarde hebt, hoor je nergens thuis.'

Úrsula antwoordde met kalme vastbeslotenheid:

'Als ik soms moet sterven om ze hier te laten blijven, dan sterf ik.'

José Arcadio Buendía kon niet geloven dat het verlangen van zijn vrouw zo onwrikbaar was. Hij probeerde haar over te halen met de bekoringen van zijn fantasie, met de belofte van een wonderbaarlijke wereld waar men slechts een paar magische vloeistoffen op de grond hoefde te gieten om de gewassen naar willekeur vrucht te doen dragen en waar allerlei apparaten tegen de pijn voor een spotprijs te koop zouden zijn. Maar Úrsula bleef ongevoelig voor zijn helderziende blik.

'In plaats dat je aan die dwaze vernieuwingen loopt te denken, moest je je eens om je zonen bekommeren,' antwoordde ze. 'Kijk eens hoe ze erbij lopen – overgelaten aan de goedheid Gods, net als de ezels.'

José Arcadio Buendía vatte de woorden van zijn vrouw letterlijk op. Hij keek uit het raam en zag de twee jongens blootsvoets bezig in het zonovergoten veld en het leek hem of ze pas op dit ogenblik begonnen waren te bestaan, verwekt door Úrsula's smekende opmerking. Toen gebeurde er iets in zijn binnenste, iets geheimzinnigs en beslissends wat hem uit het huidige tijdsbestek wegsleurde en hem op drift deed raken door een ongekend gebied van herinneringen. Terwijl Úrsula verder ging met het vegen van het huis – het huis dat ze, naar ze nu wist, nooit van haar leven meer zou verlaten – bleef hij met een peinzende blik naar de kinderen staan kijken, totdat zijn ogen vochtig werden en hij ze afveegde met de rug van zijn hand en een diepe zucht van berusting slaakte.

'Goed dan,' zei hij. 'Zeg dat ze me komen helpen om alles

weer uit de kisten te halen.'

José Arcadio, de oudste van de twee jongens, was toen pas veertien jaar geworden. Hij had het vierkante hoofd, het stugge haar en het wisselvallige karakter van zijn vader. Ofschoon hij in groei en lichaamskracht even onstuimig was als deze, was het al duidelijk dat hij zijn vaders verbeeldingskracht miste. Hij was verwekt en geboren tijdens de moeizame doortocht door het gebergte, nog voor de stichting van Macondo, en zijn ouders dankten de hemel toen ze hadden kunnen vaststellen dat hij geen enkel dierlijk orgaan bezat. Aureliano, het eerste mensenkind dat in Macondo ter wereld kwam, zou in maart zes jaar worden. Hij was stil en in zichzelf teruggetrokken. Hij had in de buik van zijn moeder al gehuild en werd geboren met wijd open ogen. Toen ze zijn navelstreng afbonden bewoog hij zijn hoofd naar links en naar rechts om alle dingen in het vertrek te bekijken en met onverschrokken nieuwsgierigheid onderzocht hij de gezichten van de aanwezigen. Later trok hij zich niets aan van al degenen die naar hem kwamen kijken en hield zijn aandacht uitsluitend gericht op het dak van palmbladeren dat op het punt leek te bezwijken onder de geweldige druk van de regen. Úrsula zou pas aan de intensiteit van die blik terugdenken op de dag dat de kleine Aureliano, drie jaar oud, de keuken binnenkwam op het moment dat zij een pan kokendhete soep van het fornuis nam en op de tafel zette. Het kind bleef stokstijf in de deuropening staan en zei: 'Die valt.' De pan was goed neergezet, midden op tafel, maar zodra het kind deze aankondiging deed, maakte het ding – als aangedreven door een innerlijke kracht – een onstuitbare beweging naar de tafelrand en sloeg te pletter op de vloer. De hevig geschrokken Úrsula vertelde dit voorval aan haar echtgenoot, maar die zag er slechts een volkomen natuurlijk verschijnsel in. Zo was hij nu eenmaal, altijd even ver verwijderd van het bestaan van zijn eigen kinderen, deels omdat hij de kindertijd als een periode van geestelijke onvolwaardigheid beschouwde en deels omdat hij altijd tezeer verdiept was in zijn eigen hersenschimmige bespiegelingen.

Maar sinds de middag dat hij de jongens binnenriep om hem te helpen bij het uitpakken van de laboratoriumspullen,

21

wijdde hij zijn beste uren aan hen. In het kleine achterkamertje, waarvan de wanden langzamerhand schuil gingen onder onwaarschijnlijke kaarten en ongelooflijke grafieken, leerde hij hen lezen en schrijven en sommen maken en vertelde hij over de wonderen der wereld, niet slechts voor zover zijn eigen kennis reikte maar op een manier die de grenzen van zijn verbeelding onophoudelijk geweld aandeed. Zo raakten de jongens ervan overtuigd, dat er in het uiterste zuiden van Afrika mensen woonden die zo intelligent en zo vredelievend waren dat hun enige bezigheid bestond uit zitten nadenken; of dat het mogelijk was om de Egeïsche Zee over te steken door van het ene eiland naar het andere te springen tot aan de haven van Saloniki. Deze zinsbegoochelende bijeenkomsten bleven zozeer in het geheugen van de jongens gegrift staan dat kolonel Aureliano Buendía vele jaren later, één seconde voordat de officier van de regeringstroepen aan het executiepeloton bevel tot vuren gaf, nog eenmaal die lome middag in maart zag herleven waarop zijn vader plotseling de natuurkundeles onderbrak en geboeid bleef zitten luisteren, met starre ogen en één hand opgeheven, omdat hij in de verte het geluid opving van de fluiten en de trommels en de tamboerijnschellen van de zigeuners, die opnieuw in het dorp waren aangekomen en luidkeels kond deden van de allerlaatste en meest verbijsterende ontdekking van de wijzen van Memfis.

Het waren nieuwe zigeuners, jonge mannen en vrouwen die alleen hun eigen taal spraken, prachtige exemplaren met een geoliede huid en intelligente handen, met muziek en dansen die in de straten een paniek van woelige vrolijkheid zaaiden, met in allerlei kleuren geverfde papegaaien die Italiaanse romances declameerden en met de kip die op het geluid van een tamboerijn zo'n honderd gouden eieren legde en de gedresseerde aap die je gedachten las en de veelzijdige machine die tegelijkertijd diende voor het aanzetten van knopen en om de koorts te laten zakken en het apparaat om slechte herinneringen kwijt te raken en de pleisters om de tijd te vergeten en nog wel duizend andere uitvindingen, allemaal zo knap en zo buitengewoon dat José Arcadio Buendía die geheugenmachine zelf wel had willen uitvinden om alles te kunnen onthouden.

In een oogwenk veranderden ze het hele dorp. De bewoners van Macondo zagen zich plotseling verloren in hun eigen straten, verdoofd door dit massale feest.

Met een kind aan elke hand om ze in het gedrang niet te verliezen, opbotsend tegen kunstenmakers met goudbepleisterde tanden en goochelaars met zes armen, half stikkend in het mengelmoes van mest- en kruizemuntgeuren dat de menigte uitademde, ging José Arcadio Buendía overal als een bezetene op zoek naar Melquíades om zich door hem de grenzeloze geheimen te laten onthullen van deze nieuwe, fabelachtige vondst. Hij richtte zich tot verschillende zigeuners, die echter zijn taal niet verstonden. Tenslotte kwam hij op de plek waar Melquíades gewoonlijk zijn tent opzette en daar vond hij een zwijgzame Armeniër die in het Spaans een drankje aanprees waarmee men zich onzichtbaar kon maken. José Arcadio Buendía baande zich krachtig een weg door het groepje gespannen toeschouwers dat het spektakel bijwoonde en vroeg ook hier naar Melquíades, maar juist op het moment dat de man een glas van de amberkleurige vloeistof naar binnen had geslagen. De zigeuner omhulde hem heel even met de verbluffende geladenheid van zijn blik en veranderde onmiddellijk in een plas stinkende, walmende teer waarop zijn antwoord galmend bleef drijven: 'Melquíades is dood.' Verdoofd door dit bericht, worstelend om zijn smart te boven te komen, bleef José Arcadio Buendía roerloos staan totdat het groepje toeschouwers, aangelokt door andere kunststukjes, zich begon te verspreiden en de teerplas van de Armeniër geheel verdampt was. Later bevestigden andere zigeuners hem dat Melquíades inderdaad in de duinen van Singapore aan de koorts was overleden en dat zijn lichaam overboord was geworpen op de diepste plek van de Javazee. De kinderen hadden voor dit nieuws geen enkele belangstelling. Zij wilden met alle geweld dat hun vader hen meenam naar de ontzagwekkende nieuwe vondst van de wijzen van Memfis welke werd aangeprezen bij de ingang van een tent die, naar men verkondigde, nog aan koning Salomon had toebehoord. Ze zeurden net zolang tot José Arcadio Buendía de dertig realen betaalde en hen meenam tot midden in de tent, waar een reusachtige man met een harige borst en een kaalgeknipt hoofd en met een koperen ring in zijn neus en een zware ijzeren ketting om zijn enkel de wacht hield bij een piratenkoffer. Zodra deze door de reus geopend werd, walmde er een ijzige adem uit omhoog. In de koffer bevond zich slechts een geweldig blok van een doorschijnende stof, die van binnen een oneindig aantal fijne adertjes vertoonde waarin het vage schemerlicht werd stukgebroken tot veelkleurige sterretjes. Volkomen van zijn stuk gebracht en in het besef dat de jongens onmiddellijk een verklaring van hem verwachtten, waagde José Arcadio Buendía het te mompelen:

'Dit is de grootste diamant van de wereld.'

'Nee,' verbeterde de zigeuner hem. 'Het is ijs.'

José Arcadio Buendía begreep hem niet en stak zijn hand uit om het geheimzinige blok aan te raken, maar de reus duwde zijn arm weg. 'Vijf realen meer om het aan te raken,' zei hij. José Arcadio Buendía betaalde en toen legde hij zijn hand op het ijs en liet hem daar minutenlang liggen, terwijl zijn hart opzwol van angst en vervoering bij de aanraking van dit mysterie. Hij wist niet wat hij moest zeggen en dus betaalde hij nog tien realen om ook zijn zonen deze wonderbaarlijke ervaring te laten beleven. De kleine José Arcadio weigerde het ijs aan te raken. Aureliano daarentegen deed een stap naar voren, legde zijn hand erop en trok hem onmiddellijk weer terug. 'Het kookt!' riep hij verbaasd. Maar zijn vader hoorde hem niet. Bedwelmd als hij was door dit onweerlegbare wonder, dacht hij op dat moment niet meer aan het mislukken van zijn stormachtige ondernemingen noch aan het lichaam van Melquíades dat nu was overgeleverd aan de vraatzucht van de inktvissen. Hij betaalde nog vijf realen en met zijn hand op het blok ijs, alsof hij een eed aflegde op de bijbel, riep hij uit:

'Dit is *de* uitvinding van onze tijd!'

Toen de zeerover Francis Drake in de zestiende eeuw een aanval deed op Riohacha, schrok Úrsula Iguarán's betovergrootmoeder zozeer van het klokgelui en het kanongebulder, dat ze het op haar zenuwen kreeg en op een brandend fornuis ging zitten. De verbrandingen maakten haar voor de rest van haar leven tot een onnutte echtgenote. Ze kon slechts voor de helft zitten, opgepropt tussen de kussens, en in haar manier van lopen moest iets vreemds zijn achtergebleven want ze verscheen nooit meer op de openbare weg. Ze zag af van alle sociale contacten, bezeten door het idee dat haar lichaam een schroeilucht verspreidde. De dageraad verraste haar telkens weer op de patio aangezien ze niet durfde te gaan slapen, want dan droomde ze dat de Engelsen met hun woeste bloedhonden door het slaapkamerraam naar binnen kwamen en haar onderwierpen aan de schandelijkste martelingen met roodgloeiende ijzers. Haar echtgenoot, een Aragonese koopman aan wie ze twee kinderen had geschonken, besteedde zijn halve zaak aan medicijnen en middelen om haar afleiding te bezorgen, altijd op zoek naar een manier om haar angsten te verlichten. Tenslotte deed hij zijn bedrijf van de hand en ging met zijn gezin ver van de zee wonen, in een vreedzaam indianendorp dat in de uitlopers van het gebergte lag, en daar bouwde hij voor zijn vrouw een slaapkamer zonder ramen zodat de piraten uit haar nachtmerries nergens langs naar binnen konden komen.

In dit afgelegen dorp leefde al sinds lange tijd een Creoolse tabaksplanter, don José Arcadio Buendía, met wie Úrsula's betovergrootvader een dermate vruchtbare maatschap aanging dat ze binnen enkele jaren een fortuin vergaarden. Een paar eeuwen later trouwde de achterachterkleinzoon van de Creool met de achterachterkleindochter van de Aragonees. Vandaar dat Úrsula, telkens wanneer ze buiten zichzelf raakte over de dwaasheden van haar echtgenoot, de wisselvalligheden van driehonderd jaar oversloeg en het uur vervloekte waarop Francis Drake een aanval deed op Riohacha. Het was slechts een aanleiding om haar hart te luchten, want in werkelijkheid waren ze totterdood verbonden door een band die sterker was dan de liefde zelf: een gemeenschappelijk bezwaard geweten. Ze waren neef en nicht. Ze waren samen opgegroeid in de oude nederzetting die hun beider voorvaderen door hard werken en een goede leefwijze hadden veranderd in een van de welvarendste dorpen van de provincie. Hun huwelijk was al te voorzien geweest vanaf het moment dat ze ter wereld kwamen, maar toen ze de wens uitdrukten om te trouwen, trachtten hun eigen verwanten dat te verhinderen. Deze op zichzelf gezonde eindprodukten van twee eeuwenlang gekruiste rassen zouden, zo vreesde men, tot hun schande slechts hagedissen kunnen voortbrengen. Er bestond reeds een huiveringwekkend precedent. Een tante van Úrsula, getrouwd met een oom van José Arcadio Buendía, had een zoon verwekt die zijn leven lang rondliep in wijde ballonbroeken en die tenslotte doodbloedde nadat hij tweeënveertig jaar had geleefd in de meest ongerepte staat van maagdelijkheid, omdat hij geboren en getogen was met een kraakbeenachtige staart in de vorm van een kurketrekker en met een harig kwastje aan de punt. Een varkensstaart die hij nooit aan een vrouw liet zien en die hem het leven kostte toen een bevriende slager zo goed was hem met een hakbijl af te kappen. In de onstuimigheid van zijn negentien jaren loste José Arcadio Buendía het probleem op met een enkel zinnetje: 'Het kan me niet schelen om varkentjes te krijgen, als ze maar kunnen praten.' Zodat ze onder muziek en vuurwerk in het huwelijk traden, een feest dat drie dagen duurde. Vanaf dat moment zouden ze gelukkig zijn geweest als Úrsula's moeder haar niet de stuipen op het lijf had gejaagd met allerlei sinistere voorspellingen over haar nakomelingschap, totdat ze zowaar wist te bereiken dat haar dochter de voltrekking van het huwelijk weigerde. Uit vrees dat haar stevig gebouwde en eigengereide echtgenoot haar in de slaap zou overweldigen, hulde Úrsula zich voor het naar bed gaan in een primitieve, door haar moeder vervaardigde broek, gemaakt van zeildoek en versterkt met een systeem van onderling kruisende riemen die aan de voorkant werden afgesloten met een forse ijzeren gesp. Zo leefden ze een paar maanden met elkaar. Overdag hoedde hij zijn vechthanen en zat zij te borduren bij haar moeder. 's Nachts worstelden ze urenlang met een van

26

begeerte vervulde verbetenheid die op zichzelf al een goede vervanging van de liefdesdaad leek, totdat het dorpsvolk er met zijn fijne neus de lucht van kreeg dat er iets onregelmatigs aan de hand was en het gerucht de ronde deed dat Úrsula een jaar na haar huwelijk nog maagd was omdat haar echtgenoot impotent was. José Arcadio Buendía was de laatste die het praatje hoorde.

'Nu zie je, Úrsula, wat de mensen zeggen,' zei hij met grote kalmte tot zijn vrouw.

'Laat ze praten,' antwoordde ze. 'Wij weten dat het niet waar is.'

Zodat de situatie nog zes maanden ongewijzigd bleef, tot aan die tragische zondag waarop José Arcadio Buendía een hanengevecht won van Prudencio Aguilar. Wit van woede, buiten zichzelf gebracht door het bloed van zijn lievelingsdier, liep de verliezer een paar stappen van José Arcadio Buendía vandaan zodat de hele hanenkampzaal kon horen wat hij ging zeggen.

'Gefeliciteerd!' riep hij. 'Misschien dat die haan jouw vrouw eens een pleziertje kan doen!'

Doodkalm nam José Arcadio Buendía zijn haan op. 'Ik ben zo terug,' zei hij tot alle aanwezigen. En daarna, tegen Prudencio Aguilar:

'En jij, ga naar huis en wapen je. Want ik ga je doden.'

Tien minuten later keerde hij terug met de speer van zijn grootvader. In de deur van de hanenkampzaal, waar het halve dorp zich verzameld had, wachtte Prudencio Aguilar hem op. Hij kreeg geen tijd zich te verdedigen. De speer van José Arcadio Buendía, geworpen met stierenkracht en met dezelfde trefzekerheid waarmee de eerste José Arcadio Buendía de tijgers uit die streek had uitgeroeid, boorde zich in zijn keel. Die avond, terwijl men waakte bij het lijk in de hanenkampzaal, betrad José Arcadio Buendía de slaapkamer op het moment dat zijn vrouw de kuisheidsbroek aantrok. Hij zwaaide de speer op en neer onder haar neus en beval: 'Doe dat ding uit.' Úrsula twijfelde geen moment aan de vastbeslotenheid van haar echtgenoot. 'Jij bent verantwoordelijk voor wat er van komt,' mompelde ze. José Arcadio Buendía dreef zijn speer met de punt in de aarden vloer.

'Als je salamandertjes moet baren, dan *maken* we salamandertjes,' zei hij. 'Maar er zullen in dit dorp geen doden meer vallen door jouw schuld.'

Het was een fraaie juninacht, koel en maanbeschenen, en ze bleven wakker tot het ochtendgloren en dartelden rond in het bed, zich niet storend aan de wind die door het slaapvertrek woei en beladen was met het geweeklaag van de familie van Prudencio Aguilar.

De kwestie werd afgedaan als een duel om een erezaak, maar ze hielden er allebei een kwaad geweten aan over. Op een nacht, toen Úrsula niet kon slapen en water ging drinken op de patio, zag ze Prudencio Aguilar staan naast de aarden waterkruik. Hij was vaalbleek en zijn gezicht stond onbeschrijfelijk treurig en hij probeerde het gat in zijn keel dicht te stoppen met een prop espartogras. Hij joeg haar geen angst aan, maar wekte slechts medelijden op. Ze ging terug naar de slaapkamer om haar echtgenoot te vertellen wat ze gezien had, maar hij maakte zich er niet druk om. 'Doden lopen niet rond,' zei hij. 'We hebben last van ons geweten, dat is alles.' Twee nachten later zag Úrsula Prudencio Aguilar alweer, ditmaal in de badkamer, waar hij met de prop espartogras het gestolde bloed van zijn hals waste. Op weer een andere nacht zag ze hem rondlopen in de regen. José Arcadio Buendía, die genoeg kreeg van de waanvoorstellingen van zijn vrouw, rende gewapend met zijn speer naar de patio. Daar stond de dode met zijn trieste gezicht.

'Donder op!' riep José Arcadio Buendía tegen hem. 'Hoe vaak je ook terugkomt, ik zal je telkens weer doden!'

Prudencio Aguilar ging niet weg en José Arcadio Buendía durfde de speer niet naar hem toe te gooien. Vanaf dat moment kon hij niet goed meer slapen. Hij werd gekweld door de immense troosteloosheid waarmee de dode hem vanuit de regen had aangekeken, door het diepgevoelde heimwee waarmee hij naar de levenden terugverlangde, door de gedrevenheid waarmee hij het huis doorzocht naar water om zijn bosje espartogras te bevochtigen. 'Hij moet wel veel te lijden hebben,' zei hij tegen Úrsula. 'Je kunt zien dat hij erg alleen is.' Ze
28

was zo ontroerd dat ze bij de eerstvolgende gelegenheid, toen ze de dode zag gluren onder de deksels van de pannen op het fornuis, onmiddellijk begreep wat hij zocht. Sindsdien zette ze kommen water voor hem klaar in het hele huis. Maar toen José Arcadio Buendía op een nacht de dode in zijn eigen slaapkamer aantrof, bezig zijn wonden te reinigen, kon hij het niet langer verdragen.

'Goed dan, Prudencio,' zei hij. 'We gaan weg uit dit dorp, zo ver als we kunnen, en we komen nooit meer terug. Ga nu maar rustig heen.'

Zo kwam het dat ze de doortocht door het gebergte ondernamen. Verschillende vrienden van José Arcadio Buendía, jonge kerels als hij en aangetrokken door het avontuur, haalden hun huis leeg en trokken met vrouw en kinderen naar het land dat niemand hen had beloofd. Voor zijn vertrek begroef José Arcadio Buendía zijn speer op de patio en sneed hij zijn prachtige vechthanen een voor een de keel af, in de hoop dat hij daarmee enige rust kon bezorgen aan Prudencio Aguilar. Het enige wat Úrsula meenam was een koffer met haar uitzet, een paar huishoudartikelen en het kistje met de goudstukken die ze van haar vader had geërfd. Ze volgden geen vooraf uitgestippelde route. Ze probeerden slechts in een richting te gaan die tegenovergesteld was aan de weg naar Riohacha, met de bedoeling geen enkel spoor na te laten en geen bekenden tegen te komen. Het werd een ongerijmde tocht. Na veertien maanden, toen haar maag al vergeven was van het apenvlees en de slangensoep, bracht Úrsula een zoon ter wereld die in alle onderdelen menselijk was. Ze had de weg voor de helft afgelegd in een hangmat, opgehangen aan een paal die door twee mannen op de schouders werd gedragen, want haar toegenomen omvang had haar benen ernstig misvormd en haar spataderen waren opgezwollen als blaasjes. De kinderen verdroegen de tocht beter dan hun ouders en wisten zich voor het grootste deel van de reis best te vermaken, al zagen ze er zielig uit met hun ingevallen buikjes en hun kwijnende ogen. Op een ochtend, na een doortocht van bijna twee jaar, waren ze de eerste stervelingen die de westelijke helling van het gebergte aanschouwden. Vanaf de in wolken gehulde top keken ze neer op de onmetelijke watervlakte van het grote moeras dat zich uitstrekte tot aan de andere kant van de wereld. Maar de zee bereikten ze nimmer. Na maandenlange omzwervingen tussen de modderpoelen, ver verwijderd van de laatste inlanders die ze onderweg waren tegengekomen, sloegen ze op een avond hun kamp op aan de oever van een rivier vol stenen, waarvan het water leek op een wilde stroom van bevroren glas. Jaren later, tijdens de tweede burgeroorlog, probeerde kolonel Aureliano Buendía dezelfde route af te leggen om Riohacha bij verrassing in te nemen, maar na zes reisdagen begreep hij dat dit een waanzinnige onderneming was. Hoe dan ook, op de avond dat ze naast de rivier hun kamp opsloegen, boden de volgelingen van zijn vader een aanblik als van schipbreukelingen voor wie geen redding meer bestond – en toch was hun aantal tijdens de tocht nog toegenomen en waren ze allen nog in staat om van ouderdom te sterven, iets wat hun ook gelukte. Die nacht droomde José Arcadio Buendía dat zich op diezelfde plek een rumoerige stad verhief met huizen waarvan de muren uit spiegels bestonden. Hij vroeg welke stad dit was en ze noemden een naam waarvan hij nog nooit gehoord had, die geen enkele betekenis bezat maar die in zijn droom een bovennatuurlijke weerklank had: Macondo. De volgende dag overtuigde hij zijn mensen ervan dat ze de zee nooit zouden vinden. Hij gaf hen opdracht de bomen te rooien om aan de rivier, op de koelste plek van de oever, een open vlakte te verkrijgen en daar stichtten ze het dorp.

José Arcadio Buendía wist de droom over de huizen met spiegelwanden pas te verklaren op de dag dat hij kennismaakte met het ijs. Toen pas meende hij de diepere betekenis ervan te doorgronden. Hij dacht dat ze in de nabije toekomst op grote schaal ijsblokken konden fabriceren, gebruik makend van een alledaags materiaal als het rivierwater, en dat ze daarmee de nieuwe huizen van het dorp zouden kunnen bouwen. Dan zou Macondo niet langer een gloeiendhete plaats zijn waar hengsels en deurklinken kromtrokken van de warmte, maar veranderen in een winters aandoende stad. Dat hij niet volhardde in zijn pogingen een ijsfabriek te bouwen, kwam, omdat hij zich toen juist met enthousiasme had geworpen op de opvoeding van zijn zonen, vooral van Aureliano, die vanaf het eerste begin een zeldzame aanleg voor de alchemie had laten blijken. Het laboratorium was onder het stof vandaan gehaald. Ze namen de aantekeningen van Melquíades nog eens door, ditmaal in alle rust en zonder de meeslepende verlokking van elke nieuwigheid, en probeerden met langdurige en geduldige proefnemingen het goud van Úrsula af te scheiden uit de harde koek die aan de bodem van de pan zat gekleefd. De jonge José Arcadio nam aan dit proces nauwelijks deel. Terwijl de vader zich met hart en ziel overgaf aan het distilleertoestel, veranderde de eigenzinnige oudste zoon, die altijd al te groot voor zijn leeftijd was geweest, in een kolossaal jongmens. Zijn stem brak. Zijn kin raakte bedekt met de eerste baardgroei. Op een avond kwam Úrsula zijn kamer binnen op het moment dat hij zich uitkleedde om naar bed te gaan en zij onderging een verward gevoel van schaamte en geroerdheid: hij was, na haar echtgenoot, de eerste man die ze naakt zag en hij was voor het leven zo goed uitgerust, dat het haar abnormaal voorkwam. Úrsula, voor de derde keer in verwachting, doorleefde opnieuw de angsten die ze als jonggehuwde had gekend.

In die tijd kwam er bij haar een vrolijke, loslippige, uitdagende vrouw over de vloer die haar hielp bij de huishoudelijke arbeid en die uit speelkaarten de toekomst kon voorspellen. Úrsula sprak met haar over haar zoon. Ze meende dat zijn afwijkende proporties evenzeer een mismaaktheid vormden als de varkensstaart van haar neef. De vrouw barstte los in een uitbundige lach die als een regen van glas door het huis rinkelde. 'Integendeel,' zei ze. 'Hij zal gelukkig zijn.' Om haar voorspelling te toetsen bracht ze een paar dagen later de speelkaarten mee en sloot zich met José Arcadio op in een graanschuurtje dat aan de keuken grensde. Met grote kalmte legde ze hem de kaart op een oude timmerbank en praatte over koetjes en kalfjes, terwijl de jongen eerder verveeld dan geïnteresseerd naast haar stond. Ineens stak ze haar hand uit en betastte hem. 'Wat een bakbeest,' zei ze, oprecht verbaasd, en dat was tegelijkertijd alles wat ze uit kon brengen. José Arcadio voelde hoe zijn botten zich met schuim vulden, hoe er een lome angst in hem opkroop en een verschrikkelijk verlangen om te huilen.

De vrouw liet verder niets doorschemeren. Maar José Arcadio bleef de hele nacht aan haar denken vanwege de geur van rook die ze in haar oksels had en die maar niet uit zijn hoofd wilde. Hij wilde voortdurend bij haar zijn, hij wenste dat ze zijn moeder was, dat ze nooit uit het graanschuurtje waren gegaan en dat ze opnieuw zou zeggen wat een bakbeest en dat ze hem nog eens zou betasten en nog eens zou zeggen wat een bakbeest. Op een dag kon hij het niet meer uithouden en ging hij haar thuis opzoeken. Het werd een vormelijk, onbegrijpelijk bezoek waarbij hij in de kamer zat zonder een woord te uiten. Op dat moment verlangde hij niet naar haar. Hij vond haar anders, geheel verschillend van het beeld dat hem door haar geur werd ingeblazen, alsof ze iemand anders was. Hij dronk koffie en verliet terneergeslagen het huis. Die nacht, toen hij ongedurig wakker lag, verlangde hij haar opnieuw met een brute onstuimigheid, maar nu verlangde hij haar niet zoals ze in de graanschuur was geweest maar zoals ze die middag was.

Dagen later riep de vrouw hem op een ongebruikelijke manier haar huis binnen, waar ze alleen was met haar moeder. Onder het voorwendsel dat ze hem een kaarttrucje wilde leren, nam ze hem mee naar de slaapkamer. Nu betastte ze hem zo vrijmoedig, dat hij na de eerste schok slechts teleurstelling voelde en er meer angst dan genoegen aan beleefde. Ze vroeg hem, die nacht naar haar toe te komen. Hij beloofde het, maar slechts om zich uit deze situatie te redden, want hij wist dat hij nooit in staat zou zijn om te gaan. Maar toen hij die nacht in zijn gloeiende bed lag begreep hij, dat hij naar haar toe moest – ook al was hij er niet toe in staat. Op de tast kleedde hij zich aan, terwijl hij luisterde naar de rustige ademhaling van zijn broer, de droge hoest van zijn vader in het kamertje ernaast, de aamborstigheid van de kippen op de patio, het gezoem van de muggen, het bonzen van zijn hart en het geweldige lawaai van de hele wereld dat hij tot nu toe nog nooit had opgemerkt en toen glipte hij de in slaap verzonken straat op. Hij hoopte met heel zijn hart dat haar deur met de sluitbalk zou zijn afgesloten en niet alleen maar dichtgedaan zou zijn, zoals ze beloofd had, maar de deur was open. Hij drukte ertegen met zijn vingertoppen en de hengsels veroorzaakten een luguber en langgerekt geknars dat een ijskoude galm verwekte in zijn ingewanden. Vanaf het moment dat hij binnenkwam, opzij glijdend en zijn best doend geen lawaai te maken, rook hij de geur. Hij bevond zich nog in het voorkamertje waar de drie broers van de vrouw hun hangmatten ophingen op plaatsen die hij niet kende en die hij in het donker niet kon bepalen, zodat hij op de tast moest oversteken, de deur van haar slaapkamer moest openen en zich daar zo diende te oriënteren dat hij zich niet in het bed zou vergissen. Het lukte hem. Hij botste tegen de touwen van de hangmatten, die veel lager hingen dan hij gedacht had, en een man die tot dan toe had liggen snurken draaide zich om in zijn slaap en zei met iets van teleurstelling: 'Het was woensdag.' Toen hij de deur van de slaapkamer openduwde, kon hij niet verhinderen dat deze over de ongelijke vloer schraapte. In de onpeilbare duisternis drong het ineens en met een onweerstaanbare verslagenheid tot hem door, dat hij nu volkomen de weg kwijt was geraakt. In dit smalle kamertje sliepen de moeder, een andere dochter met haar man en twee kinderen en de vrouw, die hem misschien niet eens verwachtte. Hij had zich kunnen laten leiden door haar geur, als de geur niet in het hele huis had gehangen – even vluchtig en tegelijkertijd even onontkoombaar als de herinnering eraan die hij nooit uit zijn hoofd had kunnen zetten. Hij bleef een poosje roerloos staan en vroeg zich verbijsterd af hoe hij ooit in deze afgrondelijke hulpeloosheid terecht had kunnen komen, toen zijn gezicht getroffen werd door een hand die met wijd uitgespreide vingers rondtastte in het duister. Het verbaasde hem niet, want zonder het te weten had hij hierop staan wachten. Daarna vertrouwde hij zich geheel toe aan die hand en in een toestand van grenzeloze uitputting liet hij zich meevoeren naar een plaats zonder vormen waar ze hem zijn kleren uittrokken en met hem rondsolden als met een zak aardappelen en hem achterover en op zijn rechterzij smeten en dit alles in een onpeilbare duisternis waarin hij met zijn armen geen raad wist, waarin het niet meer naar een vrouw rook maar naar ammoniak en waarin hij zich haar gezicht probeerde te herinneren en geconfronteerd werd met het gezicht van Úrsula, terwijl hij op een verwarde manier besefte dat hij iets aan het

33

doen was wat hij al heel lang had willen kunnen doen, maar waarvan hij nooit gedacht had dat het ook werkelijk gedaan kon worden en waarvan hij niet wist hoe hij het deed, omdat hij niet wist waar zijn voeten waren en waar zijn hoofd was, noch de voeten of het hoofd van wie dit ook was, wetend dat hij niet langer op kon tegen het ijzige gerommel in zijn lendenen en de lucht van zijn ingewanden en de angst en het onbekookte verlangen om te vluchten en tegelijkertijd voor altijd te blijven in deze grimmige stilte en deze schrikwekkende eenzaamheid.

Ze heette Pilar Ternera. Ze had deelgenomen aan de uittocht die bekroond was met de stichting van Macondo en ze was door haar familie meegevoerd om haar te scheiden van de man die haar op veertienjarige leeftijd had overweldigd en haar tot haar tweeëntwintigste was blijven beminnen, maar die er nooit toe besloten had de situatie openbaar te maken omdat hij aan een ander toebehoorde. Hij had beloofd haar te volgen tot aan het eind van de wereld, maar pas later, als hij zijn zaken had geregeld, en zij had er genoeg van gekregen om altijd maar op hem te wachten en hem steeds te moeten herkennen in de grote en kleine, blonde en donkere mannen die haar door de speelkaarten in het vooruitzicht werden gesteld op de wegen der aarde en de wegen der zee, binnen drie dagen, drie maanden of drie jaren. Tijdens het wachten had ze de kracht van haar dijen, de stevigte van haar borsten en het vanzelfsprekende van haar tederheid verloren, maar de dwaasheid van haar hart ongerept bewaard. José Arcadio, op hol gebracht door dit wonderlijke speelgoed, wist elke nacht weer haar spoor te vinden in het labyrint van kamers. Op een nacht vond hij haar deur afgesloten en hij klopte een aantal malen — want toen hij eenmaal de moed had gehad om de eerste keer te kloppen, moest hij ook blijven kloppen tot de laatste keer, wist hij — en na eindeloos wachten deed ze de deur voor hem open. Overdag viel hij om van de slaap en genoot in het geheim van zijn herinneringen aan de afgelopen nacht. Maar wanneer zij het huis binnenkwam, vrolijk, onverschillig, los in de mond, hoefde hij geen moeite te doen om zijn gespannenheid te verbergen, want deze vrouw wier lachuitbarstingen de duiven deden opvliegen, had niets te maken met de onzichtbare macht die hem naar binnen leerde ademen en hem zijn hartslag leerde beheersen en hem had doen begrijpen waarom de mensen bang zijn voor de dood. Hij was zozeer in zichzelf verzonken dat hij zelfs niets begreep van aller opgetogenheid, toen zijn vader en zijn broer het huis in rep en roer brachten met het bericht dat ze erin geslaagd waren de metalige koek te verpulveren en het goud van Úrsula eruit af te scheiden.

Na dagen van ingewikkelde en volhardende arbeid was het hun inderdaad gelukt. Úrsula was dolgelukkig en dankte de Heer zelfs voor de ontdekking van de alchemie, terwijl de mensen van het dorp zich verdrongen in het laboratorium en getrakteerd werden op gesuikerde peertjes en biskwietjes om het wonder te vieren en José Arcadio Buendía hun de smeltkroes met het herwonnen goud liet zien alsof hij het zojuist zelf had uitgevonden. Tijdens al dat pronken kwam hij tenslotte tegenover zijn oudste zoon te staan, die zich de laatste tijd nauwelijks in het laboratorium had laten zien. Hij duwde hem het droge en gelige goedje onder de neus en vroeg: 'Wat is dit, denk je?'

José Arcadio antwoordde in alle eerlijkheid: 'Hondestront.'

Zijn vader gaf hem met de rug van zijn hand een hevige slag op de mond, zodat bloed en tranen naar buiten sprongen. Die nacht legde Pilar Ternera wondkruidcompressen op zijn gezwollen gezicht, nadat ze het flesje en de watten in het donker had opgezocht, en om hem te kunnen beminnen zonder hem te hinderen deed ze alles wat hij wenste zonder dat hij zich behoefde in te spannen. Ze bereikten een dergelijke graad van intimiteit, dat ze even later halfluid lagen te praten zonder het zelf te beseffen.

'Ik wil met jou alleen zijn,' zei hij. 'Een dezer dagen vertel ik alles aan iedereen en dan is dit stiekeme gedoe afgelopen.'

Ze deed geen moeite hem te kalmeren.

'Dat zou fijn zijn,' zei ze. 'Als we alleen zijn, laten we het licht aan om elkaar goed te zien en dan kan ik alles roepen wat ik wil, zonder dat iemand zich ermee bemoeit, en jij kunt me alle zwijnerijen in mijn oor fluisteren die bij je opkomen.'

Dit gesprek, de knagende wrok die hij jegens zijn vader

voelde en de opdoemende kans op een ongebonden liefde, vervulden hem met een kalme stoutmoedigheid. In een opwelling en zonder enige voorbereiding vertelde hij alles aan zijn broer.

In het begin zag de kleine Aureliano alleen maar de risico's, de kans op onvoorstelbaar grote gevaren die de avontuurtjes van zijn broer meebrachten; het boeiende van het feit zelf kon hij niet bevatten. Maar langzaam maar zeker werd ook hij door verlangens bekropen. Hij liet zich de kleinste voorvallen vertellen, leefde mee met het lijden en het genot van zijn broer en voelde zich tegelijkertijd overdonderd en gelukkig. Hij bleef klaarwakker op hem liggen wachten tot het aanbreken van de dag, in het eenzame bed dat een tapijt van gloeiende kolen scheen te bevatten, en daarna bleven ze zonder te slapen doorpraten tot het tijd was om op te staan, zodat ze al gauw allebei aan dezelfde slaapdronkenheid leden en dezelfde minachting koesterden voor de alchemie en de wijsheid van hun vader en beiden hun toevlucht zochten in de eenzaamheid. 'Die jongens lopen erbij als onnozele halzen,' zei Úrsula. 'Ze zullen wel wormen hebben.' Ze maakte een afstotend drankje van fijngemalen *paico* voor hen klaar, dat de beide jongens met onverwachte gelijkmoedigheid opdronken, waarna ze zich tegelijkertijd op de po zetten, wel elf maal op een enkele dag, en een paar rozige parasieten naar buiten persten die ze met groot plezier aan iedereen lieten zien, omdat ze Úrsula daarmee op een dwaalspoor konden brengen waar het de oorzaak van hun versuftheid en hun loomheid betrof. In die tijd kon Aureliano de belevenissen van zijn broer niet alleen aanhoren, maar ook meebeleven als een eigen ervaring, want toen José Arcadio op een dag met veel omhaal het mechanisme van de liefde uitlegde, onderbrak hij hem met de vraag: 'Wat voel je dan?' Het antwoord van José Arcadio kwam onmiddellijk:

'Het is als een aardbeving.'

Op een donderdag in januari, om twee uur in de morgen, werd Amaranta geboren. Úrsula onderwierp haar aan een minutieus onderzoek voordat ook maar iemand het vertrek binnen mocht. Ze was licht en watervlug als een hagedisje, maar menselijk in al haar onderdelen. Het nieuws drong pas tot Aureliano door toen hij hoorde hoe het huis vol mensen stroomde. Gedekt door de verwarring glipte hij naar buiten om zijn broer te zoeken, die vanaf elf uur niet in bed was geweest; dit besluit kwam zo plotseling, dat hij niet eens tijd had om zich af te vragen wat hij moest doen om hem uit de slaapkamer van Pilar Ternera te krijgen. Een paar uur lang bleef hij rond het huis zwerven en geheime seintjes fluiten, totdat hij gedwongen was terug te gaan omdat het al dag werd. In het slaapvertrek van zijn moeder trof hij José Arcadio aan die zat te spelen met het pasgeboren zusje en een gezicht zette dat droop van onschuld.

Úrsula had haar veertig dagen rust nauwelijks achter de rug of de zigeuners keerden terug. Het waren dezelfde goochelaars en potsenmakers die het ijs hadden meegebracht. Anders dan de stam van Melquíades hadden ze binnen korte tijd laten blijken dat zij niet de herauten van de vooruitgang waren, maar slechts handelaren in vormen van vermaak. Zoals ze ook het ijs meebrachten en dat niet aanprezen om zijn nut in het leven van de mens, maar louter als een kermisattractie. Ditmaal brachten ze naast vele andere kunstige toestellen een vliegend tapijt mee, maar ook dat prezen ze niet aan als een fundamentele bijdrage aan de ontwikkeling van het vervoer doch slechts als een vermaaksartikel. Vandaar dat de mensen hun laatste goudstukjes opgroeven om te kunnen genieten van een korte vlucht over de huizen van het dorp. José Arcadio en Pilar, gedekt door de algemene wanorde en niet beducht voor straf, beleefden uren van opluchtende vrijheid. Ze slenterden als twee gelieven door de menigte en begonnen zelfs te vermoeden dat de liefde een rustiger en diepgaander gevoel kon zijn dan het teugelloze maar kortstondige geluk van hun heimelijke nachten. Pilar echter verbrak de betovering. Aangevuurd door het enthousiasme waarmee José Arcadio van haar gezelschap genoot, vergiste ze zich in de benadering en de gelegenheid en zette met één klap de hele wereld op zijn kop. 'Nu ben je pas echt een man,' zei ze. En omdat hij niet begreep wat ze bedoelde, maakte ze het hem letter voor letter duidelijk:

'Je krijgt een kind.'

José Arcadio durfde dagenlang niet uit zijn huis te komen. Hij hoefde in de keuken slechts het daverende gelach van Pilar te horen of hij zocht zich al haastig een toevlucht in het laboratorium, waar de alchemistenapparatuur met de zegen van Úrsula weer tot leven was gewekt. José Arcadio Buendía ontving de verloren zoon met vreugde en begon hem in te wijden in de speurtocht naar de steen der wijzen waaraan hij eindelijk was begonnen. Op een middag vergaapten de beide jongens zich weer aan het vliegende tapijt, dat ter hoogte van het raam van het laboratorium voorbijzweefde, beladen met de zigeunerbestuurder en verschillende kinderen van het dorp die vrolijk wuifden. Maar José Arcadio Buendía keek er niet eens naar. 'Laat ze maar dromen,' zei hij. 'Wij zullen beter vliegen dan zij en met wetenschappelijker hulpmiddelen dan die miserabele beddesprei.' Ondanks zijn voorgewende belangstelling begreep José Arcadio niets van de krachten van het *filosofische ei*, dat hem eenvoudig een slecht gemaakte fles leek. Het lukte hem niet, de zorgen van zich af te zetten. Hij verloor zijn eetlust, sliep niet meer, leed aan slechtgehumeurdheid, net als zijn vader bij het mislukken van zijn ondernemingen; zijn verwarring werd zo groot dat José Arcadio Buendía hem zelf van zijn plichten in het laboratorium ontsloeg, in de mening dat hij zich de alchemie tezeer ter harte nam. Aureliano begreep natuurlijk wel dat de somberheid van zijn broer niet veroorzaakt werd door het zoeken naar de steen der wijzen, maar hij wist geen enkele bekentenis uit hem los te krijgen. José Arcadio had zijn vroegere spontaneïteit verloren. Zo toeschietelijk en openhartig als hij was geweest, zo gesloten en afwerend werd hij nu. Verscheurd door eenzaamheid, gekweld door een hevige wrok jegens de wereld, verliet hij op een nacht als gewoonlijk zijn bed – niet om naar het huis van Pilar Ternera te gaan, maar om onder te duiken in het rumoer van de kermis. Nadat hij een poosje had rondgeslenterd tussen allerlei kunstige machines, zonder voor een ervan belangstelling te tonen, werd zijn aandacht getrokken door iets wat niet in werking was: een zeer jonge zigeunerin, haast nog een kind, behangen met kralensnoeren – de mooiste vrouw die José Arcadio van zijn leven had gezien. Ze stond tussen de mensenmassa die het trieste spektakel bijwoonde van de man die in een slang veranderde omdat hij ongehoorzaam was geweest aan zijn ouders.

José Arcadio schonk er geen aandacht aan. Terwijl de droevige berechting van de slangen-man voortgang vond, wrong hij zich door de menigte naar de eerste rij, waar het meisje zich bevond, en ging vlak achter haar staan. Hij drukte zich tegen haar rug. Het meisje probeerde wat opzij te gaan, maar José Arcadio drukte zich nog vaster tegen haar rug aan. Toen voelde ze het. Ze bleef roerloos tegen hem aan staan, trillend van verbazing en schrik, zonder in het onomstotelijke feit te kunnen geloven, maar tenslotte draaide ze haar hoofd om en keek hem aan met een beverig glimlachje. Op dat ogenblik plaatsten twee zigeuners de slangen-man in zijn kooi en droegen die de tent binnen. De zigeuner die de leiding over het schouwspel had, kondigde aan:

'En nu, dames en heren, zullen wij u de vreselijke beproevingen tonen van de vrouw die gedurende honderdvijftig jaar elke avond op dit uur onthoofd zal moeten worden omdat ze gekeken heeft naar wat ze niet mocht zien.'

José Arcadio en het meisje woonden de onthoofding niet bij. Ze gingen naar haar tent, waar ze zich uitkleedden terwijl ze elkaar met vertwijfelde gretigheid kusten. Het zigeunerinnetje ontdeed zich van enige lagen keurslijfjes, van haar talloze rokken van gesteven kant, van haar nutteloze korset vol ijzerwerk en van haar lading kralenkettingen en daarna bleef er vrijwel niets van haar over. Ze was een krachteloos kikkertje met beginnende borstjes en zulke dunne benen, dat ze de omvang van José Arcadio's armen niet eens haalden; maar ze bezat een doortastendheid en een hitte die haar tengerheid ruimschoots vergoedden. Toch kon José Arcadio haar niet beantwoorden, want ze bevonden zich in een soort gemeenschappelijke tent waar de zigeuners met hun kermisspullen rondliepen of hun zaken regelden of zich zelfs vlak naast het bed neerzetten om een partijtje te dobbelen. De lamp die aan de centrale tentpaal hing, verlichtte de hele omgeving. Tijdens een pauze in de liefkozingen rekte José Arcadio zich naakt uit op het bed, niet wetend wat te doen, terwijl het meisje hem probeerde aan te vuren. Even later kwam er een zigeunerin binnen die prachtig in het vlees zat; ze werd vergezeld door een man die niet bij de kermistroep behoorde en die evenmin uit het dorp afkomstig was en beiden begonnen zich te ontkleden naast het bed. De vrouw keek onwillekeurig in de richting van José Arcadio en staarde met een soort pathetische vervoering naar zijn prachtige dier in ruste.

'Jongen!' riep ze uit. 'Moge God hem zo voor je bewaren!'

José Arcadio's metgezellin vroeg of ze hen met rust wilden laten en het paar legde zich op de grond, vlak bij het bed. De hartstocht van de beide anderen deed ook de koorts in José Arcadio ontwaken. Bij het eerste contact leken de beenderen van het meisje ontwricht te raken onder een buitensporig gekraak als van een leeggestorte doos dominostenen en haar huid loste op in een bleekkleurig zweet en haar ogen vulden zich met tranen en uit heel haar lichaam rees een lugubere jammerklacht op en een vage geur van slijk. Maar ze verdroeg deze voltreffer met bewonderenswaardige dapperheid en vastheid van karakter. Daarna voelde José Arcadio zich opgeheven tot in een staat van hemelse bezieling, waarin zijn hart zich uitstortte in een stroom van tedere obsceniteiten die bij het meisje door haar oren naar binnen gingen en door haar mond weer naar buiten kwamen, vertaald in haar eigen taal. Het was donderdag. Zaterdagnacht bond José Arcadio zich een rode lap om het hoofd en vertrok met de zigeuners.

Toen Úrsula zijn afwezigheid ontdekte, zocht ze hem in het hele dorp. In het afgebroken zigeunerkamp was slechts een massa rommel achtergebleven tussen de nog altijd rokende ashopen van de gedoofde vuren. Iemand die daar tussen het vuil op zoek was naar kralen, vertelde Úrsula, dat hij haar zoon de vorige avond gezien had bij de rumoerige zigeunertroep, duwend achter het karretje van de slangen-man. 'Hij is zigeuner geworden!' riep ze tegen haar echtgenoot, die niet het geringste teken van verontrusting had vertoond bij de verdwijning van zijn zoon.

'Was het maar waar,' antwoordde José Arcadio Buendía, terwijl hij in zijn vijzel de materie verpulverde die al duizendmaal verpulverd en opgewarmd en opnieuw verpulverd was. 'Zo leert hij tenminste een man te worden.'

Úrsula vroeg waarheen de zigeuners waren getrokken. Ze bleef het vragen langs de hele weg die men haar aanwees en omdat ze nog genoeg tijd meende te hebben om hen in te halen, bleef ze zich steeds verder van het dorp verwijderen totdat ze zich zover weg wist, dat ze er niet meer aan dacht om terug te keren. José Arcadio Buendía miste zijn vrouw past om acht uur 's avonds, toen hij de materie liet stoven in een bed van mest en eens ging kijken wat er aan de hand was met de kleine Amaranta, die schor was van het huilen. Binnen een paar uur wist hij een groepje goed uitgeruste mannen te verzamelen, gaf Amaranta in handen van een vrouw die aanbood haar te zogen en verloor zich op niet te onderscheiden paden, achter Úrsula aan. Aureliano vergezelde hen. Bij het aanbreken van de dag maakten een paar inlandse vissers, wier taal ze niet verstonden, hun met gebaren duidelijk dat ze niemand langs hadden zien komen. Na drie dagen vruchteloos zoeken keerden ze naar het dorp terug.

Een paar weken lang liet José Arcadio Buendía zich volkomen uit het veld slaan door zijn verwarring. Hij zorgde als een moeder voor de kleine Amaranta. Hij waste en verschoonde haar, bracht haar vier maal per dag weg om haar te laten zogen en zong 's avonds zelfs de slaapliedjes die Úrsula nooit had kunnen zingen. Op zeker ogenblik bood Pilar Ternera aan om het huishoudelijk werk te doen zolang Úrsula nog niet terug was. Bij haar binnenkomst ervoer Aureliano, wiens mysterieuze intuïtie bij al deze tegenspoed nog fijngevoeliger was geworden, een plotselinge opflikkering van helderziendheid. Toen wist hij dat zij op onverklaarbare wijze de schuld droeg van de vlucht van zijn broer en de daaropvolgende verdwijning van zijn moeder en hij bestookte haar zozeer met zwijgende maar onverzoenlijke vijandigheid, dat de vrouw geen stap meer in hun huis zette.

De tijd zette alle dingen weer op hun plaats. José Arcadio Buendía en zijn zoon kwamen ongemerkt weer in het laboratorium terecht, waar ze de materie verpulverden en de smeltkroes verhitten, eens temeer verdiept in het geduldige manipuleren van de materie die een paar maanden had liggen sluimeren in zijn bed van mest. Zelfs Amaranta, die in een grote tenen mand lag, keek nieuwsgierig naar de alle aandacht opeisende arbeid van haar vader en haar broer in het door kwikdampen wazig gemaakte kamertje. Op zeker ogenblik, maanden na het vertrek van Úrsula, begonnen er vreemde dingen te gebeuren. Een lege fles die al lange tijd vergeten in de kast had gestaan, werd plotseling zo zwaar dat het onmogelijk was hem te verplaatsen. Een kom water die op de werkbank was gezet bleef een half uur lang koken zonder dat hij verwarmd werd, totdat de inhoud geheel was verdampt. José Arcadio Buendía en zijn zoon observeerden deze verschijnselen met verblufte opgetogenheid; ze konden ze niet verklaren, maar beschouwden dit alles als aanwijzingen van de materie zelf. Op zekere dag begon de mand van Amaranta geheel uit eigen kracht te bewegen en maakte een rondgang door het hele vertrek – tot grote schrik van Aureliano die hem haastig tegenhield. Maar zijn vader liet zich niet van streek brengen. Hij zette de mand op zijn plaats en bond hem vast aan de tafelpoot, overtuigd dat er een lang verwachte gebeurtenis voor de deur stond. Het was bij die gelegenheid dat Aureliano hem hoorde zeggen:

'Wie God niet vreest, hij vreze de metalen.'

Plotseling, bijna vijf maanden na haar verdwijning, keerde Úrsula terug. Ze kwam opgewonden binnenstappen, als verjongd, met nieuwe kleren in een stijl die in het dorp niet bekend was. José Arcadio Buendía kon de schok nauwelijks verdragen. 'Dus dat was het!' riep hij. 'Ik wist dat het ging gebeuren.' En hij geloofde het werkelijk, want tijdens hun langdurige uren van afzondering, wanneer hij bezig was met de materie, had hij diep in zijn hart gebeden dat het te verwachten wonder *niet* zou zijn de vondst van de steen der wijzen, noch de bevrijding van de ademtocht die de metalen doet leven, noch de gave om hengsels en sloten van het hele huis in goud te veranderen, maar datgene wat nu was gebeurd: de terugkomst van Úrsula. Maar zij deelde zijn uitgelatenheid niet. Ze gaf hem een heel gewone kus, alsof ze niet langer dan een uur was weggeweest, en zei:

'Kom eens aan de deur.'

Het kostte José Arcadio Buendía heel wat tijd om te bekomen van de stomme verbazing die hem besprong toen hij op straat kwam en de mensenmassa zag. Het waren geen zigeuners. Het waren mannen en vrouwen zoals zij, met sluike haren en een donkere huid, mensen die hun eigen taal spraken en zich beklaagden over dezelfde ongemakken. Ze voerden muilezels met zich mee, beladen met etenswaren, en ossewagens met meubelen en huishoudelijke voorwerpen, doodgewone en zuiver aardse benodigdheden die zonder misbaar ten verkoop worden aangeboden door heel alledaagse en heel reële kooplieden. Ze kwamen van de andere kant van het enorme moeras waar, op slechts twee dagreizen afstand, verschillende dorpen lagen die elke maand post ontvingen en die beschikten over alle hulpmiddelen voor het menselijk welzijn. Úrsula had de zigeuners niet ingehaald, maar wel de route gevonden die haar echtgenoot niet had kunnen ontdekken op zijn mislukte speurtocht naar de grote uitvindingen.

Twee weken na zijn geboorte werd de zoon van Pilar Ternera naar het huis van zijn grootouders overgebracht. Úrsula nam hem slechts met tegenzin op; maar eens temeer had ze zich gewonnen gegeven voor de vasthoudendheid van haar echtgenoot, die de gedachte niet kon verdragen dat een spruit van zijn geslacht aan zijn lot zou worden overgelaten, ofschoon hij als voorwaarde stelde dat men het kind zijn ware identiteit niet zou onthullen. Het had de naam José Arcadio gekregen, maar tenslotte begonnen ze hem eenvoudig Arcadio te noemen om verwarring te vermijden. Omstreeks die tijd heerste er zo'n bedrijvigheid in het dorp en waren er thuis zoveel beslommeringen, dat de zorg voor de kinderen op het tweede plan raakte. Ze werden toevertrouwd aan de hoede van Visitación, een Guajiro-indiaanse die samen met een broer in het dorp was beland toen ze gevlucht waren voor een slapeloosheidsplaag die hun stam al een paar jaar teisterde. Beiden waren zo inschikkelijk en zo voorkomend, dat Úrsula zich hun lot aantrok en nu hielpen ze haar bij haar huishoudelijke bezigheden. Zo gebeurde het dat Arcadio en Amaranta de Guajiro-taal eerder spraken dan het Spaans en hagedissensoep en spinneneieren leerden eten zonder dat Úrsula dat te weten kwam, want ze

43

had het veel te druk met een veelbelovende handel in suikerbeesten. Macondo was volkomen veranderd. De mensen die
met Úrsula waren meegekomen, hadden overal ruchtbaarheid
gegeven aan de goede kwaliteit van de grond en aan de gun-
stige ligging ten opzichte van het grote moeras, zodat het kale
gehucht uit vroeger tijden al spoedig veranderde in een bedrij-
vig dorp met winkels en werkplaatsen en een permanente han-
delsroute waarlangs de eerste Arabieren, compleet met muiltjes en ijzeren ringen in hun oren, arriveerden om glazen kralensnoeren te ruilen voor papegaaien. José Arcadio Buendía
kende geen ogenblik rust, geboeid als hij was door de werkelijkheid van alledag die hem toen fantastischer voorkwam dan
het uitgebreide universum van zijn verbeelding. Hij verloor
alle belangstelling voor het alchemistenlaboratorium, legde de
– door maandenlang manipuleren sterk ingeteerde – materie
ter ruste en werd weer de ondernemende man uit de eerste dagen van Macondo, die het traject van de straten en de ligging
van de nieuwe huizen zo aangaf dat niemand zou genieten van
voorrechten waarvan ook niet de anderen genoten. Hij ver-
wierf bij de nieuwkomers zoveel gezag, dat er geen fundament
werd gelegd en geen schutting werd opgericht zonder dat men
hem raadpleegde en men besloot dat hij degene moest zijn, die
de verdeling van de grond op zich zou nemen. Toen de zigeu-
ner-kunstenmakers weer verschenen, wier reizende kermis ditmaal veranderd was in één gigantische gelegenheid voor gok-
spelen, werden ze met vreugde ontvangen omdat men meende
dat José Arcadio met hen terugkeerde. Maar José Arcadio
keerde niet terug en ze brachten evenmin de slangenmens mee,
volgens Úrsula de enige man die haar inlichtingen zou kunnen
verstrekken over haar zoon. Vandaar dat men de zigeuners
niet toestond zich in het dorp te installeren noch er in de toekomst ooit nog één voet te zetten, omdat men hen beschouwde
als de verkondigers van verdorvenheid en zondige begeerten.
José Arcadio Buendía gaf echter uitdrukkelijk te kennen dat de
oeroude stam van Melquíades, die met zijn duizendjarige wijsheid en zijn fabelachtige uitvindingen zoveel had bijgedragen
aan de opgang van het dorp, de poorten van Macondo altijd
geopend zou vinden. Maar, zo vertelden de wereldreizigers, de

stam van Melquíades was van het aanschijn der aarde wegge-vaagd omdat ze de grenzen van het menselijk kennen hadden overschreden.

José Arcadio Buendía, die minstens toch voor het moment ontstegen leek aan de kwellingen van zijn fantasie, wist het dorp in korte tijd een staat van orde en arbeidzaamheid op te leggen waarbinnen hij zichzelf één enkele vrijheid veroorloof-de: hij liet de vogels los die sinds de dagen van de stichting de tijd hadden verluchtigd met hun gefluit en in hun plaats voorzag hij elk huis van een klok met speelwerk. Het waren kostbare klokken van fraai bewerkt hout. Ze waren door de Arabieren omgeruild voor papegaaien en José Arcadio Buendía wist ze zo nauwkeurig af te stellen, dat het dorp zich elk half uur kon verheugen in de gestadig toenemende accoorden van één en hetzelfde muziekstuk, totdat precies op het middaguur het hoogtepunt bereikt werd en ze eenstemmig de gehele wals ten gehore brachten. José Arcadio Buendía was ook degene die in die jaren besliste dat er amandelbomen in plaats van acacia's geplant moesten worden in de straten van het dorp en hij ont-dekte eveneens de nooit geopenbaarde methode om ze het eeu-wig leven te bezorgen. Vele jaren later, toen Macondo een waar kamp was van houten huizen en zinken daken, stonden de afgeknapte en vermolmde amandelbomen nog steeds in de oudste straten, al wist toen niemand meer wie ze geplant had. Terwijl zijn vader orde op zaken stelde in het dorp en zijn moeder het familiebezit verstevigde met haar wonderbaarlijke produktie van suikeren haantjes en visjes die, op stokken gere-gen, tweemaal per dag het huis verlieten, bracht Aureliano eindeloze uren door in het verlaten laboratorium, waar hij zich de edelsmeedkunst eigen maakte door louter uitproberen. Hij was zo snel opgeschoten, dat hij na korte tijd moest afzien van de kleren die door zijn broer waren achtergelaten en die van zijn vader begon te gebruiken, al moest Visitación de hemden en broeken wel innemen omdat Aureliano niet de forsheid van de anderen had meegekregen. Zijn jongelingstijd had hem be-roofd van zijn aangenaam zachte stem en hem erg stil ge-maakt, een eenling voor altijd, maar in ruil daarvoor had hij de intense uitdrukking in zijn blik teruggekregen die hij bij

45

zijn geboorte al bezat. Hij ging zozeer verdiept in zilversmids-experimenten, dat hij het laboratorium nauwelijks nog verliet om te eten. José Arcadio Buendía, die zich ongerust maakte over zijn teruggetrokkenheid en meende dat hij wellicht behoefte had aan een vrouw, gaf hem de sleutels van het huis en een beetje geld. Maar Aureliano besteedde het geld aan zoutzuur om koningswater te maken en verfraaide de sleutels met een laagje goud. Zijn overdreven levenswijze deed nauwelijks onder voor die van Arcadio en Amaranta, wier gebit al aan het wisselen was en die nog altijd de gehele dag aan de rokken van de indianen hingen, volhardend in hun beslissing om geen Spaans te spreken maar uitsluitend Guajiro. 'Je hoeft je nergens over te beklagen,' zei Úrsula tot haar man. 'Kinderen erven de dwaasheden van hun ouders.' En terwijl ze voortging haar lot te bejammeren, overtuigd dat de buitensporigheden van haar kinderen minstens zo verschrikkelijk waren als een varkensstaart, bekeek Aureliano haar met een strakke blik die haar omwikkelde met een floers van onzekerheid.

'Er gaat iemand komen,' zei hij.

Úrsula probeerde hem van zijn stuk te brengen met haar huisbakken logica, zoals ze altijd deed wanneer hij een voorspelling uitte. Het was volkomen normaal dat er iemand kwam. Dagelijks trokken er tientallen vreemdelingen door Macondo zonder onrust te wekken of geheime boodschappen voor zich uit te zenden. Maar ondanks alle logica was Aureliano zeker van zijn voorgevoel.

'Ik weet niet wie het zal zijn,' zei hij. 'Maar wie het ook is, hij is al onderweg.'

En inderdaad, 's zondags kwam Rebeca. Ze telde niet meer dan elf jaren. Ze had de moeilijke reis vanuit Manaure gemaakt in het gezelschap van een paar huidenkopers die ermee belast waren haar tezamen met een brief af te leveren in het huis van José Buendía, maar die niet precies konden uitleggen wie degene was die hun deze gunst had gevraagd. Haar hele bagage bestond uit een koffertje met kleren, een houten schommelstoeltje met kleurige, handgeschilderde bloemen en een grove linnen zak die een onafgebroken klok-klok-klok-geluid veroorzaakte en waarin ze de beenderen van haar ouders

46

meebracht. De brief was gericht aan José Arcadio Buendía en was geschreven in bijzonder hartelijke bewoordingen door iemand die ondanks de scheiding in tijd en afstand nog erg veel van hem hield en die zich door elementaire medemenselijkheid gedwongen voelde deze daad van naastenliefde te verrichten en hem dit arme, verlaten weesje te sturen, dat een nichtje van Úrsula was, in de tweede graad, en aldus tevens een familielid van José Arcadio Buendía, hoewel in een meer verwijderde graad, want ze was de dochter van die onvergetelijke vriend Nicanor Ulloa en zijn waardige echtgenote Rebeca Montiel, die God in zijn heilig koninkrijk had opgenomen en wier stoffelijke resten hierbij werden ingesloten opdat ze een christelijke begrafenis zouden krijgen. Zowel de handtekening onder de brief als de vermelde namen waren uitstekend leesbaar, maar José Arcadio Buendía noch Úrsula konden zich herinneren dat ze ooit familie van die naam hadden gehad en ze kenden ook niemand die heette zoals de afzender, zeker niet in het afgelegen dorp Manaure. Van het meisje vielen ook geen nadere gegevens te verkrijgen. Vanaf het moment van haar komst ging ze op haar stoeltje zitten, waar ze op haar duim begon te zuigen en iedereen met grote schichtige ogen aankeek, zonder ook maar te laten blijken of ze verstond wat men haar vroeg. Ze droeg een jurkje van zwarte, schuin geweven wol, versleten door het vele gebruik, en een paar afgetrapte lakschoentjes. Haar haar werd achter de oren opgehouden in vlechten met zwarte linten. Ze droeg een scapulier waarvan de afbeeldingen door zweet waren uitgewist en aan haar rechterpols, bij wijze van afweermiddel tegen oogkwalen, een hoektand van een wild dier, gevat in een koperen zetting. Haar groenige huid en haar ronde buik, strakgespannen als een trommel, wezen op een slechte gezondheid en een honger die ouder waren dan zijzelf, maar toen men haar te eten gaf, bleef ze met het bord op haar knieën zitten zonder ervan te proeven. Men begon zelfs te veronderstellen dat ze doofstom was, totdat de indianen haar in hun eigen taaltje vroegen of ze wat water wilde en ze ineens haar ogen opsloeg, alsof ze hen verstaan had, en zowaar ja knikte.

Ze hielden haar bij zich omdat er niets anders op zat. Aureliano las haar met veel geduld de volledige heiligenkalender voor, maar bij geen enkele naam wist hij een reactie van haar te verkrijgen en dus besloten ze haar Rebeca te noemen, wat volgens de brief de naam van haar moeder was. Aangezien er in die tijd in Macondo geen kerkhof was, omdat er tot dan toe nog niemand was gestorven, bewaarden ze de linnen zak met knekels totdat ze een waardige plaats zouden hebben om ze te begraven en nog lange tijd lagen de beenderen overal in de weg en kwam je ze op de meest onverwachte plaatsen tegen, altijd met dat klokkende geluid als van een broedse kip. Het duurde lange tijd voordat Rebeca zich in het familieleven schikte. Ze zat maar in haar stoeltje op haar duim te zuigen, in de meest afgelegen hoeken van het huis. Niets kon haar aandacht trekken, behalve de muziek van de klokken, waarnaar ze elk half uur met grote verbaasde ogen zat te zoeken alsof ze de klanken verwachtte te zien in de lucht. Dagenlang slaagden ze er niet in, haar iets te laten eten. Niemand kon begrijpen hoe ze aan de hongerdood wist te ontkomen, totdat de indianen, die alles opmerkten omdat ze onophoudelijk op hun geruisloze voeten door het huis zwierven, ontdekten dat Rebeca alleen maar trek had in de vochtige aarde van de patio en de brokken kalk die ze met haar nagels van de muren krabde. Het was duidelijk dat haar ouders, of wie haar ook hadden grootgebracht, haar om die gewoonte al berispt hadden, want ze deed het stiekem en met een schuldig geweten en probeerde haar porties mee te nemen om ze op te eten als niemand het zag. Vanaf dat moment onderwierpen ze haar aan een nimmer aflatende bewaking. Ze legden koeienhuiden op de patio en smeerden scherpe pepersaus op de muren, in de mening dat ze op die manier haar verderfelijke gewoonte konden uitroeien, maar Rebeca toonde zoveel geslepenheid en vernuft om aan aarde te komen dat Úrsula zich gedwongen zag haar toevlucht te nemen tot drastischer middelen. Ze deed sinaasappelsap en rabarber in een kom, liet deze de hele nacht in de buitenlucht staan en liet haar het drankje de volgende dag innemen op de nuchtere maag. Niemand had haar verteld dat dit het enige juiste middel was tegen het eten van aarde, maar ze veronderstelde dat een zurige substantie in de lege maag wel

48

moest inwerken op de lever. Rebeca stribbelde zozeer tegen en bleek ondanks haar tengerheid zo sterk, dat ze haar als een stierkalf op de grond moesten drukken om haar het medicijn te laten slikken en slechts met moeite konden ze haar gespartel onderdrukken en de duistere hiërogliefen aanhoren die ze, tussen het bijten en het spuwen door, uitbraakte en die volgens de diep geschokte indianen behoorden tot de grofste obsceniteiten die maar denkbaar waren in hun taal. Toen Úrsula dat hoorde, vulde ze de behandeling aan met een stel riemslagen. Nooit kwam men te weten of het de rabarber dan wel de aframmeling was die tenslotte resultaat bracht, of wellicht die twee dingen tezamen, maar het viel niet te ontkennen dat Rebeca reeds binnen een paar weken tekenen van herstel begon te vertonen. Ze ging meedoen met de spelletjes van Arcadio en Amaranta, die haar als een oudere zus accepteerden, en ze begon met smaak te eten en zich goed te bedienen van de verschillende schotels. Al spoedig bleek dat ze het Spaans even vloeiend sprak als de taal van de indianen, dat ze opvallend bedreven was in handwerken en dat ze de wals van de klokken meezong met een bijzonder grappige tekst die ze zelf had verzonnen. Binnen korte tijd beschouwde men haar geheel als een extra lid van de familie. Tegenover Úrsula toonde ze meer aanhankelijkheid dan haar eigen kinderen ooit hadden gedaan en ze noemde Amaranta en Arcadio haar zusje en broertje en Aureliano haar oom en José Arcadio Buendía haar opaatje. Zodat ze tenslotte met evenveel recht als de anderen de naam Rebeca Buendía verdiende, de enige naam die ze ooit bezat en die ze met waardigheid droeg tot aan haar dood.

Toen Rebeca eenmaal genezen was van haar kwalijke gewoonte om aarde te eten en was overgeplaatst naar het slaapvertrek van de andere kinderen, werd de indiaanse, die bij hen sliep, op zekere nacht bij toeval wakker. In de hoek hoorde ze een vreemd, telkens onderbroken geluid. Vol schrik ging ze overeind zitten, in de mening dat er een dier het slaapvertrek was binnengedrongen, maar toen zag ze hoe Rebeca in haar schommelstoeltje zat te duimzuigen met fel oplichtende ogen als van een kat in het donker. Verlamd van schrik, diep bedroefd door het onheilvolle van haar noodlot, herkende Visita-

49

ción in die ogen de symptomen van de ziekte welks bedreiging haar en haar broer ertoe gedwongen had om voor altijd te vertrekken uit een duizendjarig koninkrijk waarin ze vorstenkinderen waren geweest. Het was de gesel van de slapeloosheid.

Cataure, de indiaan, was vóór de ochtend het huis al uit. Zijn zuster bleef, want haar fatalistische inborst deed haar beseffen dat de dodelijke kwaal haar toch zou blijven achtervolgen tot in de verste uithoeken van de aarde. Niemand toonde enig begrip voor de verontrusting van Visitación. 'Des te beter, als we niet meer slapen,' zei José Arcadio Buendía goedgehumeurd. 'Op die manier zal ons leven meer vrucht afwerpen.' Maar de indiaanse legde uit dat het angstaanjagende van de slapeloosheidsziekte niet gelegen was in het onvermogen tot slapen, want het lichaam voelde toch geen enkele vermoeidheid, maar in een hachelijker verschijnsel dat er onverbiddelijk uit voortvloeide: vergeetachtigheid. Wanneer de zieke eenmaal gewend raakte aan zijn wakende toestand, begonnen de herinneringen aan zijn kindertijd uit zijn geheugen te verdwijnen en daarna zijn naam en de naam van de dingen om hem heen en tenslotte de identiteit van de mensen en zelfs het besef van zichzelf, totdat hij wegzonk in een soort idiotie zonder verleden. José Arcadio Buendía lachte zich een ongeluk en verklaarde dat dit slechts een van de vele kwaaltjes was, die door het bijgeloof van de inboorlingen waren uitgevonden. Maar Úrsula legde Rebeca bij wijze van voorzorgsmaatregel apart van de andere kinderen, want je wist maar nooit.

Een paar weken later, toen de angst van Visitación wat verminderd scheen te zijn, bemerkte José Arcadio Buendía op een nacht dat hij in bed maar lag te draaien zonder te kunnen slapen. Úrsula, die ook wakker was geworden, vroeg hem wat er aan de hand was en hij antwoordde: 'Ik lig weer te denken aan Prudencio Aguilar.' Ze sliepen nog geen minuut, maar de volgende dag voelden ze zich zo uitgerust dat ze die slechte nacht geheel vergaten. Tijdens het middageten merkte Aureliano verbaasd op dat hij zich uitstekend voelde, ofschoon hij de hele nacht in het laboratorium was gebleven om een broche te vergulden die hij Úrsula voor haar verjaardag wilde geven. Ze begonnen pas ongerust te worden op de derde dag, toen ze om-

50

streeks bedtijd totaal geen slaap hadden en het ineens tot hen doordrong, dat ze al meer dan vijftig uren zonder slaap hadden doorgebracht.

'De kinderen zijn ook wakker,' zei de indiaanse met haar fatalistische overtuiging. 'Als die plaag eenmaal het huis is binnengedrongen, ontsnapt niemand eraan.'

En inderdaad, ze hadden de slapeloosheidsziekte opgelopen. Úrsula, die van haar moeder de geneeskrachtige waarde van de planten had geleerd, maakte een brouwseltje van akonieten dat ze aan iedereen te drinken gaf, maar het slapen lukte niet en in plaats daarvan liepen ze de hele dag klaarwakker te dromen. Het was een toestand van zinsbegoochelende helderheid, waarin ze niet alleen de beelden uit hun eigen dromen zagen maar ook de beelden die door anderen werden gedroomd. Het was alsof het huis volliep met bezoekers. Rebeca, die in een hoek van de keuken op haar schommelstoeltje zat, droomde over een man die sterk op haar leek. Hij was gekleed in een witlinnen pak en zijn hemd was aan de hals gesloten met een gouden knoop en hij bracht haar een tak rozen. Hij werd vergezeld door een vrouw met tengere handen die een roos afplukte en hem bij het meisje in het haar stak. Úrsula begreep, dat de man en de vrouw de ouders van Rebeca waren, maar al deed ze haar uiterste best om ze te herkennen, ze werd slechts gesterkt in haar zekerheid dat ze hen nog nooit had gezien. Ondertussen bleven – door een onachtzaamheid die José Arcadio Buendía zich nimmer vergaf – de in huis vervaardigde suikerbeesten volop verkocht worden in het dorp. Groot en klein sabbelde verrukt op de heerlijke groene slapeloosheidshaantjes, de voortreffelijke roze slapeloosheidsvissen en de smakelijke gele slapeloosheidspaardjes, zodat bij het aanbreken van de maandag het gehele dorp klaarwakker was. In het begin maakte niemand zich daar druk om. Integendeel, de inwoners verheugden zich in dit gebrek aan slaap, want er was toen in Macondo nog zoveel te doen dat er nauwelijks tijd genoeg voor was. Ze werkten zoveel, dat ze al gauw niets meer te doen hadden en om drie uur 's morgens met de armen over elkaar zaten en het aantal noten telden waaruit de wals van de klokken bestond. Degenen die wilden slapen, niet uit vermoeidheid maar uit heimwee naar de dromen, namen hun toevlucht tot allerlei uitputtingsmethoden. Ze gingen bij elkaar zitten en praatten zonder onderbreking, herhaalden uren en uren achtereen dezelfde grappen en bleven tot aan de rand van vertwijfeling zoeken naar nieuwe verwikkelingen voor het verhaal van het kapoentje, een spel zonder einde, waarbij de verteller vroeg of ze wilden dat hij hen het verhaal van het kapoentje vertelde en wanneer ze ja antwoordden, zei de verteller dat hij niet gevraagd had of ze ja wilden zeggen maar of ze wilden dat hij hen het verhaal van het kapoentje vertelde en als ze nee antwoordden, zei de verteller dat hij hen niet gevraagd had of ze nee wilden zeggen maar of ze wilden dat hij hen het verhaal van het kapoentje vertelde en als ze bleven zwijgen, zei de verteller dat hij hen niet gevraagd had of ze wilden zwijgen maar of ze wilden dat hij hen het verhaal van het kapoentje vertelde en niemand kon weggaan, want dan zei de verteller dat hij hen niet gevraagd had weg te gaan maar of ze wilden dat hij hen het verhaal van het kapoentje vertelde en zo maar verder, in een vicieuze cirkel die nachtenlang bleef doorgaan.

Toen José Arcadio Buendía begreep dat de plaag in het gehele dorp was doorgedrongen, riep hij de gezinshoofden bijeen om hen te vertellen wat hem bekend was over deze slapeloosheidsziekte en ze kwamen een aantal maatregelen overeen om te voorkomen dat de plaag zich zou uitbreiden tot de overige dorpen in het moerasgebied. Ze beroofden hun bokken van de belletjes die door de Arabieren waren meegebracht in ruil voor papegaaien en plaatsten deze aan de ingang van het dorp, zodat ze ter beschikking stonden aan al degenen die geen acht sloegen op de adviezen en de dringende verzoeken van de wachtposten en die ondanks alles het dorp wilden bezoeken. Elke vreemdeling die in die tijd door de straten van Macondo kwam, diende zijn belletje te laten rinkelen zodat de zieken konden weten dat hij gezond was. Tijdens zijn verblijf was het hem niet toegestaan te eten of te drinken, want er kon geen twijfel over bestaan dat de ziekte via de mond werd doorgegeven en dat alle spijzen en dranken al met slapeloosheid waren besmet. Op deze manier bleef de plaag beperkt tot het grondgebied van het dorp zelf. De quarantaine was zo doeltreffend, dat er een tijd kwam waarin de noodtoestand voor een normale zaak werd gehouden en het leven weer zo werd ingericht, dat het werk zijn normale ritme hervond en niemand zich meer zorgen maakte over een nutteloze gewoonte als slapen.

Aureliano was degene die de methode ontdekte welke hen maandenlang zou vrijwaren voor het vervagen van hun geheugen. Hij ontdekte dit bij toeval. In het niet-slapen uiterst bedreven, daar hij immers een van de eersten was geweest, had hij de kunst van het edelsmeden tot in de perfectie geleerd. Op een dag zocht hij het kleine aambeeld dat hij gebruikte om de metalen te pletten, maar hij kon zich de naam ervan niet meer herinneren. Zijn vader vertelde het hem: 'tas'. Aureliano schreef de naam op een stukje papier en plakte dat met lijm op de voet van het aambeeldje: *tas*. Zo kon hij er zeker van zijn dat hij het voortaan niet meer zou vergeten. Daarbij viel het hem niet op dat dit een eerste blijk van vergeetachtigheid was, want het voorwerp had een moeilijk te onthouden naam. Maar een paar dagen later ontdekte hij, dat hij moeite had met het herinneren van vrijwel alle voorwerpen in het laboratorium. Dus voorzag hij alle dingen van hun naam, zodat hij het opschrift slechts hoefde te lezen om het voorwerp te kunnen thuisbrengen. Toen zijn vader hem geschrokken medeedeelde dat hij zelfs de meest indrukwekkende feiten uit zijn kindertijd vergeten was, legde Aureliano hem zijn methode uit, waarna José Arcadio Buendía die in het gehele huis in praktijk bracht en datzelfde vervolgens voorschreef voor het hele dorp. Met een kwastje inkt voorzag hij alle dingen van hun naam: *tafel*, *stoel*, *klok*, *deur*, *muur*, *bed*, *braadpan*. Hij ging naar het erf en benoemde de dieren en de planten: *koe*, *geit*, *varken*, *kip*, *maniokwortel*, *malanga*, *banaan*. Toen hij de oneindige mogelijkheden van de vergetelheid iets nader bestudeerde, begon hij langzamerhand te beseffen dat er een dag kon komen waarop men de dingen wel aan hun opschrift zou herkennen, maar hun functie niet meer zou weten. Dus werd hij wat uitgebreider. Het bordje dat hij om de hals van de koe hing, was een schoolvoorbeeld van de manier waarop de inwoners van Macondo van plan waren zich tegen de vergeetachtigheid te verzetten: *Dit is de koe, men dient haar elke morgen te melken opdat ze melk geeft en de melk dient men te koken en te vermengen met koffie om koffie met melk te krijgen.* Zo leefden ze voort in een schier ongrijpbare werkelijkheid, die voor het ogenblik in woorden gevangen was maar die hen onherroepelijk zou ontglippen als ze de betekenis van het schrift zouden vergeten.

Daar waar de weg door het moeras het dorp binnenkwam, was een groot bord geplaatst met *Macondo* erop en een ander, groter bord stond in de hoofdstraat en verkondigde: *God bestaat.* Op alle huizen waren teksten geschreven waarmee men zich de dingen en de gevoelens in het geheugen kon prenten. Maar het systeem vereiste zoveel waakzaamheid en zoveel geestkracht, dat velen zich gewonnen gaven voor de betovering van een vermeende, door henzelf verzonnen werkelijkheid die minder praktisch maar daarentegen troostrijker voor hen was. Pilar Ternera droeg er wel het meest toe bij dat deze vervalsing in zwang kwam, want ze maakte zich de kunst eigen om uit haar speelkaarten het verleden te lezen zoals ze er vroeger de toekomst uit had voorspeld. Zodra de slapeloze dorpelingen hiertoe eenmaal hun toevlucht hadden genomen, begonnen ze te leven in een wereld die was opgebouwd uit de alternatieve onzekerheden van de kaarten, een wereld waarin een vader hooguit herinnerd werd als de donkere man die in het begin van april was aangekomen en waarin een moeder vaag herinnerd werd als de blonde vrouw die aan haar linkerhand een gouden ring droeg en waarin een geboortedatum werd gereduceerd tot de laatste dinsdag waarop de leeuwerik had gezongen in de laurier. Toen gebeurde het dat José Arcadio Buendía, diep bedroefd door deze troostzoekende praktijken, het besluit nam om de geheugenmachine te gaan bouwen die hij zich eens had gewenst om de wonderbaarlijke uitvindingen van de zigeuners niet te vergeten. Het apparaat was gebaseerd op de mogelijkheid om elke morgen de feitenkennis door te nemen die men zich in het leven had eigengemaakt, in zijn totaliteit en van het begin tot het einde. Hij stelde zich het ding voor als een rondwentelend woordenboek dat met een slinger bediend werd door iemand die in het middelpunt ervan had plaatsgenomen, zodat alle wetenswaardigheden, die voor het leven onontbeerlijk waren, in een paar uur tijd aan zijn ogen zouden voorbijtrekken. Hij was er al in geslaagd om ongeveer veertienduizend kaartjes te schrijven, toen op de weg door het moeras een zonderlinge grijsaard opdook, rinkelend met het trieste belletje van hen die sliepen en zeulend met een uitpuilende, met riemen dichtgebonden koffer en een karretje dat met zwarte doeken was bedekt. Hij begaf zich regelrecht naar het huis van José Arcadio Buendía.

Visitación, die de deur opende, kende hem niet en meende dat hij van plan was iets te verkopen, onwetend van het feit dat er niets te verkopen viel in een dorp dat onherroepelijk wegzonk in het moeras der vergetelheid. Het was een volkomen afgeleefde man. Ofschoon ook zijn stem door onzekerheid gekortwiekt was en zijn handen schenen te twijfelen aan het bestaan der dingen, was het wel duidelijk dat hij gekomen was uit de wereld waar de mensen nog slaap en herinnering kenden. José Arcadio Buendía trof hem aan in de woonkamer, waar hij zich koelte zat toe te wuiven met een opgelapte zwarte hoed en met aandachtig medeleven de bordjes bestudeerde die op de muren waren aangebracht. Hij begroette de vreemdeling met veel vertoon van genegenheid, want hij vreesde dat hij hem vroeger had gekend en zich hem nu niet meer kon herinneren. Maar de bezoeker bespeurde zijn onoprechtheid. Hij voelde dat hij vergeten was; niet met de vergetelheid van het hart, welke immers te verhelpen valt, maar met een andere, wreder en onherroepelijker vergetelheid die hij zelf goed kende, want het was de vergetelheid van de dood. Toen begreep hij het. Hij opende zijn koffer, die volgepropt zat met niet te herkennen voorwerpen, en haalde er een kleiner koffertje vol flesjes uit. Hij liet José Arcadio Buendía drinken van een substantie met een aangename kleur en het licht ging op over zijn geheugen. Zijn ogen werden nat van de tranen toen hij zichzelf terugvond in een ongerijmd woonvertrek waar alle dingen van hun naam voorzien waren en hij tot zijn schaamte de hoogdravende dwaasheden zag die op de muren waren geschreven – en toen hij daarna de nieuwkomer herkende in een verblindend-flonkerende opwelling van vreugde. Het was

Melquíades.

Terwijl Macondo de herovering van de herinneringen vierde, schudden José Arcadio Buendía en Melquíades het stof van hun oude vriendschap. De zigeuner was van plan in het dorp te blijven. Hij was inderdaad dood geweest, maar was teruggekeerd omdat hij de eenzaamheid niet kon verdragen. Verstoten door zijn stam, van alle bovennatuurlijke vermogens beroofd als straf voor zijn trouw aan het leven, had hij besloten een toevlucht te zoeken in dat hoekje van de wereld dat door de dood nog niet ontdekt was en zich daar te wijden aan de toepassing van een daguerrotype-laboratorium. José Arcadio Buendía had nog nooit van die uitvinding gehoord. Maar toen hij zichzelf en zijn hele gezin voor eeuwig verstard zag op een metalen plaatje vol kleurschakeringen, stond hij paf van verbazing. Uit die tijd dateerde de verroeste daguerrotype waarop José Arcadio Buendía te zien was met rechtopstaand, askleurig haar, het kartonnen boordje van zijn hemd vastgehouden door een koperen knoop en op zijn gezicht een uitdrukking van plechtige verbazing – iets wat Úrsula slap van het lachen omschreef als 'een geschrokken generaal'. En inderdaad schrok José Arcadio Buendía nogal op die heldere decembermorgen dat de daguerrotype werd vervaardigd, want hij meende dat de mensen langzamerhand zouden opraken wanneer hun beeld overging op de metalen plaat. Dank zij een merkwaardige omkering van de gebruikelijke gang van zaken was Úrsula het, die hem dit idee uit het hoofd praatte – zoals ook zij degene was die haar oude antipathieën vergat en besliste dat Melquíades bij hen in huis zou blijven wonen, al stond ze nimmer toe dat men van haar een daguerrotype maakte omdat ze (volgens haar eigen woorden) niet voor gek wilde staan voor haar kleinkinderen. Die ochtend stak ze de kinderen in hun beste kleren, poederde hun gezichten en gaf ze allemaal een lepeltje mergsap zodat ze bijna twee minuten lang volmaakt onbeweeglijk konden blijven staan voor de indrukwekkende camera van Melquíades. Op deze familiefoto, de enige die ooit bestaan heeft, stond Aureliano in een zwart fluwelen pak tussen Amaranta en Rebeca. Hij bezat dezelfde trage kalmte en dezelfde helderziende blik die hij ook vele jaren later zou bezitten toen hij tegenover het executiepeloton stond, al had hij zijn lotsbestemming nog steeds niet voorvoeld. Hij was een deskundig goudsmid die in het gehele moerasgebied geacht werd om de verfijnde stijl van zijn werk. In het atelier, dat hij deelde met het ongerijmde laboratorium van Melquíades, hoorde men hem nauwelijks ademhalen. Hij leek zich in een andere tijd te hebben teruggetrokken, terwijl zijn vader en de zigeuner met luide kreten de voorspellingen van Nostradamus uiteenrafelden temidden van het gerammel van flessen en vaten en het rampzalig morsen van zuren en broomzilver, verspild door hun onophoudelijke stoten met ellebogen en voeten. Deze toewijding tot zijn werk en het inzicht waarmee hij zijn bezittingen beheerde hadden Aureliano in korte tijd in staat gesteld om meer geld te verdienen dan Úrsula met haar verrukkelijke suikerfauna, maar iedereen verbaasde zich erover dat hij al een geheel volwassen man was en zich nog steeds niet tot een vrouw had bekend. In werkelijkheid had hij nog nooit een vrouw bezeten.

Maanden later keerde Francisco de Man terug, een oude zwerver van bijna 200 jaar, die regelmatig door Macondo kwam om daar de liedjes te laten horen die hij zelf maakte. In deze liederen verhaalde Francisco de Man tot in de kleinste bijzonderheden wat er allemaal gebeurd was in de dorpen langs zijn reisroute, vanaf Manaure tot aan de uiterste grenzen van het moeras, zodat eenieder die een boodschap wilde overbrengen of een gebeurtenis ruchtbaar wilde maken, hem twee centavos betaalde om dit in zijn repertoire te laten opnemen. Zo raakte Úrsula louter toevallig op de hoogte van de dood van haar moeder, toen ze op een avond naar de liedjes ging luisteren in de hoop dat ze iets zouden bevatten over haar zoon José Arcadio. Francisco de Man, wiens werkelijke naam niemand kende maar die zo genoemd werd omdat hij de duivel had verslagen tijdens een duel in liedjes-improviseren, verdween tijdens de slapeloosheidsplaag uit Macondo en dook op een avond zonder enige voorkennis weer op in de kroeg van Catarino. Het hele dorp ging naar hem luisteren om te horen wat er in de wereld was gebeurd. Bij die gelegenheid werd hij vergezeld door een vrouw die zo dik was, dat vier indianen haar

moesten meevoeren in een draagstoel, terwijl een hulpeloos uit-
ziend mulattenmeisje haar met een paraplu beschermde tegen
de zon. Die avond ging Aureliano naar de kroeg van Catarino.
Daar trof hij Francisco de Man, als een monolithische kame-
leon gezeten in een kring van nieuwsgierigen. Met zijn oude,
valse stem zong hij de berichten, terwijl hij de maat sloeg met
zijn grote, door salpeterzuur gekloofde zwerversvoeten en
zichzelf begeleidde met dezelfde archaïsche accordeon die Sir
Walter Raleigh hem nog geschonken had in Guyana. Achterin
de zaal, naast een deur waardoor verschillende mannen in en
uit liepen, zat de dikke vrouw van de draagstoel zich zwijgend
koelte toe te wuiven. Catarino, met een vilten roos achter het
oor, verkocht nappen met suikerrietbrandewijn aan de toege-
stroomde mensen en maakte van de gelegenheid gebruik om
zich tegen de mannen aan te drukken en zijn hand te leggen
op plaatsen waar dat niet mocht. Tegen middernacht werd de
warmte onverdraaglijk. Aureliano luisterde tot aan het einde
naar de berichten, echter zonder iets te ontdekken wat van belang was voor zijn familie. Hij maakte zich gereed om naar
huis terug te keren, toen de dikke vrouw hem een teken gaf.
'Ga jij ook eens naar binnen,' zei ze. 'Het kost maar twintig
centavos.'
Aureliano wierp een geldstuk in de aarden pot die de dikke
vrouw op haar knieën hield en ging het kamertje binnen zonder te weten waarvoor. Het mulattenmeisje, met haar borsten
als hondetepels, lag naakt op een bed. Vóór Aureliano waren
er die avond al drieënzestig mannen door het kamertje getrokken. De lucht in het vertrek was zozeer verbruikt en zozeer
van zweet en zuchten doortrokken, dat hij in slijk begon te
veranderen. Het meisje haalde het doorweekte laken van het
bed en vroeg Aureliano het aan een kant vast te houden. Het
woog zwaar als een stuk zeildoek. Ze begonnen aan de beide
uiteinden te draaien en wrongen het uit, totdat het zijn normale gewicht had teruggekregen. Ze draaide de matras om en het
zweet droop aan de onderkant naar buiten. Aureliano wenste
vurig dat deze bewerkingen nooit zouden eindigen. In theorie
kende hij het mechanisme van de liefde wel, maar hij kon nauwelijks op zijn benen blijven staan door de slapheid in zijn

knieën en ofschoon hij tegelijkertijd gloeide en kippevel had, kon hij zich niet verzetten tegen de dringende behoefte om dat zware in zijn ingewanden naar buiten te stoten. Toen het meisje het bed weer in orde had gebracht en hem beval zich uit te kleden, legde hij haar in een opwelling uit: 'Ze zeiden dat ik hier naar binnen moest gaan. Ze zeiden dat ik twintig centavos in de pot moest doen en niet te lang mocht wegblijven.' Het meisje begreep zijn verwarring. 'Als je bij het weggaan nog twintig centavos geeft, kun je een beetje langer blijven,' zei ze vriendelijk. Gekweld door schaamte kleedde Aureliano zich uit, zonder te kunnen ontkomen aan het idee dat zijn naaktheid de vergelijking met zijn broer niet kon doorstaan. Ondanks de pogingen van het meisje voelde hij zich steeds onverschilliger worden en daarbij verschrikkelijk eenzaam. 'Ik zal nog twintig centavos geven,' zei hij met een stem vol wanhoop. Het meisje bedankte hem in stilte. Haar rug was één massa open vlees, haar huid zat op haar ribben geplakt en haar ademhaling ging met horten en stoten als gevolg van een onpeilbare uitputting. Twee jaar geleden was zij, ergens ver van Macondo, op een avond ingeslapen zonder de kaars uit te blazen en even later omringd door vuur wakker geschrokken. Zo werd het huis in de as gelegd waar zij leefde met haar grootmoeder, die haar had opgevoed. Sindsdien voerde haar grootmoeder haar van dorp tot dorp en verhuurde haar als bijslaap voor twintig centavos, om zich op die manier de waarde van het afgebrande huis te laten terugbetalen. Volgens de berekeningen van het meisje wachtten haar nog een tiental jaren van zeventig mannen per nacht, want ze moest bovendien de kosten van de reis vergoeden en het voedsel voor hen beiden en het loon van de indianen die de draagstoel sjouwden. Toen de dikke vrouw voor de tweede maal op de deur klopte, verliet Aureliano het vertrek zonder iets te hebben gedaan. Hij was als verdoofd door een hevig verlangen om te huilen. Die nacht kon hij niet slapen en bleef hij aan het meisje denken met een mengsel van verlangen en medelijden. Hij voelde een onweerstaanbare behoefte om haar te beminnen en te beschermen. Bij het aanbreken van de dag nam hij, uitgeput als hij was door koorts en slaapgebrek, het kalme besluit om met

59

haar te trouwen teneinde haar op die manier te bevrijden van de dwingelandij van haar grootmoeder en zelf elke nacht te kunnen genieten van de bevrediging die zij aan zeventig mannen schonk. Maar toen hij om tien uur 's morgens bij de kroeg van Catarino kwam, was het meisje al uit het dorp vertrokken.

De tijd deed zijn onbesuisde voornemen vervagen, maar vergrootte zijn gevoel van geremdheid. Hij trok zich terug in zijn werk. Hij verzoende zich met de gedachte dat hij zijn leven lang zonder vrouw moest blijven om de schande van zijn nutteloosheid te verbergen. Ondertussen had Melquíades op zijn platen alles vastgelegd wat er in Macondo maar vast te leggen was, zodat hij het daguerrotype-laboratorium overliet aan de grillen van José Arcadio Buendía, die het vaste voornemen had gemaakt om het ding te gebruiken teneinde het wetenschappelijke bewijs van het bestaan van God te verkrijgen. Middels een ingewikkeld proces van elkander overlappende belichtingen, uitgevoerd op verschillende plaatsen in het huis, hoopte hij vroeg of laat de daguerrotype van God te verkrijgen, als hij bestond, of voor eens en voor altijd een einde te maken aan het geloof in zijn bestaan. Melquíades verdiepte zich in de interpretaties van Nostradamus. Hij bleef tot zeer laat bezig, bijna stikkend in zijn verkleurde vest, hele vellen volkrabbelend met zijn kleine mussepootjes waarvan de ringen hun flonkering uit vroeger tijden hadden verloren. Op een nacht meende hij een voorspelling over de toekomst van Macondo te hebben gevonden. Het zou een helverlichte stad zijn met grote, glazen huizen, waar geen spoor was overgebleven van het geslacht der Buendía's. 'Dat is een vergissing,' bulderde José Arcadio Buendía. 'De huizen zullen niet van glas zijn maar van ijs, zoals ik het heb gedroomd, en altijd zal er een Buendía zijn, door de eeuwen der eeuwen!' In dit huis vol buitensporigheden vocht Úrsula onafgebroken om haar gezond verstand te bewaren. Ze had haar handel in suikerbeesten uitgebreid met een oven, die de gehele nacht manden en nog eens manden vol brood uitbraakte en een rijke schakering van puddingen, schuimtaartjes en beschuitjes die zich in een paar uur tijd verloren langs de gevaarlijke wegen van het moeras. Ze had nu een leeftijd bereikt waarop ze recht kon doen gelden op enige rust, maar werd integendeel juist steeds actiever. Ze werd door haar voorspoedige ondernemingen zozeer in beslag genomen dat ze op een middag, toen de indiaanse haar hielp om het deeg van suiker te voorzien, louter bij vergissing naar de patio keek en daar twee onbekende maar knappe jonge vrouwen zag die in het schemerlicht zaten te borduren. Het waren Rebeca en Amaranta. Ze hadden zojuist de rouwkleding afgelegd die ze na de dood van hun grootmoeder gedurende drie jaar en met onwrikbare gestrengheid hadden gedragen en hun kleurige kledij leek hen een nieuwe plaats te hebben bezorgd in de wereld. Rebeca was de knapste, in tegenstelling tot wat men had kunnen verwachten. Ze bezat een doorschijnende huid, grote en rustige ogen en magische handen die het borduurraam met onzichtbare draden leken te bewerken. Amaranta, de jongste, was niet zo aantrekkelijk, maar zij bezat de natuurlijke gereserveerdheid en de innerlijke rust van haar gestorven grootmoeder. Naast hen leek Arcadio nog een kind, ofschoon de lichamelijke groeikracht van zijn vader zich al aankondigde. Hij had zich voorgenomen de edelsmeedkunst te leren van Aureliano, die hem bovendien had leren lezen en schrijven. Ineens drong het tot Úrsula door dat het huis vol mensen was geraakt, dat haar kinderen op het punt stonden te trouwen en zelf kinderen te krijgen en dat ze dan, door ruimtegebrek gedwongen, uiteen zouden gaan. Dus haalde ze het geld te voorschijn dat ze in lange jaren van hard werken had vergaard, trof een minnelijke schikking met haar klanten en nam de vergroting van het huis ter hand. Ze gaf opdracht tot de bouw van een salon voor de visite, een gerieflijker en koeler vertrek voor dagelijks gebruik, een eetzaal voor een tafel met twaalf plaatsen waaraan de familie met alle gasten kon aanzitten, negen slaapkamers met ramen die uitkwamen op de patio en een grote waranda die tegen de hitte van het middaguur beschermd moest worden door een rozentuin en voorzien moest zijn van een balustrade waarop potten met varens en vazen met begonia's konden worden geplaatst. Ze gaf opdracht de keuken uit te breiden voor de bouw van twee ovens en het oude graanschuurtje, waar Pilar Ternera aan José Arcadio de toekomst had voorspeld, af te breken en een nieuwe schuur te bouwen die tweemaal zo groot was, zodat er nooit gebrek aan levensmiddelen zou komen in haar huis. Ze gaf opdracht op de patio, in de schaduw van de kastanjeboom, een badkamer te bouwen voor de vrouwen en een tweede voor de mannen en achteraan een grote paardenstal, een kippenhok van tralie-werk, een melkstal en een volière die aan alle kanten open was, zodat de zwerfvogels zich er naar believen in konden nes-telen. Op de voet gevolgd door tientallen metselaars en tim-merlieden, alsof ze de koortsige hallucinaties van haar echtge-noot had overgenomen, gaf Úrsula aanwijzingen over de inval van het licht en de toevoer van warmte en deelde ze de hele ruimte opnieuw in zonder enig besef te tonen van zijn begren-zingen. Het primitieve, door de stichters opgetrokken bouwsel-tje vulde zich met werktuigen en materialen en met werklieden die baadden in hun zweet, die aan iedereen vroegen hen niet te storen, zonder te bedenken die zij het waren die stoorden, en die zich gruwelijk ergerden aan de linnen zak met mensen-beenderen die hen overal achtervolgde met zijn dof klinkende geratel. Eigenlijk begreep niemand hoe temidden van deze on-gemakken, waar men slechts ongebluste kalk en teerwalm in-ademde, uit de ingewanden van de aarde een huis kon verrijzen dat niet alleen het grootste was dat het dorp ooit had gekend, maar bovendien het koelste en meest gastvrije dat ooit in het moerasgebied had gestaan. José Arcadio Buendía, die temidden der omwentelingen nog altijd probeerde de Goddelijke Voor-zienigheid te betrappen, begreep er wel het minst van. Het nieuwe huis was al bijna klaar, toen Úrsula hem uit zijn chi-merische wereld weghaalde om hem te vertellen dat er bevel was gekomen om de gevel blauw te schilderen en niet wit, zoals zij dat zelf wensten. Ze toonde hem de officiële beschik-king die geschreven was op een stuk papier. José Arcadio Buendía ontcijferde de handtekening, al begreep hij nauwelijks wat zijn echtgenote hem vertelde.

'Wat is dat voor een vent?' vroeg hij.

'De burgemeester,' antwoordde Úrsula verslagen. 'Dat is een gezagsdrager die door de regering is gestuurd, zeggen ze.'

Don Apolinar Moscote, de burgemeester, was zonder opzien te baren in Macondo aangekomen. Hij was afgestapt bij Hotel

62

Jacob – opgericht door een van de eerste Arabieren die snuisterijen voor papegaaien waren komen ruilen – en had de volgende dag een kamertje gehuurd met een deur aan de straat, op twee kwartmijlen afstand van het huis van de Buendía's. Hij zette er een tafel en een stoel in die hij van Jacob had gekocht, spijkerde een meegebracht schild van de republiek aan de muur en schilderde het opschrift *Burgemeester* op de deur. Zijn eerste beschikking luidde dat alle huizen blauw geverfd moesten worden om het jaarfeest van de nationale onafhankelijkheid te vieren. José Arcadio Buendía trof hem tijdens de siësta slapend aan in een hangmat, die hij in het kale kantoortje had opgehangen. 'Hebt u dit papier geschreven?' vroeg hij, met het exemplaar van de officiële beschikking in zijn hand. Don Apolinar Moscote, een man van rijpere leeftijd, wat verlegen en met een blozend gezicht, antwoordde bevestigend. 'Met welk recht?' vroeg José Buendía weer. Don Apolinar Moscote haalde een document uit de tafellade en toonde het hem. 'Ik ben benoemd tot burgemeester van dit dorp.' José Arcadio Buendía keurde de benoeming geen blik waardig.

'In dit dorp bevelen we niet met papiertjes,' zei hij zonder zijn kalmte te verliezen. 'En we hebben geen burgemeester nodig, want hier valt niets te burgemeesteren. Nu weet u het meteen.'

Terwijl don Apolinar Moscote onverschrokken toeluisterde, begon hij – maar zonder eenmaal zijn stem te verheffen – omstandig uiteen te zetten hoe ze het dorp hadden gesticht, hoe ze de grond hadden verdeeld, de wegen hadden aangelegd en de verbeteringen hadden ingevoerd die de omstandigheden hadden vereist, zonder dat ze welke regering dan ook hadden lastiggevallen en zonder dat zijzelf door iemand waren gestoord. 'We zijn zo vredelievend, dat we hier zelfs geen natuurlijke dood sterven,' zei hij. 'U hebt wel gezien, dat we nog steeds geen kerkhof hebben.' Hij beklaagde zich er niet over dat de regering hen niet geholpen had. Integendeel, ze waren er blij om dat men hen tot nu toe in vrede had laten gedijen en hij hoopte dat men daarmee zou doorgaan, want ze hadden geen dorp gesticht om zich door de eerste de beste vreemdeling te laten vertellen wat ze te doen hadden. Intussen had don Apolinar Moscote een keperen jasje aangetrokken dat even wit was als zijn broek, zonder dat daarbij de sierlijkheid van zijn gebaren een ogenblik verloren ging.

'Vandaar dat u van harte welkom bent indien u hier wilt blijven als de zoveelste doodgewone burger,' besloot José Arcadio Buendía. 'Maar als u hier wanorde komt brengen door de mensen te verplichten hun huizen blauw te verven, dan kunt u uw boeltje pakken en verdwijnen naar waar u vandaan kwam. Want mijn huis zal zo wit zijn als een duif.'

Don Apolinar Moscote werd bleek. Hij deed een stap naar achteren, klemde zijn kaken op elkaar en zei, niet zonder droefgeestigheid:

'Ik moet u ervoor waarschuwen dat ik gewapend ben.'

José Arcadio Buendía besefte het nauwelijks, toen in zijn handen de jeugdige kracht terugkeerde waarmee hij een paard tegen de grond placht te gooien. Hij greep don Apolinar Moscote bij zijn revers en hief hem op totdat hij ter hoogte van zijn ogen hing.

'Dit doe ik,' zei hij, 'omdat ik u liever levend wegdraag dan voor de rest van mijn leven beladen te zijn met uw dood.'

Zo droeg hij hem aan zijn revers door de straten tot aan de weg door het moeras en daar zette hij hem op zijn twee voeten neer. Een week later was don Apolinar Moscote terug met zes haveloze, blootsvoets gaande soldaten die gewapend waren met geweren én met een ossekar waarop zijn vrouw en zijn zeven dochters de reis hadden gemaakt. Later kwamen er nog twee karren met meubelen, koffers en huishoudelijke voorwerpen. Omdat hij nog een huis moest zoeken bracht hij zijn gezin onder in Hotel Jacob, waarna hij onder bescherming van de soldaten zijn kantoortje heropende. De stichters van Macondo, vastbesloten de indringers te verdrijven, kwamen naar José Arcadio Buendía toe en stelden zich met hun oudste zonen tot zijn beschikking. Maar hij verzette zich tegen dit plan omdat don Apolinar Moscote, naar hij zei, was teruggekeerd met vrouw en dochters en omdat het geen mannenwerk was om iemand voor gek te zetten voor het oog van zijn gezin. Zodat hij besloot de zaak in der minne te schikken.

Aureliano ging met hem mee. Omstreeks die tijd was hij al

begonnen de zwarte snor met gegomde punten te kweken en bezat hij al enigszins de stentorstem die zo kenmerkend voor hem zou zijn in de oorlog. Ongewapend en zonder zich aan de wachtposten te storen betraden ze het kantoor van de burgemeester. Don Apolinar Moscote verloor zijn kalmte niet. Hij stelde hen voor aan twee van zijn dochters die daar toevallig aanwezig waren: Amparo, zestien jaar oud, donker als haar moeder, en Remedios, nauwelijks negen jaar, een schattig meisje met een lelieblanke huid en groene ogen. Ze waren lieftallig en goed opgevoed. Zodra de mannen binnenkwamen en nog voordat ze waren voorgesteld, kwamen ze al met stoelen aandragen om het bezoek te laten plaatsnemen. Maar de bezoekers bleven staan.

'Goed dan, vriend,' zei José Arcadio Buendía. 'U kunt hier blijven, maar niet omdat u die bandieten met hun donderbussen aan de deur hebt staan, maar uit achting voor uw echtgenote en uw dochters.'

Don Apolinar Moscote verschoot van kleur, maar José Arcadio Buendía gaf hem geen tijd om te antwoorden. 'We stellen u slechts twee voorwaarden,' vervolgde hij. 'Ten eerste: iedereen schildert zijn huis in de kleur die hem goeddunkt. Ten tweede: die soldaten vertrekken onmiddellijk. Wij garanderen de orde in dit dorp.'

De burgemeester stak zijn rechterhand op met wijd uitgespreide vingers.

'Op uw woord van eer?'

'Op mijn woord van vijand,' antwoordde José Arcadio Buendía. En op bittere toon voegde hij eraan toe: 'Want één ding zal ik u zeggen: u en ik, wij zullen vijanden blijven.'

Diezelfde middag vertrokken de soldaten. Een paar dagen later wees José Arcadio Buendía een huis toe aan het gezin van de burgemeester. Alles bleef in pais en vree, behalve Aureliano. Het beeld van Remedios, het jongste dochtertje van de burgemeester dat naar leeftijd zijn eigen dochter had kunnen zijn, bleef hem ergens in zijn lichaam pijn doen. Het was een lijfelijke sensatie die hem bijna hinderde bij het lopen, zoals een steentje in je schoen.

Het nieuwe huis, wit als een duif, werd ingewijd met een bal. Dat plan was bij Úrsula opgekomen op de middag dat ze Rebeca en Amaranta veranderd zag in jonge vrouwen en men zou haast kunnen zeggen, dat de verbouwing haar voornamelijk was ingegeven door het verlangen om aan de meisjes een waardige plaats te bezorgen waar ze bezoek konden ontvangen. Terwijl de veranderingen in huis werden uitgevoerd, werkte ze zelf als een bezetene om de luister van haar plannen door niets te laten beknotten. Zodat ze, nog vóór de verbouwing een feit was, al kostbare bestellingen had geplaatst voor de aankleding en de inrichting van het huis, met inbegrip van die wonderbaarlijke uitvinding welke de verbazing van het dorp en de uitbundige vreugde van de jongelui zou opwekken: de pianola. Die werd in stukken aangevoerd, verpakt in verschillende kisten die tegelijkertijd werden afgeleverd met de Weense meubelen, het Boheemse kristal, het plateelwerk van de Indische Compagnie, de tafellakens uit Holland en een rijke schakering aan lampen, luchters, bloempotten, wandkleden en draperieën. De importeur zond voor zijn rekening een Italiaanse deskundige mee, een zekere Pietro Crespi, die opdracht had de pianola in elkaar te zetten en te stemmen, de kopers in de bediening ervan te onderrichten en hen te leren dansen op de in zwang zijnde muziek welke in zes papieren rollen was geperst.

Pietro Crespi was jong en blond en de knapste en best opgevoede man die men in Macondo ooit had gezien. Hij was zo nauwgezet op zijn kleding dat hij ondanks de verstikkende hitte werkte in een met gouddraad bestikt hemd en een dikke jas van donkerkleurig laken. Badend in het zweet en steeds een eerbiedige afstand bewarend jegens de familie, bleef hij wekenlang opgesloten in de salon waar hij werkte met een toewijding die niet onderdeed voor die van Aureliano in zijn atelier. Op een morgen plaatste hij – zonder de deur te openen en zonder ook maar een enkele getuige bij het mirakel te roepen – de eerste rol in de pianola en het kwellende gehamer en het onophoudelijke geratel van latten verstomden tot een verbaas-

66

de stilte bij de ordelijkheid en de schoonheid van de muziek. Iedereen stormde naar de salon. José Arcadio Buendía leek als door de bliksem getroffen, niet door de schoonheid van de melodie maar door het zelfstandig werkende toetsenbord van de pianola; onmiddellijk plaatste hij de camera van Melquíades in de salon om een daguerrotype te verkrijgen van de onzichtbare man die het muziekstuk uitvoerde. Die dag gebruikte de Italiaan de lunch met hen. Rebeca en Amaranta raakten bij het opdienen sterk onder de indruk van het gemak waarmee de schotels werden gehanteerd door deze engelachtige man met zijn bleke handen zonder ringen. In de woonkamer, die aan de salon grensde, leerde Pietro Crespi hen dansen. Hij wees hen de passen zonder hen aan te raken en gaf daarbij de maat aan met een metronoom – dit alles onder het welwillende maar waakzame oog van Úrsula, die de kamer geen ogenblik verliet wanneer haar dochters les kregen. Pietro Crespi droeg in die dagen een speciale, zeer soepele en zeer strakke broek en een paar dansschoentjes. 'Je hoeft je niet zo ongerust te maken,' zei José Arcadio Buendía tot zijn vrouw. 'Die man is een mietje.' Maar ze bleef volhardend de wacht houden totdat de lessen afgelopen waren en de Italiaan uit Macondo was vertrokken. Toen begon de organisatie van het feest. Úrsula stelde een strikt beperkte lijst van genodigden op, waarvoor slechts diegenen werden uitgekozen die afstamden van de stichters van Macondo, met uitzondering van Pilar Ternera die inmiddels nog twee kinderen van onbekende vaders had gekegen. Het was in feite een door klassegevoelens ingegeven selectie, ofschoon nader bepaald door gevoelens van vriendschap, want slechts diegenen werden uitverkoren die al van oudsher – al van vóór de tijd dat men de uittocht ondernam die bekroond werd met de stichting van Macondo – vertrouwelijk waren omgegaan met het gezin van José Arcadio Buendía, terwijl hun zoons en kleinzoons sinds hun kinderjaren al de vaste kameraden waren van Aureliano en Arcadio en hun dochters de enige meisjes waren die het huis bezochten om met Rebeca en Amaranta te borduren. Don Apolinar Moscote, de welwillende regent, was als autoriteit slechts een versiersel. Bij de uitoefening van zijn functie beperkte hij zich er slechts toe om met zijn schaarse middelen een tweetal politieagenten te onderhouden die gewapend waren met houten knuppels. Om de kosten van zijn huishouden wat te verlichten hadden zijn dochters een naaiatelier geopend waar ze tegelijkertijd vilten bloemen en brood met ingelegde peertjes verkochten en minnebrieven schreven op bestelling. Maar al waren ze de schoonsten van het dorp en het meest bedreven in de nieuwe dansen, al waren ze nog zo schroomvallig en voorkomend, het lukte hen niet in aanmerking te komen voor het feest.

Terwijl Úrsula en de meisjes meubels uitpakten en zilverwerk poetsten en de muren behingen met schilderijen van maagden in met rozen beladen bootjes, waarmee ze een vleugje nieuw leven verleenden aan de holle ruimten die door de metselaars waren gebouwd, zag José Arcadio Buendía af van verdere achtervolging van het beeld van God, nu overtuigd dat hij niet bestond, en begon hij de pianola uit elkaar te halen om het magische geheim ervan te ontcijferen. Wadend door een stortvloed van overgebleven asjes en hamertjes en tobbend temidden van een wirwar van snaren die hij aan de ene kant afrolde waarna ze zich aan de andere kant weer oprolden, wist hij het instrument twee dagen voor het feest weer gebrekkig in elkaar te zetten. Nooit heerste er zoveel beroering en nooit werd er zoveel gedraafd als in die dagen, maar de nieuwe olielampen werden op de afgesproken datum en het vastgestelde uur ontstoken. Het huis werd geopend, al rook het nog steeds naar hars en vochtige kalk, en de zonen en kleinzonen van de stichters van Macondo bekeken de waranda vol varens en begonia's, de rustige zitjes en de van rozengeur bezwangerde tuin en verzamelden zich daarna in de salon voor de onbekende uitvinding die met een wit laken was bedekt. Zij die de pianoforte kenden, welke in andere dorpen van het moeras al populair was, voelden iets van teleurstelling, maar groter was de desillusie van Úrsula toen ze de eerste rol aanbracht om het bal door Amaranta en Rebeca te laten openen en het mechanisme niet bleek te werken. Melquíades, die al bijna blind was en langzaam verging van hoge ouderdom, greep terug op de listen van zijn oeroude wijsheid om het ding zo mogelijk te repareren. Tenslotte wist José Arcadio Buendía per ongeluk een

68

vastzittend onderdeel te verschuiven en de muziek barstte los, eerst met horten en stoten en daarna in een stortvloed van verwarde klanken. De hamertjes roffelden zozeer op de lukraak aangebrachte en onbesuisd gespannen snaren, dat ze ontwricht raakten. Maar de vastberaden afstammelingen van de eenentwintig onverschrokkenen, die eens het gebergte doorvorsten omdat ze de zee in het westen zochten, wisten de klippen in deze melodische stroomversnelling te ontwijken en het bal werd voortgezet tot aan het ochtendgloren.

Pietro Crespi keerde terug om de pianola te repareren. Rebeca en Amaranta hielpen hem bij het ordenen van de snaren en vielen hem bij in zijn lachbuien om de door elkaar gehaalde walsen. Hij was buitengewoon hartelijk en daarnaast zo eerlijk van inborst, dat Úrsula van verder chaperonneren afzag. De avond voor zijn vertrek organiseerde men met behulp van de gerepareerde pianola inderhaast een bal om afscheid van hem te nemen en samen met Rebeca gaf hij een virtuoze demonstratie van de moderne dansen. Arcadio en Amarante deden voor hen niet onder in gratie en behendigheid, ofschoon het schouwspel ruw werd onderbroken omdat Pilar Ternera, die zich tussen de nieuwsgierigen in de deuropening bevond, al bijtend en plukharend in gevecht raakte met een vrouw die het gewaagd had op te merken dat de jonge Arcadio vrouwenbillen had. Tegen middernacht nam Pietro Crespi afscheid met een ontroerd toespraakje en hij beloofde spoedig terug te keren. Rebeca bracht hem tot aan de deur en nadat ze het huis had afgesloten en de lampen had gedoofd, begaf ze zich naar haar kamer om te huilen. Het was een ontroostbare jammerklacht die dagenlang bleef doorgaan en waarvan zelfs Amaranta de oorzaak niet kende. Rebeca's geslotenheid was niet zo verwonderlijk. Al leek ze hartelijk en mededeelzaam, haar karakter zocht de eenzaamheid en tot haar hart viel nauwelijks door te dringen. Ze was een prachtige jonge vrouw met grote en stevige beenderen, maar ze bleef hardnekkig gebruik maken van het houten schommelstoeltje waarmee ze in het huis was aangekomen en dat nu, reeds van zijn armleuningen beroofd, al vele malen was versterkt. Niemand had ooit gemerkt dat ze op deze leeftijd nog de gewoonte had behouden om op haar duim te zuigen. Daarom liet ze geen gelegenheid voorbij gaan om zich in de badkamer op te sluiten en had ze zich aangewend om te slapen met haar gezicht naar de muur. Wanneer ze op regenachtige middagen met een groepje vriendinnen in de waranda met de begonia's zat te borduren, verloor ze soms de draad van het gesprek en een weemoedige traan verleende haar gehemelte een ziltige smaak als ze keek naar de sporen van natte aarde en de kleine hoopjes modder die door de regenwormen in de tuin waren opgeworpen. Deze heimelijke verlangens, eens uitgeroeid met sinaasappelen en rabarber, laaiden onstuimig op tot een onweerstaanbare hunkering toen ze eenmaal begon te huilen. Ze begon weer aarde te eten. De eerste keer deed ze het bijna uit nieuwsgierigheid, overtuigd dat de vieze smaak het beste middel tegen de verleiding zou zijn. En inderdaad, ze kon de aarde niet in haar mond verdragen. Maar ze hield vol, overweldigd door de toenemende begeerte, en langzaam maar zeker gaf ze de vrije teugel aan deze voorvaderlijke honger, dit genieten van elementaire mineralen, deze ongerepte bevrediging in het oervoedsel. Ze stak handenvol aarde in haar zakken en verorberde korreltje na korreltje zonder dat men het zag en daarbij ervoer ze een verward gevoel van gelukzaligheid en razernij tegelijk, terwijl ze haar vriendinnen onderrichtte in de moeilijkste steken en praatte over mannen die het niet waard waren om voor hen de kalk van de muren te likken. De handenvol aarde maakten de enige man, die deze vernedering wel verdiende, minder ver en meer reëel, alsof de bodem, die hij in een ander deel van de wereld met zijn fraaie lakschoenen trad, de zwaarte en de temperatuur van zijn bloed aan haar overbracht door middel van een minerale smaak, die in haar mond een scherp schrijnen achterliet en enige vrede deed neerdalen in haar hart. Op een middag vroeg Amparo Moscote zonder enige aanleiding of ze het huis mocht bekijken. Amaranta en Rebeca, van hun stuk gebracht door dit onverwachte bezoek, bejegenden haar met stugge vormelijkheid. Ze toonden haar het nieuw ingedeelde huis, lieten haar de rollen van de pianola horen en boden haar sinaasappellimonade met biskwietjes aan. Amparo gaf hen een lesje in waardigheid, persoonlijke charme en goede manieren, iets wat op Úrsula een grote indruk maakte in de paar ogenblikken die ze aan het bezoek wijdde. Na twee uur, toen de conversatie wat traag begon te worden, wist Amparo gebruik te maken van een onoplettendheid van Amaranta en overhandigde ze Rebeca een brief. Rebeca zag nog juist de naam van de weledelgeboren mejuffrouw doña Rebeca Buendía, geschreven met hetzelfde methodische handschrift, dezelfde groene inkt en dezelfde verfijnde woordrangschikking waarmee ook de handleiding van de pianola was geschreven; toen had ze de brief al tussen haar vingers dubbelgevouwen en hem in haar keurslijfje weggestopt, terwijl ze Amparo Moscote aankeek met een uitdrukking van onvoorwaardelijke en oneindige dankbaarheid en een zwijgende belofte van verbondenheid tot in de dood.

De plotselinge vriendschap tussen Amparo Moscote en Rebeca Buendía wekte nieuwe hoop bij Aureliano. De herinnering aan de kleine Remedios was hem blijven kwellen, maar hij vond geen enkele gelegenheid om haar te zien. Wanneer hij door het dorp slenterde met zijn intiemste vrienden Magnífico Visbal en Gerineldo Márquez, zonen van de stichters van dezelfde naam, zocht hij haar met hunkerende blik in het naaiatelier, maar zag er slechts haar oudere zusters. De aanwezigheid van Amparo Moscote in zijn huis was als een voorbode. 'Ze moet met haar meekomen,' zei Aureliano zachtjes bij zichzelf. 'Ze moet komen.' Hij herhaalde het zo vaak en met zoveel overtuiging, dat hij op zekere middag, toen hij in zijn werkplaats een gouden visje zat te monteren, plotseling de zekerheid kreeg dat ze aan zijn oproep had beantwoord. En inderdaad, korte tijd later hoorde hij het kinderstemmetje en toen hij met een van angst bevroren binnenste de blik ophief, zag hij het meisje in de deuropening staan met haar jurkje van rose organdie en haar witte schoentjes.

'Daar mag je niet binnen, Remedios,' zei Amparo Moscote in de gang. 'Ze zijn aan het werk.'

Aureliano gunde haar zelfs geen tijd om te wachten. Hij stak het vergulde visje omhoog, dat bengelde aan een kettinkje dat aan de bek zat, en zei tegen haar:

'Kom maar binnen.'

Remedios kwam naar hem toe en stelde een paar vragen die

Aureliano niet kon beantwoorden, omdat een plotseling opgerezen kortademigheid hem dat belette. Zo had hij wel voor altijd willen blijven zitten, naast die leliehuid, naast die smaragdogen, vlak bij dat stemmetje dat hem bij elke vraag meneer noemde met dezelfde eerbied waarmee ze dat tegen zijn vader zei. In de hoek zat Melquíades achter zijn schrijftafel waar hij niet te ontcijferen hanepoten neerkrabbelde. Aureliano haatte hem. Hij kon niets doen, hij kon slechts tegen haar zeggen dat hij haar het visje cadeau zou geven – en het meisje schrok zozeer van dit aanbod, dat ze de werkplaats op een holletje verliet. Die middag verloor Aureliano het diep weggeborgen geduld waarmee hij gewacht had op een gelegenheid om haar te zien. Hij verwaarloosde zijn werk. Hij riep haar meermalen aan, tijdens wanhopige pogingen om zich sterk te concentreren, maar Remedios antwoordde niet. Hij zocht naar haar in het atelier van haar zussen, achter de raamgordijntjes van haar huis, in het kantoor van haar vader, maar vond haar slechts terug in het beeld waarvan zijn eigen verschrikkelijke eenzaamheid doortrokken was. Hij zat urenlang met Rebeca in de salon te luisteren naar de walsen van de pianola. Zij luisterde ernaar omdat het de muziek was waarop Pietro Crespi haar had leren dansen. Aureliano luisterde ernaar omdat eenvoudig alles, zelfs de muziek, hem aan Remedios herinnerde.

Het huis raakte vervuld van liefde. Aureliano drukte die uit in verzen die kop noch staart hadden. Hij schreef ze op het ruwe perkament dat Melquíades hem schonk, op de muren van de badkamer, op de huid van zijn armen en in al die gedichten verscheen Remedios in een andere gedaante: Remedios in de slaapwekkende atmosfeer van twee uur 's middags, Remedios in de zwijgende ademhaling van de rozen, Remedios in het steelse wateruurwerk van de motten, Remedios in het dampende brood op de vroege ochtend, Remedios altijd en Remedios overal. Rebeca keek naar haar liefde uit om vier uur 's middags, wanneer ze voor het raam zat te borduren. Ze wist dat de muilezel van de posterijen slechts eens in de veertien dagen kwam, maar ze wachtte altijd op hem, overtuigd dat hij op een dag per vergissing toch zou komen. Het tegendeel echter gebeurde: eenmaal kwam de muilezel niet op de vastgestelde datum. Gek van wanhoop stond Rebeca midden in de nacht op en begon met een naar zelfmoord neigende gretigheid handenvol aarde te eten in de tuin, waarbij ze huilde van smart en woede en kauwde op weke regenwormen en haar kiezen versplinterde op slakkenhuizen. Ze braakte tot aan de morgenstond. Ze zonk weg in een toestand van koortsige uitputting en verloor het bewustzijn en haar hart stortte zich leeg in een schaamteloos ijlen. Diep geschokt verbrak Úrsula het slot van haar koffer en op de bodem, bijeengebonden met roze linten, vond ze de zeventien geparfumeerde brieven en de in oude boeken geconserveerde resten van boom- en bloemblaadjes en gedroogde vlinders die bij aanraking tot stof vervielen.

Aureliano was de enige die zoveel droefenis kon begrijpen. Die middag, terwijl Úrsula pogingen deed om Rebeca aan het moeras van haar delirium te ontrukken, ging hij met Magnífico Visbal en Gerineldo Márquez naar de kroeg van Catarino. Het etablissement was uitgebreid met een galerij van houten kamertjes waar eenzame vrouwen leefden die naar dode bloemen roken. Een orkestje van een harmonica en een paar trommels bracht de liederen ten gehore van Francisco de Man die al een paar jaar niet meer in Macondo was geweest. De drie begonnen rietsuikerbrandewijn te drinken. Magnífico en Gerineldo, leeftijdgenoten van Aureliano maar meer bedreven in wereldse zaken, dronken met regelmaat terwijl de vrouwen op hun knieën zaten. Een van hen, een verwelkt type met een gebit vol goud, streelde Aureliano op een plaats die hem deed opschrikken. Hij weerde haar hand af. Hij had ontdekt dat hij steeds meer aan Remedios begon te denken naarmate hij meer dronk, maar de kwelling van zijn herinnering was beter te verdragen. Op welk moment hij precies begon te zweven, wist hij niet. Hij zag zijn vrienden en de vrouwen ronddobberen in een stralende flonkering, zonder gewicht of omvang, terwijl ze woorden spraken die niet over hun lippen kwamen en geheimzinnige tekenen gaven die geen verband hielden met hun gebaren. Catarino legde een hand op zijn rug en zei: 'Het loopt tegen elven.' Aureliano draaide zijn hoofd om, zag het enorme misvormde gezicht met de vilten bloem achter het oor en verloor prompt zijn geheugen, zoals in de dagen van de vergetel-

73

heid, en vond het weer terug onder een oneigen dageraad en in een kamer die hem volkomen vreemd was, waar Pilar Ternera blootsvoets en met verwarde haren in haar onderjurk stond en hem verstard van ongeloof bescheen met een lamp.

'Aureliano!'

Aureliano werkte zich overeind en hief zijn hoofd op. Hij wist niet hoe hij hier gekomen was maar hij wist wel wat de bedoeling was, want dit had hij al sinds zijn kinderjaren meegedragen, verborgen in een onaantastbaar hoekje van zijn hart.

'Ik kom met je slapen,' zei hij.

Zijn kleren waren besmeurd met slijk en braaksel. Pilar Ternera, die toen alleen met haar twee jongste kinderen samenwoonde, stelde hem geen enkele vraag. Ze nam hem mee naar het bed. Ze reinigde zijn gezicht met een natte doek, trok zijn kleren uit, kleedde zich spiernaakt uit en deed het muskietengaas naar beneden zodat haar kinderen haar niet konden zien als ze soms wakker werden. Ze had er genoeg van gekregen om alsmaar te moeten wachten op de man die bleef, de mannen die gingen, de ontelbare mannen die de weg naar haar huis misliepen, in de war gebracht door de weinig zekerheid biedende speelkaarten. Tijdens het wachten was haar huid vol kloven geraakt, hadden haar borsten zich geledigd en was het hete schroeien van haar hart geblust. In het donker tastte ze naar Aureliano, legde haar hand op zijn buik en kuste hem met moederlijke tederheid in zijn hals. 'Arm jongetje,' fluisterde ze. Aureliano rilde. Met rustige bekwaamheid en zonder enige belemmering liet hij vervolgens de steile klippen van zijn verdriet achter zich en vond Remedios terug, veranderd in een watervlakte zonder kim die geurde naar wilde dieren en pas gestreken was. Toen hij weer boven kwam drijven, huilde hij. Eerst waren het een paar onwillekeurige snikken die met horten en stoten kwamen. Daarna stortte hij zijn hart uit in een ongebreidelde stortvloed van tranen, overweldigd door het gevoel dat diep in zijn binnenste een pijnlijk gezwel was opengebarsten. Pilar Ternera wachtte en streelde met haar vingertoppen over zijn hoofd, totdat zijn lichaam zich bevrijd had van de duistere substantie die hem het leven onmogelijk

74

maakte. Toen vroeg ze: 'Wie is het?' En Aureliano vertelde het haar. Ze barstte los in de schaterlach die vroeger de duiven deed opvliegen en waarvan haar kinderen nu niet eens wakker werden. 'Dan zul je haar toch eerst moeten spenen,' spotte ze. Maar onder de spot bespeurde Aureliano een diepe poel van begrip. Toen hij het vertrek verliet, liet hij er niet alleen de twijfels over zijn mannelijkheid achter maar ook de bittere last die hij zoveel maanden in zijn hart had meegedragen. Bovendien had Pilar Ternera hem spontaan een belofte gedaan.

'Ik zal eens met het meisje praten,' had ze gezegd. 'En je zult zien dat ik haar op een presenteerblaadje kom aanbieden.'

Ze hield zich aan haar woord. Maar op een ongelegen ogenblik, want de vrede uit vroeger dagen was uit het huis verdwenen. Bij de ontdekking van Rebeca's hartstochtelijke liefde, die onmogelijk geheim kon blijven als gevolg van de kreten die ze slaakte, onderging ook Amaranta een aanval van heftige koorts. Ook zij leed aan een heimelijke liefde die als een doorn in haar vlees stak. Ze sloot zich op in de badkamer en bevrijdde zich van de kwellingen van een uitzichtloze liefde door koortsachtige brieven te schrijven waarmee ze niets anders deed dan ze te verbergen op de bodem van haar koffer. Úrsula kwam handen te kort om de beide zieken te verzorgen. Ondanks langdurige en listige ondervragingen lukte het haar niet de oorzaak van Amaranta's zenuwinstorting te achterhalen. Tenslotte kreeg ze opnieuw een helder ogenblik, forceerde ook het slot van Amaranta's koffer en vond er de brieven, bijeengebonden met roze linten, bol staand van verse lelies en nog vochtig van de tranen, stuk voor stuk gericht tot maar nooit verzonden aan Pietro Crespi. Huilend van woede vervloekte ze het uur waarop ze op de gedachte was gekomen een pianola te kopen. Ze verbood de borduurlessen en vaardigde een soort rouw zonder dode uit, die zou blijven voortduren totdat haar dochters van hun verwachtingen hadden afgezien. Ook de tussenkomst van José Arcadio Buendía, die zijn eerste indruk van Pietro Crespi gewijzigd had en bewondering koesterde voor de bekwaamheid waarmee hij muziekapparaten hanteerde, bleef zonder uitwerking. Dus toen Pilar Ternera aan Aureliano meedeelde dat Remedios besloten had te trouwen, begreep hij wel dat dit bericht zijn ouders nog meer zou bedroeven. Toch besloot hij de situatie het hoofd te bieden. Hij riep zijn ouders voor een formeel onderhoud in de salon, waar José Arcadio Buendía en Úrsula onverschrokken de verklaring van hun zoon aanhoorden. Maar toen José Arcadio Buendía de naam van zijn geliefde vernam, werd hij rood van verontwaardiging. 'De liefde is een plaag!' riep hij. 'Nu zijn er zoveel knappe en fatsoenlijke meisjes – en jij komt uitgerekend op het idee om te trouwen met de dochter van onze vijand!' Úrsula echter kon zich wel verenigen met de keuze van haar zoon. Ze uitte haar waardering voor de zeven zusters Moscote, wegens hun schoonheid, hun werklust, hun ingetogenheid en hun goede opvoeding, en ze prees de verstandige aanpak van haar zoon. José Arcadio Buendía liet zich overhalen door het enthousiasme van zijn vrouw, maar stelde één voorwaarde: Rebeca zou trouwen met Pietro Crespi, want zij was het wier gevoelens beantwoord werden. En zodra Úrsula tijd had, moest ze Amaranta meenemen op een reisje naar de hoofdstad van de provincie zodat haar teleurstelling verzacht kon worden door de omgang met andere mensen. Zodra Rebeca van deze afspraak hoorde, herstelde ze volkomen. Ze schreef haar verloofde een juichende brief die ze ter goedkeuring aan haar ouders voorlegde en vervolgens op de post deed zonder zich van tussenpersonen te bedienen. Amaranta deed net alsof ze zich in de beslissing schikte en herstelde langzaam maar zeker van haar koortsaanvallen, maar ze beloofde zichzelf plechtig dat Rebeca niet dan over haar lijk zou trouwen.

De eerstvolgende zaterdag hulde José Arcadio Buendía zich in zijn donkere lakense pak, deed een boordje van celluloid om, trok de gemsleren schoenen aan die hij voor het eerst had gedragen op de avond van het bal en begaf zich op weg om de hand van Remedios Moscote te vragen. De burgemeester en zijn vrouw ontvingen hem met een mengsel van blijdschap en verontrusting, want het doel van dit onverwachte bezoek was hen onbekend. Later meenden ze dat hij zich vergiste in de naam van de gegadigde. Om deze vergissing te verhelpen ging de moeder Remedios wakker maken en bracht haar, nog suf van de slaap, op haar arm mee naar de kamer. Ze vroegen haar of ze werkelijk van plan was te trouwen en het meisje antwoordde dreinend dat ze alleen maar wilde dat men haar liet slapen. José Arcadio Buendía begreep de ontreddering van de Moscotes en ging nadere opheldering vragen bij Aureliano. Toen hij terugkeerde had het echtpaar Moscote zich formeel aangekleed, de plaats van de meubels gewijzigd en verse bloemen in de vazen gezet. Ze wachtten hem nu op in het gezelschap van hun oudere dochters. Ernstig gehinderd door het pijnlijke van de situatie en door het knellende stijve boord, bevestigde José Arcadio Buendía dat Remedios inderdaad de uitverkorene was. 'Maar dat is zinloos,' zei don Apolinar Moscote verbijsterd. 'We hebben nog zes dochters, allen ongetrouwd en op huwbare leeftijd en ze zouden het stuk voor stuk heerlijk vinden om een waardig echtgenote te mogen worden van een ernstig en arbeidzaam heer als uw zoon – en nu laat Aurelito uitgerekend het oog vallen op de enige die nog in bed plast.' Zijn echtgenote, een goed geconserveerde vrouw met gekwelde oogopslag en larmoyante gebaren, berispte hem om deze onwelvoeglijkheid. Toen de vruchtenbowl eenmaal genuttigd was, hadden ze zich welwillend geschikt in het voornemen van Aureliano. Alleen verzocht señora Moscote dringend om een gesprek onder vier ogen met Úrsula. Hevig benieuwd, protesterend tegen het feit dat men haar in mannenzaken betrok maar in werkelijkheid diep onder de indruk van al deze beroering, ging Úrsula de volgende dag bij haar op bezoek. Een half uur later keerde ze terug met het bericht dat Remedios nog niet geslachtsrijp was. Aureliano beschouwde dit niet als een ernstige hinderpaal. Hij had al zo lang gewacht, dat hij zonodig ook kon wachten totdat zijn geliefde de vruchtbare leeftijd had bereikt.

De herwonnen harmonie werd slechts verstoord door de dood van Melquíades. Al was deze gebeurtenis wel te voorzien geweest, de omstandigheden van zijn dood waren dat zeker niet. Een paar maanden na zijn terugkeer was er in hem een verouderingsproces op gang gekomen dat zo snel en zo hachelijk verliep, dat men hem al gauw ging beschouwen als een van die nutteloze oudjes die, moeizaam sloffend en hardop mijmerend over betere tijden, als schaduwen door de slaapkamers dwalen – oudjes met wie niemand zich bemoeit en die men eigenlijk niet eens opmerkt tot aan de dag dat ze 's morgens dood in bed worden aangetroffen. In het begin hielp José Arcadio Buendía hem nog bij zijn werk, warm gemaakt door het nieuwe van de daguerrotypes en de voorspellingen van Nostradamus. Maar langzamerhand begon hij hem alleen te laten met zijn eenzaamheid, want het kostte hen steeds meer moeite om zich met elkaar te onderhouden. Melquíades verloor het gehoor en het gezichtsvermogen, leek zijn gespreksgenoten te verwarren met personen die hij in lang verlogen perioden van het mensdom had gekend en beantwoordde alle vragen in een verward mengelmoesje van talen. Hij verplaatste zich nog slechts op de tast, ofschoon hij alles met een onverklaarbaar gemak wist te ontwijken, alsof hij begiftigd was met een instinctief richtingsgevoel dat stoelde op onmiddellijk werkende voorgevoelens. Op een dag vergat hij het kunstgebit in te doen dat hij 's nachts in een glas water naast zijn bed had staan en sindsdien gebruikte hij het niet meer. Toen Úrsula opdracht had gegeven tot de uitbreiding van het huis, had ze naast de werkplaats van Aureliano een speciaal kamertje voor hem laten bouwen, ver van het lawaai en het geloop van het huishouden en voorzien van een raam dat baadde in het zonlicht en van een paar boekenplanken waarop ze eigenhandig een plaatsje inruimde voor de dikke, door stof en motten vrijwel weggevreten boeken en de broze, met niet te ontcijferen tekenen overdekte paperassen en het glas met het kunstgebit waarop waterplanten met piepkleine gele bloemetjes waren gaan gedijen. Het nieuwe onderkomen leek Melquíades wel te bevallen, want men zag hem zelfs niet meer in de eetkamer. Hij begaf zich nog slechts naar het atelier van Aureliano, waar hij lange uren bezig was zijn raadselachtige letterarbeid neer te krabbelen op de vellen perkament die hij had meegebracht en die vervaardigd leken van een dorre stof waarin kleine barstjes kwamen als in bladdeeg. Daar gebruikte hij het voedsel dat Visitación hem tweemaal per dag bracht, ofschoon hij de laatste tijd zijn eetlust verloor en zich nog slechts voedde met groenten. Al gauw verkreeg hij het verdoolde uiterlijk dat eigen is aan vegetariërs. Zijn huid raakte overdekt met een

78

zachte mossoort, ongeveer gelijk aan wat woekerde op het anachronistische vest dat hij nimmer aflegde, en zijn ademhaling verspreidde een benauwde lucht als van een slapend dier. Aureliano vergat hem tenslotte geheel, verdiept als hij was in het redigeren van zijn verzen. Maar op een dag meende hij iets te begrijpen van wat de zigeuner in zijn zweverige monologen uitte en hij luisterde met meer aandacht, maar het enige wat hij in het knarsende gebrabbel kon onderscheiden was het als hamerslagen herhaalde woord *equinoctium equinoctium equinoctium* en de naam Alexander Von Humboldt. Toen Arcadio eenmaal belangstelling kreeg voor het smeedwerk van Aureliano, begon hij zich ook een beetje met Melquíades te bemoeien. De zigeuner reageerde op deze toenaderingspoging door van tijd tot tijd Spaanse zinnen uit te braken die niet veel van doen hadden met de werkelijkheid. Maar op een middag leek hij te stralen van een plotselinge emotie. Jaren later, staande voor het vuurpeloton, zou Arcadio terugdenken aan de sidderende ontroering waarmee Melquíades hem liet luisteren naar een aantal bladzijden uit zijn ontoegankelijke geschrift, bladzijden waarvan hij natuurlijk niets begreep maar die, hardop voorgelezen, leken op gedeclameerde encyclieken. Daarna glimlachte de oude man voor het eerst sinds lange tijd en zei in het Spaans: 'Wanneer ik sterf, laat ze dan drie dagen lang kwikzilver branden in mijn kamer.' Arcadio vertelde het aan José Arcadio Buendía en deze probeerde een uitgebreider toelichting te verkrijgen, maar ontving als antwoord slechts: 'Ik heb de onsterfelijkheid bereikt.' Toen de ademhaling van Melquíades begon te stinken, nam Arcadio hem elke donderdagmorgen mee om te baden in de rivier. Daardoor leek hij iets beter te worden. Hij kleedde zich uit en stapte het water in met de jongens van het dorp en dank zij zijn geheimzinnige oriënteringsvermogen wist hij de diepe en gevaarlijke plekken te vermijden. 'Wij zijn afkomstig uit het water,' zei hij bij een bepaalde gelegenheid. Zo ging er lange tijd voorbij zonder dat iemand hem thuis ooit zag, behalve op de avond dat hij een ontroerende poging deed om de pianola in elkaar te zetten en op de dagen dat hij met Arcadio naar de rivier ging, de waskom en een stuk palmzeep in een handdoek gewikkeld onder zijn arm. Op een donderdag hoorde Aureliano hem zeggen, vlak voordat ze hem riepen om naar de rivier te gaan: 'Ik ben in de duinen van Singapore aan de koorts gestorven.' Die dag begaf hij zich te water langs een verkeerde route. Ze vonden hem pas de volgende dag, een paar kilometer stroomafwaarts, waar hij in een zonbeschenen bocht gestrand was met een eenzame stinkgier op zijn buik. Ondanks de protesten van de diep geschokte Úrsula, die hem met groter smart beweende dan haar eigen vader, verzette José Arcadio Buendía zich ertegen dat men hem begroef. 'Hij is onsterfelijk,' zei hij, 'en hij heeft zelf de methode van zijn herrijzenis onthuld.' Hij blies de lang vergeten destilleerketel nieuw leven in en bracht een pan met kwikzilver aan de kook in de buurt van het lijk, dat langzamerhand overdekt raakte met blauwe blaasjes. Don Apolinar Moscote waagde het hem erop te wijzen dat een onbegraven drenkeling een gevaar vormde voor de volksgezondheid. 'Onzin, hij leeft immers nog,' luidde het antwoord van José Arcadio Buendía, die de tweeënzeventig uren van kwikbewieroking halsstarrig volmaakte terwijl het lijk al uiteen begon te vallen middels vaalbleke opzwellingen die onder een ijl gesis het hele huis vervulden van een verpestende stank. Toen pas gaf hij toestemming hem te begraven – echter niet zomaar, maar met het eerbetoon dat toekwam aan de grootste weldoener van Macondo. Het was de eerste begrafenis en bovendien de drukst bezochte die het dorp ooit meemaakte, slechts overtroffen door de begrafenisfeesten van de Grote Moeder die bijna een eeuw later zouden plaatsvinden. Ze legden hem in een graf in het midden van het terrein dat ze als kerkhof hadden bestemd, onder een steen waarop het enige geschreven stond wat men van hem wist: MELQUÍADES. Ze voorzagen hem van zijn zeven nachten waken. In het gedrang op de patio, waar men zich verzamelde om koffie te drinken en grappen te vertellen en kaart te spelen, kreeg Amaranta de gelegenheid om haar liefde te bekennen aan Pietro Crespi, die een paar weken tevoren zijn verloving met Rebeca officieel had gemaakt en bezig was een winkel in muziekinstrumenten en mechanisch speelgoed in te richten in het dorpsgedeelte dat bij de mensen bekend stond als de Straat van de Turken, omdat daar de Arabieren woonden die in vroeger tijden snuisterijen voor papegaaien waren komen ruilen. De Italiaan, wiens hoofd vol glanzende lokken bij de vrouwen een onweerstaanbare behoefte om te zuchten opwekte, behandelde Amaranta als een nukkig kind dat het nauwelijks waard was ernstig te worden genomen.

'Ik heb nog een jongere broer,' zei hij. 'Hij komt me helpen in de winkel.'

Amaranta voelde zich diep vernederd. Met bittere wrok zei ze tot Pietro Crespi dat ze van plan was het huwelijk van haar zuster te beletten, al moest ze daarvoor haar eigen lijk op haar drempel leggen. De Italiaan schrok zozeer van dit dramatische dreigement, dat hij niet kon ontkomen aan de verleiding om het met Rebeca te bespreken. Zo kwam het dat Amaranta's reis, die door de drukke bezigheden van Úrsula steeds weer was uitgesteld, nu binnen een week geregeld werd. Amaranta verzette zich niet, maar toen ze Rebeca een afscheidskus gaf, fluisterde ze haar in het oor:

'Haal je maar niets in je hoofd. Ze kunnen me naar het eind van de wereld slepen, maar ik zal een manier vinden om te voorkomen dat je trouwt – al moet ik je ervoor vermoorden.'

Tijdens de afwezigheid van Úrsula – en de onzichtbare aanwezigheid van Melquíades, die zijn geruisloos dwalen door de vertrekken bleef voortzetten – leek het huis erg groot en leeg. Rebeca was belast met de gang van zaken in het huishouden, terwijl de indiaanse zorgde voor de bakkerij. 's Avonds, als Pietro Crespi kwam – voorafgegaan door een fris windje van lavendelgeur en steeds met een stuk speelgoed als geschenk – ontving zijn verloofde hem in de grote salon, waar ze alle ramen en deuren openliet om gevrijwaard te zijn van alle verdenking. Het was een onnodige voorzorgsmaatregel, want de Italiaan had zich zo respectvol betoond dat hij niet eens de hand aanraakte van de vrouw die binnen een jaar zijn echtgenote zou zijn. Deze bezoeken vulden het huis langzamerhand met het wonderlijkste speelgoed. De opwindbare danseresjes, de speeldozen, de acrobatische apen, de trappelende paardjes, de trommelende clowns en de rijk geschakeerde en verbazingwekkende mechanische fauna die Pietro Crespi meebracht, verzachtten José Arcadio Buendía's droefenis om de dood van Melquíades en voerden hem terug naar de oude dagen van de alchemie. Hij leefde in een paradijs van binnenstebuiten gekeerde dieren en uit elkaar gehaalde apparaatjes en probeerde ze te vervolmaken middels een eeuwigdurend bewegingssysteem dat gebaseerd was op het principe van de slinger. Wat Aureliano betreft, hij verwaarloosde zijn atelier om de kleine Remedios te leren lezen en schrijven. Aanvankelijk verkoos het meisje haar poppen boven de man die elke middag kwam en die er de schuld van was dat haar speelgoed werd afgenomen en dat men haar baadde en mooi aankleedde en in de kamer zette om het bezoek te ontvangen. Maar Aureliano wist haar met geduld en toewijding over te halen, zodat ze tenslotte urenlang met hem de betekenis van de letters bestudeerde en met haar kleurpotloden een schrift vulde met tekeningen van huisjes met koeien op het erf en van ronde zonnen met gele stralen die verdwenen achter de heuvels.

Alleen Rebeca voelde zich niet erg gelukkig met het dreigement van Amaranta. Ze kende het karakter en de aanmatigende geest van haar zuster maar al te goed en de heftigheid van haar wrok joeg haar schrik aan. Ze zat urenlang in het bad op haar duim te zuigen en riep een afmattende wilsinspanning te hulp om geen aarde te eten. In een poging om haar ongerustheid te verlichten, liet ze Pilar Ternera komen om zich de toekomst te laten lezen. Na een litanie van de gebruikelijke onduidelijkheden voorspelde Pilar Ternera:

'Je zult niet gelukkig worden zolang je ouders niet begraven zijn.'

Rebeca schrok. Alsof ze zich een droom herinnerde, zo zag ze zichzelf weer het huis binnenkomen, heel klein nog, met de koffer en het houten schommelstoeltje en een linnen zak waarvan ze de inhoud nooit te weten was gekomen. Ze herinnerde zich een kaalhoofdig heer (die in niets geleek op schoppenkoning) in een linnen pak en met een hemd waarvan de kraag gesloten was met een gouden knoop. Ze herinnerde zich een heel jonge en heel mooie vrouw met koele en geurende handen (die niets gemeen hadden met de reumatische handen van ruitenvrouw) die bloemen in haar haar stak en haar 's middags mee uit wandelen nam door een dorp met groene lanen.

'Dat begrijp ik niet,' zei ze.

Pilar Ternera leek van haar stuk gebracht.

'Ik ook niet,' zei ze. 'Maar dat zeggen de kaarten nu eenmaal.'

Rebeca maakte zich over dit raadsel zo ongerust, dat ze het aan José Arcadio Buendía vertelde. Hij gaf haar een standje omdat ze geloof hechtte aan kaartleggerij, maar wijdde zich daàrna in stilte aan de taak om kasten en koffers te doorzoeken, meubels te verschuiven, bedden om te keren en vloerplanken op te lichten – en dit alles omdat hij zocht naar de linnen zak met beenderen. Hij herinnerde zich dat hij die niet meer gezien had sinds de tijd van de verbouwing. In het geheim liet hij de metselaars komen en een van hen onthulde, dat hij de linnen zak in een van de slaapkamers had ingemetseld omdat het ding hem hinderde bij zijn werk. Na dagen van wichelarij met hun oren stijf tegen de muren gedrukt, bespeurden ze tenslotte het doffe klok-klok. Ze doorbraken de muur en daar waren de beenderen in de geheel gaaf gebleven zak. Diezelfde dag begroeven ze hem in een graf zonder steen dat haastig werd aangelegd naast het graf van Melquíades en José Arcadio Buendía keerde naar huis terug, bevrijd van een last die hem een poosje even zwaar op het geweten had gedrukt als de herinnering aan Prudencio Aguilar. Toen hij door de keuken kwam, gaf hij Rebeca een kus op het voorhoofd.

'Zet die akelige ideeën uit je hoofd,' zei hij. 'Je zult gelukkig worden.'

De vriendschap met Rebeca opende voor Pilar Ternera de deur van het huis, die door Úrsula voor haar gesloten was sinds de geboorte van Arcadio. Ze kon op elk uur van de dag komen opdagen, onvoorzien als een kudde geiten, en ontlaadde haar bezeten energie in de zwaarste huishoudelijke taken. Zo nu en dan ging ze het atelier binnen waar ze Arcadio hielp de daguerrotype-platen van een gevoelige laag te voorzien en ze deed dat met een grondigheid en een tederheid die hem tenslotte van zijn stuk brachten. Die vrouw overdonderde hem. De zondoordrenktheid van haar huid, haar geur van rook, de wanorde die soms door haar schaterlach geschapen werd in het donkere vertrek, dat alles leidde zijn aandacht af en maakte dat hij overal tegenop botste.

Op een dag was Aureliano bezig met zijn edelsmeedwerk, toen Pilar Ternera over de tafel kwam leunen om te kijken naar zijn geduldige arbeid. Ineens gebeurde het. Aureliano keek of Arcadio in het donkere vertrek aanwezig was, toen sloeg hij de ogen op en ontmoette de blik van Pilar Ternera, wier gedachten volmaakt zichtbaar waren alsof ze waren blootgesteld aan het felle licht van de middag.

'Goed, goed,' zei Aureliano. 'Zeg maar wat er is.'

Pilar Ternera beet zich met een trieste glimlach op de lippen. 'Je bent een goeie voor de oorlog,' zei ze. 'Als je mikt, schiet je raak ook.'

Aureliano ontspande zich, nu zijn voorgevoel bevestigd was. Hij concentreerde zich opnieuw op zijn werk, alsof er niets gebeurd was, en zijn stem verkreeg een klank van rustige vastberadenheid.

'Ik zal het erkennen,' zei hij. 'Het zal mijn naam dragen.'

José Arcadio Buendía boekte eindelijk resultaat met wat hij zocht: hij verbond een opwindbaar danseresje met het mechanisme van de klok en het speelgoedpoppetje danste drie dagen zonder onderbreking op de maat van haar eigen muziek. Deze vondst bezorgde hem meer opwinding dan al zijn andere dolzinnige ondernemingen bij elkaar. Hij kwam niet meer eten. Hij ging niet meer slapen. Verstoken van de zorgen en het toezicht van Úrsula, liet hij zich door zijn fantasie meeslepen tot in een toestand van onafgebroken geestvervoering waaruit hij nooit meer zou bijkomen. Hij bleef hele nachten door zijn kamer ijsberen, terwijl hij hardop liep na te denken over een manier om het principe van de slinger toe te passen op ossekarren, op de scharen van de ploeg, op alles wat maar nuttig was zodra het in beweging werd gezet. De koorts en de slapeloosheid vermoeiden hem zozeer, dat hij op een ochtend niet in staat was de oude man met wit haar en onzekere gebaren te herkennen die zijn slaapkamer binnentrad. Het was Prudencio Aguilar. Toen hij hem eindelijk wist thuis te brengen, verbijsterd over het feit dat ook de doden ouder worden, werd José Arcadio Buendía door weemoed besprongen. 'Prudencio!' riep hij uit. 'Hoe kom je erbij om zo'n eind te reizen!' Na een verblijf van vele jaren in de dood was het verlangen naar de levenden zo intens, de behoefte aan gezelschap zo dringend en de nabijheid van die andere dood, die binnen de dood bestaat, zo schrikwekkend geworden, dat Prudencio Aguilar tenslotte genegenheid was gaan koesteren voor zijn ergste vijand. Het had hem heel wat tijd gekost om hem op te sporen. Hij had naar hem geïnformeerd bij de doden van Riohacha, bij de doden die aankwamen uit Valle de Upar, bij de doden die afkomstig waren uit het grote moeras, maar niemand kon hem inlichtingen verstrekken omdat Macondo bij de doden onbekend was – tot Melquíades arriveerde en het dorp aangaf met een puntje op de veelkleurige kaarten van de dood. José Arcadio Buendía praatte met Prudencio Aguilar tot de dag aanbrak. Een paar uur later kwam hij, uitgeteerd door de doorwaakte nacht, Aureliano's atelier binnen en vroeg: 'Welke dag is het vandaag?' Aureliano antwoordde dat het dinsdag was. 'Dat dacht ik ook,' zei José Arcadio Buendía. 'Maar ineens besefte ik dat het maandag blijft, net als gisteren. Kijk maar naar de lucht, kijk maar naar de muren, kijk maar naar de begonia's. Vandaag is het ook maandag.' Aureliano lette er niet op, gewend als hij was aan de grilligheden van zijn vader. De volgende dag, woensdag, kwam José Arcadio Buendía opnieuw naar de werkplaats. 'Dit is een ramp,' zei hij. 'Kijk maar naar de lucht, luister maar naar het zoemen van de zon – hetzelfde als gisteren en eergisteren. Vandaag is het ook maandag.' Die avond vond Pietro Crespi hem op de waranda, waar hij met het onaantrekkelijk simpen der bejaarden zat te huilen om Prudencio Aguilar, om Melquíades, om de ouders van Rebeca, om zijn vader en moeder, om allen die hij zich herinnerde en die nu zo eenzaam waren in de dood. De Italiaan gaf hem een opwindbaar beertje dat op twee poten over een koord danste, maar wist hem niet uit zijn bezetenheid te verlossen. Hij vroeg hem wat er gebeurd was met het plan dat hij een paar dagen geleden had uiteengezet, namelijk om een slingermachine te bouwen waarvan de mens zich kon bedienen om te vliegen, en José Arcadio Buendía antwoordde dat het onmogelijk was, omdat de slinger wel in staat was om alles in de lucht te heffen maar zichzelf niet kon optillen. Op donderdag verscheen hij opnieuw in de werkplaats met het trieste uiterlijk als van een uitgemergelde akker. 'De tijdmachine is kapot!' snikte hij bijna. 'En dat terwijl Úrsula en Amaranta zo ver weg zijn!' Aureliano berispte hem als een kind en zijn houding werd plotseling timide. Zes uur lang onderzocht hij alle dingen en trachtte hij enig verschil te vinden met het uiterlijk dat ze de vorige dag gehad hadden, in de hoop een verandering te ontdekken die zou wijzen op het verstrijken van de tijd. Hij bleef de gehele nacht met wijd open ogen in bed liggen terwijl hij Prudencio Aguilar, Melquíades en alle andere doden opriep om zijn verdriet te komen delen. Maar niemand kwam. Die vrijdagmorgen, nog voordat iemand anders was opgestaan, begon hij het aanschijn van de natuur opnieuw nauwlettend te bekijken, totdat hem niet de minste twijfel overbleef dat het nog steeds maandag was. Toen greep hij de sluitbalk van een deur en met het woeste geweld van zijn ongewone kracht begon hij de alchemistenapparaten, het daguerrotype-kabinet en het atelier vol edelsmeedwerk kort en klein te slaan tot er niet meer dan stof van over was, terwijl hij als een bezetene krijste in een hoogdravende, zoetvloeiende maar niettemin volledig onbegrijpelijke taal. Hij maakte zich al op om ook de rest van het huis met de grond gelijk te maken, toen Aureliano de hulp van de buren inriep. Er waren tien mannen nodig om hem op de grond te krijgen, veertien om hem te boeien, twintig om hem mee te sleuren naar de kastanje op de patio waaraan ze hem vastbonden, terwijl hij tegen hen tekeer ging in een vreemde taal en het groene schuim hem op de mond kwam. Toen Úrsula en Amaranta terugkeerden, stond hij nog steeds met handen en voeten aan de stam van de kastanje gebonden, doorweekt van de regen en in een staat van volledige onnozelheid. Ze praatten met hem, maar hij keek hen aan zonder hen te herkennen en antwoordde iets onverstaanbaars. Úrsula maakte zijn polsen en enkels los, die door het schrijnen van de touwen al waren gaan zweren, en zorgde ervoor dat hij slechts bleef vastgebonden met een touw om zijn middel. Later bouwden ze een afdak van palmbladeren om hem te beschermen tegen de zon en de regen.

Aureliano Buendía en Remedios Moscote trouwden op een maartse zondag voor het altaar dat pater Nicanor Reyna in de salon had laten bouwen. Het was de bekroning van vier weken vol misbaar in het huis van de Moscotes, want de kleine Remedios bereikte de puberteit nog voordat ze de gewoonten uit haar kindertijd teboven was gekomen. Ofschoon haar moeder haar had ingelicht over de veranderingen die de adolescentie met zich meebrengt, kwamen ze op een februarimiddag onder verschrikte kreten de kamer binnenrennen, waar haar zusters zaten te praten met Aureliano, om aan iedereen haar broekje te laten zien dat besmeurd was met een chocoladekleurige pasta. De datum van de bruiloft werd vastgesteld op een maand daarna. Men had nauwelijks tijd om haar te leren zich alleen te wassen en te kleden en om haar iets te doen begrijpen van de meest elementaire aangelegenheden van het huishouden. Men liet haar op hete stenen plassen om een eind te maken aan de ondeugd van het bedwateren. Het kostte heel wat moeite om haar te doordringen van de heiligheid van het echtelijk geheim, want Remedios was zo verbaasd en tegelijkertijd zo verrukt over de onthulling daarvan, dat ze met iedereen omstandig wilde praten over de bijzonderheden van de huwelijksnacht. Het was een afmattende strijd, maar op de datum die voor de plechtigheid was vastgesteld, was het meisje even doorkneed in wereldse zaken als haar oudere zusters. Don Apolinar Moscote voerde haar aan zijn arm door de met bloemen en slingers versierde straten, temidden van het gedonder van de vuurpijlen en de muziek van verschillende orkestjes, en zij wuifde met haar handje en dankte glimlachend al degenen die haar geluk wensten vanuit de vensters. Aureliano, gekleed in een zwart lakens pak en met dezelfde lakschoenen vol ijzeren haakjes die hij een paar jaar later zou dragen voor het vuurpeloton, had een intens bleek gezicht en een harde brok in zijn keel toen hij zijn geliefde ontving aan de deur van het huis en haar meevoerde naar het altaar. Ze gedroeg zich zo natuurlijk en zo ingetogen, dat ze zelfs haar zelfbeheersing niet verloor toen Aureliano de ring liet vallen op het moment dat hij hem aan haar vinger wilde schuiven. Temidden van het gemompel en de beginnende verwarring bij de genodigden bleef ze haar arm met de kanten handschoen opheffen en haar ringvinger uitsteken totdat haar verloofde erin slaagde de ring, die bijna tot aan de deur gerold was, met zijn schoen tegen te houden en blozend was teruggekeerd naar het altaar. Haar moeder en haar zusters leden zozeer onder de vrees dat ze tijdens de plechtigheid een fout zou begaan, dat ze na afloop de onwelvoeglijkheid begingen om haar op te tillen en haar af te zoenen. Vanaf die dag kwamen reeds het verantwoordelijkheidsgevoel, de natuurlijke bevalligheid en het rustige gezag tot uiting die Remedios altijd zou hebben wanneer er tegenslagen waren. Uit eigen beweging legde ze het beste stuk van de bruidstaart opzij, plaatste het op een bordje en bracht het met een vork naar José Arcadio Buendía. De reusachtige grijsaard, verkleurd door zon en regen, zat op een houten bankje onder het afdak van palmbladeren, nog steeds stevig vastgebonden aan de stam van de kastanje. Hij schonk haar een vage glimlach van dankbaarheid en begon de taart met zijn vingers op te eten, terwijl hij een onverstaanbaar gebrabbel liet horen. Bij dit woelige feest, dat tot de maandagochtend voortduurde, was Rebeca Buendía de enige die niet gelukkig was. Het was haar misgelopen bruiloft. Volgens de plannen van Úrsula had haar huwelijk op diezelfde dag gesloten moeten worden, maar op vrijdag had Pietro Crespi een brief ontvangen met het bericht dat zijn moeder op sterven lag. De bruiloft werd afgelast. Eén uur na het ontvangen van de brief vertrok Pietro Crespi naar de hoofdstad van de provincie en passeerde daarbij onderweg zijn moeder, die stipt op tijd op zaterdagavond aankwam en op de bruiloft van Aureliano de droevige aria ten gehore bracht die ze had ingestudeerd voor de bruiloft van haar zoon. Pietro Crespi, die onderweg vijf paarden doodjakkerde om maar op tijd terug te zijn voor zijn huwelijk, keerde op zondagavond omstreeks middernacht terug, doch slechts om de resten van het feest te kunnen helpen opruimen. Nooit kwam men te weten wie de brief had geschreven. Amaranta, die door Úrsula hierover stevig aan de tand werd gevoeld, huilde van verontwaardiging en bezwoer haar onschuld voor het altaar, dat door de timmerlieden nog niet uit elkaar was genomen.

Pater Nicanor Reyna – die door don Apolinar Moscote uit het moerasgebied was gehaald om het huwelijk in te zegenen – was een oude man, gehard door de ondankbaarheid van zijn ambt. Hij had een schrale huid, die vrijwel op de beenderen zelf geplakt zat, een dikke en vooruitstekende buik en op zijn gezicht een uitdrukking als van een bejaarde engel, iets wat eerder aan argeloosheid dan aan goedheid te wijten was. Hij was van plan geweest om na de bruiloft naar zijn parochie terug te keren, maar hij schrok nogal van het braakliggende terrein in Macondo, waar de bewoners in zonde gedijen, slechts onderworpen aan de natuurwetten en zonder hun kinderen te laten dopen of de heilige feesten te onderhouden. In de mening dat geen enkele landstreek het zaad van God zozeer nodig had, besloot hij een week langer te blijven om besnedenen en afgodendienaars te kerstenen, concubinaten te wettigen en stervenden te zalven. Maar niemand besteedde enige aandacht aan hem. De dorpelingen antwoordden hem dat ze het al jarenlang zonder pastoor hadden gedaan, dat ze hun zielszaken rechtstreeks met God regelden en dat ze het kwaad van de erfzonde hadden verloren. Toen pater Nicanor eenmaal genoeg kreeg van het roepen in de woestijn, besloot hij over te gaan tot de bouw van een godshuis – de grootste kerk van de wereld, met heiligen op ware grootte en met ramen van gekleurd glas in de muren, opdat er mensen uit Rome konden komen om God te eren in het hart van de goddeloosheid. Hij zwierf overal rond en bedelde met een koperen schaaltje om aalmoezen. Ze gaven hem veel. Maar hij verlangde meer, want de kerk moest voorzien worden van een klok met een geluid waarvan drenkelingen zouden komen bovendrijven. Hij bedelde zoveel, dat hij zijn stem verloor. Zijn botten begonnen zich te vullen met gekraak. Toen hij zelfs het bedrag van de deuren nog niet bij elkaar had, liet hij zich op een zaterdag door wanhoop overweldigen. Hij zette haastig een altaar in elkaar op het dorpsplein en op zondagmorgen trok hij met een belletje door het dorp, net als in de tijd van de slapeloosheid, terwijl hij de bewoners naar de openluchtmis riep. Velen gingen uit nieuwsgierigheid.

89

Anderen uit heimwee. Weer anderen om te voorkomen dat God hun minachting voor zijn tussenpersoon als een persoonlijke belediging zou opvatten. Zodat om acht uur 's morgens het halve dorp aanwezig was op het plein, waar pater Nicanor het evangelie zong met een stem die gebarsten was van het bedelen. Na afloop, toen de aanwezigen al uiteen begonnen te gaan, hief hij zijn armen op om de aandacht te vragen.

'Een ogenblik,' zei hij. 'Nu zullen we een onweerlegbaar bewijs aanschouwen van de oneindige macht van God.'

De jongen die hem bij de mis geholpen had bracht hem een kom dikke, dampende chocolade die hij zonder adem te halen opdronk. Vervolgens veegde hij zijn lippen af met een zakdoek die hij uit zijn mouw haalde, stak zijn armen uit en kneep zijn ogen dicht. Toen verhief pater Nicanor zich twaalf centimeter boven de grond. Het was een overtuigende aanpak. Dagenlang trok hij langs de huizen en herhaalde hij, geholpen door de chocolade, de levitatie-proef. Ondertussen verzamelde de misdienaar in een linnen zak zoveel geld, dat hij binnen een maand aan de bouw van het godshuis kon beginnen. Niemand trok de goddelijke oorsprong van deze vertoning in twijfel, behalve José Arcadio Buendía, die verblikte noch verbloosde toen zich op een morgen een massa mensen rondom de kastanjeboom verzamelde om deze openbaring nogmaals bij te wonen. Hij ging niet eens rechtopzitten op zijn bankje en haalde alleen maar zijn schouders op, toen pater Nicanor zich opnieuw van de grond begon te verheffen, ditmaal met inbegrip van de stoel waarop hij zat.

'*Hoc est simplicissimum,*' zei José Arcadio Buendía. '*Homo iste statum quartum materiae invenit.*'

Pater Nicanor hief zijn hand op en de vier poten van zijn stoel kwamen weer op de grond terecht.

'*Nego,*' zei hij. '*Factum hoc existentiam Dei probat sine dubio.*'

Zo kwam men te weten dat het afschuwelijke koeterwaals van José Arcadio Buendía in feite Latijn was. Pater Nicanor was de enige die met hem in contact had kunnen komen en hij maakte van die omstandigheid gebruik om te trachten enig geloof te prenten in zijn op hol geslagen hersenen. Elke middag

90

zette hij zich naast de kastanje om te preken in het Latijn, maar José Arcadio Buendía weigerde genoegen te nemen met retorische dwaalwegen of chemische omzettingen van chocolade en eiste als enig bewijs de daguerrotype van God. Daarna begon pater Nicanor medailles voor hem mee te brengen en heiligenprentjes en zelfs een kopie van de Zweetdoek van Veronica, maar die wees José Arcadio Buendía van de hand omdat het door mensen vervaardigde voorwerpen waren zonder enige wetenschappelijke ondergrond. Hij was zo moeilijk te bewerken, dat pater Nicanor zijn bekeringsplannen opgaf en hem nog slechts bleef bezoeken uit humanitaire overwegingen. Maar toen nam José Arcadio Buendía het initiatief en probeerde het geloof van de pastoor aan het wankelen te brengen met rationalistische valstrikken. Toen pater Nicanor op een keer bij de kastanjeboom arriveerde met een dambord en een doos stenen en hem uitnodigde voor een spelletje, weigerde José Arcadio Buendía dat, zeggende dat hij nooit de zin had kunnen inzien van een krachtmeting tussen twee tegenstanders die het in principe met elkaar eens waren. Pater Nicanor, die het damspel nog nooit op die manier bekeken had, kon het sindsdien nooit meer spelen. Hij verbaasde zich steeds meer over de schranderheid van José Arcadio Buendía en tenslotte vroeg hij hem hoe het toch mogelijk was, dat ze hem vastgebonden hielden aan een boom.

'*Hoc est simplicissimum*,' antwoordde hij. 'Ik ben immers gek.'

Vanaf die dag bezocht de pastoor hem niet meer, bevreesd als hij was voor zijn eigen geloof; hij wijdde zich geheel aan zijn pogingen om de bouw van het bedehuis te versnellen. Rebeca voelde haar hoop herleven. Sinds de zondag dat pater Nicanor bij hen thuis de lunch gebruikte en de hele familie aan tafel de mond vol had over de plechtigheid en de praal welke de religieuze handelingen zouden verkrijgen als de kerk eenmaal was afgebouwd, hing haar toekomst af van de voltooiing van het werk. 'Rebeca heeft wel het meeste geluk van ons allemaal,' had Amaranta gezegd. En toen Rebeca niet begreep wat ze daarmee bedoelde, verklaarde ze met een onschuldig glimlachje:

'Jou valt de eer te beurt om de kerk met je huwelijk in te wijden.'

Rebeca probeerde het commentaar van de anderen voor te blijven. Met de snelheid waarmee de bouw verliep, zou het bedehuis op z'n vroegst over tien jaar gereed zijn. Pater Nicanor was het niet met haar eens: de toenemende vrijgevigheid van de gelovigen stond een optimistischer berekening toe. Ondanks de stomme verontwaardiging van Rebeca, die niet eens kon afeten, stelde Úrsula zich enthousiast op achter het idee van Amaranta en ze droeg een aanzienlijk bedrag bij om de werkzaamheden te versnellen. Pater Nicanor merkte op, dat de kerk met nog zo'n gift wel over drie jaar klaar kon zijn. Vanaf dat moment sprak Rebeca geen woord meer tegen Amaranta, overtuigd dat het voorstel zeker niet zo onschuldig was geweest als ze deed voorkomen. 'Het was het minst ernstige wat ik kon doen,' antwoordde Amaranta tijdens de hevige ruzie die ze die avond hadden. 'Zo hoef ik je tenminste de eerstkomende drie jaar nog niet te vermoorden.' Maar Rebeca besloot de uitdaging aan te nemen.

Toen Pietro Crespi vernam dat het huwelijk opnieuw was uitgesteld, onderging hij louter door teleurstelling een ernstige geestelijke crisis. Maar Rebeca gaf hem een overtuigend bewijs van haar trouw. 'Zodra jij het wilt, lopen we samen weg,' zei ze tegen hem. Pietro Crespi echter was geen man voor dat soort avonturen; hij miste het onstuimige karakter van zijn verloofde en beschouwde de trouw aan een eens gegeven woord als een groot goed dat je niet zomaar kon verkwisten. Dus nam Rebeca haar toevlucht tot stoutmoediger methoden. Een geheimzinnige windvlaag doofde alle lampen in de grote salon en Úrsula betrapte de geliefden erop dat ze elkaar kusten in het donker. Pietro Crespi legde met een stortvloed van woorden uit, hoe slecht de kwaliteit van de moderne olielampen was en hij hielp zelfs mee om in het vertrek een veiliger verlichtingsinstallatie aan te brengen. Maar opnieuw raakte de brandstof op of de pitten verstopt en Úrsula trof Rebeca aan op de knieën van haar verloofde. Tenslotte besloot ze geen enkele uitleg meer te aanvaarden. Ze belastte de indiaanse met de verantwoordelijkheid voor de bakkerij en nam zelf plaats in een schommelstoel om een waakzaam oog te houden op het samenzijn van de geliefden, vast van plan zich niet te laten misleiden door handigheidjes die in haar jeugd al verouderd waren. 'Die arme mama,' zei Rebeca smalend, als ze Úrsula zag knikkebollen tijdens de slaapverwekkende bezoeken. 'Als ze sterft, gaat ze in die stoel naar het vagevuur.' Pietro Crespi inspecteerde dagelijks de bouwwerkzaamheden en raakte zo ontstemd over de langzame voortgang ervan, dat hij na drie maanden van scherp bewaakt liefdesbeleven aan pater Nicanor het geld verstrekte dat nog ontbrak voor de voltooiing van het godshuis. Amaranta verloor haar kalmte niet. Terwijl ze converseerde met haar vriendinnen, die elke middag kwamen haken of borduren op de waranda, trachtte ze nieuwe ontsnappingswegen te verzinnen. Een misrekening harerzijds was er de oorzaak van dat ze geen succes boekte met de methode die ze het meest doeltreffend vond: de kamferballetjes verwijderen die Rebeca bij haar bruidsjapon had gelegd voordat ze deze opborg in de kast op haar slaapkamer. Dat had ze gedaan toen de voltooiing van de kerk nog slechts twee maanden verwijderd was. Maar Rebeca werd bij de nadering van haar huwelijk zo ongedurig, dat ze haar bruidsjapon op een eerder tijdstip gereed wilde maken dan Amaranta had voorzien. Toen ze de kast opende en eerst het papier en daarna de beschermende linnen doek afwikkelde, bleek het satijn van de japon en het kantwerk van de sluier en zelfs het kroontje van oranjebloesem te zijn weggevreten door de motten. Ofschoon ze zeker wist dat ze handenvol mottenballen in het bundeltje had gestopt, leek deze ramp zozeer aan het toeval te wijten dat ze Amaranta niet durfde te beschuldigen. De bruiloft zou al binnen een maand moeten plaatsvinden, maar Amparo Moscote verklaarde zich bereid om binnen een week een nieuwe japon te naaien. Op de regenachtige middag dat Amparo, gehuld in een wolk van kant, het huis binnentrad om Rebeca voor de laatste keer te laten passen, kwam Amaranta een bezwijming nabij. Ze verloor haar stem en een straaltje ijskoud zweet gleed langs haar ruggegraat naar beneden. Maandenlang had ze gerild van ontzetting bij de gedachte aan dit uur, want één ding stond voor haar vast: als ze geen onoverkomelijke hinderpaal kon vinden voor het huwelijk van Rebeca, zou ze op het allerlaatste ogenblik, wanneer elk beroep op haar verbeelding gefaald had, ongetwijfeld de moed vinden om haar te vergiftigen. Terwijl Rebeca die middag bijna stikte van de hitte in een pantser van kantwerk dat Amparo Moscote met talloze spelden en een eindeloos geduld rond haar lichaam bevestigde, vergiste Amaranta zich meermalen bij het haakwerk en prikte ze met de naald in haar vinger – maar met schrikwekkende koelheid bepaalde ze de dag en de manier waarop het zou moeten gebeuren: een scheutje opium-tinctuur in haar koffie op de laatste vrijdag voor de bruiloft.

Maar een ernstig beletsel, even onoplosbaar als onvoorzien, dwong hen ertoe het huwelijk opnieuw en ditmaal voor onbepaalde tijd uit te stellen. Een week voor de vastgestelde huwelijksdatum werd de kleine Remedios midden in de nacht wakker, ondergedompeld in een warme drab die als een verwoestende oprisping losbarstte uit haar ingewanden. Drie dagen later stierf ze, vergiftigd door haar eigen bloed en een onwrikbaar dwarsliggende tweeling in haar buik. Amaranta maakte een ernstige gewetenscrisis door. Om Rebeca niet te hoeven vergiftigen had ze God met zoveel vuur gesmeekt om iets verschrikkelijks te laten gebeuren, dat ze zich nu schuldig voelde aan de dood van Remedios. Dit was niet de hinderpaal waarom ze zo hard had gebeden. Remedios had een vleugje levensblijheid in het huis gebracht. Samen met haar echtgenoot had ze haar intrek genomen in een naast de werkplaats gelegen slaapvertrek, dat ze versierd had met de poppen en het speelgoed uit haar nog maar pas vervlogen kindertijd. Maar haar opgewekte levendigheid reikte tot ver buiten de vier muren van het vertrek en waaide als een verfrissende bries van welzijn door de waranda vol begonia's. Ze zong vanaf de vroege ochtend. Ze was de enige die tussenbeide durfde te komen bij de hevige ruzies tussen Rebeca en Amaranta. Ze had de tijdrovende taak op zich genomen om José Arcadio Buendía te verzorgen. Ze bracht hem zijn eten, hielp hem bij zijn dagelijkse behoeften, waste hem met zeep en een natte doek, hield zijn haar en zijn baard vrij van neten en luizen, zorgde ervoor dat het afdak van palmbladeren in goede staat bleef en versterkte het tijdens hevige stortbuien met waterdichte zeilen. De laatste maanden was ze erin geslaagd zich met hem te onderhouden door middel van gebrekkige Latijnse zinnen. Toen de zoon van Aureliano en Pilar Ternera geboren was en in huis werd gehaald en tijdens een intieme plechtigheid gedoopt werd met de namen Aureliano José, gaf Remedios te kennen dat ze hem wilde beschouwen als haar oudste kind. Haar moederlijke instincten betekenden voor Úrsula een hele verrassing. Wat Aureliano betreft, hij vond in haar de rechtvaardiging van wat voor hem een behoefte was om te kunnen leven. Hij was de hele dag aan het werk in zijn atelier en halverwege de morgen bracht Remedios hem dan een grote kop koffie zonder suiker. Elke avond gingen ze samen op bezoek bij de Moscotes. Aureliano speelde eindeloze partijtjes domino met zijn schoonvader, terwijl Remedios met haar oudere zusters praatte of met haar moeder overlegde over volwassen zaken. Door de band met de Buendía's groeide ook het gezag van don Apolinar Moscote in het dorp. Tijdens herhaalde reizen naar de hoofdstad van de provincie wist hij te bereiken dat de regering een school liet bouwen en deze onder de hoede stelde van Arcadio, die van zijn grootvader het enthousiasme voor het onderwijzen had geërfd. Hij wist met kalme overreding te bereiken dat het grootste deel van de huizen blauw werd geschilderd voor het feest van de nationale onafhankelijkheid. Op aandringen van pater Nicanor gaf hij bevel de kroeg van Catarino over te plaatsen naar een afgelegen straat en sloot hij verschillende lichte huizen die welig tierden in het centrum van het dorp. Op een dag keerde hij terug in het gezelschap van zes met geweren bewapende politiemannen aan wie hij de ordehandhaving opdroeg, zonder dat iemand zich nog druk maakte om de oorspronkelijke afspraak dat er geen gewapende lieden in het dorp zouden verblijven. Aureliano had slechts plezier in de doeltreffende aanpak van zijn schoonvader. 'Je wordt nog eens net zo dik als hij,' zeiden zijn vrienden tegen hem. Maar zijn zittende levenswijze, die zijn jukbeenderen gevulder maakte en de schittering van zijn ogen sterker samenbundelde, deed zijn lichaamsgewicht niet toenemen en bracht evenmin verandering in de omzichtigheid van zijn karakter. Integendeel, in zijn lippen ver-

95

hardde zich de rechte lijn die wees op eenzame overpeinzingen en een onwankelbare besluitkracht. Toen Remedios de komst van haar eerste kindje aankondigde bleek de genegenheid, die zij en haar echtgenoot bij de wederzijdse families hadden weten te wekken, zo groot te zijn dat zelfs Rebeca en Amaranta een overeenkomst sloten om enerzijds met blauwe wol te werken, voor het geval er een jongetje geboren werd, en anderzijds met roze wol, voor het geval het een meisje zou zijn. Remedios was de laatste persoon aan wie Arcadio een paar jaar later zou denken voor het vuurpeloton.

Úrsula vaardigde een rouwtijd met stijf gesloten deuren en ramen uit, tijdens welke niemand mocht binnenkomen of heengaan tenzij voor onontbeerlijke kwesties. Ze verbood iedereen gedurende een jaar hardop te praten en op de plaats waar men bij het lijk had gewaakt zette ze de daguerrotype van Remedios neer, voorzien van een breed zwart lint en een olielamp die altijd moest blijven branden. Latere generaties, die de lamp nooit lieten uitgaan, werden danig van hun stuk gebracht bij het zien van dit meisje met haar plooirokje, haar witte schoentjes en de strik van organdie op haar hoofd, omdat ze haar onmogelijk in overeenstemming konden brengen met het academische beeld van een overgrootmoeder. Amaranta belastte zich met de zorg voor Aureliano José. Ze nam hem tot zich als een zoon die haar eenzaamheid moest delen en die haar moest ontlasten van de ongewilde opium-tinctuur die door haar onbedachtzame gebeden in de koffie van Remedios was terechtgekomen. Tegen het vallen van de avond trad Pietro Crespi op zijn tenen binnen met een zwarte band om zijn hoed en dan zat hij zwijgend zijn visite uit bij een Rebeca, uit wie alle bloed geweken scheen in haar zwarte japon met mouwen tot aan de polsen. Men had geen nieuwe datum bepaald voor het huwelijk – de gedachte alleen al was zo ongepast geweest, dat hun verloving begon te verzanden in een eeuwigdurende verhouding, een liefde-tot-vermoeiens-toe waaraan niemand meer enige aandacht schonk, alsof dezelfde geliefden die vroeger de lampen hadden gedoofd om elkaar te kunnen kussen, nu waren overgeleverd aan de grillen van de dood. Rebeca, die volledig de kluts kwijt was en geen uitweg meer zag, begon weer aarde te eten.

Op een dag – toen de rouwtijd al zo lang duurde dat de borduuruurtjes weer waren hervat – werd om twee uur 's middags, in de doodse stilte van de middaghitte, de voordeur van het huis plotseling opengeworpen en de steunbalken van het dak schudden zo heftig in hun stenen funderingen dat Amaranta en haar vriendinnen, die op de waranda zaten te handwerken, en Rebeca, die in haar slaapkamer op haar duim zat te zuigen, en Úrsula in de keuken en Aureliano in de werkplaats en zelfs José Arcadio Buendía onder de eenzame kastanje de indruk kregen dat een aardbeving het huis met de grond gelijk maakte. Een opmerkelijke man stapte binnen. Zijn vierkante schouders pasten nauwelijks door de deuren. Om zijn stierennek hing een medaille van de Maagd van Alle Middelen, zijn armen en borst waren overdekt met geheime tatoeëringen en om zijn rechterpols droeg hij de smalle koperen armband van de *niños-en-cruz*. Zijn huid was getaand door het zout van weer en wind, zijn haar was kort en stug als de manen van een muildier en hij had stalen kaken en een trieste blik. Hij droeg een gordel die tweemaal zo breed was als de zadelriem van een paard en laarzen met kappen en sporen en ijzerbeslagen hakken en zijn aanwezigheid bezat de overdonderende uitwerking van een seismische schok. Met een paar half vergane zadeltassen in zijn hand liep hij door de salon en de woonkamer en verscheen als een donderslag bij heldere hemel op de waranda vol begonia's, waar Amaranta en haar vriendinnen als verlamd bleven zitten met opgeheven naalden. 'Middag,' zei hij met vermoeide stem tegen hen, wierp de zadeltassen op hun werktafel en liep door naar het achterste gedeelte van het huis. 'Middag,' zei hij tegen de verbijsterde Rebeca die hem langs de deur van haar slaapkamer zag komen. 'Middag,' zei hij tegen Aureliano, die met wijd open ogen en oren in zijn smeedatelier zat. Hij onderhield zich met niemand. Hij liep regelrecht naar de keuken en daar bleef hij voor de eerste keer staan, gekomen aan het einde van een reis die aan de andere kant van de wereld begonnen was. 'Middag,' zei hij. Úrsula bleef een fractie van een seconde met wijd open mond staan gapen, keek hem in de ogen, uitte een luide kreet en sprong hem huilend van blijdschap om de hals. Het was José Arcadio. Hij keerde even arm terug als hij vertrokken was, zelfs zo arm dat Úrsula hem twee pesos moest geven om de huur van het paard te betalen. Het Spaans dat hij sprak was vermengd met zeemansuitdrukkingen. Ze vroegen hem waar hij geweest was en hij antwoordde: 'Overal en nergens.' Hij hing zijn hangmat op in het vertrek dat ze hem aanwezen en sliep drie dagen achter elkaar. Toen hij wakker werd, nuttigde hij zestien rauwe eieren en begaf zich regelrecht naar de kroeg van Catarino, waar zijn monumentale forsheid een panische nieuwsgierigheid wekte onder de vrouwen. Hij bestelde muziek en brandewijn voor alle aanwezigen, op zijn kosten. Hij ging weddenschappen aan dat hij bij het handje-drukken niet verslagen kon worden door vijf mannen tegelijk. 'Het is onmogelijk,' zeiden die, nadat ze zich ervan overtuigd hadden dat ze zijn arm niet konden bewegen. 'Hij draagt de armband van de *niños-en-cruz*.' Catarino, die niet geloofde in zulke kunstmatige krachtmiddelen, verwedde er twaalf pesos onder dat hij de bar niet kon verzetten. José Arcadio rukte het ding van zijn plaats, hief het hoog boven zijn hoofd en zette het op straat. Er waren elf mannen nodig om de bar weer terug te zetten. Op het hoogtepunt van het feest sprong hij op de bar en toonde zijn onwaarschijnlijke mannelijkheid, die geheel getatoeëerd was met een warnet van rode en blauwe opschriften in verschillende talen. Aan de vrouwen, die hem met hun begerigheid belegerden, vroeg hij wie er het meest betaalde. De vrouw die het meeste geld bezat, bood twintig pesos. Toen bood hij aan, zich onder alle vrouwen te verloten voor tien pesos per lot. Het was een buitensporig hoge prijs, want de meest gevraagde vrouw verdiende acht pesos per nacht, maar allen namen het aanbod aan. Ze schreven hun namen op veertien papiertjes, deden die in een hoed en elke vrouw haalde er een uit. Toen er nog maar twee papiertjes waren overgebleven, ging hij na bij wie ze behoorden.

'Allebei nog vijf pesos erbij,' stelde José Arcadio voor. 'Dan verdeel ik me tussen jullie tweeën.'

Hier leefde hij van. Hij had vijfenzestig reizen om de wereld gemaakt, nadat hij had aangemonsterd bij een bemanning van zeelieden die huis noch haard bezaten. De vrouwen die die nacht in de kroeg van Catarino met hem naar bed gingen, namen hem spiernaakt mee naar de danszaal om te laten zien dat geen millimeter van zijn lichaam ongetatoeëerd was, van voren en van achteren en vanaf zijn hals tot aan zijn tenen. Maar het lukte hem niet zich in te passen in de familie. Hij sliep de hele dag en bracht de nacht door in de rosse buurt, waar hij zijn geluk beproefde met zijn kracht. Bij de spaarzame gelegenheden dat Úrsula hem aan tafel wist te krijgen, straalde hij van welwillendheid – vooral wanneer hij vertelde over zijn avonturen in verre landen. Hij had schipbreuk geleden in de Japanse Zee en was twee weken blijven ronddobberen, waarbij hij zich gevoed had met het lichaam van een kameraad die aan een zonnesteek was gestorven en wiens vlees, herhaaldelijk gezouten en in de zon gekookt, een korrelige en zoete smaak bezat. Op een stralende dag had zijn schip in de Golf van Bengalen een zeedraak overwonnen en in de buik van het monster hadden ze de helm, de gespen en de wapens van een kruisvaarder gevonden. In de Caraïbische Zee had hij het spookbeeld gezien van het kaperschip van Victor Hugo dat voor eeuwig de koers naar Guadalupe was kwijtgeraakt en dat rondzwierf met zeilen die door de winden van de dood waren gescheurd en met masten en stengen die wormstekig waren van de kakkerlakken. Úrsula huilde aan tafel, alsof ze de nooit gekomen brieven las waarin José Arcadio zijn heldendaden en tegenslagen verhaalde. 'En hier had je zo'n ruim huis, mijn jongen,' snikte ze. 'En zoveel eten is er voor de varkens geworpen!' Maar diep in haar hart kon ze maar niet bevatten dat de jongen, die door de zigeuners was meegevoerd, dezelfde was als deze mannetjesputter, die bij het middagmaal een half speenvarken verslond en van wiens winden de bloemen verwelkten. Iets dergelijks overkwam ook de rest van de familie. Amaranta kon de afkeer niet verhelen die haar aan tafel werd ingeboezemd door zijn dierlijke oprispingen. Arcadio, die het geheim van zijn afstamming nooit te weten kwam, gaf nauwelijks antwoord op de vragen die hem gesteld werden met de overduidelijke bedoeling om zijn genegenheid te winnen. Aureliano probeerde de tijden te doen herleven waarin ze nog samen in een kamer sliepen en trachtte de kameraadschap uit hun jeugd weer op te roepen, maar José Arcadio was dat alles vergeten, omdat het zeemansleven zijn geheugen overvoed had met teveel dingen die hij moest onthouden. Alleen Rebeca kwam nooit meer over de schok van de eerste kennismaking heen. Op de middag dat ze hem langs haar slaapkamer zag komen bedacht ze, dat Pietro Crespi maar een geaffecteerde modefat was naast dit oermannetjesdier wiens vulkanische ademhaling in het hele huis te horen was. Ze zocht zijn aanwezigheid onder allerlei voorwendsels. Op een keer keek José Arcadio met onbeschaamde openhartigheid haar lichaam langs en zei: 'Wat een vrouw ben jij, zusje.' Rebeca verloor de macht over zichzelf. Met de gretigheid van vroeger dagen begon ze weer te eten van de aarde en van de kalk van de muren en in haar hunkering zoog ze zo hard op haar duim dat er een blaar op kwam. Ze braakte een groenige vloeistof uit met dode bloedzuigers erin. Ze bleef hele nachten wakkerliggen en klappertandde van de koorts en vocht tegen de waanzin, terwijl ze wachtte totdat bij het aanbreken van de dag het huis weer schudde onder de thuiskomst van José Arcadio. Op een middag, toen iedereen de siësta sliep, kon ze het niet langer uithouden en begaf ze zich naar zijn slaapkamer. Ze trof hem aan in zijn onderbroek, klaarwakker, languit uitgestrekt in de hangmat die hij met meerkabels had opgehangen aan de stutten van het dak. Zijn geweldige, bontgevlekte naaktheid overdonderde haar zozeer, dat ze zich in een opwelling wilde terugtrekken. 'Neem me niet kwalijk,' verontschuldigde ze zich. 'Ik wist niet dat je hier was.' Maar ze dempte haar stem om niemand wakker te maken. 'Kom eens hier,' zei hij. Rebeca gehoorzaamde. Ze kwam naast zijn hangmat staan. Het koude zweet brak haar uit en ze voelde hoe haar darmen in de knoop raakten, toen José Arcadio met zijn vingertoppen haar enkels begon te strelen en daarna haar kuiten en daarna haar dijen, terwijl hij mompelde: 'O, zusje, zusje.' En ze moest een bovennatuurlijke wilskracht te hulp roepen om niet ter plaatse te sterven, toen een geweld als een wervelstorm, hoewel merkwaardig getemperd, haar om het middel greep en haar optilde en haar met drie klauwende rukken van haar ondergoed beroofde en haar uiteenwrong als een vogeltje. Ze had nog net gelegenheid om God te danken voor het feit dat ze geboren was, voordat ze alle besef verloor in het onbegrijpelijke genot van deze ondraaglijke pijn en wegdobberde in de dampende moerasvlakte van de hangmat die haar losbarstende bloed opzoog als vloeipapier.

Drie dagen later trouwden ze in de mis van vijven. De dag tevoren was José Arcadio naar de winkel van Pietro Crespi gegaan. Hij trof hem aan tijdens een citerles, maar nam hem niet eens apart om het tegen hem te zeggen. 'Ik trouw met Rebeca,' zei hij. Pietro Crespi werd bleek, overhandigde de citer aan een van zijn leerlingen en zei dat de les was afgelopen. Toen ze alleen waren achtergebleven in het met muziekinstrumenten en mechanisch speelgoed volgepropte vertrek, zei Pietro Crespi:

'Het is je zuster.'

'Kan me niet schelen,' antwoordde José Arcadio.

Pietro Crespi veegde zijn voorhoofd af met een in lavendel gedrenkte zakdoek.

'Het is tegen de natuur,' verklaarde hij. 'Bovendien verbiedt de wet het.'

José Arcadio begon geprikkeld te raken, niet zozeer door hun woordenwisseling als wel door de bleekheid van Pietro Crespi.

'Ik heb schijt aan de natuur,' zei hij. 'En ik kwam het je maar zeggen, dan hoef je geen moeite te doen om het nog aan Rebeca te gaan vragen.'

Maar zijn onbeschofte houding smolt weg toen hij zag hoe Pietro Crespi's ogen vochtig werden.

'Nou ja,' zei hij op een andere toon, 'als het je soms om de familie gaat, dan is Amaranta er altijd nog.'

Die zondag onthulde pater Nicanor tijdens de preek dat José Arcadio en Rebeca niet elkanders broer en zus waren. Maar Úrsula beschouwde het voorval als een onbegrijpelijk gebrek aan fatsoen, dat ze nooit zou vergeven, en toen de jonggehuwden uit de kerk terugkeerden, verbood ze hen ooit nog een voet in huis te zetten. Voor haar zou het zijn alsof ze dood waren. Zodat ze een huisje huurden tegenover het kerkhof en erin trokken met als enig meubel de hangmat van José Arcadió. Op de avond van het huwelijk werd Rebeca gebeten door een schorpioen die in haar pantoffel was gekropen. Haar tong werd helemaal stijf, maar dat verhinderde niet dat ze een paar luidruchtige wittebroodsweken beleefden. De buren verbaasden zich over de kreten waarvan de hele wijk acht keer per nacht en wel driemaal tijdens de siësta wakkerschrok en in hun gebeden smeekten ze dat de rust van de doden niet verstoord zou worden door deze ongebreidelde hartstocht.

Aureliano was de enige die zich met hen bemoeide. Hij kocht een paar meubels voor hen en voorzag hen van geld, totdat José Arcadio zijn werkelijkheidszin terugvond en de braakliggende terreinen begon te bewerken die grensden aan de patio van zijn huis. Amaranta daarentegen wist haar wrok jegens Rebeca nooit teboven te komen, ofschoon het leven haar een voldoening bezorgde waarvan ze nooit had kunnen dromen: op uitnodiging van Úrsula, die eenvoudig niet wist hoe ze de schande goed moest maken, bleef Pietro Crespi elke dinsdag bij hen thuis het middagmaal gebruiken. Hij had zich met kalme waardigheid over de tegenvaller heengezet, bleef als blijk van achting voor de familie de zwarte band om zijn hoed dragen en putte zich uit om zijn genegenheid voor Úrsula te tonen door allerlei exotische geschenken voor haar mee te brengen: Portugese sardientjes, rozenbottelmarmelade en eenmaal zelfs een prachtige, kostbare omslagdoek uit Manila. Amaranta zorgde voor hem met ijver en toewijding. Ze voorzag al zijn wensen, verwijderde de losgetornde draden van zijn manchetten en schonk hem op zijn verjaardag een dozijn zakdoeken waarop ze zijn initialen had geborduurd. Wanneer ze op dinsdag na het middageten op de waranda zat te handwerken, hield hij haar goedgemutst gezelschap. Deze vrouw, die hij altijd als een kind had beschouwd en ook als zodanig had behandeld, was voor Pietro Crespi een ware openbaring. Al was ze van een type dat niet uitblonk door geestigheid, ze bezat een diepverborgen tederheid en een zeldzaam, fijngevoelig inzicht in wereldse zaken. Op een dinsdag, toen niemand er meer aan twijfelde dat het vroeg of laat zou gebeuren, vroeg Pietro Crespi of ze met hem wilde trouwen. Ze onderbrak haar werk niet. Ze wachtte tot de warme gloed uit zijn oren was verdwenen en legde nadrukkelijk een klank van kalme gerijptheid in haar stem.

'Welzeker, Crespi,' zei ze. 'Maar pas wanneer we elkaar beter kennen. Het is nooit goed om deze zaken te overhaasten.'

Úrsula wist niet wat ze hiervan moest denken. Ondanks de waardering die ze voor Pietro Crespi had, kon ze maar niet uitmaken of zijn beslissing – vanuit moreel oogpunt bezien – nu goed of slecht te noemen was na zijn langdurige en tumultueuze verloving met Rebeca. Maar tenslotte aanvaardde ze het als een feit zonder meer, want niemand deelde haar twijfels. Aureliano, die nu de man in huis was, maakte haar verwarring nog groter met zijn raadselachtige en krachtdadig geuite opmerking:

'Dit zijn geen tijden om over huwelijken te piekeren.'

Deze woorden, die Úrsula pas maanden later zou begrijpen, gaven uitdrukking aan de enige serieuze mening die Aureliano op dat moment over het huwelijk kon hebben – en niet alleen over het huwelijk, maar over alle dingen die geen verband hielden met de oorlog. Later, staande voor het vuurpeloton, begreep hij zelf eigenlijk niet hoe deze reeks van kleine maar onherroepelijke toevalligheden zich kon aaneenrijen en hem tot dit punt had kunnen brengen. De dood van Remedios bezorgde hem niet de geschoktheid waarvoor hij had gevreesd. Het was eerder een gevoel van stomme woede die allengs overging in een eenzaam beleefde, passieve geremdheid, ongeveer hetzelfde als wat hij gevoeld had toen hij zich gelaten had geschikt in de overtuiging dat hij zou moeten leven zonder vrouw. Hij dook opnieuw onder in zijn werk, maar bleef de gewoonte behouden om met zijn schoonvader domino te spelen. De avondlijke gesprekken in het door rouw geknevelde huis versterkten nog de vriendschap tussen de beide mannen. 'Je moet weer trouwen, Aurelito,' zei zijn schoonvader tegen hem. 'Ik heb nog zes dochters, voor het uitkiezen.' Op een dag vlak voor de verkiezingen keerde don Apolinar Moscote van een van zijn vele reizen terug en toonde zich zeer bezorgd over de politieke situatie in het land. De liberalen waren vastbesloten de strijd op te nemen. Omdat Aureliano in die tijd slechts een zeer verwarde kennis bezat over de verschillen tussen conservatieven en liberalen, gaf zijn schoonvader hem een paar schematische lessen. De liberalen, zei hij, waren vrijmetselaars; lieden van kwade inborst die ernaar streefden de priesters op te hangen, het burgerlijk huwelijk en de echtscheiding in te voeren, aan natuurlijke kinderen dezelfde rechten toe te kennen als aan wettig geborenen en het land te verdelen volgens een federalistisch systeem waardoor het hoogste gezag van al zijn macht beroofd zou worden. De conservatieven daarentegen, die hun macht rechtstreeks van God hadden ontvangen, vochten voor de handhaving van de openbare orde en de zedelijkheid van het gezin; ze waren de verdedigers van het christelijk geloof en van het gezagsprincipe en ze zouden zeker niet toestaan dat het land werd gevierendeeld tot in autonome eenheden. Om louter humanitaire redenen kon Aureliano wel meevoelen met de liberale stellingname tegenover de rechten van onwettige kinderen, maar verder was het hem een raadsel hoe je zo ver kon komen dat je een oorlog begon om dingen die je niet met je hand kon aanraken. Het leek hem dan ook sterk overdreven dat zijn schoonvader voor de verkiezingen zes soldaten liet komen, gewapend met geweren en onder bevel van een sergeant, naar een dorp dat geen politieke hartstochten kende. Ze kwamen niet alleen, ze gingen bovendien van huis tot huis om beslag te leggen op jachtgeweren, kapmessen en zelfs keukenmessen. Pas daarna begonnen ze de blauwe biljetten met de namen van de conservatieve kandidaten en de rode biljetten met de namen van de liberale kandidaten uit te reiken aan alle mannen boven de eenentwintig jaar. Op de vooravond van de verkiezingen las don Apolinar Moscote in eigen persoon een bekendmaking voor waarmee vanaf zaterdagavond twaalf uur en voor de duur van achtenveertig uren een verbod werd ingesteld voor de verkoop van alcoholhoudende dranken en voor samenscholingen van meer dan drie personen die niet tot dezelfde familie behoorden. De verkiezingen verliepen zonder incidenten. Vanaf zondagmorgen acht uur stond de houten stembus op het dorpsplein, bewaakt door de zes soldaten. Men kon in volle vrijheid stemmen, zoals Aureliano zelf kon vaststellen omdat hij samen met zijn schoonvader de gehele dag erop toezag dat niemand meer dan één maal stemde. Om vier uur 's middags werd het einde van de stemgelegenheid aangekondigd door tromgeroffel op het plein en don Apolinar Moscote verzegelde de stembus met een etiket waarover hij zijn handtekening plaatste. Toen hij die avond met Aureliano een partijtje domino speelde, gaf hij de sergeant opdracht het zegel te verbreken en de stemmen te tellen. Er waren ongeveer evenveel rode als blauwe biljetten, maar de sergeant liet slechts tien rode zitten en vulde de rest aan met blauwe. Daarna verzegelden ze de stembus met een nieuw etiket en brachten hem de volgende dag in alle vroegte naar de hoofdstad van de provincie. 'Nu gaan de liberalen zeker aan een oorlog beginnen,' zei Aureliano. Don Apolinar verloor zijn dominostenen niet uit het oog. 'Als je dat zegt omdat de biljetten zijn omgewisseld, dan vergis je je,' zei hij. 'We hebben een paar rode biljetten achtergelaten om geen protesten te krijgen.' Aureliano begreep hoezeer de oppositie in het nadeel was. 'Als ik liberaal was,' zei hij, 'zou ik de wapens opnemen alleen al vanwege dat zaakje met die stembiljetten.' Zijn schoonvader keek hem aan over de rand van zijn bril.

'Ach, Aurelito,' zei hij, 'als jij liberaal was, zou je het omwisselen van de biljetten niet eens gezien hebben – al ben je dan ook mijn schoonzoon.'

Maar wat pas echt verontwaardiging wekte in het dorp was niet de uitslag van de verkiezingen, maar het feit dat de soldaten de in beslag genomen wapens niet hadden teruggegeven. Een groepje vrouwen kwam met Aureliano praten en vroeg of hij bij zijn schoonvader de teruggave van de keukenmessen wilde bepleiten. Don Apolinar Moscote legde hem onder strikte geheimhouding uit dat de soldaten die wapens hadden meegenomen als bewijs dat de liberalen zich voorbereidden op een oorlog. Aureliano schrok van het cynisme van deze verklaring. Hij zei er verder geen woord van, maar toen Gerineldo Márquez en Magnífico Visbal en nog een paar vrienden op een avond zaten te praten over het voorval met de keukenmessen en hem vroegen of hij nu eigenlijk liberaal of conservatief was, aarzelde hij geen moment.

'Als je dan iets moet zijn, zou ik liberaal wezen,' zei hij. 'Want die conservatieven zijn een stelletje zwendelaars.'

De volgende dag bracht hij op aandringen van zijn vrienden een bezoek aan dokter Alirio Noguera, zogenaamd om zich te laten behandelen voor een leverkwaal. Hij wist zelf niet eens wat dit voorwendsel te betekenen had. Dokter Alirio Noguera was een paar jaar tevoren in Macondo aangekomen met een medicijnkist vol pillen zonder enige smaak en met een medisch devies waarvan niemand overtuigd raakte: *De ene spijker drijft de andere uit.* In werkelijkheid was hij een oplichter. Achter het onschuldige uiterlijk van een nauwelijks serieus genomen dorpsdokter ging een terrorist schuil die met halfhoge slobkousen de littekens verborg welke op zijn enkels waren achtergebleven na een verblijf van vijf jaar in de voetkluisters. Hij was bij het eerste federalistische avontuur al gevangen genomen maar had naar Curaçao kunnen ontsnappen, vermomd in het kostuum dat hij op deze wereld het meest verfoeide: een toog. Na een langdurige ballingschap had hij zich laten verleiden door de overdreven berichten die door bannelingen uit het gehele Caraïbische gebied naar Curaçao werden overgebracht; hij scheepte zich in op de schoener van een smokkelaarsbende en met zijn flesjes vol pillen, die slechts bestonden uit geraffineerde suiker, en met zijn diploma van de Universiteit van Leipzig, dat door hemzelf vervalst was, dook hij op in Riohacha. Daar huilde hij van ontgoocheling. Het federalistische vuur, dat door de bannelingen was omschreven als een kruithuis dat elk ogenblik uit elkaar kon springen, was langzaam doodgebloed in de vage illusie van een electorale overwinning. Verbitterd door deze tegenslag en hunkerend naar een veilig plekje waar hij op zijn oude dag kon wachten, had de valse homeopaat een toevlucht gezocht in Macondo. In het kleine, met lege flessen volgepropte vertrekje dat hij aan de ene kant van het dorpsplein huurde, leefde hij jarenlang van de zieken die geen hoop meer koesterden en zich met suikerballetjes wensten te troosten nadat ze al het andere hadden geprobeerd. Zijn opruiersinstincten bleven sluimeren zolang don Apolinar Moscote als autoriteit niet meer dan een versiersel was. Hij verdeed zijn tijd met zijn herinneringen en met vechten tegen zijn astma. De nadering van de verkiezingen vormde de draad die hem opnieuw verwikkeld deed raken in de kluwen der subversieve activiteiten. Hij zocht contact met de jongeren van het dorp, die elke politieke vorming misten, en wijdde zich geheel aan een geruisloze ophitsingscampagne. De talloze rode biljetten die in de stembus bleken te zitten en die door don Apolinar Moscote werden toegeschreven aan de hang naar nieuwigheden welke de jeugd nu eenmaal eigen is, maakten deel uit van zijn plannen: hij had zijn volgelingen verplicht te gaan stemmen om ze ervan te overtuigen dat de verkiezingen slechts een klucht waren. 'Slechts één ding is doeltreffend,' placht hij te zeggen, 'en dat is het geweld.' Het grootste deel van Aureliano's vrienden was vol enthousiasme over het idee de conservatieve regering omver te werpen, maar niemand had het nog aangedurfd om ook hem bij de plannen te betrekken – niet alleen vanwege zijn banden met de burgemeester, maar ook vanwege zijn ongrijpbare en ontoegankelijke karakter. Men wist bovendien dat hij blauw had gestemd op aanraden van zijn schoonvader. Dus was het louter toeval dat hij zijn politieke opvattingen onthulde – en het was pure nieuwsgierigheid die hem deed toegeven aan de dwaze opwelling om een bezoek te brengen aan de dokter en zich te laten behandelen voor een pijn die hij niet voelde. In het vervallen krot, dat stonk naar in kamfer gedrenkte spinnewebben, kwam hij te staan tegenover een soort stoffige leguaan wiens longen piepten bij het ademhalen. De dokter stelde hem geen enkele vraag, maar nam hem onmiddellijk mee naar het raam en begon de binnenkant van zijn onderste ooglid te onderzoeken. 'Daar zit het niet,' zei Aureliano, zoals men hem geïnstrueerd had. Hij prikte met zijn vingertoppen in zijn lever en vervolgde: 'Hier voel ik de pijn waarvan ik niet kan slapen.' Toen sloot dokter Noguera het raam onder het voorwendsel dat er teveel zonlicht was en begon hem in eenvoudige bewoordingen uit te leggen waarom het een plicht van vaderlandsliefde was de conservatieven te vermoorden. Een paar dagen lang liep Aureliano rond met een flesje in de borstzak van zijn hemd. Om de twee uur haalde hij het te voorschijn, schudde drie pilletjes in de palm van zijn hand en wierp ze in zijn mond om ze daarna langzaam op zijn tong te laten smelten. Don Apolinar Moscote plaagde hem met zijn geloof in de homeopatie, maar zij die in het complot zaten herkenden in hem nu een van de hunnen. Bijna alle zonen van de stichters van Macondo waren bij het complot betrokken, ofschoon geen van hen precies wist waaruit de akties zouden bestaan die ze zelf beraamden. Desondanks was het Aureliano die meteen al de ziel aan de samenzwering ontnam, op de dag zelf dat de dokter hem het grote geheim onthulde. Ofschoon hij overtuigd was van de noodzaak het conservatieve regiem omver te werpen, vervulde het plan hem met grote afgrijzen. Dokter Noguera koesterde een mystiek geloof in persoonlijke moordaanslagen. Zijn systeem beperkte zich tot het coördineren van een reeks individuele akties, waarmee – in één meesterlijke zet van nationale reikwijdte – alle regeringsfunctionarissen geliquideerd moesten worden, inclusief hun families en vooral inclusief hun kinderen, teneinde het conservatisme met wortel en tak uit te roeien. Don Apolinar Moscote, zijn echtgenote en zijn zes dochters stonden uiteraard ook op de lijst.

'U bent noch liberaal noch iets anders,' zei Aureliano tegen hem, zonder zich boos te maken. 'U bent een doodgewone slager.'

'Geef me in dat geval het flesje maar terug,' antwoordde de dokter even kalm. 'Dat heb je dan niet meer nodig.'

Pas een half jaar later hoorde Aureliano dat de dokter hem als activist had geschrapt omdat hij een sentimentele figuur zonder enige toekomst was, te passief van aard en duidelijk voorbestemd om een eenling te blijven. De vrienden probeerden hem voorzichtig te benaderen, uit vrees dat hij de samenzwering zou verraden. Aureliano stelde hen gerust: hij zou geen woord loslaten, maar op de avond dat ze de familie Moscote gingen vermoorden zouden ze hem tegenover zich vinden, omdat hij persoonlijk hun deur zou verdedigen. Hij gaf blijk van zo'n overtuigende vastberadenheid, dat het plan voor onbepaalde tijd werd uitgesteld. Dit alles gebeurde omstreeks de tijd dat Úrsula hem om zijn mening vroeg over het huwelijk van Pietro Crespi en Amaranta en hij haar antwoordde, dat dit geen tijden waren om daarover te piekeren. Al sinds een week droeg hij onder zijn hemd een archaïsch pistool met zich mee. Hij lette scherp op zijn vrienden. 's Middags ging hij koffiedrinken bij José Arcadio en Rebeca, die hun huis langzamerhand op orde begonnen te brengen, en vanaf zeven uur 's avonds speelde hij domino met zijn schoonvader. Tijdens het middagmaal praatte hij met Arcadio, die al een kolossaal jongmens was geworden, maar hij moest telkens weer ontdekken dat de jongeman steeds meer in vervoering raakte bij de gedachte aan de naderende burgeroorlog. Arcadio had de liberale koorts opgestoken op zijn school waar hij tussen kinderen, die nauwelijks konden praten, ook leerlingen had zitten die ouder waren dan hij. Hij sprak erover om pater Nicanor te fusilleren, de kerk in een school te veranderen en de vrije liefde in te voeren. Aureliano probeerde zijn onbesuisdheid wat in te tomen en raadde hem aan, voorzichtiger en minder luidruchtig te zijn. Maar Arcadio bleef doof voor zijn kalme redeneertrant en zijn werkelijkheidszin en maakte hem openlijk verwijten over zijn zwakke karakter. Aureliano wachtte af. Eindelijk, in het begin van december, kwam Úrsula als buiten zichzelf van schrik het atelier binnenstormen.

'De oorlog is uitgebroken!'

In werkelijkheid was de oorlog al drie maanden tevoren uitgebroken. In het hele land heersten nu de krijgswetten. De enige die dit op tijd vernam was don Apolinar Moscote, maar zolang het peloton soldaten nog niet was aangekomen dat het dorp bij verrassing moest bezetten, had hij het nieuws zelfs niet aan zijn vrouw willen vertellen. Vóór het aanbreken van de dag en zonder enig geluid te maken trokken ze het dorp binnen met twee stukken licht veldgeschut die door muilezels werden getrokken en onmiddellijk richtten ze de school in tot kazerne. Ze stelden een avondklok in vanaf zes uur in de middag. Ze hielden een huiszoeking die nog drastischer was dan de vorige, kamden huis na huis uit en namen ditmaal zelfs landbouwwerktuigen mee. Ze sleepten dokter Noguera uit zijn huis, bonden hem aan een boom op het dorpsplein en schoten hem dood zonder vorm van proces. Pater Nicanor probeerde op de militaire autoriteiten indruk te maken met het wonder der levitatie, maar een van de soldaten bracht hem een hoofdwond toe met de kolf van zijn geweer. De liberale vervoering ebde weg in een zwijgend gedragen doodsangst. Aureliano, bleek en gesloten, bleef domino spelen met zijn schoonvader.

Hij begreep dat don Apolinar Moscote opnieuw een louter decoratieve gezagsdrager was, ondanks zijn huidige titel van burgerlijk en militair commandant van de gemeente. De beslissingen werden genomen door een kapitein van het leger die elke morgen een buitengewone belasting hief ten behoeve van de handhaving van de openbare orde. Onder zijn bevel rukten vier soldaten een zieke vrouw uit de schoot van haar gezin, omdat ze gebeten was door een dolle hond. Ze sloegen haar midden op straat dood met hun geweerkolven. Twee weken na de bezetting stapte Aureliano op een zondag het huis van Gerineldo Márquez binnen en vroeg met zijn gewone spaarzaamheid van woorden om een kop koffie zonder suiker. Toen ze samen alleen waren in de keuken, wist Aureliano in zijn stem een klank van gezag te leggen die men nog nimmer bij hem had gehoord. 'Waarschuw de jongens,' zei hij. 'We gaan de strijd beginnen.' Gerineldo Márquez kon zijn oren niet geloven.

'Met wat voor wapens?' vroeg hij.

'Met die van hun,' antwoordde Aureliano.

Die dinsdagnacht, om klokslag twaalf uur, werd er een stoutmoedige operatie uitgevoerd door eenentwintig mannen beneden de dertig jaar, onder bevel van Aureliano Buendía en slechts gewapend met tafelmessen en puntig geslepen ijzeren staven. Ze overvielen het garnizoen bij verrassing, maakten zich meester van de wapens en fusilleerden op de patio de kapitein en de vier soldaten die de vrouw hadden vermoord.

Nog terwijl de schoten van het vuurpeloton weerklonken, werd Arcadio benoemd tot burgerlijk en militair commandant van de gemeente. De gehuwde opstandelingen kregen nauwelijks de tijd om afscheid te nemen van hun vrouwen, die vanaf nu geheel op hun eigen krachten zouden zijn aangewezen. Bij het aanbreken van de dag gingen ze, luid toegejuicht door de van doodsangst bevrijde bevolking, op weg om zich te voegen bij de troepen van de opstandige generaal Victorio Medina, die volgens de laatste berichten koers zette naar Manaure. Voordat Aureliano vertrok, haalde hij don Apolinar Moscote uit een kast. 'Maak u maar niet ongerust, schoonvader,' zei hij tegen hem. 'De nieuwe regering staat op erewoord garant voor de persoonlijke veiligheid van u en uw gezin.' Het kostte don Apolinar Moscote heel wat moeite om in deze samenzweerder, met zijn hoge laarzen en het geweer op zijn rug, dezelfde man te herkennen met wie hij altijd domino speelde tot negen uur 's avonds.

'Maar dit is dwaasheid, Aurelito!' riep hij uit.

'Niks dwaasheid,' antwoordde Aureliano. 'Dit is oorlog. En noem me niet meer Aurelito, want nu ben ik kolonel Aureliano Buendía.'

**
*

Kolonel Aureliano Buendía gaf de aanzet tot tweeëndertig gewapende opstanden en verloor ze allemaal. Hij kreeg zeventien zonen van zeventien verschillende vrouwen, maar ze werden stuk voor stuk in één enkele nacht uitgeroeid nog voordat de oudste vijfendertig jaar was geworden. Hij ontkwam aan veertien aanslagen, drieënzeventig hinderlagen en het vuurpeloton. Hij overleefde een dosis strychnine in zijn koffie die voldoende zou zijn geweest om een paard te doden. Hij weigerde het Kruis van Verdienste dat hem door de president van de republiek werd toegekend. Hij bracht het tot opperbevelhebber van de revolutionaire troepen, zodat zijn jurisdictie en zijn bevelsgebied van grens tot grens reikte en hij beschouwd werd als de man die door de regering het meest werd gevreesd, maar nooit stond hij toe dat men een foto van hem nam. Hij wees het pensioen van de hand dat hem na de oorlog werd aangeboden en leefde tot in hoge ouderdom van de gouden visjes die hij vervaardigde in zijn atelier in Macondo. Ofschoon hij altijd meevocht aan het hoofd van zijn troepen, liep hij slechts één verwonding op en die bracht hij zichzelf toe na de ondertekening van de capitulatie van Neerlandia, welke een eind maakte aan een reeks burgeroorlogen die bijna twintig jaar hadden geduurd. Hij vuurde een pistool af op zijn eigen borst, maar de kogel vloog uit zijn rug naar buiten zonder een vitaal lichaamsdeel geraakt te hebben. Het enige wat hij aan dit alles overhield, was een straat met zijn naam in Macondo. Maar, zo verklaarde hij een paar jaar voordat hij van ouderdom stierf, zelfs dat had hij niet verwacht op die vroege morgen dat hij met zijn eenentwintig mannen op weg ging om zich te voegen bij de troepen van generaal Victorio Medina.

'We laten Macondo achter onder jouw hoede,' was alles wat hij voor zijn vertrek tot Arcadio zei. 'We laten het achter in goede staat, probeer te bereiken dat we het in nog beter staat terugvinden.'

Arcadio gaf aan die aanbeveling een zeer persoonlijke uitleg. Hij ontwierp een uniform met de galons en de epauletten van een maarschalk, geïnspireerd op een plaat in een boek van Melquíades, en gespte zich de sabel met de gouden kwasten van de doodgeschoten kapitein om het middel. Hij plaatste de twee stukken geschut aan de ingang van het dorp, kleedde zijn vroegere leerlingen – die door het dolle heen waren als gevolg van zijn opruiende proclamaties – in gloednieuwe uniformen en liet hen gewapend door de straten trekken om bij vreemdelingen een indruk van onaantastbaarheid te wekken. Het was een foefje dat naar twee kanten sneed, want de regering durfde het dorp tien maanden lang niet aan te vallen – maar toen ze dat eenmaal deed, werd er zo'n buitensporig grote troepenmacht op Macondo losgelaten dat het verzet binnen een half uur was opgerold. Vanaf de allereerste dag van zijn bestuur gaf Arcadio blijk van zijn voorliefde voor verordeningen. Hij las er dagelijks wel vier voor om alles af te kondigen en te beschikken wat maar in zijn hoofd oprees. Hij voerde de militaire dienstplicht in vanaf achttien jaar, verklaarde dat alle dieren die na zes uur 's avonds nog op straat zwierven automatisch ten dienste kwamen aan het algemeen nut en legde aan alle meerderjarige mannen de verplichting op, een rode band om hun arm te dragen. Hij sloot pater Nicanor op in de pastorie, onder bedreiging hem anders te zullen fusilleren, en verbood hem de mis te lezen of de klokken te luiden tenzij om liberale triomfen te vieren. Om ervoor te zorgen dat niemand de ernst van zijn bedoelingen in twijfel trok, liet hij een vuurpeloton schietoefeningen houden op het dorpsplein met gebruikmaking van een vogelverschrikker. In het begin vatte niemand het ernstig op. Per slot van rekening waren het gewoon de jongens van de school die voor grote mannen speelden. Maar toen Arcadio op een avond de kroeg van Catarino binnenkwam en de trompettist van het orkestje hem begroette met een fanfare die de lachlust van de klanten opwekte, liet Arcadio hem doodschieten wegens gebrek aan eerbied voor het gezag. Wie protesteerde, werd op water en brood gezet met zijn enkels in de kluisters die hij in een lokaal van de school had laten aanbrengen. 'Je bent een moordenaar!' riep Úrsula, telkens wanneer ze een nieuwe daad van willekeur vernam. 'Als Aureliano het hoort, zal hij jou laten fusilleren en ik zal de eerste zijn om me daarover te verheugen.' Maar het bleef allemaal zonder uitwerking. Arcadio bleef de duimschroeven van een onnodige gestrengheid aandraaien, totdat hij veranderd was in de wreedste bestuurder die Macondo ooit had gekend. 'Laat ze het verschil maar eens voelen,' zei don Apolinar Moscote op een keer. 'Dit is het liberale paradijs.' Arcadio hoorde het. Aan het hoofd van een patrouille bestormde hij het huis, sloeg de meubels kort en klein, ranselde de dochters af en sleurde don Apolinar Moscote mee. Toen Úrsula de patio van de kazerne op kwam stormen, nadat ze krijsend van schaamte en woede en zwaaiend met een in teer gedoopte zweep door het halve dorp was gerend, stond Arcadio juist op het punt om het executiepeloton bevel tot vuren te geven.

'Waag het eens, bastaard!' gilde Úrsula.

Voordat Arcadio tijd kreeg om ook maar iets te doen, diende ze hem de eerste zweepslag toe. 'Waag het eens, moordenaar,' krijste ze. 'En vermoord mij dan ook maar, hoerenzoon. Dan heb ik tenminste geen ogen meer om te huilen over de schande dat ik zoiets als jou heb grootgebracht!' Ze bleef hem onbarmhartig afranselen en zette hem na tot het einde van de patio, waar Arcadio zich oprolde als een slak. Don Apolinar Moscote, die stond vastgebonden aan de paal waaraan tevoren de door oefenschoten stukgereten vogelverschrikker bevestigd was geweest, was al buiten bewustzijn geraakt. De jongens van het vuurpeloton stoven uiteen, bevreesd dat Úrsula haar woede ook op hen zou luchten. Maar ze keurde hen geen blik waardig. Ze liet Arcadio briesend van pijn en woede achter in zijn toegetakelde uniform, maakte don Apolinar Moscote los en bracht hem naar huis. Voordat ze de kazerne verliet, bevrijdde ze ook de gevangenen uit hun voetboeien.

Vanaf dat ogenblik was zij het die het bevel voerde in het dorp. Ze voerde de zondagsmis weer in, schafte het gebruik van de rode mouwbanden af en trok de meest neerdrukkende verordeningen in. Maar ondanks haar krachtige houding bleef ze haar ongelukkig lot bewenen. Ze voelde zich zo alleen, dat ze het onnutte gezelschap zocht van haar sinds lang vergeten echtgenoot onder de kastanjeboom. 'Kijk toch eens wat er van ons is overgebleven,' zei ze tot hem, terwijl de juniregens het afdak van palmbladeren dreigden te vernietigen. 'Het huis is leeg, onze kinderen zijn verspreid over de wereld en wij samen zijn weer alleen, net als in het begin.' José Arcadio Buendía bleef doof voor haar klachten, ondergedompeld in een afgrond van wezenloosheid. In het begin van zijn waanzin had hij zijn dagelijkse behoefte nog medegedeeld in een soort dringend potjeslatijn. Toen waren er nog vluchtige tussenpozen van helderheid geweest en als Amaranta hem zijn eten bracht, vertelde hij haar wat hem het meest hinderde en onderwierp hij zich gedwee aan haar aderlatingen en haar mosterdpleisters. Maar in de tijd dat Úrsula aan zijn zijde kwam uithuilen, had hij alle contact met de werkelijkheid verloren. Ze waste hem bij gedeelten terwijl hij op het bankje bleef zitten en ondertussen vertelde ze hem al het nieuws van de familie. 'Aureliano is naar de oorlog vertrokken, nu al meer dan vier maanden geleden, maar sindsdien hebben we niets meer van hem gehoord,' zei ze tegen hem, terwijl ze zijn rug waste met een in zeepsop gedrenkte doek. 'José Arcadio is terug. Hij is een mannetjesputter geworden, nog groter dan jij, en hij is helemaal volgeborduurd met kruissteekjes – maar hij is alleen maar teruggekomen om schande te brengen over ons huis.' Ondanks alles meende ze te bemerken dat haar echtgenoot bedroefd raakte onder deze slechte berichten. Dus besloot ze hem voor te liegen. 'Geloof maar niet wat ik zeg, hoor,' zei ze, terwijl ze as over zijn excrementen strooide om ze met de schop te kunnen verwijderen. 'God heeft gewild dat José Arcadio en Rebeca met elkaar trouwden en nu zijn ze erg gelukkig.' Ze begon het bedrog met zoveel oprechtheid toe te passen, dat ze tenslotte troost vond in haar eigen leugens. 'Arcadio is al een echte man,' zei ze, 'en heel dapper en een heel knappe vent met zijn uniform en zijn sabel.' Het was alsof ze tot een dode sprak, want José Arcadio Buendía was al ver buiten het bereik van iedere beduchtheid. Maar ze bleef volhouden. Ze vond hem zo zachtmoedig, zo onverschillig voor alles, dat ze besloot hem los te maken. Hij verwijderde zich niet eens van het bankje. Hij bleef er zitten, blootgesteld aan zon en regen, alsof de touwen onnodig waren geweest omdat hij aan de stam van de kastanje gekluisterd was door een kracht die sterker was dan elke zichtbare band. Tegen de maand augustus, toen er geen einde aan de winter scheen te komen, kon Úrsula hem eindelijk een nieuwtje brengen dat op waarheid leek te berusten.

'Stel je voor, het geluk blijft ons achternazitten!' zei ze. 'Amaranta en en de Italiaan van de pianola gaan trouwen.'

En inderdaad, Amaranta en Pietro Crespi hadden hun vriendschap tot op de bodem uitgediept, beschut door het vertrouwen van Úrsula, die het ditmaal niet nodig oordeelde hun samenzijn te bewaken. Het was een schemerige vrijage. De Italiaan arriveerde tegen het vallen van de avond met een gardenia in zijn knoopsgat en vertaalde sonnetten van Petrarca voor Amaranta. Onverschillig voor de beroeringen en de slechte berichten van de oorlog, bleven ze op de door rozen en wilde marjolein bezwangerde waranda zitten, hij lezend en zij kantklossend, totdat de muggen hen dwongen zich in de kamer terug te trekken. Amaranta's fijngevoeligheid en haar stille maar onweerstaanbare tederheid hadden de jongeman omweven met een onzichtbaar web dat hij met zijn bleke vingers zonder ringen letterlijk moest uiteenscheuren om het huis tegen achten te kunnen verlaten. Ze hadden een prachtig album samengesteld van de prentbriefkaarten die Pietro Crespi uit Italië ontving. Het waren afbeeldingen van geliefden in stille parken, compleet met vignetten van ineengevlochten harten en vergulde linten die door duiven werden opgehouden. 'Dit park in Florence ken ik,' zei Pietro Crespi dan, bladerend door de prentbriefkaarten. 'Je steekt je hand uit en de vogels dalen neer om eruit te eten.' Soms, als hij een aquarel van Venetië zag, was zijn heimwee groot genoeg om zoete bloemengeuren de plaats te doen innemen van de stank van modder en rotte vis die opsteeg uit de kanalen. Amaranta zuchtte, lachte, droomde van een tweede vaderland vol knappe mannen en vrouwen die een kindertaaltje spraken en vol oude steden waarvan de vergane glorie nog slechts merkbaar was aan de zwerfkatten tussen de puinhopen. Na op zijn speurtocht de oceaan te zijn overgestoken, na hem aanvankelijk te hebben verward met de hartstocht in Rebeca's onstuimige liefkozingen, had Pietro Crespi eindelijk de liefde gevonden. Dit geluk voerde de welvaart in zijn kielzog mee. Zijn winkel besloeg al een kwart mijl en vormde een oord waar ieders fantasie kon zwelgen in kopieën van de klokketoren van Florence die met een waar carilloncconcert de tijd aangaven en muziekdozen uit Sorrento en Chinese poederdozen die bij het opendoen liedjes van vijf tonen speelden en alle muziekinstrumenten die men zich maar kon indenken en alle mechanische speelgoed die men zich maar kon voorstellen. Bruno Crespi, zijn jongere broer, stond aan het hoofd van de winkel, want hijzelf had zijn handen vol aan de muziekschool. Dank zij hem was de Straat van de Turken, met zijn verblindende uitstalling van snuisterijen, langzamerhand veranderd in een oord van rust en melodieën waar men de willekeurigheden van Arcadio en de verre nachtmerrie van de oorlog kon vergeten. Toen Úrsula opdracht gaf de zondagsmissen te hervatten, gaf Pietro Crespi aan de kerk een Duits harmonium ten geschenke, stelde een kinderkoortje samen en zorgde voor een Gregoriaans repertoire dat grote luister bijzette aan het stilzwijgende ritueel van pater Nicanor. Niemand betwijfelde dat hij van Amaranta een gelukkig echtgenote zou maken. Zonder hun gevoelens op te schroeven, zonder iets anders te doen dan zich te laten meedrijven op de natuurlijke stroom van hun genegenheid, bereikten ze tenslotte het punt waarop nog slechts de datum van het huwelijk diende te worden vastgesteld. Ze zouden geen belemmeringen vinden. Diep in haar hart verweet Úrsula zichzelf dat zij Rebeca's lot had omgebogen door haar huwelijk telkens weer uit te stellen en ze was niet van plan om zich met nog meer zelfverwijt te beladen. De strikte rouw om de dood van Remedios was op de achtergrond geraakt door de gesel van de oorlog, de afwezigheid van Aureliano, het brute optreden van Arcadio en het verstoten van José Arcadio en Rebeca. Bij de nadering van het huwelijksfeest had Pietro Crespi zelf laten doorschemeren dat Aureliano José, voor wie hij een bijna vaderlijke genegenheid had opgevat, beschouwd moest worden als zijn oudste zoon. Alles wees erop dat Amaranta een periode van onbelemmerd geluk in het vooruitzicht had. Maar in tegenstelling tot Rebeca toonde zij niet het minste verlangen daarnaar. Met hetzelfde geduld waarmee ze tafellakens verfde en meesterstukjes van passementwerk weefde en pauwen borduurde in kruissteekjes, wachtte ze totdat Pietro Crespi de aandrang van zijn hart niet langer kon verdragen. Zijn uur brak aan tijdens de onheilspellende oktoberregens. Pietro Crespi nam het borduurmandje van haar schoot en nam haar hand tussen de zijne. 'Ik kan dit wachten niet langer verdragen,' zei hij. 'We trouwen de volgende maand.' Amaranta beefde niet bij de aanraking van zijn ijskoude handen. Ze trok haar eigen hand als een aalglad beestje terug en zette haar werk voort.

'Doe niet zo naïef, Crespi,' glimlachte ze. 'Al was ik dood, dan nog zou ik niet met je trouwen.'

Pietro Crespi verloor de macht over zichzelf. Hij huilde zonder enig schaamtegevoel en brak zich bijna de vingers van wanhoop, maar het lukte hem niet haar te vermurwen. 'Verknoei je tijd maar niet,' was alles wat Amaranta zei. 'Als je werkelijk zoveel van me houdt, zet je geen voet meer in dit huis.' Úrsula dacht dat ze gek werd van schaamte. Pietro Crespi putte zich uit in smeekbeden. Hij vernederde zich tot in het ongelooflijke. Hij zat een hele middag te huilen op de knieën van Úrsula, die haar ziel wel had willen verkopen om hem te troosten. Op regenachtige avonden zag men hem onder een zijden paraplu rondom het huis zwerven, in de hoop een glimp van licht op te vangen in de slaapkamer van Amaranta. Nooit ging hij beter gekleed dan in die dagen. Zijn verheven hoofd als van een gekweld keizer verkreeg iets van een merkwaardige grootsheid. Hij viel Amaranta's vriendinnen lastig als ze gingen borduren op de waranda en smeekte hen te trachten haar te overreden. Hij verwaarloosde zijn zaak. Hij bracht de hele dag door in de kamer achter de winkel, waar hij onstuimi-

ge epistels schreef die hij compleet met vliesdunne bloemblaadjes en gedroogde vlinders aan Amaranta deed toekomen
en die zij ongeopend terugstuurde. Hij sloot zich uren achtereen op om citer te spelen. Op een avond begon hij te zingen.
Macondo schrok wakker in een soort trance, hemels verrukt
door een citer die op dit ondermaanse niet thuishoorde en door
een stem zoals er geen tweede op de wereld denkbaar was, zozeer was hij van liefde vervuld. Die avond zag Pietro Crespi
licht branden achter alle vensters van het dorp, behalve dat
van Amaranta. Toen zijn broer op twee november, het feest
van Allerzielen, de winkel opende, vond hij alle lampen brandende en alle muziekdozen geopend en alle klokken dusdanig
afgesteld dat ze onafgebroken sloegen en temidden van dit ongerijmde concert trof hij Pietro Crespi aan achter zijn schrijf-
bureau in de kamer achter de winkel, de polsen met een mes
doorgesneden en beide handen zorgvuldig geplaatst in een
lampetkom van benzoë-hout.

Úrsula beval hem op te baren in haar huis. Pater Nicanor
uitte bezwaren tegen een uitvaartmis en een begrafenis in ge-
wijde aarde, maar Úrsula stelde zich vierkant tegen hem op.
'Op een bepaalde manier, die noch u noch ik kunnen begrijpen, was deze man heilig,' zei ze. 'Zodat ik hem zal begraven
naast de zerk van Melquíades, ook al is dat tegen uw wil.' En
dat deed ze, geruggesteund door het hele dorp en met een
prachtig begrafenisfeest. Amaranta verliet haar slaapkamer
niet. Vanaf haar bed hoorde ze het snikken van Úrsula, de
voetstappen en het gemompel van de mensenmassa die het
huis binnentrad, het gejammer van de klaagvrouwen en daarna een diepe stilte die geurde naar vertrapte bloemen. Lange
tijd bleef ze tegen het vallen van de avond het vleugje lavendel
van Pietro Crespi ruiken, maar ze vond de kracht om niet aan
waanzin tenonder te gaan. Úrsula liet haar volkomen links liggen. Ze sloeg zelfs niet haar ogen op om haar medelijden te laten merken toen Amaranta op een middag de keuken binnenkwam en haar hand op de gloeiende kolen in het fornuis legde,
totdat hij zo erg pijn deed dat ze geen pijn meer voelde en
slechts de verpestende stank rook van haar eigen verzengde
vlees. Het was een paardemiddel tegen haar wroeging. Een

paar dagen lang liep ze door het huis met haar hand in een bakje met eiwit en toen de brandwonden eenmaal genazen, leek het of dat eiwit ook de wonden in haar hart had geheeld. Het enige uiterlijke teken dat ze van deze tragedie overhield, was de zwachtel van zwart verbandgaas die ze om haar verbrande hand deed en die ze zou blijven dragen tot aan haar dood.

Arcadio gaf blijk van een zeldzame edelmoedigheid door in een openbare bekendmaking een officiële rouwperiode af te kondigen wegens de dood van Pietro Crespi. Úrsula zag hierin een terugkeer van het verdwaalde schaap. Maar ze vergiste zich. Ze was Arcadio kwijt – niet pas sinds hij een uniform droeg, maar al sinds lange tijd. Ze meende dat ze hem als een zoon had grootgebracht, zonder hem voor te trekken of achter te stellen, zoals ze ook Rebeca had opgevoed. Toch was Arcadio altijd een eenzaam en schrikachtig kind geweest tijdens de slapeloosheidsplaag en temidden van het driftig aanpakken van Úrsula, de buitensporige dwaasheden van José Arcadio Buendía, de geslotenheid van Aureliano en de dodelijke rivaliteit tussen Amaranta en Rebeca. Aureliano had hem leren lezen en schrijven zoals hij dat een vreemdeling geleerd zou hebben, omdat hij zelf aan andere dingen dacht. Hij gaf hem zijn kleren om ze door Visitación te laten innemen, maar pas als ze rijp waren om weg te gooien. Arcadio had altijd geleden onder zijn te grote schoenen, zijn opgelapte broeken, zijn vrouwenbillen. Nooit wist hij met andere mensen beter in contact te komen dan met Visitación en Cataure in hun eigen taal. Melquíades was de enige die zich werkelijk om hem bekommerde, die hem liet luisteren naar zijn onbegrijpelijke teksten en hem aanwijzingen gaf over de kunst van de daguerrotypie. Niemand wist hoezeer Arcadio in het geheim om zijn dood had gehuild en hoe wanhopig hij geprobeerd had hem te doen herleven door een vruchteloze studie van zijn paperassen. De school, waar men hem aandacht schonk en ontzag voor hem had, en later zijn machtspositie, met de krachtdadig geuite verordeningen en het glorieuze uniform, bevrijdden hem van de last van een oeroude bitterheid. Op een avond waagde iemand het om in de kroeg van Catarino tegen hem te zeggen: 'Je ver-

dient de naam niet die je draagt.' In tegenstelling tot wat iedereen verwachtte, liet Arcadio de man niet fusilleren.

'Ik ga er prat op dat ik geen Buendía ben,' zei hij.

Zij die het geheim van zijn afkomst kenden, meenden uit dit
antwoord te mogen opmaken dat ook hij daarvan op de hoogte
was; maar in werkelijkheid kwam hij het nooit te weten. Pilar
Ternera, zijn moeder, die zijn bloed had doen koken in het da-
guerrotypie-kamertje, werd voor hem een even onontkoombare-
re obsessie als ze dat eerst voor José Arcadio en daarna voor
Aureliano was geweest. Ofschoon ze haar bekoorlijkheden en
de sprankeling van haar lach verloren had, zocht hij haar en
vond hij haar in het spoor van haar rookgeur. Op een middag
vlak voor de oorlog, toen ze later dan gewoonlijk haar jongste
kind van school kwam halen, wachtte Arcadio haar op in het
lokaal waar hij de siësta placht door te brengen en waar hij later de voetboeien liet aanbrengen. Terwijl het kind op de patio
speelde, lag hij rillend van verlangen op haar te wachten in
zijn hangmat, wel wetend dat Pilar Ternera langs hem moest
komen. Ze kwam binnen. Arcadio greep haar bij de pols en
trachtte haar in de hangmat te duwen. 'Dat kan ik niet, dat
kan ik niet,' zei Pilar Ternera vol afgrijzen. 'Je weet niet hoe
graag ik je van dienst zou willen zijn, maar God is mijn getuige dat ik dit niet kan.' Arcadio greep haar met zijn enorme,
overgeërfde kracht om haar middel en voelde hoe de wereld
vervaagde bij de aanraking met haar huid. 'Doe nou maar niet
zo heilig,' zei hij. 'Per slot van rekening weet iedereen dat je
een hoer bent.' Pilar wist de walging meester te blijven die
haar werd ingeblazen door haar ellendige lot.

'De kinderen zullen het merken,' mompelde ze. 'Het lijkt me
beter dat je vannacht de sluitbalk van je deur laat.'

Die nacht lag Arcadio klappertandend van de koorts op
haar te wachten in zijn hangmat. Hij wachtte zonder een oog
dicht te doen en luisterde naar de uitgelaten krekels van de
zich rekkende dageraad en naar de onverbiddelijke tijdseinen
van de roerdompen en hij raakte er steeds meer van overtuigd
dat hij voor de gek was gehouden. Plotseling, toen zijn verlangen al vergruizeld was tot woede, ging de deur open. Een paar
maanden later, staande voor het vuurpeloton, zou Arcadio dit

alles nog eens beleven: de voetstappen die zich verloren in het schoollokaal, het botsen tegen de banken en tenslotte de compacte donkerte van een lichaam in de donkerte van het vertrek en het kloppen van de lucht die gebeukt werd door een hart dat niet het zijne was. Hij stak zijn hand uit en vond een andere hand met twee ringen aan een vinger, een hand die op het punt stond in de duisternis te bezwijken. Hij voelde de nerfstructuur van de aderen, de polsslag vol rampspoed, de levenslijn die onderaan de duim werd afgesneden door het klauwen van de dood. Toen begreep hij dat dit niet de vrouw was op wie hij wachtte, want ze geurde niet naar rook maar naar bloempommade en haar borsten waren gezwollen en glad en hadden mannentepels en haar geslacht was steenhard en rond als een noot en ze bezat de chaotische tederheid van een verrukte onervarenheid. Ze was maagd en droeg de onwaarschijnlijke naam Santa Sofía de la Piedad. Pilar Ternera had haar vijftig pesos betaald – de helft van wat ze in haar leven had bijeengespaard – om haar te laten doen wat ze nu deed. Arcadio had haar meermalen gezien als ze bezig was in het kleine levensmiddelenwinkeltje van haar ouders, maar hij had nooit aandacht aan haar geschonken omdat ze de zeldzame deugd bezat om er nooit helemáál te zijn tenzij op het juiste moment. Maar vanaf die dag kronkelde hij zich als een kater in de warmte van haar oksels. Als de siësta aanbrak kwam ze naar de school, steeds met medeweten van haar ouders aan wie Pilar Ternera de andere helft van haar spaargeld had gegeven.

Later, toen de regeringstroepen hen uit het lokaal hadden gezet, beminden ze elkaar tussen de blikken vet en de zakken maïs in het magazijn achter de winkel. Omstreeks de tijd dat Arcadio tot burgerlijk en militair commandant werd benoemd, kregen ze een dochter.

De enige familieleden die hiervan op de hoogte waren, waren José Arcadio en Rebeca, met wie Arcadio toen intieme betrekkingen onderhield die niet zozeer stoelden op de familieband als wel op een vorm van medeplichtigheid. José Arcadio had zijn hoofd gebogen onder het echtelijk juk. Het sterke karakter van Rebeca, de vraatzucht van zijn eigen buik en zijn nimmer aflatende eerzucht hadden volkomen beslag gelegd op de ongewone energie van deze man, zodat hij van een luie rokkenjager veranderde in een enorm werkdier. Ze hadden nu een schoon huis waar alles aan kant was. Bij het krieken van de dag zette Rebeca haar huis wagenwijd open en de wind van de graven waaide door de vensters naar binnen en door de deuren van de patio naar buiten, zodat de muren witgeschuurd en de meubelen bruingelooid achterbleven van het salpeter van de doden. De zucht naar aarde, het klok-klok van de beenderen van haar ouders, het ongeduld van haar bloed tegenover de passiviteit van Pietro Crespi – dat alles was opgeborgen op de vliering van haar geheugen. Ze zat de hele dag te borduren aan het venster, ver van de onrust van de oorlog, totdat de aarden potten begonnen te rinkelen op het buffet en ze opstond om het eten te gaan warmen, lang voordat de magere jachthonden verschenen, gevolgd door de kolos met zijn hoge laarzen en zijn sporen en zijn dubbelloops jachtgeweer die soms arriveerde met een hert over zijn schouder en vrijwel altijd met een stel aaneengebonden konijnen of wilde eenden. Op een middag in het begin van zijn bestuursperiode ging Arcadio als in een opwelling bij hen op bezoek. Ze hadden hem niet meer gezien sinds ze uit huis waren weggegaan, maar hij betoonde zich zo vriendelijk en vertrouwelijk dat ze hem uitnodigden om te blijven eten.

Pas toen ze de koffie gebruikten, onthulde Arcadio de reden van zijn bezoek: hij had een aanklacht ontvangen tegen José Arcadio. Men beweerde dat deze begonnen was het land achter zijn patio te beploegen en daarna in een rechte lijn was voortgegaan door de aangrenzende akkers, waarbij hij met zijn ossen schuttingen had omgehaald en boerenhutten had vernield, totdat hij zich met geweld had meester gemaakt van de beste stukken grond in de omgeving. Aan de boeren die hij niet beroofd had, louter omdat hun land hem niet interesseerde, had hij een pachtsom opgelegd die hij elke zaterdag kwam innen met zijn bloedhonden en zijn dubbelloops jachtgeweer. José Arcadio ontkende het niet. Hij grondde zijn rechten op het feit dat de in beslag genomen akkers door José Arcadio Buendía waren uitgedeeld ten tijde van de stichting van Macondo en

122

hij meende te kunnen bewijzen dat zijn vader in die tijd al krankzinnig was, aangezien hij beschikt had over een erfdeel dat in feite aan de gehele familie had toebehoord. Zijn pleidooi was niet nodig, want Arcadio was niet gekomen om recht te doen. Hij bood slechts aan een bureau te openen waar men zijn eigendomsrechten moest laten registreren, zodat José Arcadio zijn aanspraken op de geroofde gronden alsnog kon wettigen – echter op voorwaarde dat het recht om pacht te innen zou worden overgedragen aan het gemeentebestuur. Ze sloten de overeenkomst. Toen kolonel Aureliano Buendía jaren later de eigendomsakten onderzocht, ontdekte hij dat de naam van zijn broer voorkwam op de registratie van alle akkers die zich uitstrekten vanaf de heuvel achter zijn patio tot achter de horizon, met inbegrip van het kerkhof; hij ontdekte bovendien dat Arcadio in de elf maanden van zijn bestuur niet alleen het pachtgeld in eigen zak had gestoken, maar ook het geld dat hij in het dorp inde voor het recht om doden te begraven op het terrein van José Arcadio.

Ofschoon deze zaken al lang gemeengoed waren, duurde het maanden voordat Úrsula ze te weten kwam, want de mensen hielden het voor haar verborgen om haar verdriet niet nog groter te maken. Tenslotte begon ze het te vermoeden. 'Arcadio is bezig een huis te bouwen,' vertelde ze met gemaakte trots aan haar echtgenoot, terwijl ze een lepeltje meloenstroop in zijn mond trachtte te krijgen. Desondanks verzuchtte ze onwillekeurig: 'Ik weet niet waarom, maar daar zit volgens mij een luchtje aan.' Later, toen ze hoorde dat Arcadio niet alleen zijn huis had afgebouwd maar bovendien een Weens ameublement had besteld, zag ze haar vermoedens bevestigd dat hij gebruik maakte van het geld van de gemeenschap. 'Je bent een schande voor onze naam!' riep ze tegen hem, toen ze op een zondag uit de mis kwam en hem in zijn nieuwe huis zag zitten kaarten met zijn officieren. Arcadio lette niet op haar. Toen pas vernam Úrsula dat hij een dochtertje van een half jaar had en dat Santa Sofía de la Piedad, met wie hij samenwoonde zonder getrouwd te zijn, opnieuw in verwachting was. Ze besloot het te schrijven aan kolonel Aureliano Buendía, waar deze zich ook mocht bevinden, teneinde hem op de hoogte te stellen van de situatie. Maar in die dagen volgden de gebeurtenissen elkaar zo snel op, dat ze niet alleen haar plannen verhinderd zag maar er bovendien spijt van kreeg ze ooit te hebben opgevat. De oorlog, die tot dan toe slechts een woord was geweest om een vage en verre omstandigheid aan te duiden, begon vaste vormen aan te nemen en groeide uit tot een dramatische werkelijkheid. Tegen het einde van februari kwam in Macondo een oude vrouw aan met een asgrauw gezicht, gezeten op een met bezems afgeladen ezel. Ze zag er zo ongevaarlijk uit, dat de bewakingspatrouilles haar zonder iets te vragen doorlieten, in de mening dat ze hoorde bij de vele marskramers die zo vaak opdoken uit de dorpen van het moeras. Ze begaf zich regelrecht naar de kazerne. Arcadio ontving haar in het lokaal dat vroeger tot schoolklas had gediend en dat nu veranderd was in een soort kampement achter de linies, waar opgerolde hangmatten aan ijzeren ringen hingen en slaapmatten lagen opgestapeld in de hoeken en waar de vloer bezaaid lag met geweren en karabijnen en zelfs met jachtgeweren. De oude vrouw sprong in de houding en bracht een militaire groet voordat ze zich bekend maakte met de woorden:

'Ik ben kolonel Gregorio Stevenson.'

Hij bracht slechte berichten mee. De laatste liberale verzetshaarden werden langzaam maar zeker opgeruimd, vertelde hij. Kolonel Aureliano Buendía, die hij had achtergelaten op het moment dat hij zich vechtend terugtrok op Riohacha, had hem belast met de taak om met Arcadio te gaan praten. Arcadio diende het dorp zonder weerstand over te geven en slechts als voorwaarde te stellen dat het leven en de eigendommen van de liberalen op erewoord gerespecteerd zouden worden. Arcadio bekeek deze merkwaardige koerier, die men gemakkelijk had kunnen houden voor een omaatje op de vlucht, met een blik vol medelijden.

'U hebt uiteraard het een of andere papier bij u,' zei hij.

'Dat heb ik uiteraard niet,' antwoordde de koerier. 'Het valt gemakkelijk te begrijpen dat men in de huidige omstandigheden niets compromitterends bij zich dient te dragen.'

Nog terwijl hij sprak haalde hij een gouden visje uit zijn keurslijf en legde het op tafel. 'Ik meen dat dit wel voldoende is,' zei hij. Arcadio stelde vast dat het inderdaad een van de visjes was die door kolonel Aureliano Buendía waren vervaardigd. Maar iedereen had het vóór de oorlog kunnen kopen of stelen en dus bezat het als vrijgeleide geen enkele waarde. De koerier ging zelfs zover, dat hij een militair geheim onthulde om zijn identiteit te bekrachtigen. Hij vertelde dat hij met een speciale missie naar Curaçao ging, waar hij de bannelingen uit het gehele Caraïbische gebied hoopte te recruteren en voldoende wapens en munitie hoopte te verkrijgen om tegen het einde van het jaar een landing uit te voeren. Kolonel Aureliano Buendía had zijn vertrouwen aan dit plan geschonken en was er geen voorstander van om op dit moment nog onnodige offers te brengen. Maar Arcadio was niet te overtuigen. Hij liet de boodschapper in de boeien slaan totdat hij zijn identiteit had kunnen vaststellen en besloot het dorp op leven en dood te verdedigen.

Lang hoefde hij niet te wachten. De berichten over de liberale nederlaag werden steeds duidelijker. Tegen het einde van de maand maart, op een vroege ochtend met voortijdige regenbuien, werd de gespannen stilte van de afgelopen weken plotseling doorbroken door een uitbundige trompetstoot, gevolgd door een kanonschot dat de toren van de kerk vernielde. Arcadio's besluit om zich te verdedigen was in feite een dwaasheid. Hij beschikte over niet meer dan vijftig slecht bewapende mannen die elk een maximale rantsoenering van twintig patronen hadden ontvangen. Maar onder hen bevonden zich zijn vroegere leerlingen en zij waren door zijn hoogdravende proclamaties zozeer opgehitst, dat ze vastbesloten waren hun huid te wagen voor een verloren zaak. Temidden van het gestamp van laarzen, tegenstrijdige orders, kanonschoten die de aarde deden trillen, onbesuisde salvo's en trompetsignalen zonder enige zin, wist de man die zich voor kolonel Stevenson uitgaf Arcadio nog even te spreken te krijgen. 'Bespaar me de schande om in de kerker te sterven met deze vrouwenkleren aan,' zei hij. 'Als ik moet sterven, laat het dan zijn in de strijd.' Hij wist hem te overtuigen. Arcadio beval hem een geweer met twintig patronen te geven en liet hem met vijf man achter om de kazerne te verdedigen, terwijl hijzelf vertrok om zich met zijn staf aan het hoofd van de verdediging te stellen. Hij kon de weg door het moeras niet eens bereiken. De barricaden waren in stukken geschoten en de verdedigers vochten open en bloot in de straten, eerst zolang er munitie voorhanden was voor de geweren, daarna met pistolen tegen geweren en tenslotte in een gevecht van man tegen man. Toen de nederlaag ophanden leek, stormden verschillende vrouwen de straat op met stokken en keukenmessen. Temidden van die verwarring kwam Arcadio Amaranta tegen die hem als een waanzinnige liep te zoeken, in haar nachthemd en met twee oude pistolen van José Arcadio Buendía bij zich. Hij gaf zijn geweer aan een officier die in de strijd zijn wapen was kwijtgeraakt en rende met Amaranta een zijstraat in om haar naar huis te brengen. Úrsula stond te wachten in de deuropening, zich niets aantrekkend van het geschut dat al een grote bres had geslagen in de gevel van het huis ernaast. De regen hield op, maar de straten waren glad en glibberig als zachte zeep en in het halfduister kon men de afstanden slechts raden. Arcadio liet Amaranta achter bij Úrsula en probeerde zich te meten met twee soldaten die hem vanaf de hoek blindelings de volle laag gaven. De oude pistolen, jarenlang bewaard in een kleerkast, weigerden dienst. Úrsula beschermde Arcadio met haar lichaam en probeerde hem mee te slepen naar haar huis.

'Kom mee, om Godswil!' riep ze. 'Nu is het uit met die dwaasheden!'

De soldaten legden aan.

'Laat die man los, mevrouw!' riep een van hen. 'Want anders staan we nergens voor in!'

Arcadio duwde Úrsula het huis in en gaf zich over. Kort daarop hielden de schoten op en begonnen de klokken te luiden. De verdediging was binnen een half uur weggevaagd. Van Arcadio's mannen had er niet één de aanval overleefd, maar voordat ze stierven zonden ze driehonderd soldaten voor zich uit de dood in. De kazerne vormde het allerlaatste bolwerk. Vlak voordat hij werd aangevallen had de man, die zich kolonel Gregorio Stevenson noemde, alle gevangenen in vrijheid gesteld en zijn helpers bevolen op straat te gaan meevechten. De buitengewone behendigheid en de trefzekerheid waarmee hij zijn twintig patronen uit de verschillende vensters afvuurde, wekten de indruk dat de kazerne uitstekend verdedigd werd. De aanvallers vernielden het gebouw met kanonvuur. De kapitein die de operatie leidde stond dan ook stomverbaasd toen hij de puinhopen verlaten vond en er slechts één man in onderbroek aantrof, morsdood, naast een ongeladen geweer dat nog altijd werd omklemd door een arm die letterlijk van het lichaam was gerukt. De dode droeg een weelderig vrouwenkapsel dat in de nek tot een knot was opgestoken en om zijn hals een kettinkje met een gouden visje. Toen de kapitein hem met de punt van zijn laars omdraaide om wat meer licht op het gezicht te laten vallen, bleef hij verbluft staan. 'Verdorie!' riep hij uit. Een paar andere officieren kwamen aanlopen.

'Kijk nou eens waar die vent is komen opduiken,' zei de kapitein tot hen. 'Het is Gregorio Stevenson.'

Bij het aanbreken van de dag werd Arcadio doodgeschoten bij de muur van het kerkhof, nadat er een standrechtelijk vonnis over hem was uitgesproken. In zijn twee laatste levensuren kon hij maar niet begrijpen waarom de angst, die hem sinds zijn kinderjaren had geteisterd, nu verdwenen was. Onaangedaan en zonder moeite te doen zijn nieuw gevonden moed te tonen, luisterde hij naar de eindeloze beschuldigingen van het requisitoir. Hij dacht aan Úrsula, die omstreeks dit uur onder de kastanjeboom zou zitten en koffie dronk met José Arcadio Buendía. Hij dacht aan zijn dochtertje van acht maanden dat nog niet eens een naam had en hij dacht aan het kind dat in augustus geboren moest worden. Hij dacht aan Santa Sofía de la Piedad, die hij de vorige avond had achtergelaten toen ze bezig was een hert in te zouten voor het middagmaal van zaterdag, en hij verlangde terug naar haar haar dat over haar schouders stroomde en naar haar oogwimpers die kunstmatig leken. Hij dacht zonder sentimentaliteiten aan zijn mensen, in een ernstige eindafrekening met het leven, en begon te begrijpen hoeveel hij in feite hield van diegenen die hij het meest had gehaat. De president van de krijgsraad was al aan zijn slotbeschouwing bezig nog voordat het tot Arcadio doordrong, dat er twee uren waren verstreken. 'Ofschoon het ten laste gelegde niet van uitzonderlijk groot belang was,' zei de president, 'zou de onverantwoordelijke en misdadige vermetelheid waarmee de beklaagde zijn ondergeschikten heeft opgezet tot een nutteloze dood, op zichzelf al voldoende zijn om hem in aanmerking te doen komen voor de doodstraf.' In de zwaar beschadigde school waar hij voor de eerste maal de zekerheid van de macht proefde, op weinige meters afstand van het vertrek waar hij de onzekerheid van de liefde leerde kennen, kon Arcadio het formalisme van de dood alleen maar belachelijk vinden. In werkelijkheid gaf hij niet om de dood maar om het leven en daarom was de gewaarwording, die hem bij het uitspreken van het vonnis bekroop, dan ook geen gevoel van vrees maar van weemoed. Hij sprak geen woord, totdat ze hem vroegen wat zijn laatste wens was.

'Laat ze tegen mijn vrouw zeggen,' antwoordde hij met goed gemoduleerde stem, 'dat ze het meisje de naam Úrsula moet geven.' Hij zweeg even, toen bevestigde hij het nog eens: 'Úrsula, naar haar grootmoeder. En laat ze ook tegen mijn vrouw zeggen dat, als er een jongen wordt geboren, hij de naam José Arcadio moet krijgen – niet naar zijn oom, maar naar zijn grootvader.'

Pater Nicanor probeerde hem nog bij te staan voordat ze hem naar de zware kerkhofmuur voerden. 'Ik heb nergens berouw over,' zei Arcadio en hij stelde zich ter beschikking van het peloton, nadat hij eerst nog een kop zwarte koffie had gedronken. De commandant van het peloton, een ware specialist in standrechtelijke executies, droeg een naam die meer dan een toevalligheid was: kapitein Roque Carnicero.* Toen ze onder de aanhoudende druilregen op weg waren naar het kerkhof, merkte Arcadio dat aan de horizon een stralende woensdag begon te ontluiken. Zijn weemoed verdween met de nevelen en maakte plaats voor een mateloze nieuwsgierigheid. Pas toen ze hem bevalen met zijn rug tegen de muur te gaan staan, kreeg Arcadio Rebeca in het oog, die met natte haren en gekleed in een jurk vol roze bloemen haar huisje wagenwijd openzette. Hij deed een poging haar aandacht te trekken. In feite keek

* Carnicero = slager

Rebeca louter toevallig in de richting van de muur. Ze bleef als verlamd van verbijstering staan en kon nauwelijks de kracht opbrengen om Arcadio ten afscheid toe te wuiven. Arcadio beantwoordde het gebaar op dezelfde manier. Op dat moment werden de zwartberookte lopen van de geweren op hem gericht en hoorde hij letter voor letter de gezongen encyclieken van Melquíades en hoorde hij de verloren voetstappen van Santa Sofía de la Piedad, maagd, in het schoollokaal en ervoer hij in zijn neus dezelfde ijskoude hardheid die hem was opgevallen in de neusgaten van het lijk van Remedios. 'Ach, verdorie,' kon hij nog juist denken, 'nu ben ik vergeten te zeggen dat ze haar Remedios moeten noemen als er een meisje wordt geboren.' Toen onderging hij opnieuw alle angsten die hem tijdens zijn leven hadden geteisterd, nu samengevoegd tot een klauw die verscheurend naar hem sloeg. De kapitein gaf bevel tot vuren. Arcadio kon nog net zijn borst ontbloten en zijn hoofd opheffen, zonder te begrijpen waar de brandende vloeistof vandaan kwam die langs zijn dijen schroeide.

'Schoften!' schreeuwde hij. 'Leve de liberale partij!'

**
*

In mei was de oorlog afgelopen. Twee weken voordat de regering dit bekendmaakte met een hoogdravende proclamatie waarin een meedogenloze bestraffing van de aanstichters van de opstand in het vooruitzicht werd gesteld, raakte kolonel Aureliano Buendía in gevangenschap toen hij op het punt stond om in de vermomming van een indiaans tovenaar de westelijke grens te overschrijden. Van de eenentwintig mannen die hem in de oorlog waren gevolgd, waren er veertien in de strijd gesneuveld; zes waren gewond geraakt en slechts één vergezelde hem op het ogenblik van de uiteindelijke nederlaag: kolonel Gerineldo Márquez. Het bericht van de gevangenneming werd in Macondo openbaar gemaakt met een buitengewone bekendmaking. 'Hij leeft,' deelde Úrsula aan haar echtgenoot mee. 'Laten we God bidden dat zijn vijanden genade betonen.' Na drie dagen huilen stond ze op een middag de melkpap op te kloppen in de keuken, toen ze heel duidelijk de stem van haar zoon hoorde, vlak bij haar oor. 'Dat was Aureliano!' riep ze en ze rende naar de kastanjeboom om het nieuws aan haar man te vertellen. 'Ik weet niet hoe dat wonder heeft kunnen gebeuren, maar hij leeft nog en we zullen hem spoedig terugzien.' Voor haar stond het vast. Ze liet de vloeren van het huis schrobben en de plaats van de meubels veranderen. Een week later werd het voorgevoel dramatisch bevestigd door een gerucht, waarvan de herkomst onbekend bleef en dat door de openbare bekendmaking niet werd geruggesteund: kolonel Aureliano Buendía was ter dood veroordeeld en het vonnis zou in Macondo worden voltrokken als afschrikwekkend voorbeeld voor de bevolking. Op een maandagmorgen stond Amaranta om twintig minuten over tien de kleine Aureliano José aan te kleden, toen ze ineens een trompetstoot en het ver verwijderde geroezemoes van een massa mensen bespeurde. Een seconde later kwam Úrsula de kamer binnenstormen met de kreet: 'Ze brengen hem hierheen!' De troepen moesten vechten om de onafzienbare menigte met kolfslagen in bedwang te houden. Úrsula en Amaranta wrongen zich duwend door het gedrang en renden tot aan de hoek. Toen zagen ze hem. Hij zag eruit als een bedelaar. Zijn kleren waren gescheurd, zijn haren en zijn baard zaten in de war en hij was blootsvoets. Hij liep voort zonder het verzengende stof te voelen en zijn handen waren op zijn rug gebonden met een touw dat door een officier te paard aan het hoofdstel van zijn rijdier was bevestigd. Naast hem, even vervuild en haveloos, voerden ze kolonel Gerineldo Márquez mee. Ze waren niet bedroefd. Ze leken eerder in verlegenheid gebracht door de mensenmassa, die de soldaten allerlei schunnigheden naar het hoofd slingerde.

'Jongen!' gilde Úrsula temidden van het lawaai en ze deelde een oorvijg uit aan een soldaat die haar wilde tegenhouden. Het paard van de officier steigerde. Toen bleef kolonel Aureliano Buendía trillend staan, ontweek de armen van zijn moeder en bracht een harde blik in zijn ogen.

'Ga naar huis, mama,' zei hij. 'Vraag toestemming aan de autoriteiten en kom me dan opzoeken in de gevangenis.'

Hij keek naar Amaranta, die besluiteloos op twee pas afstand achter Úrsula was blijven staan, en vroeg haar met een glimlach: 'Wat is er met je hand gebeurd?' Amaranta stak de hand met het zwarte verband omhoog. 'Verbrand,' zei ze en ze trok Úrsula opzij om te voorkomen dat ze door de paarden omver zou worden gelopen. De troep zette zich weer in beweging. Een speciale wacht omringde de beide gevangenen en voerde hen op een drafje naar de kazerne.

Tegen het vallen van de avond bracht Úrsula een bezoek aan kolonel Aureliano Buendía in de gevangenis. Ze had geprobeerd toestemming te krijgen via don Apolinar Moscote, maar van zijn gezag was niets overgebleven bij de almacht van de militairen. Pater Nicanor was geveld door een leverziekte met hoge koortsen. De ouders van kolonel Gerineldo Márquez, die niet ter dood veroordeeld was, hadden geprobeerd hem te bezoeken en waren met kolfslagen verjaagd. Nu het onmogelijk bleek een tussenpersoon te vinden, maakte Úrsula een pakje van de dingen die ze haar zoon wilde brengen en begaf zich geheel alleen naar de kazerne, overtuigd dat hij bij het aanbreken van de dag zou worden doodgeschoten.

'Ik ben de moeder van kolonel Aureliano Buendía,' maakte ze zich bekend.

De schildwachten versperden haar de weg. 'Ik ga naar binnen, hoe dan ook,' waarschuwde Úrsula hen. 'Dus als jullie bevel hebt om te schieten, begin dan maar meteen.' Ze duwde een van hen opzij en stapte het vroegere schoollokaal binnen waar een groep naakte soldaten hun wapens zat te oliën. Een officier in gevechtstenue, een rozige man met dikke brilleglazen en plechtige gebaartjes, maakte de manschappen met een handgebaar duidelijk dat ze zich moesten terugtrekken.

'Ik ben de moeder van kolonel Aureliano Buendía,' herhaalde Úrsula.

'Mevrouw wil zeggen,' verbeterde de officier haar met een minzaam glimlachje, 'dat ze de moeder is van *meneer* Aureliano Buendía.'

Úrsula herkende in zijn gemaakte manier van spreken de temerige tongval van de geaffecteerde lieden uit het hoogland.

'Zoals u zegt, *meneer*,' gaf ze toe. 'Als u mij maar naar hem toe laat gaan.'

Er waren orders van hogerhand die een bezoek aan ter dood veroordeelden verboden, maar de officier nam de verantwoording op zich voor een onderhoud van een kwartier. Úrsula liet hem zien wat ze in het bundeltje had: een verschoning, de schoenen die haar zoon gedragen had op zijn bruiloft en de melkpap die ze voor hem had bewaard sinds de dag dat ze zijn terugkeer had voorvoeld. Ze trof kolonel Aureliano Buendía aan in de kamer die in een kerker was veranderd. Daar lag hij languit op een brits, beide armen wijd uitgespreid omdat zijn okselholten bezaaid waren met gezwellen. Ze hadden hem toegestaan zich te scheren. De dikke snor met de opgedraaide punten verleende extra nadruk aan de hoekigheid van zijn jukbeenderen. Úrsula kreeg de indruk dat hij een beetje langer en veel bleker was dan toen hij vertrok – en eenzamer dan ooit. Hij was op de hoogte van alle wederwaardigheden van de familie: de zelfmoord van Pietro Crespi, de willekeurigheden en het fusilleren van Arcadio, de ongenaakbaarheid van José Arcadio Buendía onder de kastanje. Hij wist dat Amaranta haar maagdelijke weduwschap gewijd had aan de opvoeding van Aureliano José en dat deze al tekenen van grote scherpzinnigheid begon te vertonen en al was gaan lezen en schrijven in dezelfde tijd dat hij leerde praten. Vanaf het moment dat Úrsula de kamer binnenkwam voelde ze zich in verlegenheid gebracht door de rijpheid van haar zoon, door zijn overwicht dat haar tegenwaaide, door de glans van gezag die van zijn huid afstraalde. Het verbaasde haar dat hij zo goed op de hoogte was. 'U weet toch dat ik helderziende ben,' schertste hij. Maar hij vervolgde op ernstige toon: 'Vanmorgen, toen ze me hierheen brachten, had ik het gevoel dat ik dit allemaal al eens had doorgemaakt.' En inderdaad, terwijl de menigte rondom hem tekeer was gegaan, was hijzelf verdiept geweest in zijn gedachten, hoogst verbaasd over de manier waarop het dorp in één jaar tijd verouderd was. De bladeren van de amandelbomen waren stukgegaan. De huizen, die aanvankelijk blauw en vervolgens rood en daarna weer blauw waren geverfd, hadden tenslotte een ondefinieerbare kleur gekregen.

'Wat wil je,' zuchtte Úrsula. 'De tijd gaat voorbij.'

'Dat is zo,' gaf Aureliano toe. 'Maar niet zo snel.'

Zo bleek het bezoek, waarop ze zolang hadden gewacht en waarvoor ze allebei de vragen hadden voorbereid en zelfs hun eigen antwoorden hadden voorzien, opnieuw uit te lopen op een alledaags gesprek als altijd. Toen de schildwacht het einde van het onderhoud kwam aankondigen, haalde Aureliano een rol doorzwete papieren onder de matras van zijn krib vandaan. Het waren zijn gedichten. De verzen die hem door Remedios waren ingegeven en die hij bij zijn vertrek had meegenomen én de verzen die hij later had geschreven in de wisselvallige rustpauzen van de strijd. 'Beloof me dat niemand ze zal lezen,' zei hij. 'Steek vanavond nog de oven ermee aan.' Úrsula beloofde het hem en ging op haar tenen staan om hem een afscheidskus te geven.

'Ik heb een revolver voor je meegebracht,' mompelde ze.

Kolonel Aureliano Buendía keek of de wachtpost niet in de buurt was. 'Ik heb er niets aan,' antwoordde hij zachtjes. 'Maar geef hem toch maar hier, voor het geval ze u fouilleren bij het weggaan.' Úrsula haalde de revolver uit haar keurslijf en hij legde het ding onder de matras van zijn brits. 'En nu wordt er geen afscheid genomen,' besloot hij met kalme nadrukkelijkheid. 'Vraag niemand iets, verneder u voor niemand. Prent u maar in gedachten dat ze me al lang geleden hebben gefusilleerd.' Úrsula beet zich op de lippen om niet te huilen.

'Je moet warme stenen op die gezwellen leggen,' zei ze.

Ze draaide zich om en liep de kamer uit. Kolonel Aureliano Buendía bleef diep in gedachten staan totdat de deur was dichtgegaan. Toen ging hij weer liggen met uitgespreide armen. Vanaf het begin van zijn jongensjaren, toen hij zich bewust was geworden van zijn voorgevoelens, had hij gedacht dat de dood zich zou aankondigen met een duidelijk, onmiskenbaar, onherroepelijk teken. Maar nu restten hem nog slechts een paar uur voordat hij zou sterven en het teken kwam niet. In Tucurinca was op zekere dag een uiterst mooie vrouw zijn kampement binnengekomen; ze had aan de schildwachten gevraagd of ze hem mocht bezoeken en de manschappen hadden haar doorgelaten, omdat ze bekend waren met het fanatisme van bepaalde moeders die hun dochters naar de

133

slaapkamers van de meest befaamde vechtjassen stuurden teneinde, volgens hun eigen zeggen, het ras te verbeteren. Die avond legde kolonel Aureliano Buendía juist de laatste hand aan het gedicht over de man die verdwaald was in de regen, toen het meisje zijn kamer binnenkwam. Hij draaide haar zijn rug toe om het papier op te bergen in de afsluitbare lade waarin hij zijn gedichten bewaarde. En toen voelde hij het. Zonder zijn hoofd om te draaien greep hij het pistool dat in de lade lag.

'Niet schieten, alstublieft,' zei hij.

Toen hij zich met getrokken pistool omdraaide, had het meisje haar wapen laten zakken en wist ze niet meer wat te doen. Zo had hij kunnen ontkomen aan vier van de elf aanslagen op zijn leven. Daarentegen had iemand, die nooit gegrepen was, in Manaure eens de kazerne van de opstandelingen kunnen binnendringen en met dolkstoten zijn intieme vriend kolonel Magnífico Visbal vermoord, aan wie hij die avond zijn veldbed had afgestaan om een koortsaanval uit te zweten. Hijzelf had daar niets van bemerkt, ofschoon hij in hetzelfde vertrek en op een paar meter afstand had liggen slapen in een hangmat. Al zijn pogingen om enig systeem te brengen in zijn voorgevoelens waren tevergeefs. Ze boden zich plotseling aan, in een flits van bovennatuurlijke helderheid, in de vorm van een absolute en kortstondige zekerheid die echter nooit te doorgronden viel. Soms waren ze zo vanzelfsprekend, dat hij ze pas als voorgevoelens herkende wanneer ze uitkwamen. Bij andere gelegenheden waren ze overduidelijk en gingen ze nooit in vervulling. Vaak waren het niet meer dan ordinaire opwellingen van bijgeloof. Maar toen hij ter dood veroordeeld werd en men hem verzocht zijn laatste wens te uiten, had hij niet de minste moeite om het voorgevoel te herkennen dat hem bewoog tot het antwoord:

'Ik wil dat het vonnis wordt voltrokken in Macondo.'

De president van de krijgsraad raakte ontstemd.

'Doe niet zo gewiekst, Buendía,' zei hij. 'Dat is een foefje om tijd te winnen.'

'Als u er niet aan voldoet, mij best,' antwoordde de kolonel. 'Maar dat is mijn laatste wens.'

Vanaf dat moment hadden de voorgevoelens hem in de steek gelaten. Op de dag dat Úrsula hem in de gevangenis bezocht, kwam hij na veel nadenken tot de conclusie dat de dood zich ditmaal misschien niet aankondigde, omdat het nu niet afhing van het toeval maar van de wil van zijn rechters. Hij bracht de nacht wakend door, gekweld door de pijn die de okselgezwellen hem bezorgden. Kort voor het aanbreken van de dag hoorde hij voetstappen in de gang. 'Daar komen ze,' zei hij bij zichzelf en zonder enige aanleiding dacht hij aan José Arcadio Buendía, die op datzelfde ogenblik aan hem zat te denken onder de trieste dageraad van de kastanjeboom. Hij voelde geen angst, geen weemoed. Hij voelde slechts een binnenwaartse woede bij de gedachte dat deze gewelddadige dood hem niet in staat zou stellen om de afloop te kennen van zoveel dingen die hij onafgemaakt achterliet. De deur ging open en een van de schildwachten kwam binnen met een kop koffie. De volgende dag stond hij er op hetzelfde uur nog precies hetzelfde voor, door het dolle heen van de pijn in zijn oksels, en ook toen gebeurde precies hetzelfde. Op donderdag deelde hij de melkpap met zijn bewakers en trok hij zijn lakschoenen aan en het schone ondergoed, dat hem te klein was geworden. Op vrijdag hadden ze hem nog steeds niet doodgeschoten.

In feite durfden ze het vonnis niet uit te voeren. De opstandige houding van het dorp had de militairen op de gedachte gebracht, dat het fusilleren van kolonel Aureliano Buendía wel eens ernstige politieke gevolgen zou kunnen hebben – niet alleen in Macondo, maar in de gehele omgeving van het moeras. Zodat ze de autoriteiten in de hoofdstad van de provincie raadpleegden. Terwijl ze op antwoord wachtten, ging kapitein Roque Carnicero op zaterdagavond met nog een paar officieren naar de kroeg van Catarino. Slechts één vrouw durfde hem mee te nemen naar haar kamer, daartoe vrijwel geprest met dreigementen. 'Ze willen niet naar bed met een man van wie ze weten dat hij sterven gaat,' vertrouwde ze hem toe. 'Niemand weet hoe het zal gebeuren, maar iedereen beweert dat de officier die kolonel Aureliano Buendía doodschiet en alle soldaten van het vuurpeloton onherroepelijk vermoord zullen worden, vroeg of laat en één voor één, al kruipen ze weg in de verste uithoek van de wereld.' Kapitein Roque Carnicero besprak dit met de andere officieren en die bespraken het met hun meerderen. En ofschoon niemand het openlijk had verkondigd, ofschoon de gespannen stilte van die dagen door geen enkel militair optreden was verstoord, was het gehele dorp er 's zondags van op de hoogte dat de officieren van plan waren om onder allerlei voorwendsels de verantwoordelijkheid van de executie van zich af te schuiven. Het officiële bevel arriveerde met de maandagpost: het vonnis diende te worden voltrokken binnen een termijn van vierentwintig uur. Die avond wierpen de officieren zeven papiertjes met hun namen in een pet en het onverbiddelijke noodlot van kapitein Roque Carnicero zorgde ervoor dat hij werd aangewezen met het papiertje waar het op aan kwam. 'Echte pech biedt geen ontsnappingskansen,' zei hij met diepgevoelde verbittering. 'Ik ben als hoerenzoon geboren en zal als een hoerenzoon sterven.' Om vijf uur in de morgen koos hij bij loting het peloton uit, stelde het op op de patio en wekte de veroordeelde met een zin die voor zichzelf sprak:

'Laten we gaan, Buendía,' zei hij. 'Ons uur heeft geslagen.'

'Dus dat was het,' antwoordde de kolonel. 'Ik droomde dat mijn okselgezwellen waren opengegaan.'

Sinds Rebeca Buendía wist dat Aureliano gefusilleerd zou worden, stond ze elke morgen om drie uur op. Ze bleef in het donker in haar slaapkamer zitten om door het half geopende venster de muur van het kerkhof in het oog te houden, terwijl het bed waarop ze zat stond te trillen onder het gesnurk van José Arcadio. Ze wachtte de hele week met dezelfde stille hardnekkigheid waarmee ze in vroeger tijden op de brieven van Pietro Crespi had gewacht. 'Ze fusilleren hem hier toch niet,' zei José Arcadio tegen haar. 'Ze schieten hem midden in de nacht dood in de kazerne, zodat niemand kan weten wie het peloton gevormd heeft en dan begraven ze hem daar ter plaatse.' Rebeca bleef de wacht houden. 'Het zijn zulke beesten, dat ze hem hier zullen fusilleren,' zei ze. Ze was er zo zeker van, dat ze zich er al op had voorbereid hoe ze de deur moest openen om hem gedag te wuiven. 'Ze zullen hem echt niet door de straat slepen met niet meer dan zes doodsbange soldaten,' hield José Arcadio vol. 'Ze weten best dat de mensen tot alles in staat zijn.' Maar Rebeca bleef bij haar venster zitten, onverschillig voor de logica van haar man.

'Je zult zien dat het zulke beesten zijn,' zei ze.

Die dinsdag had José Arcadio om vijf uur 's morgens zijn koffie gedronken en zijn honden losgelaten, toen Rebeca het raam dichtdeed en zich aan het hoofdeinde van het bed vastklampte om niet te vallen. 'Daar komen ze met hem,' fluisterde ze. 'Wat is hij mooi.' José Arcadio liep naar het raam en toen zag hij hem, in de trillende helderheid van de dageraad, met een broek aan die in zijn jonge jaren nog van hemzelf was geweest. Hij stond al met zijn rug tegen de muur en had zijn handen in zijn zijden gezet, omdat de gloeiende knobbels van de okselgezwellen hem niet toestonden zijn armen te laten zakken. 'Nu heb je je zo hard afgebeuld,' mompelde kolonel Aureliano Buendía. 'Je hebt je afgebeuld om je door zes van die flikkers te laten afmaken zonder er iets aan te kunnen doen.' Hij herhaalde het met zoveel woede dat het bijna op vrome ijver leek en kapitein Roque Carnicero raakte ontroerd, omdat hij meende dat hij stond te bidden. Toen het peloton de wapens richtte, was de woede tastbaar geworden en veranderd in een stroperige, bittere substantie die zijn tong deed verstijven en hem ertoe dwong zijn ogen dicht te knijpen. Op dat moment verdween de aluminiumglans van de vroege dageraad en zag hij zichzelf terug als klein kind met een korte broek en een strik onder zijn kraag en hij zag zijn vader die hem op een prachtige middag mee naar binnen nam in een tent en hij zag het ijs. Toen hij de kreet hoorde, dacht hij dat dit het laatste bevel aan het peloton was. Met koelbloedige nieuwsgierigheid opende hij zijn ogen, in de verwachting dat hij het lichtende spoor van de kogels zou zien, maar alles wat hij zag was kapitein Roque Carnicero met zijn armen in de hoogte en José Arcadio die de straat overstak met zijn geduchte jachtgeweer in de aanslag.

'Niet schieten,' zei de kapitein tot José Arcadio. 'U komt als door de Goddelijke Voorzienigheid gezonden.'

Ter plaatse begon er een nieuwe oorlog. Kapitein Roque Carnicero en zijn zes mannen gingen met kolonel Aureliano

Buendía op weg om de opstandige generaal Victorio Medina te bevrijden die ter dood veroordeeld was in Riohacha. Ze meenden tijd te kunnen winnen door het gebergte over te steken langs de weg die José Arcadio Buendía gevolgd had om Macondo te stichten, maar binnen een week raakten ze ervan overtuigd dat dit een onmogelijke onderneming was, zodat ze de gevaarlijke route door de uitlopers van het gebergte moesten nemen met als enige munitie de kogels van het vuurpeloton. Ze sloegen hun kamp op in de buurt van de dorpen en dan ging een van hen, vermomd en met een gouden visje in zijn hand, op klaarlichte dag het dorp in en nam contact op met de liberalen in ruste, die de volgende morgen gingen jagen en nooit meer terugkwamen. Toen ze Riohacha in het oog kregen rond een kromming in het gebergte, was generaal Victorio Medina al doodgeschoten. De mannen van kolonel Aureliano Buendía riepen hem uit tot bevelhebber van de revolutionaire troepen langs de kust van de Caraïbische Zee, met de rang van generaal. Hij nam de taak op zich maar wees de bevordering van de hand en stelde zichzelf tot voorwaarde, dat hij de promotie niet zou aanvaarden zolang ze de conservatieve regering niet hadden weggevaagd. Na drie maanden had hij al meer dan duizend man onder de wapenen kunnen brengen, maar ze werden in de pan gehakt. De overlevenden wisten de oostelijke grens te bereiken. De eerstvolgende keer dat men van hen vernam, hadden ze vanuit het eilandenrijk der Antillen een landing uitgevoerd bij Cabo de la Vela. Een bericht van de regering, dat per telegraaf werd verspreid en met juichende proclamaties in het gehele land werd voorgelezen, meldde de dood van kolonel Aureliano Buendía. Maar twee dagen later sprak een omvangrijk telegram, dat het vorige bijna inhaalde, van een nieuwe opstand in de vlakten van het zuiden. Zo ontstond de legende van de alomtegenwoordigheid van kolonel Aureliano Buendía. Gelijktijdige en tegenstrijdige berichten schetsten hem als zijnde overwinnaar in Villanueva, verliezer in Guacamayal, verslonden door de Motilon-indianen, omgekomen in een dorp van het moeras en uit de dood herrezen in Urumita. De liberale leiders, die op dat ogenblik onderhandelden over deelname aan het parlement, schilderden hem af als een avon-

turier die geen enkele partij vertegenwoordigde. De landsrege-
ring rangschikte hem onder de struikrovers en zette een prijs
van vijfduizend pesos op zijn hoofd. Na zestien nederlagen
vertrok kolonel Aureliano Buendía met tweeduizend uitstekend bewapende indianen uit Guajira en het garnizoen van
Riohacha, dat in de slaap verrast werd, verliet de stad. Daar
vestigde hij vervolgens zijn hoofdkwartier, waarna hij de totale oorlog uitriep tegen de regering. De eerste kennisgeving die
hem van de zijde van de regering bereikte, behelsde het dreigement dat kolonel Gerineldo Márquez binnen de achtenveertig
uur gefusilleerd zou worden als hij zich niet met zijn troepen
terugtrok naar de oostgrens. Kolonel Roque Carnicero, die
toen zijn chef staf was, overhandigde hem het telegram met
een gebaar van ontsteltenis, maar hij las het met onverwachte
opgewektheid.

'Mooi zo!' riep hij uit. 'We hebben al een telegraaf in Macondo!'

Zijn antwoord was kort maar krachtig. Binnen drie maanden hoopte hij zijn hoofdkwartier te vestigen in Macondo. Als
hij kolonel Gerineldo Márquez dan niet in leven aantrof, zou
hij zonder vorm van proces alle officieren terechtstellen die hij
op dat ogenblik krijgsgevangen had gemaakt, te beginnen bij
de generaals; bovendien zou hij zijn ondergeschikten opdracht
geven op dezelfde manier tewerk te gaan tot aan het einde van
de oorlog. Toen hij drie maanden later triomfantelijk Macondo
binnentrok, ontving hij op de moerasweg de allereerste omar-
ming van kolonel Gerineldo Márquez.

Het huis was vol kinderen. Úrsula had Santa Sofía de la
Piedad bij zich opgenomen met haar oudste dochtertje en een
tweeling die vijf maanden na de executie van Arcadio geboren
was. In afwijking van de laatste wil van de dode had ze het
meisje gedoopt met de naam Remedios. 'Ik weet zeker, dat dit
het is wat Arcadio wilde zeggen,' verklaarde ze. 'We zullen
haar niet Úrsula noemen, want met die naam heeft men veel te
lijden.' De tweelingen noemde ze José Arcadio Segundo en
Aureliano Segundo. Amaranta nam de zorg voor al die kinderen op zich. Ze zette kleine houten stoeltjes in de kamer en
richtte een kleuterschooltje op met nog meer kindertjes van fa-

milies uit de buurt. Toen kolonel Aureliano Buendía temidden van het geknal van vuurpijlen en het klokgebeier terugkeerde, werd hij thuis welkom geheten door een kinderkoortje. Aureliano José, al even lang als zijn grootvader en gekleed als revolutionair officier, bracht hem een militaire groet.

Niet alle berichten waren gunstig. Een jaar na de vlucht van kolonel Aureliano Buendía waren José Arcadio en Rebeca in het huis getrokken dat door Arcadio was gebouwd. Niemand kwam ooits iets te weten over hun tussenkomst die de fusillering had voorkomen. Het nieuwe huis bezat een brede deur voor bezoekers en vier ramen voor het licht en was gelegen in de mooiste hoek van het dorpsplein, in de schaduw van een amandelboom die zich mocht beroemen op drie roodborstnestjes. Daar richtten ze een gastvrij thuis in. Rebeca's vroegere vriendinnen, waaronder vier zusjes Moscote die ongetrouwd waren gebleven, hervatten de borduuruurtjes die jaren geleden op de waranda der begonia's waren onderbroken. José Arcadio bleef gebruik maken van de in beslag genomen gronden, want zijn eigendomsaanspraken waren door het conservatieve bestuur erkend. Elke middag zag men hem te paard naar huis komen met zijn jachthonden en zijn dubbelloops geweer en een rij konijnen die aan zijn rijdier hingen. Op een middag in september kwam hij vroeger naar huis dan gewoonlijk omdat er onweer dreigde. Hij groette Rebeca in de eetkamer, legde de honden vast op de patio, hing de konijnen in de keuken om ze later in te zouten en begaf zich naar de slaapkamer om zich te verkleden. Later verklaarde Rebeca dat ze zich in de badkamer had opgesloten zodra haar echtgenoot de slaapkamer was binnengegaan en dat ze verder niets had bemerkt. Deze lezing van de gebeurtenissen viel moeilijk te geloven, maar er was geen verklaring die aannemelijker was en niemand kon zich indenken waarom Rebeca de man zou vermoorden die haar gelukkig had gemaakt. Dit was misschien het enige mysterie dat in Macondo nooit werd opgehelderd. Zodra José Arcadio de deur van de slaapkamer achter zich had gesloten, daverde de knal van een pistoolschot door het huis. Een straaltje bloed kwam onder de deur door, stak de kamer over, kroop de straat op, vloeide in rechte lijn over de ongelijke trottoirs, daalde treedjes af en klom tegen scheidsmuurtjes op, doorliep de gehele Straat van de Turken, sloeg de hoek om naar rechts en daarna naar links, zwenkte tegenover het huis van de Buendía's met een hoek van negentig graden, ging onder de gesloten voordeur door, doorkruiste – vlak langs de muren, om de tapijten niet te besmeuren – de salon, vervolgde zijn weg door de andere kamer, ontweek met een wijde boog de tafel in de eetkamer, gleed verder over de waranda met de begonia's, glipte ongezien onder de stoel van Amaranta door die rekenles gaf aan Aureliano José, drong door het graanschuurtje heen en dook op in de keuken waar Úrsula zich opmaakte om zesendertig eieren te breken voor het brood.

'O Allerzuiverste Maagd!' gilde Úrsula.

Op zoek naar de oorsprong van het straaltje bloed volgde ze het in tegenovergestelde richting, liep door de graanschuur, kwam over de waranda met de begonia's waar Aureliano José opdreunde dat drie en drie zes is en zes en drie negen, stak de eetkamer en de beide andere vertrekken over, stapte regelrecht de straat op, sloeg de hoek om naar rechts en daarna naar links, zodat ze – zonder te beseffen dat ze nog steeds haar bakschort en haar huissloffen aan had – in de Straat van de Turken belandde, stoof het plein op, rende de voordeur binnen van een huis waar ze nog nooit was geweest, duwde tegen de deur van de slaapkamer, stikte bijna in de geur van verbrand kruit, zag José Arcadio voorover op de grond liggen, languit uitgestrekt over de hoge laarzen die hij net had uitgetrokken, en vond eindelijk het beginpunt van het straaltje bloed dat nu niet meer vloeide uit zijn rechteroor. Ze troffen op het lichaam geen enkele verwonding aan en konden het wapen nergens vinden. Evenmin bleek het mogelijk de doordringende kruitgeur van het lijk te verwijderen. Eerst wasten ze hem driemaal met zeep en borstels, vervolgens wreven ze hem eerst in met zout en azijn en daarna met as en citroensap en tenslotte plaatsten ze hem in een bak met loogwater waarin ze hem zes uur lieten weken. Ze schuurden hem zo stevig af, dat de getatoeëerde arabesken begonnen te verbleken. Toen ze er al over dachten om hem als uiterste redmiddel te kruiden met peper en komijn en laurierblad en hem een hele dag op een laag vuurtje

141

te laten koken, begon hij al tot ontbinding over te gaan en moesten ze hem in allerijl begraven. Ze legden hem in een speciale en hermetisch afgesloten doodskist van twee meter dertig lang en één meter tien breed, van binnen gepantserd met ijzeren platen en in elkaar gezet met stalen klinknagels – en zelfs toen was de kruitgeur nog merkbaar in de straten waar de stoet doorheen trok. Pater Nicanor, wiens opgezwollen lever strak stond als een trommel, zegende hem vanaf zijn ziekbed. Ofschoon ze het graf in de daaropvolgende maanden versterkten met muren in verschillende lagen en de ruimte tussen de muren opvulden met aangestampte as en zaagsel en ongebluste kalk, bleef het kerkhof naar kruit geuren totdat vele jaren later de ingenieurs van de bananenmaatschappij de zerk omgaven met een pantser van beton. Zodra men het lijk had weggehaald, sloot Rebeca de deuren van het huis en begroef zich levend, zich terugtrekkend onder een dikke korst van verstervnig die door geen aardse verleiding ooit kon worden doorbroken. Nog eenmaal, toen ze al heel oud was, verscheen ze op straat met een hoed vol piepkleine bloemetjes en een paar schoenen met de kleur van oud zilver. Dat was omstreeks de tijd dat de Wandelende Jood door het dorp kwam en zo'n intense hitte veroorzaakte dat de vogels de horren voor de ramen doorbraken om in de slaapkamers te kunnen sterven. De laatste keer dat iemand haar in leven zag, was, toen ze met één trefzeker schot een dief doodde die de deur van haar huis open trachtte te breken. Vanaf dat moment had niemand meer contact met haar, uitgezonderd Argénida, haar dienstmaagd en vertrouwelinge. Er was een tijd dat men wist dat ze brieven schreef naar de bisschop, die ze als haar neef beschouwde, maar nooit werd er verteld of ze ook antwoord had gekregen. Het dorp vergat haar.

Ondanks zijn triomfantelijke terugkeer kon kolonel Aureliano Buendía niet opgetogen zijn over de manier waarop de situatie eruit zag. De regeringstroepen gaven hun vestingplaatsen zonder weerstand op en dat wekte bij de liberale bevolking de illusie van een overwinning, iets wat hij hen niet graag wilde ontnemen; maar de revolutionairen kenden de waarheid en niemand kende die beter dan kolonel Aureliano Buendía. Ofschoon hij op dat moment meer dan vijfduizend man onder zijn bevel had en twee kustdistricten beheerste, was hij zich er scherp van bewust dat hij in het nauw gedreven was met zijn rug tegen de zee en daarbij was terechtgekomen in een dusdanig verwarde politieke situatie, dat hij – toen hij bevel had gegeven de kerktoren te restaureren die door het kanonvuur van het leger was verwoest – aan pater Nicanor op zijn ziekbed de opmerking ontlokte: 'Dit is waanzin: de verdedigers van het geloof van Christus vernielen het godshuis en de vrijmetselaars geven bevel het weer te herstellen.' Zoekend naar een uitweg bracht hij lange uren door in het telegraafkantoor om te overleggen met de commandanten van andere legerplaatsen, maar telkens bleef hij achter met de steeds stelliger wordende overtuiging dat de oorlog was vastgelopen. Wanneer er berichten kwamen over nieuwe liberale successen, werden die met juichende proclamaties bekend gemaakt – maar hij mat op zijn kaarten hun werkelijke vorderingen en begreep dat zijn mannen slechts dieper doordrongen in het oerwoud, waar ze zich moesten verdedigen tegen muggen en malaria en steeds verder verwijderd raakten van de realiteit. 'We verliezen tijd,' klaagde hij tegen zijn officieren. 'En we zullen tijd blijven verliezen zolang die schoften van de partij blijven bedelen om een zetel in het congres.' Als hij tijdens doorwaakte nachten languit in zijn hangmat lag, die hij had opgehangen in hetzelfde vertrek waar hij als ter dood veroordeelde had vastgezeten, riep hij voor zijn geestesoog het beeld op van in het zwart geklede advocaten die in de ijzige kou van de dageraad het presidentiële paleis verlieten, de kraag van hun overjas opgezet tot aan de oren, en die in hun handen wreven en smiespelden en haastig een toevlucht zochten in de sombere ochtendcafeetjes om daar te verzinken in bespiegelingen over wat de president had willen zeggen toen hij ja zei of wat hij bedoeld had toen hij nee zei of om uit te vissen wat de president eigenlijk dacht terwijl hij weer iets anders zei – terwijl hijzelf bij een temperatuur van vijfendertig graden de muggen van zich afsloeg en de vreeswekkende dag zag naderen waarop hij aan zijn mannen bevel zou moeten geven zich in zee te werpen.

Toen Pilar Ternera tijdens zo'n nacht vol onzekerheden zat

te zingen bij de manschappen op de patio, vroeg hij haar of ze hem de toekomst wilde voorspellen uit haar kaarten. 'Pas op je mond,' was alles wat Pilar Ternera te berde bracht, nadat ze de kaarten driemaal had uitgelegd en opgenomen. 'Ik weet niet wat dat wil zeggen, maar het teken is heel duidelijk: pas op je mond.' Twee dagen later gaf iemand een kop koffie zonder suiker aan een van de oppassers en deze gaf hem door aan een ander en die weer aan een ander totdat de koffie, gaande van hand tot hand, was aangekomen in het bureau van kolonel Aureliano Buendía. De kolonel had niet om koffie gevraagd, maar nu die er eenmaal was besloot hij de kop maar leeg te drinken. De drank bevatte een dosis braaknoot die voldoende was om een paard te doden. Toen ze hem naar huis brachten was zijn lichaam verstijfd en kromgetrokken en lag zijn tong stukgebeten tussen zijn tanden. Úrsula betwistte hem aan de dood. Nadat ze zijn maag met braakmiddelen had gereinigd, wikkelde ze hem in voorverwarmde wollen dekens en gaf ze hem twee dagen lang slechts eiwit te drinken totdat zijn verziekte lichaam de normale temperatuur had teruggekregen. Op de vierde dag was hij buiten levensgevaar. Hij bleef nog een week in bed, tegen zijn wil maar daartoe geprest door Úrsula en zijn officieren. Toen pas hoorde hij dat men zijn gedichten nooit had verbrand. 'Ik wilde niet overhaast handelen,' legde Úrsula uit. 'Toen ik die avond de oven ging aansteken, zei ik bij mezelf dat ik maar beter kon wachten totdat ze je lijk bij me brachten.' Gehuld in de nevelen van de herstelperiode en omringd door de stoffige poppen van Remedios riep kolonel Aureliano Buendía in de lectuur van zijn verzen opnieuw de meest beslissende momenten van zijn bestaan in zich op. Hij begon weer te schrijven. In de periferie van de beroeringen van een oorlog zonder toekomst bleef hij vele uren bezig om in berijmde verzen zijn ervaringen aan de grenzen van de dood te analyseren. Zijn gedachten werden zo helder, dat hij ze van voor tot achter en van achter tot voor kon onderzoeken. Op een avond vroeg hij aan kolonel Gerineldo Márquez:

'Vertel me eens, vriend, waarom vecht jij eigenlijk?'

'Omdat het moet, vriend,' antwoordde kolonel Gerineldo Márquez. 'Voor de grote liberale partij.'

'Wees maar blij dat je het weet,' antwoordde hij. 'Wat mij betreft, tot mij is het zojuist doorgedrongen dat ik slechts vecht uit trots.'

'Dat is slecht,' zei kolonel Gerineldo Márquez.

Kolonel Aureliano Buendía had plezier in zijn ontsteltenis. 'Natuurlijk,' antwoordde hij. 'Maar het is in elk geval beter dan niet te weten waarvoor men vecht.' Hij keek zijn vriend in de ogen en voegde er met een glimlach aan toe:

'Of te vechten zoals jij – voor iets wat voor niemand enige betekenis heeft.'

Zijn trots had hem er altijd van weerhouden om contact te zoeken met de gewapende groepen in het centrum van het land, althans zolang de leiders van de partij niet in het openbaar hun verklaring zouden intrekken dat hij een struikrover was. Hij wist echter dat hij de vicieuze cirkel van deze oorlog zou kunnen doorbreken zodra hij deze scrupules opzij kon zetten. De periode van herstel gaf hem tijd om na te denken. Vervolgens wist hij Úrsula zover te krijgen dat ze het restant van haar zorgvuldig begraven erfenis en haar omvangrijke spaargelden aan hem afstond. Hij benoemde kolonel Gerineldo Márquez tot burgerlijk en militair commandant van Macondo en vertrok om contacten te leggen met de opstandelingen in het binnenland.

Kolonel Gerineldo Márquez was niet alleen de grootste vertrouwensman van kolonel Aureliano Buendía, ook Úrsula beschouwde hem als een lid van de familie. Hij was tenger, schuchter en van een natuurlijke voorkomendheid, maar ondanks dat was hij eerder geschikt voor de strijd dan voor een bestuursfunctie. Zijn politieke raadgevers verstrikten hem met gemak in de netten van hun theoretische doolhoven. Toch wist hij in Macondo de sfeer van landelijke rust in te voeren waarnaar kolonel Aureliano Buendía zozeer verlangde om gouden visjes te kunnen vervaardigen tot hij van ouderdom stierf. Ofschoon hij in het huis van zijn ouders woonde, kwam hij twee of drie maal per week bij Úrsula het middagmaal gebruiken. Hij wijdde Aureliano José in in het gebruik van vuurwapens, gaf hem een vroegtijdige militaire opleiding en bracht hem met toestemming van Úrsula een paar maanden onder in de kazerne, zodat er een man uit hem kon groeien. Vele jaren tevoren, toen hij nog bijna een kind was, had Gerineldo Márquez zijn liefde verklaard aan Amaranta. Ze was toen zo verblind door haar eenzaam gedragen hartstocht voor Pietro Crespi, dat ze hem slechts uitlachte. Gerineldo Márquez wachtte. Toen hij in de gevangenis zat, stuurde hij Amaranta eens een briefje met het verzoek een dozijn batisten zakdoeken te borduren met de initialen van zijn vader. Hij stuurde haar bovendien het geld. Na een week bracht Amaranta het dozijn geborduurde zakdoeken naar de gevangenis, met het geld erbij, en toen bleven ze een paar uur zitten praten over het verleden. 'Als ik hier ooit uit kom, zal ik met je trouwen,' zei Gerineldo Márquez bij het afscheid tegen haar. Amaranta lachte, maar ze bleef aan hem denken terwijl ze de kinderen leerde lezen en ze deed haar best om voor hem de jeugdige hartstocht te doen herleven die ze voor Pietro Crespi had gevoeld. Op zaterdag, de bezoekdag voor de gevangenen, liep ze altijd aan bij de ouders van Gerineldo Márquez en begeleidde hen naar de gevangenis. Op een van die zaterdagen trof Úrsula haar tot haar verbazing in de keuken, waar ze stond te wachten tot de biskwietjes uit de oven kwamen om de beste ervan uit te kiezen en ze in te pakken in een servet dat ze speciaal voor de gelegenheid had geborduurd.

'Trouw toch met hem,' zei Úrsula tegen haar. 'Je zult moeilijk een tweede man vinden zoals hij.'

Amaranta deed alsof het idee haar afkeer inboezemde.

'Ik hoef niet achter mannen aan te zitten,' antwoordde ze. 'Ik breng deze biskwietjes naar Gerineldo omdat ik het zo zielig vind dat ze hem vroeg of laat zullen doodschieten.'

Ze zei het zonder erbij na te denken, maar dit gebeurde in de tijd dat de regering openlijk dreigde kolonel Gerineldo Márquez te fusilleren als de opstandige troepen Riohacha niet verlieten. De bezoeken werden afgeschaft. Amaranta sloot zich op om te wenen, besprongen door hetzelfde schuldgevoel dat haar gekweld had toen Remedios stierf, alsof haar onbedachtzame woorden opnieuw verantwoordelijk waren geweest voor een sterfgeval. Haar moeder troostte haar. Ze verzekerde haar dochter dat kolonel Aureliano Buendía wel iets zou doen om de executie te voorkomen. Ze beloofde haar, dat ze persoonlijk de taak op zich zou nemen om kolonel Gerineldo Márquez in te palmen zodra de oorlog was afgelopen. Ze vervulde die belofte nog vóór de afgesproken termijn verstreken was. Toen kolonel Gerineldo Márquez, bekleed met zijn nieuwe waardigheid van burgerlijk en militair commandant van Macondo, opnieuw in haar huis verscheen, ontving ze hem als een zoon, verzon ze de verfijndste genoegens om hem zo lang mogelijk in huis te houden en bad ze met heel haar hart dat hij zou terugdenken aan zijn plannen om met Amaranta te trouwen. Haar smeekbeden leken doel te treffen. Op de dagen dat kolonel Gerineldo Márquez de lunch kwam gebruiken, bleef hij de hele middag op de waranda met de begonia's zitten dammen met Amaranta. Úrsula bracht hen koffie met biskwietjes en belastte zich met de zorg voor de kinderen, zodat ze niet gestoord konden worden. Amaranta deed werkelijk haar best om in haar hart de vergeten sintels van haar jeugdige passie te doen opvlammen. Met een hunkering die bijna onverdraaglijk werd wachtte ze op de dagen dat hij kwam eten, de middagen dat hij kwam dammen; de tijd vloog voorbij in het gezelschap van deze weemoedige maar befaamde vechtjas wiens vingers haast onmerkbaar trilden bij het verschuiven van de stenen. Maar op de dag dat kolonel Gerineldo Márquez opnieuw zijn wens uitdrukte om met haar te trouwen, wees ze hem af.

'Ik trouw met niemand,' zei ze. 'En zeker niet met jou. Jij houdt zoveel van Aureliano, dat je met mij wilt trouwen omdat je nu eenmaal niet met hem kunt trouwen.'

Kolonel Gerineldo Márquez was een geduldig man. 'Ik zal blijven aandringen,' zei hij. 'En vroeg of laat zal ik je overreden.' Hij bleef het huis bezoeken. Amaranta sloot zich op in haar slaapkamer, verbeet haar heimelijke tranen, stopte haar vingers in haar oren om niet te hoeven luisteren naar de stem van haar amant die de laatste oorlogsberichten aan Úrsula meedeelde en ofschoon ze stierf van verlangen om hem te zien, vond ze de kracht om in haar kamer te blijven en een ontmoeting te vermijden.

In die dagen beschikte kolonel Aureliano Buendía over voldoende tijd om elke twee weken een uitgebreid verslag naar

Macondo te zenden. Maar slechts éénmaal schreef hij naar Úrsula, bijna acht maanden nadat hij was weggegaan. Een speciale koerier leverde thuis een verzegelde enveloppe af. Daarin zat een stuk papier waarop met het verfijnde schoonschrift van de kolonel geschreven stond: *Zorg goed voor papa, want hij gaat sterven.* Úrsula schrok hevig. 'Als Aureliano dat zegt, weet Aureliano dat,' zei ze en ze riep de hulp van anderen in om José Arcadio Buendía naar zijn slaapkamer te brengen. Want niet alleen was hij nog even fors als altijd, maar hij had tijdens zijn langdurige verblijf onder de kastanjeboom bovendien het vermogen ontwikkeld om zijn lichaamsgewicht naar willekeur te vergroten, zodat zeven mannen hem niet konden optillen en ze hem over de grond naar zijn bed moesten slepen. Toen de kolossale grijsaard, gekerfd door zon en regen, eenmaal begon te ademhalen, raakte de lucht van de slaapkamer doortrokken van een walm van weke paddestoelen, van houtzwam, van oeroude en geconcentreerde buitenlucht. De volgende morgen bleek hij niet in bed te liggen. Nadat Úrsula alle kamers had afgezocht, vond ze hem weer terug onder de kastanjeboom. Daarna bonden ze hem vast aan het bed. Ofschoon zijn krachten onaangetast waren gebleven, was José Arcadio Buendía niet in een toestand om zich te verzetten. Alles bleef hem gelijk. Dat hij naar de kastanjeboom was teruggekeerd, was niet toe te schrijven aan zijn eigen wil maar aan een lichamelijke gewenning. Úrsula verzorgde hem, gaf hem te eten, vertelde hem het nieuws over Aureliano. Maar in werkelijkheid was er sinds lange tijd maar één persoon met wie hij contact kon hebben en dat was Prudencio Aguilar. Tweemaal per dag kwam Prudencio Aguilar bij hem praten, ofschoon hij al bijna tot stof was vergaan door de diepe duisternissen van de dood. Ze praatten over vechthanen. Ze namen zich voor om een fokkerij van de prachtigste dieren te beginnen, niet zozeer om te genieten van hun overwinningen – want dat hadden ze niet meer nodig – maar om iets te hebben waarmee ze zich konden bezig houden op de saaie zondagen van de dood. Het was Prudencio Aguilar die hem waste, die hem te eten gaf, die hem de mooiste berichten mededeelde over een onbekende die Aureliano heette en die kolonel was in de oorlog. Als hij alleen

148

was, troostte José Arcadio Buendía zich met de droom van de eindeloze kamers. Dan droomde hij dat hij uit bed ging, de deur opendeed en doorliep naar een andere maar volkomen identieke kamer, met hetzelfde bed dat hetzelfde smeedijzeren hoofdeinde had en met dezelfde rieten leunstoel en met hetzelfde schilderijtje van de Maagd van Alle Middelen aan de tegenoverliggende muur. Vanuit die kamer liep hij door naar een volgende kamer die precies hetzelfde was en waar hij de deur opende om door te lopen naar een andere kamer die precies hetzelfde was en daarna weer naar een volgende die precies hetzelfde was, tot in het oneindige toe. Hij vond het heerlijk om van kamer tot kamer te dwalen, als in een galerij vol evenwijdig opgestelde spiegels, totdat Prudencio Aguilar hem op zijn schouder tikte. Dan keerde hij van kamer tot kamer terug en legde de weg in omgekeerde richting af, achterwaarts ontwakend, totdat hij Prudencio Aguilar tegenkwam in de kamer van de werkelijkheid. Twee weken nadat ze hem naar bed hadden gebracht kwam er echter een nacht waarin Prudencio Aguilar hem op de schouder tikte in een tussenliggende kamer en zo bleef hij daar altijd, in de vaste overtuiging dat dit de echte kamer was. De volgende morgen wilde Úrsula hem juist zijn ontbijt gaan brengen, toen ze over de waranda een man zag naderen. Hij was klein en pezig en droeg een pak van zwart laken en een enorme, eveneens zwarte hoed die tot vlak boven de zwijgzame ogen was getrokken. 'Lieve hemel,' dacht Úrsula. 'Ik zou gezworen hebben dat het Melquíades was.' Het was Cataure, de broer van Visitación, die uit het huis gevlucht was voor de slapeloosheidsplaag en van wie men sindsdien nooit meer enig bericht had ontvangen. Visitación vroeg hem waarom hij was teruggekeerd en hij antwoordde in zijn plechtige taal:

'Ik kom voor de teraardebestelling van de koning.'

Toen gingen ze de kamer van José Arcadio Buendía binnen, schudden hem uit alle macht, schreeuwden in zijn oor en hielden een spiegeltje voor zijn neusgaten, maar ze konden hem niet wakker krijgen. Kort daarop, toen de timmerman de maat nam voor de doodskist, zagen ze door het raam hoe er een druilregen van minuscule gele bloementjes viel. Ze daalden de gehele nacht in een geruisloze stortbui neer over het dorp en overdekten de daken en versperden de deuren en verstikten de dieren die sliepen in de open lucht. Er vielen zoveel bloemen uit de hemel, dat de straten de volgende ochtend met een dikke laag bedekt waren en met schoppen en harken gereinigd moesten worden omdat de begrafenisstoet anders niet voorbij kon.

**
*

Amaranta, gezeten in haar rieten schommelstoel, liet haar werk rusten in haar schoot en keek peinzend naar Aureliano José die, de kin met schuim bedekt, het scheermes aanzette op de riem om zich voor de eerste maal te scheren. Hij beschadigde zijn vetpuistjes tot bloedens toe, sneed zich in de bovenlip bij een poging het blonde dons tot een snor te modelleren en bleef na afloop precies hetzelfde als tevoren, maar het moeizame proces liet bij Amaranta de indruk achter dat hij op dat moment begonnen was oud te worden.

'Je bent precies Aureliano, toen hij zo oud was als jij,' zei ze. 'Je bent al een man.'

Dat was hij al geruime tijd, sinds de lang vervlogen dag dat Amaranta, in de mening dat hij nog een klein kind was, zich opnieuw in de badkamer uitkleedde waar hij bij was, zoals ze altijd al had gedaan, zoals ze gewoon was te doen sinds Pilar Ternera hem bij haar had gebracht om zijn opvoeding door haar te laten voltooien. De eerste keer dat hij haar zo zag, werd zijn aandacht slechts getrokken door de diepe uitholling tussen haar borsten. Hij was toen nog zo onnozel dat hij vroeg wat haar was overkomen en Amaranta deed net alsof ze met haar vingertoppen in haar borst kerfde en antwoordde: 'Ze hebben alsmaar schijfjes van me afgesneden.' Enige tijd later, toen ze zich herstelde van de zelfmoord van Pietro Crespi en opnieuw met Aureliano José in bad ging, had deze geen aandacht meer voor die uitholling maar ervoer hij een onbekende huivering bij het zien van de prachtige borsten met de paarsroze tepels. Hij bleef haar onderzoeken, ontdekte centimeter voor centimeter het wonder van haar naaktheid en bemerkte dat hij bij die beschouwing kippevel kreeg, zoals zij kippevel kreeg bij de aanraking van het water. Toen hij nog heel klein was, had hij al de gewoonte aangenomen om tegen het aanbreken van de dag uit zijn hangmat te komen en bij Amaranta in bed te kruipen, omdat haar nabijheid de geruststellende eigenschap bezat om zijn vrees voor het donker te verjagen. Maar sinds de dag dat hij zich bewust werd van haar naaktheid, was het niet meer de vrees voor de duisternis die hem ertoe aanzette om onder haar muskietengaas te kruipen maar het verlangen om in de vroege morgen de zoele ademhaling van Amaranta te voelen. Op een dag, omstreeks de tijd dat ze kolonel Gerineldo Márquez afwees, werd Aureliano José wakker met het gevoel dat hij geen lucht meer kreeg. Hij voelde Amaranta's vingers naar zijn buik zoeken, als warme en hunkerende wormpjes. Hij hield zich slapende en veranderde van houding om elke moeilijkheid weg te nemen en toen voelde hij hoe de hand zonder het zwarte zwachtel rondtastte als een blind weekdier tussen de algen van zijn verlangens. Ofschoon ze net deden alsof ze niets hadden bemerkt van wat ze beiden wisten – en waarvan elk wist dat de ander het wist – waren ze vanaf die nacht hecht verbonden door een onontkoombare medeplichtigheid. Aureliano José kon de slaap niet vatten zolang hij de wals van twaalven niet gehoord had van de klok in de woonkamer en de overrijpe maagd, wier huid al dof begon te worden, kende geen ogenblik rust zolang ze hem niet onder haar muskietengaas voelde glippen, deze slaapwandelaar die ze had opgevoed zonder te beseffen dat hij een pijnstillend middel voor haar eenzaamheid zou worden. In die tijd sliepen ze niet alleen samen, geheel naakt en onder het uitwisselen van uitputtende liefkozingen, maar ze zaten elkaar bovendien na tot in alle hoeken van het huis en sloten zich op elk uur van de dag op in de slaapkamers, in een onafgebroken staat van vervoering die geen verlichting bood. Eenmaal werden ze bijna betrapt door Úrsula, toen deze op een middag de graanschuur binnenkwam op het moment dat ze elkaar begonnen te kussen. 'Houd je zoveel van je tante?' vroeg ze volkomen argeloos aan Aureliano José. Hij antwoordde van ja. 'Mooi zo,' zei Úrsula en ze mat het meel voor het brood verder af en keerde terug

151

naar de keuken. Dit voorval rukte Amaranta los uit haar vervoering. Ze besefte dat ze te ver was gegaan, dat ze geen
speelse kusjes meer wisselde met een kind, maar zich in de
herfst van haar leven wentelde in een gevaarlijke passie zonder toekomst. Ze maakte er met één slag een einde aan. Aureliano José, die in die tijd juist zijn militaire opleiding voltooi-
de, zag tenslotte ook de werkelijkheid in en ging slapen in de
kazerne. Op zaterdag begaf hij zich met de soldaten naar de
kroeg van Catarino, waar hij voor zijn plotselinge eenzaamheid en zijn voortijdige jongelingschap troost zocht bij de
vrouwen die naar dode bloemen roken en die hij in het donker
idealiseerde en in Amaranta veranderde dank zij een inspan-
nend beroep op zijn verbeelding.

Kort daarop begonnen er tegenstrijdige berichten te komen
over de oorlog. Terwijl de regering zelf de vorderingen van de
opstandelingen toegaf, ontvingen de officieren van Macondo
vertrouwelijke inlichtingen die erop wezen dat een vrede door
vergelijk aanstaande was. Begin april maakte een speciale koerier zich bekend tegenover kolonel Gerineldo Márquez. Hij
deelde hem mede dat de leiders van de partij inderdaad contact
hadden opgenomen met de opstandelingenleiders uit het binnenland en dat ze op het punt stonden een wapenstilstand te
sluiten in ruil voor drie ministersposten voor de liberalen, een
minderheidsvertegenwoordiging in het parlement en een algemene amnestie voor de rebellen die de wapens neerlegden. De
koerier kwam met een hoogst vertrouwelijke opdracht van kolonel Aureliano Buendía, die zich niet kon verenigen met de
voorwaarden van de wapenstilstand. Kolonel Gerineldo
Márquez diende vijf van zijn beste mensen uit te zoeken en
zich gereed te houden om met hen het land te verlaten. Deze
opdracht werd onder de grootste geheimhouding uitgevoerd.
Een week voordat het verdrag werd afgekondigd, toen het nog
steeds tegenstrijdige geruchten regende, verschenen kolonel
Aureliano Buendía en zijn tien betrouwbaarste officieren,
waaronder kolonel Roque Carnicero, in alle stilte en ver na
middernacht in Macondo, waar ze het garnizoen ontbonden,
de wapens begroeven en de archieven vernietigden. Voor het
aanbreken van de dag hadden ze het dorp alweer verlaten in

gezelschap van kolonel Gerineldo Márquez en zijn vijf officieren. De operatie werd zo snel en zo heimelijk uitgevoerd dat Úrsula het pas vernam op het allerlaatste ogenblik, toen iemand zachtjes op haar slaapkamerraam tikte en fluisterde: 'Als u kolonel Aureliano Buendía wilt zien, kom dan nu meteen aan de deur.' Úrsula sprong uit bed en rende in nachtgewaad naar de deur, maar ze kon nog maar nauwelijks het hoefgetrappel horen van de ruiterstoet die het dorp in een geruisloze stofwolk verliet. Pas de volgende dag hoorde ze dat Aureliano José met zijn vader was meegegaan.

Tien dagen nadat een gemeenschappelijk communiqué van regering en oppositie het einde van de oorlog had afgekondigd, kwamen er al berichten van de eerste gewapende opstand van kolonel Aureliano Buendía aan de westelijke grens. Zijn schaarse en slecht bewapende volgelingen werden binnen een week uiteengeslagen. Maar in de loop van dat jaar probeerde hij nog zeven opstanden, terwijl liberalen en conservatieven hun uiterste best deden om het land in hun verzoening te doen geloven. Op een nacht beschoot hij Riohacha vanaf een schoener en het garnizoen sleepte de veertien meest bekende liberalen van de stad uit hun bedden en fusilleerde ze bij wijze van represaille. Hij hield zeker veertien dagen een grenskantoor van de douane bezet vanwaar hij een oproep tot een algemene oorlog richtte aan de natie. Een van zijn expedities raakte drie maanden verdwaald in het oerwoud tijdens een dwaze poging om meer dan vijftienhonderd kilometer maagdelijk terrein te doorkruisen teneinde de oorlog uit te roepen in de voorsteden van de hoofdstad. Op een keer bevond hij zich op nog geen twintig kilometer afstand van Macondo, maar de patrouilles van de regering dwongen hem zich te verschuilen in de bergen, vlak bij het betoverde gebied waar zijn vader vele jaren tevoren het versteende Spaanse galjoen had aangetroffen.

Omstreeks die tijd stierf Visitación. Ze was zo gelukkig een natuurlijke dood te sterven, nadat ze uit vrees voor de slapeloosheid afstand had gedaan van een koningstroon. Volgens haar laatste wil diende men haar loon, dat ze in meer dan twintig jaar had opgespaard en onder haar bed had begraven, op te sturen naar kolonel Aureliano Buendía zodat hij de oorlog kon voortzetten. Maar Úrsula nam niet eens de moeite om dat geld op te diepen, want in die dagen ging het gerucht dat kolonel Aureliano Buendía gesneuveld was tijdens een landing in de buurt van de hoofdstad van de provincie. De officiële bekendmaking hiervan – de vierde al binnen twee jaar tijd – werd een half jaar lang voor waarheid aangezien, omdat men niets meer van hem hoorde. Toen Úrsula en Amaranta alweer een nieuwe rouwperiode aan de vorige hadden toegevoegd, bereikte hen plotseling een ongewoon bericht. Kolonel Aureliano Buendía leefde nog, maar had er klaarblijkelijk van afgezien de regering van zijn land nog langer te kwellen; hij had zich bekeerd tot het federalisme dat triomfen vierde in andere republieken van het Caraïbische gebied. Telkens dook hij op met andere namen en telkens was hij verder van zijn land verwijderd. Later zou men vernemen dat hij toen bezield werd door het idee om eenheid te brengen tussen de federalistische krachten van heel Centraal-Amerika teneinde de conservatieve regeringen weg te vagen van Alaska tot Patagonië. Het eerste bericht dat Úrsula rechtstreeks bereikte, pas jaren nadat hij was weggegaan, was een verkreukelde brief vol vuile vegen die van hand tot hand was gegaan en afkomstig was uit Santiago de Cuba.

'Nu zijn we hem voor altijd kwijt,' riep Úrsula uit, toen ze de brief had gelezen. 'Als hij zo doorgaat, zal hij Kerstmis vieren aan het einde van de wereld.'

Degene tot wie ze dit zei en aan wie ze als eerste de brief liet zien, was de conservatieve generaal José Raquel Moncada, die sinds het einde van de oorlog burgemeester was van Macondo. 'Die Aureliano toch,' merkte generaal Moncada op. 'Het is jammer dat hij niet conservatief is.' Hij bewonderde hem werkelijk. Als zovele conservatieve burgers had José Raquel Moncada de wapens opgenomen om zijn partij te verdedigen en hij had op het slagveld de rang van generaal bereikt, ofschoon hij zich geenszins geroepen voelde tot het militaire bedrijf. Integendeel, hij was antimilitarist, als zovelen van zijn partijgenoten. Militairen vond hij luiaards zonder principes, vol intriges en ambities en uiterst bedreven in de kunst om burgers tegen elkaar op te zetten teneinde zelf van de wanorde

154

te profiteren. Deze intelligente, sympathieke, warmbloedige man, die van goed eten hield en een fanatiek liefhebber was van hanengevechten, was op zeker ogenblik de meest geduchte tegenstander van kolonel Aureliano Buendía geweest. Hij had in een groot deel van het kustgebied zijn gezag aan de beroepsmilitairen weten op te leggen. Op een dag, toen hij zich om strategische redenen gedwongen zag een vestingplaats aan de troepen van kolonel Aureliano Buendía af te staan, liet hij voor zijn tegenstander twee brieven achter. In een daarvan, een zeer uitvoerig schrijven, nodigde hij hem uit om samen te beginnen aan een campagne om de oorlog menselijker te maken. De andere brief was voor zijn echtgenote, die in liberaal gebied woonde, en deze liet hij achter met het verzoek hem op zijn bestemming te laten bezorgen. Sindsdien hadden de beide tegenstanders altijd overeenkomsten gesloten voor het uitwisselen van krijgsgevangenen, zelfs in tijden van de meest verwoede strijd. Het waren gevechtspauzen met iets van een feestelijke sfeer en generaal Moncada benutte ze om kolonel Aureliano Buendía te leren schaken. Ze werden dikke vrienden. Tenslotte begonnen ze zelfs de mogelijkheid te overwegen om de volksaanhang van beide partijen samen te brengen om aldus de invloed van militairen en beroepspolitici ongedaan te maken en een waarlijk menselijk regiem aan de macht te brengen, dat zijn voordeel kon doen met het beste uit beide doctrines. Toen de oorlog was afgelopen en kolonel Aureliano Buendía uitweek naar de smalle paden van de onafgebroken subversiviteit, werd generaal Moncada benoemd tot burgemeester van Macondo. Hij trok zijn burgerpak aan, verving de soldaten door ongewapende politieagenten, zag erop toe dat de amnestiewetten werden gerespecteerd en hielp een paar gezinnen van liberalen die op het slagveld waren gebleven. Hij schiep in Macondo een sfeer van vertrouwen waardoor men aan de oorlog kon terugdenken als een absurde nachtmerrie uit het verleden. Pater Nicanor, die door leverkoortsen was weggeteerd, werd vervangen door pater Coronel, een veteraan uit de eerste federalistische oorlog die allerwegen *El Cachorro** werd genoemd.

* Cachorro: jong van een dier.

Bruno Crespi, die getrouwd was met Amparo Moscote en wiens winkel in speelgoed en muziekinstrumenten niet ophield te floreren, bouwde een theater dat zelfs door de Spaanse gezelschappen op hun tournees werd aangedaan. Het was een grote openluchtzaal met houten banken, een fluwelen gordijn met Griekse maskers en drie loketten in de vorm van leeuwekoppen waar men de kaartjes verkocht door de opengesperde muilen. Omstreeks die tijd werd ook de school gerestaureerd en toevertrouwd aan de zorgen van don Melchor Escalona, een oude, uit het moerasgebied afkomstige onderwijzer die luie leerlingen op hun blote knieën rond de patio vol kiezelstenen liet kruipen en brutale leerlingen scherpe pepers liet eten en dat alles met instemming van de ouders. Aureliano Segundo en José Arcadio Segundo, de eigengereide tweeling van Santa Sofía de la Piedad, zetten zich als eersten in het klaslokaal met hun griffels en hun leien en hun aluminium kroezen waarop hun naam vermeld stond. Remedios had de pure schoonheid van haar moeder geërfd en begon bekend te raken als Remedios de Schone. Ondanks het verstrijken van de jaren, de opeenvolgende rouwperioden en de ene slag na de andere, weigerde Úrsula oud te worden. Geholpen door Santa Sofía de la Piedad had ze haar zoetighedenfabriekje nieuw leven ingeblazen en binnen een paar jaar wist ze niet alleen het fortuin terug te verdienen dat haar zoon aan de oorlog had besteed, maar vulde ze bovendien de kalebassen die in haar slaapkamer waren begraven met zuiver goud. 'Zolang God mij in leven laat,' placht ze te zeggen, 'zal het niet aan geld ontbreken in dit huis vol krankzinnigen.' Zo stonden de zaken ervoor toen Aureliano José deserteerde uit het federalistische leger van Nicaragua, aanmonsterde op een Duits schip en opdook in de keuken van het huis – sterk als een paard, donker en ruig als een indiaan en diep in zijn hart vastbesloten om met Amaranta te trouwen.

Toen Amaranta hem zag binnenkomen wist ze onmiddellijk waarom hij was teruggekeerd, ook al zei hij er geen woord over. Aan tafel durfden ze elkaar niet aan te kijken. Maar twee weken na zijn terugkeer keek hij haar strak in ogen en zei, waar Úrsula bij was: 'Ik heb altijd aan u moeten denken.'

Amaranta ontvluchtte hem. Ze nam voorzorgsmaatregelen tegen toevallige ontmoetingen. Ze zorgde ervoor dat Remedios de Schone altijd bij haar was. Toen haar neef op een dag vroeg hoe lang ze nog van plan was dat zwarte verband om haar hand te houden, ergerde ze zich gruwelijk aan de blos die haar wangen kleurde, omdat ze de vraag had opgevat als een toespeling op haar maagdelijkheid. Zodra hij was thuisgekomen deed ze de sluitbalk op de deur van haar slaapkamer, maar er gingen zoveel nachten voorbij waarin ze in het belendende vertrek zijn vredige gesnurk hoorde, dat ze deze voorzorgsmaatregel vergat. Bijna twee maanden na zijn thuiskomst hoorde ze hem tegen het aanbreken van de dag haar slaapkamer binnenkomen. In plaats dat ze wegvluchtte, in plaats dat ze begon te gillen, zoals ze zich had voorgenomen, liet ze zich verzadigen door een heerlijk gevoel van tevredenheid. Ze voelde hoe hij onder haar muskietengaas glipte, zoals hij gedaan had toen hij nog een kind was, zoals hij altijd al had gedaan, maar ze kon niet verhinderen dat het koude zweet haar uitbrak en haar tanden klapperden toen ze bemerkte dat hij volkomen naakt was. 'Ga weg,' mompelde ze, bijna stikkend van nieuwsgierigheid. 'Ga weg of ik ga gillen.' Maar Aureliano José wist toen wat hij moest doen – want hij was geen kind meer dat bang was in het donker maar een in soldatenkampen doorgewinterd dier. Vanaf die nacht keerden de stille worstelingen terug die op niets uitliepen en die voortgingen tot de ochtend toe. 'Ik ben je tante,' fluisterde Amaranta uitgeput. 'Ik had bijna je moeder kunnen zijn, niet alleen vanwege mijn leeftijd, maar ook omdat ik zo ongeveer alles voor je heb gedaan behalve je te zogen.' Als het licht werd maakte Aureliano dat hij wegkwam, maar dan keerde hij in de volgende nanacht weer terug en stelde telkens met grotere opwinding vast dat ze de sluitbalk niet op de deur had gedaan. Zijn verlangen naar haar had hem geen ogenblik verlaten. Hij had haar teruggevonden in de duistere slaapkamers van ingenomen dorpen, vooral in de meest vunzige; hij had haar opgeroepen in de geur van geronnen bloed die opsteeg uit het verband der gewonden en in de plotselinge beklemming van het doodsgevaar, altijd en overal. Hij was van haar weggevlucht om te proberen de herinnering aan haar uit te wissen – niet alleen door de afstand, maar ook door een onbesuisde vechtlust die door zijn strijdmakkers voor heldenmoed werd aangezien. Maar hoe meer hij haar beeld door het slijk van de oorlog sleepte, des te meer begon de oorlog zelf op Amaranta te lijken. Zo was hij zijn ballingschap doorgekomen, steeds op zoek naar een manier om haar te doden met zijn eigen dood, totdat hij op een dag hoorde hoe iemand het oude verhaal vertelde van de man die trouwde met een tante die tegelijkertijd zijn nicht was en wiens zoon tenslotte zijn eigen grootvader werd.

'Kun je dan trouwen met een tante?' vroeg hij verbaasd.

'Dat niet alleen,' antwoordde een soldaat, 'maar we voeren deze oorlog tegen de pastoors juist om te bereiken dat iemand met zijn eigen moeder kan trouwen.'

Veertien dagen later deserteerde hij. Toen hij Amaranta terugvond, valer en droefgeestiger en preutser dan in zijn herinnering, was zij in feite bezig de laatste kaap van haar rijpheid te ronden, maar tegelijkertijd was ze bezetener dan ooit in de duisternissen van het slaapvertrek en uitdagender dan ooit in de agressiviteit van haar afweer. 'Je bent een bruut,' zei Amaranta, hevig nagezeten door zijn handen als jachthonden. 'Zoiets mag je je arme tante toch niet aandoen, tenzij je speciale dispensatie hebt van de paus.' Aureliano José beloofde dat hij naar Rome zou gaan, dat hij op zijn knieën door heel Europa zou kruipen, dat hij de sandalen van de Opperherder zou kussen, als zij haar ophaalbruggen maar liet zakken.

'Dat is het niet alleen,' stribbelde Amaranta tegen. 'Er komen kindertjes met varkensstaarten van.'

Aureliano José bleef doof voor ieder argument.

'Al komen er gordeldieren van,' smeekte hij.

Op een nacht gaf hij zich gewonnen aan de onverdraaglijke pijn van zijn verdrongen mannelijkheid en begaf hij zich naar de kroeg van Catarino. Hij vond er een vrouw met verslapte borsten maar aanhankelijk en goedkoop en zij doofde het vuur van zijn buik voor enige tijd. Hij probeerde de methode van de minachting op Amaranta toe te passen. Toen hij haar op de waranda zag zitten werken met de naaimachine, die ze met bewonderenswaardige behendigheid had leren gebruiken, zei hij

158

geen woord tegen haar. Voor Amaranta was het alsof er een steen van haar hart werd genomen en ze begreep zelf niet waarom ze ineens terugdacht aan kolonel Gerineldo Márquez, waarom ze met zoveel weemoed de middagen in haar herinnering opriep waarop ze hadden zitten dammen en waarom ze zelfs de wens voelde opkomen om met hem haar slaapkamer te delen. Aureliano José had er geen flauw idee van hoeveel terrein hij had verloren, maar hij bemerkte het in de nacht dat hij het spel van de onverschilligheid niet langer kon volhouden en weer naar de kamer van Amaranta ging. Ze wees hem af met onwrikbare, ondubbelzinnige vastberadenheid en deed voor altijd de sluitbalk op de deur.

Een paar maanden na de terugkeer van Aureliano José kwam een weelderige, naar jasmijn geurende vrouw het huis binnenstappen met een jongetje van ongeveer vijf jaar. Ze vertelde dat hij een zoon was van kolonel Aureliano Buendía en dat ze hem had meegebracht om hem door Úrsula te laten dopen. Niemand trok de afkomst van dit kind zonder naam in twijfel: hij leek sprekend op de kolonel, zoals deze geweest was in de tijd dat men hem had laten kennismaken met het ijs. De vrouw vertelde dat hij met wijd open ogen was geboren, dat hij de mensen had bekeken met de oordeelskracht van een volwassene en dat ze geschrokken was van de manier waarop hij zijn blik op iets richtte zonder met de ogen te knipperen. 'Hij is precies hetzelfde,' zei Úrsula. 'Het ontbreekt er nog maar aan dat hij de stoelen verschuift door er alleen maar naar te kijken.' Ze doopten hem met de naam Aureliano en met de achternaam van zijn moeder, want de wet stond hem niet toe de achternaam van zijn vader te dragen zolang deze hem niet had erkend. Generaal Moncada trad op als peetvader. Ofschoon Amaranta erop aandrong hem achter te laten en hem door haar te laten opvoeden, weigerde de moeder dat.

Úrsula was toen nog niet op de hoogte van de gewoonte om jonge meisjes naar de slaapkamers van bekende vechtjassen te sturen, zoals men kippen bij rashanen brengt, maar in de loop van dat jaar kwam ze er alles van te weten want er werden nog negen kinderen van kolonel Aureliano Buendía naar haar huis gebracht om gedoopt te worden. De oudste, een vreemde groenogige kleurling die geen enkele overeenkomst vertoonde met de familie van zijn vader, was al over de tien jaar. Men kwam met kinderen van elke leeftijd en iedere kleur, maar allemaal zoons en allemaal gehuld in die sfeer van eenzaamheid die geen twijfel liet bestaan over het vaderschap. Slechts twee ervan onderscheidden zich van de grote hoop. De een omdat hij veel te groot was voor zijn leeftijd en omdat hij de bloempotten en verschillende stukken serviesgoed vernielde, aangezien zijn handen de eigenschap schenen te bezitten om alles kapot te maken wat ze aanraakten. De ander was een blonde knaap met dezelfde blauwe ogen als zijn moeder en met lange pijpekrullen die men bij hem had laten groeien als bij een vrouw. Hij kwam met grote vrijmoedigheid het huis binnen, alsof hij er was opgegroeid, liep regelrecht naar de grote kist in de slaapkamer van Úrsula en zei vastbesloten: 'Ik wil het danseresje dat je kunt opwinden.' Úrsula stond stomverbaasd. Ze deed de kist open, rommelde tussen de oude en stoffige voorwerpen uit de tijd van Melquíades en trof er, zorgvuldig in een paar kousen gewikkeld, het opwindbare danseresje aan dat Pietro Crespi ooit eens had meegebracht en waaraan niemand meer had gedacht. In twaalf jaar tijd doopten ze alle zoons, die kolonel Aureliano Buendía links en rechts op zijn krijgsgebied had uitgezaaid, met de naam Aureliano en de achternaam van hun moeder – zeventien in getal. In het begin vulde Úrsula hun zakken met geld en probeerde Amaranta ze bij zich te houden, maar tenslotte beperkten ze zich ertoe om hen slechts een cadeautje te geven en zelf als peettante op te treden. 'Als we ze dopen, doen we al genoeg,' zei Úrsula, die naam en adres van de moeders en plaats en datum van geboorte van de kinderen nauwkeurig opschreef in een aantekenboekje. 'Het moet allemaal goed worden bijgehouden voor Aureliano, want hij is degene die hierover een beslissing moet nemen als hij terugkomt.' Tijdens een lunch besprak ze deze onrustbarende vermenigvuldiging met generaal Moncada en vertelde hem hoezeer ze ernaar verlangde dat kolonel Aureliano Buendía zou terugkeren om al zijn kinderen bij zich op te nemen.

'Maak u maar geen zorgen, beste vriendin,' antwoordde generaal Moncada raadselachtig. 'Hij komt eerder dan u vermoedt.'

Generaal Moncada wist iets, wat hij tijdens deze lunch niet wilde onthullen: kolonel Aureliano Buendía was al op weg om zich aan het hoofd te plaatsen van de langdurigste, ingrijpendste en bloedigste van alle revoluties die tot dan toe waren ondernomen.

De situatie werd weer even gespannen als in de maanden die aan de eerste burgeroorlog voorafgingen. De hanengevechten, gestimuleerd door de burgemeester zelf, werden afgeschaft. Kapitein Aquiles Ricardo, de commandant van het garnizoen, trok in de praktijk alle macht in het dorp tot zich. De liberalen beschouwden hem als een provocateur. 'Er gaat iets verschrikkelijks gebeuren,' zei Úrsula tot Aureliano José. 'Je moet 's avonds na zes uur maar niet meer de straat op gaan.' Haar smeekbeden waren tevergeefs. Aureliano José behoorde haar niet meer toe, zoals het destijds ook gegaan was met Arcadio. Het was alsof de terugkeer naar zijn huis, waar de mogelijkheid bestond om te leven zonder zich om dagelijkse zorgen te bekommeren, in hem dezelfde neiging tot luiheid en zondige uitspattingen had wakkergeroepen die ook zijn oom José Arcadio had bezeten. Zijn hartstocht voor Amaranta was uitgedoofd zonder littekens na te laten. Hij slenterde wat rond, biljartte wat, verlichtte zijn eenzaamheid zo nu en dan met een vrouw en roofde de plekjes leeg waar Úrsula het geld verstopte dat ze later weer vergat. Tenslotte kwam hij nog slechts naar huis om schoon goed aan te trekken. 'Ze zijn allemaal hetzelfde,' klaagde Úrsula. 'In het begin groeien ze keurig op, zijn ze gehoorzaam en beleefd en lijken ze niet in staat om een vlieg kwaad te doen – maar zodra ze een baard beginnen te krijgen gaan ze hun ondergang tegemoet.' In tegenstelling tot Arcadio, die zijn ware afkomst nooit te weten kwam, had Aureliano José vernomen dat hij een zoon was van Pilar Ternera, die in haar huis een hangmat voor hem klaar had hangen waarin hij de siësta kon doorbrengen. Ze waren niet zozeer moeder en zoon als wel lotgenoten in de eenzaamheid. Pilar Ternera had elk sprankeltje hoop verloren. Haar lach had een orgelende klankkleur gekregen, haar borsten waren tenonder gegaan aan de verveling van terloopse strelingen, haar buik en haar dijen waren het slachtoffer geworden van haar onverbiddelijke lotsbestemming als veelvuldig gedeelde vrouw, maar haar hart werd oud zonder verbittering. Dik, praatlustig, behept met de maniertjes van een ouder wordende en uit de gratie geraakte vrouw, maakte ze zich los van de vruchteloze illusie van het kaartlezen en vond ze een nieuwe bron van troost in de liefde van anderen. In het huis waar Aureliano José de siësta hield, ontvingen de meisjes uit de buurt hun geliefden van het ogenblik. 'Leen me je kamer even, Pilar,' zeiden ze eenvoudig, als ze al binnen stonden. 'Natuurlijk,' zei Pilar dan en als er iemand aanwezig was, legde ze uit:

'Ik ben gelukkig als ik weet dat de mensen gelukkig zijn in bed.'

Nooit vroeg ze geld voor haar diensten. Nooit weigerde ze een dergelijke gunst, zoals ze ook nooit de ontelbare mannen had geweigerd die haar tot in de avondschemering van haar rijpheid hadden gezocht en die haar geld noch liefde schonken en slechts een enkele keer plezier. Haar vijf dochters, erfgenamen van eenzelfde ingeplante gloed, gingen al vanaf hun meisjesjaren verloren langs de onbetrouwbare wegen van het leven. Van de twee jongens die ze wist groot te brengen sneuvelde er een in het veldleger van kolonel Aureliano Buendía en de ander werd op veertienjarige leeftijd gewond en gegrepen toen hij een krat met kippen trachtte te stelen in een dorpje in het moeras. In zekere zin was Aureliano José de lange en donkere man die haar een halve eeuw lang door hartenkoning was aangekondigd en die – als al degenen die door de kaartleggerij gezonden worden – pas tot haar hart doordrong toen hij reeds getekend was met het kenmerk van de dood. Zij las het in haar kaarten.

'Je moet vanavond niet weggaan,' zei ze tegen hem. 'Blijf hier slapen, want Carmelita Montiel heeft al zo lang gevraagd of ik haar in jouw kamer wil smokkelen.'

Aureliano José bespeurde niets van de smeekbede die diep in dit aanbod verborgen zat.

'Zeg maar dat ze me om middernacht kan verwachten,' zei hij.

Hij ging naar het theater, waar een Spaans gezelschap de opvoering van *El puñal del Zorro* had aangekondigd. In feite was het Zorilla's toneelstuk *El puñal del Godo*, maar de naam was op bevel van kapitein Aquiles Ricardo veranderd omdat de liberalen gewoon waren de conservatieven voor *godos** uit te maken. Pas toen hij aan de deur zijn kaartje afgaf, bemerkte Aureliano José dat kapitein Aquiles Ricardo, bijgestaan door twee met geweren bewapende soldaten, alle bezoekers fouilleerde. 'Opgepast, kapitein,' waarschuwde Aureliano José hem. 'De man die met zijn handen aan mij komt, moet nog geboren worden.' De kapitein trachtte hem met geweld te fouilleren en Aureliano José, die ongewapend was, zette het op een lopen. De soldaten weigerden te schieten toen hen dat bevolen werd. 'Het is een Buendía,' legde een van hen uit. Blind van woede ontrukte de kapitein hem het geweer, stelde zich wijdbeens op in het midden van de straat en legde aan.

'Schooiers!' riep hij nog. 'Was het kolonel Aureliano Buendía maar!'

Carmelita Montiel, een maagd van twintig jaar, had zich juist gebaad met oranjebloesemwater en was bezig het bed van Pilar Ternera met rozemarijnblaadjes te bestrooien, toen het schot weerklonk. Aureliano José was voorbestemd om met haar het geluk te kennen dat Amaranta hem had ontzegd en om zeven zonen van haar te krijgen en van ouderdom te sterven in haar armen, maar de geweerkogel die door zijn rug naar binnen drong en zijn borst uiteenreet werd geleid door een verkeerde uitleg van de kaarten. In feite was het kapitein Aquiles Ricardo die voorbestemd was om die avond de dood te vinden en hij stierf inderdaad vier uur eerder dan Aureliano José. Nauwelijks was het schot gevallen of hij werd tegelijkertijd getroffen door twee kogels waarvan de herkomst nooit werd vastgesteld. Een massaal geschreeuw deed de nacht opschrikken.

'Leve de liberale partij! Leve kolonel Aureliano Buendía!'

Om twaalf uur, toen Aureliano José was leeggebloed en

---

* Godos = Goten; in Zuid-Amerika ook gebruikt als scheldwoord voor rijke en machtige lieden van Spaanse afstamming.

Carmelita Montiel zag dat de kaarten van haar toekomst blanco waren, waren er al meer dan vierhonderd mannen langs het theater getrokken om hun revolvers leeg te schieten op het eenzaam achtergelaten lijk van kapitein Aquiles Ricardo. Er was een hele patrouille voor nodig om het vol lood gepompte lichaam op een karretje te krijgen, want het brokkelde af als gesopt brood.

Generaal José Raquel Moncada, geprikkeld door de brutaliteiten van het leger, zette zijn politieke relaties aan het werk, trok zijn militaire uniform weer aan en nam het burgerlijk en militair commando van Macondo op zich. Hij verwachtte echter niet dat zijn verzoenende optreden iets zou uithalen om het onvermijdelijke tegen te gaan. In september waren de berichten erg tegenstrijdig. Terwijl de regering verkondigde dat ze de toestand in het gehele land onder controle had, ontvingen de liberalen geheime inlichtingen over gewapende opstanden in het centrum van het land. Het regime gaf de staat van oorlog pas toe toen in een bekendmaking werd medegedeeld dat de krijgsraad zich opnieuw over kolonel Aureliano Buendía had uitgesproken en hem bij verstek ter dood had veroordeeld. Het vonnis diende te worden voltrokken door het eerste de beste garnizoen dat hem gevangen nam. 'Dat betekent dat hij terug is,' uitte Úrsula haar blijdschap tegenover generaal Moncada. Maar zelfs hij wist niets.

In werkelijkheid was kolonel Aureliano Buendía al langer dan een maand in het land, voorafgegaan door tegenstrijdige geruchten die hem tegelijkertijd op de meest uiteenliggende plaatsen heetten te zijn. Zelfs generaal Moncada geloofde pas in zijn terugkeer toen er officieel werd bekendgemaakt dat hij twee kustdistricten had overmeesterd. 'Mijn gelukwensen, beste vriendin,' zei hij tot Úrsula, terwijl hij haar het telegram liet lezen. 'Nu zult u hem spoedig hier hebben.' Toen begon Úrsula voor de eerste keer ongerust te worden. 'En u, beste vriend, wat zult u doen?' vroeg ze. Generaal Moncada had zich die vraag al vele malen gesteld.

'Hetzelfde als hij, beste vriendin,' antwoordde hij. 'Mijn plicht vervullen.'

Op één oktober zette kolonel Aureliano Buendía de aanval

op Macondo in, gesteund door duizend zwaarbewapende mannen. Het garnizoen kreeg bevel zich tot de laatste man te verdedigen. Toen generaal Moncada op het middaguur bij Úrsula de lunch gebruikte, werd de voorgevel van het gemeentelijk ontvangkantoor in de puin gelegd door een kanonschot van de opstandelingen dat in het gehele dorp weergalmde. 'Ze zijn even goed bewapend als wij,' zuchtte generaal Moncada. 'Maar ze vechten bovendien met meer geestdrift.' Om twee uur 's middags, terwijl de aarde beefde onder het kanonvuur van weerszijden, zei hij Úrsula vaarwel in de zekerheid dat hij bezig was een verloren slag te leveren.

'Bid God dat u Aureliano vanavond niet in huis zult hebben,' zei hij. 'Maar als dat gebeurt, omhels hem dan uit mijn naam, want ik verwacht hem nooit meer terug te zien.'

Die avond werd hij gevangen genomen toen hij uit Macondo probeerde te vluchten. Tevoren had hij kolonel Aureliano Buendía een uitgebreide brief geschreven waarin hij hem hun gezamenlijke plannen tot het vermenselijken van de oorlog in herinnering bracht en hem een definitieve overwinning toewenste op de corruptie van de militairen en de ambities van de politici van beide partijen. De volgende dag gebruikte kolonel Aureliano Buendía met hem het middagmaal in het huis van Úrsula, waar hij in hechtenis zat totdat een revolutionaire krijgsraad over zijn lot had beslist. Het werd een ware familiereünie. Maar terwijl de beide tegenstanders de oorlog vergaten en herinneringen aan het verleden ophaalden, kreeg Úrsula de indruk dat haar zoon een indringer was. Dat had ze al gedacht sinds het ogenblik dat ze hem had zien binnenkomen, beschermd door een lawaaierig militair gevolg dat alle slaapkamers overhoop haalde om zich ervan te overtuigen dat er geen enkel gevaar dreigde. Niet alleen keurde kolonel Aureliano Buendía dit alles goed, hij gaf bovendien zelf met krachtdadige gestrengheid de nodige bevelen en stond niemand toe hem binnen een afstand van drie meter te naderen, zelfs Úrsula niet, terwijl de leden van zijn escorte onophoudelijk wacht liepen rondom het huis. Hij droeg een uniform van doodgewone dril, zonder insignes van welke aard ook, en een paar hoge laarzen met sporen die besmeurd waren met slijk en opgedroogd bloed. Aan zijn gordel zat een holster waarvan de klep voortdurend open bleef en de hand, die onafgebroken op de kolf van de revolver rustte, wees op dezelfde waakzame en verbeten gespannenheid die ook in zijn blik stond te lezen. Zijn hoofd, nu met diepe inkepingen in de haarlijn boven de slapen, leek te zijn gestoofd op een laag vuurtje. Zijn gezicht, geranseld door het zout van de Caraïbische Zee, had een metalige hardheid verkregen. Hij werd tegen de naderende ouderdom beschermd door een vitaliteit die iets te maken had met de kilte in zijn binnenste. Hij was langer, bleker en beniger dan toen hij vertrok en toonde al de eerste symptomen van verzet tegen de zwakte van weemoedigheid. 'Lieve God,' zei Úrsula geschrokken bij zichzelf. 'Nu lijkt hij tot alles in staat.' Dat was hij ook. De aztekendoek die hij voor Amaranta meebracht, de herinneringen die hij tijdens het middagmaal ophaalde, de grappige verhalen die hij vertelde – het waren slechts de nagloeiende resten van zijn humeur uit vroeger dagen. Zijn opdracht om de doden in een massagraf te begraven was nog maar nauwelijks uitgevoerd, of hij gaf kolonel Roque Carnicero bevel om haast te maken met de standrechtelijke vonnissen, terwijl hijzelf zich wierp op de uitputtende taak om de radikale hervormingen in te voeren die van het verkommerde bouwsel van het conservatieve regiem geen twee stenen op elkaar zouden laten. 'We moeten de partijpolitici voor blijven,' zei hij tot zijn adviseurs. 'Wanneer ze de ogen openen voor de realiteit, zullen ze al voor een voldongen feit staan.' Het was in die tijd dat hij de eigendomsrechten van de landerijen voor een periode van honderd jaar besloot te herzien en daarbij de achteraf gewettigde knoeierijen ontdekte van zijn broer José Arcadio. Hij maakte de registratie ervan met één pennestreek ongeldig. Als een laatste gebaar van hoffelijkheid liet hij zijn bezigheden een uur rusten om een bezoek te brengen aan Rebeca en haar op de hoogte te stellen van zijn beslissing.

De vereenzaamde weduwe, die eenmaal zijn deelgenote was geweest tijdens hun verdrongen liefdes en wier koppigheid hem het leven had gered, zat als een spookbeeld uit het verleden in het halfduister van haar huis. Tot aan de polsen in het zwart gehuld, haar hart tot as vergaan, leefde ze haast zonder iets van de oorlog te bemerken. Kolonel Aureliano Buendía kreeg de indruk dat de doorschijnendheid van haar beenderen al door haar huid drong en dat ze zich bewoog in een atmosfeer van dwaallichten en in een hoeveelheid stilstaande lucht waaraan nog een vage kruitgeur te bespeuren was. Allereerst gaf hij haar de raad om de gestrengheid van haar rouw te matigen, het huis te luchten en de wereld vergiffenis te schenken voor de dood van José Arcadio. Maar Rebeca was al buiten het bereik van elk ijdel verlangen. Na de vrede des harten vergeefs gezocht te hebben in de smaak van de aarde, in de geparfumeerde brieven van Pietro Crespi en in het stormachtige bed van haar echtgenoot, had ze hem eindelijk gevonden in dit huis waar de herinneringen, krachtig en onverbiddelijk opgeroepen, tastbaar werden en als menselijke wezens ronddwaalden door de afgesloten vertrekken. Rebeca, kaarsrecht in haar rieten schommelstoel, bekeek kolonel Aureliano Buendía alsof hij het was die op een spook uit het verleden leek en ze verblikte noch verbloosde bij het bericht dat de door José Arcadio geroofde landen zouden worden teruggegeven aan hun rechtmatige eigenaars.

'Het zal gebeuren zoals jij beveelt, Aureliano,' zuchtte ze. 'Ik heb altijd al gedacht dat je een verdorveling was en nu zie ik dat bevestigd.'

De herziening van de eigendomsrechten voltrok zich tegelijkertijd met de standrechtelijke processen, die door kolonel Gerineldo Márquez werden voorgezeten en die werden besloten met het fusilleren van alle officieren van het regeringsleger die door de revolutionairen waren gevangen genomen. De laatste zitting van de krijgsraad betrof generaal José Raquel Moncada. Úrsula kwam tussenbeide. 'Het is de beste bestuurder die we in Macondo ooit hebben gehad,' zei ze tegen kolonel Aureliano Buendía. 'Ik hoef je natuurlijk niets te vertellen over zijn goede hart en over de genegenheid die hij ons toedraagt, want jij kent hem beter dan wie ook.' Kolonel Aureliano Buendía schonk haar een afkeurende blik.

'Ik kan me niet de bevoegdheid toeëigenen om recht te spreken,' antwoordde hij. 'Als u iets te zeggen hebt, zeg het dan voor de krijgsraad.'

Úrsula deed dat. Ze nam bovendien alle moeders van revolutionaire officieren mee die in Macondo woonachtig waren. Een voor een prezen de oude grondlegsters van het dorp, van wie verschillenden nog hadden deelgenomen aan de stoutmoedige doorsteek door het gebergte, de vele deugden van generaal Moncada. Úrsula sloot de rij. Haar op oud recht stoelende waardigheid, het gewicht van haar naam en de overtuigende heftigheid waarmee ze haar verklaring aflegde brachten de gerechtigheid heel even uit haar evenwicht. 'U hebt dit huiveringwekkende spel zeer ernstig opgevat en daar hebt u goed aan gedaan, want u volvoert slechts uw plicht,' zei ze tot de leden van het tribunaal. 'Maar één ding mag u niet vergeten: zolang God ons in leven laat, blijven wij uw moeders en hoe revolutionair u ook moogt zijn, wij blijven het recht behouden om u de broek af te stropen en u een aframmeling te geven zodra u blijk geeft van gebrek aan eerbied jegens ons.' De jury trok zich voor overleg terug terwijl deze woorden nog weergalmden in de omtrek van het tot kazerne omgedoopte schoolgebouw. Om middernacht werd generaal José Raquel Moncada ter dood veroordeeld. Ondanks de heftige verwijten van Úrsula weigerde kolonel Aureliano Buendía de straf te wijzigen. Kort voor het aanbreken van de dag bezocht hij de veroordeelde in het vertrek dat als kerker diende.

'Begrijp goed, vriend,' zei hij, 'ik fusilleer je niet. Je wordt gefusilleerd door de revolutie.'

Generaal Moncada nam niet eens de moeite om van zijn brits te komen toen hij hem zag.

'Loop naar de bliksem, vriend,' antwoordde hij.

Vanaf zijn terugkeer tot aan dit ogenblik had kolonel Aureliano Buendía zichzelf niet de kans gegeven om hem te bezien met de ogen van het hart. Nu verbaasde hij zich over de snelheid waarmee hij oud was geworden, over het beven van zijn handen, over de bijna uit sleur geboren gelatenheid waarmee hij op de dood wachtte en ineens ervoer hij een grote minachting voor zichzelf, iets wat hij abusievelijk aanzag voor een begin van medelijden.

'Je weet net zo goed als ik dat iedere krijgsraad maar een klucht is,' zei hij, 'en dat je in feite moet boeten voor de misdaden van anderen, want ditmaal gaan we de oorlog winnen tot elke prijs. Zou jij in mijn plaats niet hetzelfde hebben gedaan?'

Generaal Moncada ging rechtop zitten en begon zijn dikke, in schildpad gevatte brilleglazen schoon te maken met de slip van zijn hemd. 'Waarschijnlijk wel,' zei hij. 'Maar wat mij dwars zit, is niet het feit dat je me laat fusilleren – want per slot van rekening is dat de natuurlijke dood voor mensen zoals wij.' Hij legde de bril op het bed en deed zijn horloge met de dubbele ketting af. 'Wat mij dwars zit,' vervolgde hij, 'is het feit dat je de militairen zozeer hebt gehaat en ze zozeer hebt bestreden en zoveel over hen hebt nagedacht en dat je nu toch hetzelfde bent geworden als zij. En er bestaat in deze wereld geen enkel ideaal dat zoiets verachtelijks waard is.' Hij deed zijn trouwring af en de medaille van de Maagd van Alle Middelen en legde ze bij het horloge en de bril.

'Als je zo doorgaat,' besloot hij, 'zul je niet alleen de bloeddorstigste en meest despotische alleenheerser worden van onze hele geschiedenis, maar zelfs mijn goede vriendin Úrsula nog eens fusilleren om je geweten te sussen.'

Kolonel Aureliano Buendía bleef volkomen onaangedaan. Toen gaf generaal Moncada hem de bril, de medaille, het horloge en de ring en zijn stem verkreeg een andere klank.

'Maar ik heb je niet laten komen om je een standje te geven,' zei hij. 'Ik wilde je vragen of je zo goed wilt zijn om deze dingen naar mijn vrouw te sturen.'

Kolonel Aureliano Buendía stak alles in zijn zakken.

'Woont ze nog steeds in Manaure?'

'Ze woont nog steeds in Manaure,' bevestigde generaal Moncada. 'In hetzelfde huis achter de kerk waarheen je toen die brief hebt gestuurd.'

'Ik zal het met veel genoegen doen, José Raquel,' antwoordde kolonel Aureliano Buendía.

Toen hij buiten kwam, in de blauw benevelde nachtlucht, werden zijn ogen vochtig zoals het ook gebeurd was op die andere vroege ochtend, lang geleden; toen pas begreep hij waarom hij bevel had gegeven om het vonnis te voltrekken op de patio en niet tegen de muur van het kerkhof. Het vuurpeloton,

169

dat voor de deur stond opgesteld, betoonde hem de eerbewijzen van een staatshoofd.

'Jullie kunt hem halen,' beval hij.

* *
*

Kolonel Gerineldo Márquez was de eerste die de voosheid van de oorlog inzag. In zijn functie van burgerlijk en militair hoofd van Macondo had hij tweemaal per week een telegrafisch onderhoud met kolonel Aureliano Buendía. In het begin gaven die gesprekken het verloop aan van een oorlog van vlees en bloed welks duidelijk omlijnde begrenzingen hem op elk gewenst moment in staat stelden om het punt te bepalen waar de strijd zich afspeelde en welke loop deze in de toekomst zou nemen. Ofschoon kolonel Aureliano Buendía zich nooit liet meevoeren tot in een sfeer van intimiteiten, zelfs niet door zijn allerbeste vrienden, bleef hij in die tijd de vertrouwelijke toon gebruiken waaraan men hem kon herkennen aan de andere kant van de lijn. Dikwijls zette hij de gesprekken voort tot voorbij het voorziene tijdstip en liet hij ze overgaan in opmerkingen met een huiselijk karakter. Maar langzamerhand, naarmate de oorlog heviger werd en zich verder uitbreidde, begon zijn beeld te vervagen in een universum van onwerkelijkheid. De punten en strepen van zijn stem bleken steeds onvaster en verder verwijderd en verenigden zich en regen zich aaneen om woorden te vormen die langzaam maar zeker iedere zin verloren. Dan beperkte kolonel Gerineldo Márquez zich slechts tot luisteren, terneergedrukt door het gevoel dat hij in telegrafisch contact stond met een onbekende uit een andere wereld.

'Begrepen, Aureliano,' besloot hij dan op de seinsleutel. 'Leve de liberale partij!'

Tenslotte verloor hij ieder contact met de oorlog. Dat wat in vroeger tijden een tastbare werkelijkheid was geweest, een niet te weerstreven hartstocht uit zijn jeugd, veranderde in zijn ogen in een betrokkenheid-van-verre: een leegte. De naaikamer van Amaranta werd zijn enige toevluchtsoord. Elke middag bracht hij haar een bezoek. Hij vond het fijn om naar haar handen te kijken als ze het kantwerk plooide op haar handnaaimachine die door Remedios de Schone in beweging werd gehouden. Ze brachten vele uren door zonder iets te zeggen, tevreden met elkanders gezelschap, maar terwijl Amaranta er heimelijk plezier in had om het vuur van zijn toewijding levendig te houden, begreep hij niets van de geheime bedoelingen van dat ondoorgrondelijke hart. Toen Amaranta het bericht van zijn terugkeer had vernomen, hadden haar verlangens haar bijna doen stikken. Maar toen ze hem het huis zag binnenkomen temidden van het lawaaierige gevolg van kolonel Aureliano Buendía, geslagen door de ontberingen van zijn verbanning, verouderd door het voortschrijden van tijd en vergetelheid, besmeurd met zweet en stof, riekend naar paarden, lelijk, zijn linkerarm in een draagverband, voelde ze zich bezwijmen van teleurstelling. 'Mijn God,' dacht ze, 'dit is niet de man op wie ik wachtte.' De volgende dag keerde hij echter gewassen en geschoren naar het huis terug, zonder de bloederige draagdoek en met een snor die geurde van lavendelwater. Hij bracht haar een gebedenboek, in kalfsleer gebonden en ingelegd met paarlemoer.

'Wat zijn mannen toch merkwaardig,' zei ze, omdat ze niets anders wist te zeggen. 'Ze vechten hun leven lang tegen pastoors, maar ze geven wel gebedenboeken cadeau.'

Vanaf die dag bracht hij haar elke middag een bezoek, ook op de hachelijkste momenten van de strijd. Wanneer Remedios de Schone er niet was, was hij het vaak die aan de slinger van de naaimachine draaide. Amaranta raakte in verwarring door de volhardendheid, de trouw, de onderworpenheid van deze man die met zoveel gezag bekleed was en die desondanks zijn wapens in de huiskamer aflegde om haar naaikamer weerloos te kunnen betreden. Vier jaar lang bracht hij haar zijn liefde in herinnering en steeds vond ze de juiste manier om hem af te wijzen zonder hem te kwetsen, want al lukte het haar niet om hem te beminnen, ze kon toch niet meer leven zonder hem. Remedios de Schone, die nergens belangstelling voor scheen te hebben en van wie men dacht dat ze geestelijk onvolwaardig was, bleef niet ongevoelig voor zoveel toewijding en kwam tussenbeide ten gunste van kolonel Gerineldo Márquez. Met een schok drong het tot Amaranta door dat dit meisje, dat ze had grootgebracht en wier vrouwelijkheid nog nauwelijks was ontloken, nu reeds het schoonste schepsel was dat in Macondo ooit was aanschouwd. In haar hart voelde ze de wrok herleven die ze in vroeger dagen jegens Rebeca had gekoesterd en ze verbande het meisje uit de naaikamer, terwijl ze God smeekte om haar niet zover te drijven dat ze haar de dood zou toewensen. Omstreeks die tijd was het, dat kolonel Gerineldo Márquez een afkeer begon te voelen van de oorlog. Hij deed een beroep op zijn laatste reserves aan overtuigingskracht, op zijn onmetelijke en onderdrukte tederheid, bereid als hij was om terwille van Amaranta af te zien van de roem waarvoor hij zijn beste levensjaren had opgeofferd. Maar het lukte hem niet haar te overtuigen. Op een middag in augustus sloot Amaranta zich op in haar slaapkamer waar ze, gebukt onder de ondraaglijke last van haar eigen koppigheid, haar eenzaamheid beweende die tot de dood zou duren, nu ze aan haar vasthoudende amant haar onherroepelijke antwoord had gegeven.

'Laten we elkaar voor altijd vergeten,' zei ze. 'Wij zijn immers al te oud voor deze dingen.'

Die middag beantwoordde kolonel Gerineldo Márquez opnieuw een telegrafische oproep van kolonel Aureliano Buendía. Het was een gesprek over routinekwesties dat hun geen nieuwe openingen bezorgde in de vastgelopen oorlog. Tegen het einde ervan staarde kolonel Gerineldo Márquez naar de verlaten straten, naar het neergeslagen waterwaas op de amandelbomen, en ineens voelde hij zich ondergedompeld in eenzaamheid.

'Aureliano,' tikte hij bedroefd op de seinsleutel, 'het regent in Macondo.'

Er volgde een lange stilte op de lijn. Plotseling danste het apparaat onder de hardvochtige seinen van kolonel Aureliano Buendía.

'Doe niet zo slap, Gerineldo,' zeiden de signalen. 'Logisch dat het in augustus regent.'

Ze hadden elkaar zo lang niet gezien, dat kolonel Gerineldo Márquez schrok van de bruutheid van deze reactie. Maar toen

172

kolonel Aureliano Buendía twee maanden later in Macondo terugkeerde, veranderde zijn schrik in verbijstering. Zelfs Úrsula verbaasde zich erover hoezeer hij veranderd was. Hij kwam aan zonder bombarie, zonder gevolg, ondanks de hitte in een deken gewikkeld en vergezeld van drie minnaressen die hij onderbracht in een en hetzelfde huis, waar hij het grootste deel van zijn tijd liggend in een hangmat verdeed. Hij las nauwelijks de telegrafische berichten die hem op de hoogte brachten van de dagelijkse operaties. Op een dag vroeg kolonel Gerineldo Márquez hem om instructies voor de evacuatie van een grensstadje dat dreigde uit te groeien tot een internationaal conflict.

'Val me niet lastig met kleinigheden,' beval hij. 'Bespreek dat maar met de Goddelijke Voorzienigheid.'

Het was misschien wel de meest kritieke periode van de hele oorlog. De liberale grootgrondbezitters, die de revolutie in het begin hadden gesteund, hadden in het geheim betrekkingen aangeknoopt met de conservatieve grootgrondbezitters teneinde een herziening van de eigendomsrechten te voorkomen. De politici die de strijd vanuit hun verbanningsoord financierden, hadden de drastische maatregelen van kolonel Aureliano Buendía publiekelijk afgekeurd, maar het scheen hem volkomen koud te laten dat hun machtiging hem zo ontviel. Hij had nooit meer iets gelezen in zijn verzen die meer dan vijf delen besloegen en nu vergeten op de bodem van zijn koffer lagen. 's Nachts of ten tijde van de siësta riep hij een van zijn vrouwen bij zich in de hangmat en putte uit haar een rudimentaire bevrediging, waarna hij wegzonk in een loodzware slaap die zelfs niet verstoord werd door het geringste spoor van ongerustheid. Slechts hij wist in die dagen dat zijn verdoofde hart voor altijd tot onzekerheid gedoemd was. In het begin had hij zich bedronken aan de afgrond van pracht en praal, bedwelmd door zijn glorieuze terugkeer en zijn onwaarschijnlijke overwinningen. Hij schepte er behagen in om steeds de hertog van Marlborough aan zijn rechterzijde te hebben, zijn grote leermeester in de krijgskunst, wiens uitmonstering van tijgerhuiden en tijgernagels de eerbied van de volwassenen en de verbazing van de kinderen opwekte. In die tijd beval hij ook dat geen enkel levend wezen, zelfs Úrsula niet, hem tot op minder dan drie meter mocht benaderen. Vanuit het middelpunt van de krijtcirkel die zijn adjudanten trokken op elke plaats waar hij verscheen en die slechts hij mocht betreden, beschikte hij over het lot der wereld met korte bevelen waartegen geen beroep mogelijk was. Toen hij na de fusillering van generaal Moncada voor het eerst weer in Manaure kwam, haastte hij zich om te voldoen aan de laatste wil van zijn slachtoffer. De weduwe nam de bril, de medaille, het horloge en de ring in ontvangst, maar ze liet hem de deur niet binnen.

'U komt er niet in, kolonel,' zei ze tegen hem. 'U kunt bevelen in uw oorlog, maar in mijn huis beveel ik.'

Kolonel Aureliano Buendía liet geen spoor van wrevel blijken, maar zijn geest vond pas rust toen zijn lijfwacht het huis van de weduwe geplunderd en in de as gelegd had. 'Pas op je hart, Aureliano,' zei kolonel Gerineldo Márquez tegen hem. 'Je bent bezig levend weg te rotten.' Omstreeks die tijd riep hij een tweede bijeenkomst samen van de belangrijkste opstandelingenleiders. Daartussen kwam hij van alles tegen: idealisten, strebers, avonturiers, maatschappijhervormers en zelfs doodgewone misdadigers. Er was zelfs een voormalige conservatieve functionaris die zijn heil gezocht had in de revolutie om te ontkomen aan een berechting wegens misbruik van staatsfondsen. Velen wisten niet eens waarvoor ze vochten. Temidden van die bonte verzameling mensen, wier sterk uiteenlopende inzichten bijna tot een interne breuk leidden, trok één duistere, gezaghebbende persoonlijkheid sterk de aandacht: generaal Teófilo Vargas. Het was een zuivere indiaan, woest, analfabeet, begiftigd met een zwijgzame boosaardigheid en een messiaanse geroepenheid die bij zijn volgelingen een waanzinnig fanatisme veroorzaakte. Kolonel Aureliano Buendía had de vergadering bijeengeroepen met de bedoeling de opstandelingenleiders te verenigen als tegenwicht tegen de kuiperijen van de politici. Maar generaal Teófilo Vargas was zijn bedoelingen voor: binnen een paar uur had hij de eensgezindheid van de bekwaamste commandanten te niet gedaan en zich meester gemaakt van het opperbevel. 'Die kerel is een gevaarlijk beest,' zei kolonel Aureliano Buendía tot zijn officieren. 'Voor ons is die man gevaarlijker dan de minister van oorlog.' Toen stak een zeer jonge kapitein, die altijd was opgevallen door zijn schuchterheid, een voorzichtige vinger op.

'Het is heel eenvoudig, kolonel,' opperde hij. 'We moeten hem doden.'

Kolonel Aureliano Buendía was niet geschokt door de kilheid van dit voorstel, maar door het feit dat het zijn eigen mening met een fractie van een seconde voorbleef.

'Denk maar niet dat ik dat bevel geef,' zei hij.

En hij gaf het inderdaad niet. Maar vijftien dagen later werd generaal Teófilo Vargas in een hinderlaag gelokt en met hakmessen gevierendeeld en kolonel Aureliano Buendía nam het opperbevel op zich. In dezelfde nacht dat zijn gezag door alle opstandelingenleiders erkend werd, schrok hij wakker en begon luidkeels om een deken te roepen. Een innerlijke kilte, die uitstraalde tot in zijn beenderen en hem zelfs in het volle zonlicht teisterde, verhinderde hem maandenlang om goed te slapen totdat het een gewoonte voor hem was geworden. De dronkenschap van de macht begon uiteen te vallen in vlagen van onbehagen. Zoekend naar een middel tegen de kou liet hij de jonge officier doodschieten die de moord op generaal Teófilo Vargas had voorgesteld. Zijn bevelen werden uitgevoerd nog voordat ze waren gegeven, ja zelfs nog voordat hij ze had uitgedacht, en altijd strekten ze zich verder uit dan hijzelf gewaagd zou hebben. Verdoold in de eenzaamheid van zijn onmetelijke macht, begon hij het spoor bijster te raken. Hij ergerde zich aan degenen die hem in de veroverde dorpen toejuichten en ze leken hem precies dezelfde mensen die ook de vijand toejuichten. Overal kwam hij jongelieden tegen die hem bekeken met zijn ogen, die spraken met zijn eigen stem, die hem begroetten met dezelfde argwaan die hij jegens hen voelde en die verklaarden dat ze zijn zonen waren. Hij voelde zich uiteengerukt, nagemaakt – en eenzamer dan ooit. Hij raakte ervan overtuigd dat zijn eigen officieren hem belogen. Hij zocht ruzie met de hertog van Marlborough. 'De beste vriend,' placht hij in die tijd te zeggen, 'is hij die net gestorven is.' Hij werd moe van de onzekerheid, van de vicieuze cirkel van deze eeuwigdurende oorlog die hem steeds weer aantrof op dezelfde plek, alleen telkens wat ouder, meer versleten en minder wetend waarom, hoe en tot hoelang nog. Altijd stond er wel iemand buiten de krijtkring, iemand die geld nodig had, die een zoontje had met kinkhoest, die wel voor eeuwig wilde inslapen omdat hij de strontsmaak van de oorlog niet meer in zijn mond kon verdragen – maar die desondanks met zijn laatste restje kracht in de houding sprong en meldde: 'Alles in orde, kolonel.' En juist dat in orde zijn, dat was wel het schrikwekkendste van deze eindeloze oorlog: dat er gewoon niets gebeurde. Eenzaam, door zijn voorgevoelens in de steek gelaten, vluchtend voor de koude die hem tot aan zijn dood zou bijblijven, zocht hij tenslotte een laatste toevlucht in Macondo, bij de warmte van zijn vroegste herinneringen. Zijn futloosheid was zo ernstig dat hij bij de aankomst van een commissie uit zijn partij, gemachtigd om met hem te spreken over het toekomstig verloop van de oorlog, zich slechts omdraaide in zijn hangmat en niet eens volkomen wakker werd.

'Breng ze maar naar de hoeren,' zei hij.

Het waren zes advocaten met geklede jassen en hoge hoeden die de felle novemberzon met stoïcijnse hardheid verdroegen. Úrsula verleende hen gastvrijheid in haar huis. Gedurende het grootste deel van de dag sloten ze zich op in hun slaapkamer, bezig met strikt geheime en ontoegankelijke besprekingen, maar tegen het vallen van de avond verzochten ze om een escorte en een paar accordeons en namen dan de kroeg van Catarino voor hun rekening. 'Laat ze hun gang gaan,' beval kolonel Aureliano Buendía. 'Als putje bij paaltje komt, weet ik wat ze willen.' Begin december werd het lang verwachte onderhoud, dat naar veler verwachting een eindeloze discussie had moeten worden, in minder dan één uur afgedaan.

In de snikhete grote salon, waar het spookbeeld van de pianola stond opgebaard onder een wit laken, zette kolonel Aureliano zich ditmaal niet in de krijtcirkel die door zijn adjudanten was getrokken. Hij nam plaats op een stoel tussen zijn politieke adviseurs en luisterde, zwijgend en gehuld in zijn wollen deken, naar de korte voorstellen van de onderhandelaars. Ten eerste vroegen ze hem af te zien van een herziening van de aanspraken op grondbezit, teneinde aldus de steun te

176

verwerven van de liberale grootgrondbezitters. Ten tweede vroegen ze hem af te zien van de strijd tegen de invloed van de geestelijkheid, teneinde aldus de bijval van het katholieke volksdeel te verkrijgen. Tenslotte vroegen ze hem af te zien van zijn streven om gelijke rechten te verkrijgen voor wettige en onwettige kinderen, teneinde de onaantastbaarheid van het gezin te bewaren.

'U wilt dus zeggen,' glimlachte kolonel Aureliano Buendía zodra de voorlezing beëindigd was, 'dat wij uitsluitend vechten om de macht.'

'Het zijn tactische wijzigingen,' antwoordde een van de afgevaardigden. 'Momenteel is het van belang om de volksaanhang te vergroten waarop onze strijd gegrondvest is. Later zullen we wel verder zien.'

Een van de politieke adviseurs van kolonel Aureliano Buendía haastte zich om tussenbeide te komen.

'Dat is een tegenstrijdigheid,' zei hij. 'Als deze wijzigingen juist zijn, betekent dat, dat het conservatieve regime juist is. Als wij met deze wijzigingen onze aanhang onder het volk vergroten, zoals u beweert, dan betekent dat dat de regering een grote aanhang onder het volk heeft. Kortom, het houdt in, dat wij gedurende bijna twintig jaar gevochten hebben tegen de opvattingen van de natie.'

Hij wilde verder gaan, maar kolonel Aureliano Buendía weerhield hem met een handgebaar. 'Verknoei uw tijd niet, doctor,' zei hij. 'Het belangrijkste is, dat we vanaf dit moment uitsluitend vechten om de macht.' De glimlach week niet van zijn gezicht toen hij de documenten in ontvangst nam die de afgevaardigden hem aanboden en zich gereedmaakte om ze te ondertekenen.

'En aangezien het zo is,' besloot hij, 'hebben wij geen enkel bezwaar om de voorwaarden te aanvaarden.'

Zijn mannen keken elkaar verbijsterd aan.

'Neemt u me niet kwalijk, kolonel,' zei kolonel Gerineldo Márquez zacht, 'maar dit is verraad.'

Kolonel Aureliano Buendía liet de ingedoopte pen stilhouden in de lucht en bedolf hem onder alle gewicht van zijn gezag.

'Overhandig mij uw wapens,' beval hij.

Kolonel Gerineldo Márquez stond op en legde zijn wapens op de tafel.

'Meld u bij de kazerne,' beval kolonel Aureliano Buendía, 'en houd u ter beschikking van de revolutionaire rechtbank.'

Vervolgens ondertekende hij de verklaring, overhandigde de documenten aan de afgevaardigden en zei:

'Heren, hier hebt u uw papieren. Geluk ermee.'

Twee dagen later werd kolonel Gerineldo Márquez van hoogverraad beschuldigd en ter dood veroordeeld. Kolonel Aureliano Buendía, als neergeveld in zijn hangmat, bleef ongevoelig voor alle smeekbeden om gratie. Op de vooravond van de executie bracht Úrsula hem een bezoek in zijn slaapkamer, zich niets aantrekkend van het bevel dat hij niet gestoord mocht worden. Van top tot teen in het zwart gekleed, omhuld met een zeldzame statigheid, bleef ze stijf rechtop staan gedurende de drie minuten die het onderhoud duurde. 'Ik weet dat je Gerineldo zult doodschieten,' zei ze kalm, 'en dat ik niets kan doen om dat te verhinderen. Maar ik waarschuw je voor één ding: ik zweer je bij de beenderen van mijn vader en mijn moeder, bij de gedachtenis aan José Arcadio Buendía, ik zweer je voor het aanschijn van God – zodra ik zijn lijk te zien krijg, zal ik je te voorschijn slepen vanwaar je ook bent weggekropen en dan zal ik je met mijn eigen handen doden.' Voordat ze het vertrek verliet besloot ze, zonder op een antwoord te wachten:

'Datzelfde zou ik gedaan hebben als je geboren was met een varkensstaart.'

Gedurende die eindeloos lijkende nacht, terwijl kolonel Gerineldo Márquez zich de vergangen middagen in het naaivertrek van Amaranta in herinnering riep, krabde kolonel Aureliano Buendía urenlang aan de harde korst van zijn eenzaamheid, in een wanhopige poging om die te doorbreken. De enige gelukkige momenten die hij gekend had sinds de lang vervlogen middag dat zijn vader hem had meegenomen om kennis te maken met het ijs, waren voorbijgegaan in zijn zilversmidse waar hij zijn tijd doorbracht met het monteren van gouden visjes. Hij had tweeëndertig oorlogen moeten uitroepen, hij

178

had alle verdragen met de dood moeten schenden en zich als een zwijn in de drek van de roemruchtigheid moeten wentelen om, bijna veertig jaar te laat, de voorrechten van de eenvoud te mogen ontdekken.

Bij het aanbreken van de dag, één uur voor de terechtstelling, verscheen hij in de cel, vermorzeld door zijn martelende nachtwake. 'De klucht is voorbij, beste kerel,' zei hij tot kolonel Gerineldo Márquez. 'Laten we hier vandaan gaan voordat de muggen je ter dood gebracht hebben.' Kolonel Gerineldo Márquez kon de minachting niet verhelen die hem door dit optreden werd ingeboezemd.

'Nee, Aureliano,' antwoordde hij. 'Ik ben liever dood dan je te zien veranderen in een houwdegen.'

'Dat zul je niet zien,' zei kolonel Aureliano Buendía. 'Trek je schoenen aan en help me om een eind te maken aan deze schijtoorlog.'

Toen hij dat zei wist hij niet, dat het gemakkelijker is om een oorlog te beginnen dan om er een te beëindigen. Hij had bijna een heel jaar van bloedige hardhandigheid nodig om de regering te dwingen tot het stellen van vredesvoorwaarden die gunstig genoeg waren voor de opstandelingen en daarna duurde het nog een jaar om zijn bondgenoten ertoe over te halen ze te aanvaarden. Hij moest zijn toevlucht nemen tot uiterste en onvoorstelbare wreedheden om het verzet te smoren onder zijn eigen officieren, die er niets voor voelden om de overwinning te verkwanselen, en gebruikte tenslotte zelfs de steun van vijandelijke troepen om hen zijn wil op te leggen.

Nooit was hij een beter krijgsman dan in die dagen. De zekerheid dat hij in laatste instantie voor zijn eigen vrijheid vocht en niet voor abstracte idealen of voor leuzen die de politici naar believen konden omdraaien, al naar gelang de omstandigheden, vervulde hem met een laaiend enthousiasme. Kolonel Gerineldo Márquez, die met evenveel overtuiging en getrouwheid voor de mislukking vocht als hij gevochten had voor de overwinning, maakte hem verwijten over zijn nutteloze waaghalzerijen. 'Wees maar niet bang,' glimlachte hij. 'Sterven is veel moeilijker dan men denkt.' In zijn geval was dat volkomen waar. De zekerheid dat zijn stervensuur vaststond, bezorgde hem een geheimzinnige onkwetsbaarheid, een tijdelijke onsterfelijkheid die hem onschendbaar maakte voor de gevaren van de strijd en hem tenslotte in staat stelde een nederlaag te bewerkstelligen welke veel meer moeite, bloed en geld kostte dan de overwinning.

Gedurende bijna twintig jaren van strijd was kolonel Aureliano Buendía vaak thuis geweest, maar de gejaagde toestand waarin hij steeds opdook, het militaire gevolg dat hem overal vergezelde, de sfeer van legendevorming die rondom zijn aanwezigheid schitterde en waarvoor zelfs Úrsula niet ongevoelig bleef, hadden hem tenslotte tot een vreemde gemaakt. De laatste keer dat hij in Macondo was en een huis vorderde voor zijn drie bijslapen, had zijn moeder hem slechts twee of drie maal bij zich thuis gezien wanneer hij tijd had om in te gaan op een uitnodiging om te komen eten. Remedios de Schone en de tweelingen, die midden onder de oorlog waren geboren, kenden hem nauwelijks. Amaranta slaagde er maar niet in het beeld van de broer, die zijn jonge jaren doorbracht met het vervaardigen van gouden visjes, te verenigen met de mythe van de vechtjas die tussen zichzelf en de rest van de mensheid een afstand van drie meter had geschapen. Maar toen bekend werd dat een wapenstilstand nabij was en men veronderstelde dat hij spoedig zou terugkeren, terugveranderd in een menselijk wezen en eindelijk bereikbaar voor de genegenheid van de zijnen, bloeiden de zo lang ingedommelde familiegevoelens sterker op dan ooit tevoren.

'Eindelijk zullen ze weer een man in huis hebben,' zei Úrsula.

Amaranta was de eerste die begon te vermoeden dat ze hem voor altijd verloren hadden. Toen hij een week voor de wapenstilstand het huis betrad, zonder gevolg, slechts voorafgegaan door twee oppassers op blote voeten die het tuig van zijn muildier en de koffer met gedichten – de enige overblijfselen van zijn vroegere vorstelijke uitrusting – in de gang zetten, zag ze hem langs haar naaikamer komen en riep ze hem aan. Het leek kolonel Aureliano Buendía moeite te kosten om haar te herkennen.

'Ik ben Amaranta,' zei ze goedgemutst, blij om zijn terugkeer, en ze toonde haar hand met de zwarte zwachtel. 'Kijk maar.'

Kolonel Aureliano Buendía schonk haar eenzelfde glimlach als toen hij haar voor het eerst met dat verband had gezien, op de verre morgen dat hij als ter dood veroordeelde naar Macondo was teruggebracht.

'Wat ontzettend,' zei hij. 'Wat gaat de tijd toch snel!'

De regeringstroepen moesten het huis beschermen. Want hij keerde terug als een bespot, bespuwd man, belast met de beschuldiging dat hij de oorlog had doen verheftigen om hem des te beter te kunnen verkopen. Hij rilde van koorts en koude en opnieuw zaten zijn oksels vol gezwellen. Toen Úrsula zes maanden tevoren over de wapenstilstand had horen praten, had ze zijn bruidskamer geopend en uitgeveegd en mirre gebrand in de vier hoeken van het vertrek, uitgaande van de veronderstelling dat hij na zijn terugkeer van plan zou zijn om langzaam oud te worden tussen de beschimmelde poppen van Remedios. Maar in werkelijkheid had hij in die twee laatste jaren reeds al zijn schulden aan het leven gedelgd, met inbegrip van de ouderdom. Toen hij langs zijn zilversmidse kwam, die door Úrsula met extra voortvarendheid in orde was gebracht, merkte hij niet eens dat de sleutels in het hangslot staken. Hij zag niets van de kleine en hartverscheurende vernielingen die de tijd in het huis had aangebracht en die na zo'n lange afwezigheid een ware ramp hadden moeten lijken voor eenieder die zijn herinneringen levend wist te houden. Hij voelde geen verdriet om de kalk die van de muren bladderde of de vuile proppen spinrag in de hoeken of het stof op de begonia's of de termietengangen in de balken of het mos op de deurhengsels of alle andere arglistige valstrikken die het heimwee hem zette. Hij ging zitten op de waranda, gehuld in zijn deken en zonder zijn schoenen uit te doen, alsof hij niet verwachtte dat het ooit nog zou opklaren, en zo bleef hij de hele middag zitten kijken hoe het regende op de begonia's. Toen begreep Úrsula dat ze hem niet lang bij zich in huis zou hebben. 'Als het de oorlog niet is,' dacht ze, 'kan het slechts de dood zijn.' Dat vermoeden viel haar zo duidelijk en zo overtuigend in, dat ze het aanzag voor een voorgevoel.

Toen ze die avond aan tafel zaten, verbrokkelde de vermeende Aureliano Segundo het brood met zijn rechterhand en at hij zijn soep met zijn linkerhand. Zijn tweelingbroer, de vermeende José Arcadio Segundo, verbrokkelde het brood met zijn linkerhand en at de soep met zijn rechterhand. Hun bewegingen waren zo nauwkeurig op elkaar afgestemd, dat het eerder een kunststukje met spiegels leek dan twee broers die tegenover elkaar zaten. Dit schouwspel, dat door de tweelingen verzonnen was zodra ze beseften dat ze volkomen hetzelfde waren, werd opgevoerd ter ere van de nieuw aangekomen gast. Maar kolonel Aureliano Buendía bemerkte er niets van. Hij leek zo ver van alles verwijderd, dat hij niet eens naar Remedios de Schone keek toen zij naakt langskwam op weg naar haar slaapkamer. Úrsula was de enige die het waagde om zijn verstrooidheid te doorbreken.

'Als je toch weer hier vandaan moet,' zei ze halverwege de maaltijd, 'probeer je dan tenminste te herinneren hoe wij vanavond waren.'

Toen besefte kolonel Aureliano Buendía zonder een spoor van verbazing dat Úrsula de enige levendige ziel was die zijn ellende had kunnen doorvorsen en voor het eerst sinds vele jaren durfde hij haar in het gezicht te kijken. Ze had een huid vol kloven, wormstekige tanden, kleurloos en verwelkt haar en een blik vol verslagenheid. Hij vergeleek haar met de allereerste herinnering die hij van haar had – op de middag dat hij vooruit wist dat een pan kokende soep van de tafel zou vallen – en hij bemerkte dat dat beeld in stukken was gereten. In een oogwenk ontdekte hij de schrammen en striemen, de wonden en zweren en littekens die in haar waren achtergelaten door het dagelijks bestaan gedurende meer dan een halve eeuw en hij constateerde dat deze verwoestingen in hemzelf niet het geringste gevoel van medelijden wekten. Vervolgens deed hij een laatste poging om in zijn hart de plek te vinden waar zijn vermogen tot genegenheid moest zijn weggerot, maar het lukte hem niet. In vroeger tijden had hij toch minstens een verward gevoel van schaamte gehad wanneer hij in zijn eigen huid de geur van Úrsula terugvond en bij meer dan één gelegenheid had hij bemerkt, dat zijn gedachten vervlochten waren met de

182

hare. Dat alles was echter uitgewist door de oorlog. Zelfs Remedios, zijn vrouw, vormde op dat moment slechts het vage beeld van iemand die zijn dochter had kunnen zijn. De ontelbare vrouwen die hij in de woestijn der liefde had leren kennen en die zijn zaad over de gehele kuststreek hadden verspreid, hadden geen spoor achtergelaten in zijn gevoelsleven. Zij waren voor het merendeel in het donker zijn kamer binnengekomen en weer weggegaan vóór de ochtendstond en de volgende dag vormden ze dan hooguit een vleugje loomheid in zijn lichamelijke herinneringen. De enige vorm van genegenheid die ondanks tijd en oorlog in hem was blijven leven, gold zijn broer José Arcadio en stamde uit de tijd dat ze beiden nog kinderen waren – en dat gevoel was niet gebaseerd op liefde maar op saamhorigheid.

'Neemt u me niet kwalijk,' verontschuldigde hij zich na Úrsula's verzoek. 'Deze oorlog heeft aan alles een einde gemaakt.'

De daaropvolgende dagen gaf hij zich moeite om elk spoor van zijn gang door de wereld uit te wissen. Hij onttakelde de zilversmidse tot er slechts onpersoonlijke voorwerpen waren overgebleven, gaf zijn kleren weg aan de oppassers en begroef zijn wapens op de patio met hetzelfde rouwmoedige gevoel waarmee zijn vader de lans had begraven die de dood had betekend voor Prudencio Aguilar. Hij behield slechts één pistool en daarin slechts één kogel. Úrsula kwam niet tussenbeide. Slechts eenmaal bracht ze hem van zijn plan af en dat was toen hij op het punt stond de daguerrotype van Remedios te vernietigen die altijd in de salon bewaard was gebleven, verlicht door een godslampje. 'Dat portret is al lang niet meer jouw eigendom,' zei ze tot hem. 'Het is een relikwie van de familie.' Op de vooravond van de wapenstilstand, toen geen enkel voorwerp in het huis nog aan hem deed denken, begaf hij zich met de koffer met gedichten naar de bakkerij waar Santa Sofía de la Piedad zich juist opmaakte om de oven aan te steken.

'Steek hem hiermee aan,' zei hij, terwijl hij haar de eerste rol vergeelde papieren gaf. 'Zo brandt het beter, want die dingen zijn al heel oud.'

Santa Sofía de la Piedad, de zwijgzame, de nederige, die zelfs haar eigen kinderen nooit tegensprak, kreeg het gevoel

183

dat dit een zondige daad was.

'Het zijn belangrijke papieren,' zei ze.

'Helemaal niet,' antwoordde de kolonel. 'Die dingen schrijf je alleen maar voor jezelf.'

'Verbrand u ze dan maar zelf, kolonel,' zei ze.

Dat deed hij en bovendien sloeg hij de koffer met een bijltje tot spaanders die hij daarna eveneens in het vuur wierp. Een paar uur tevoren was Pilar Ternera bij hem op bezoek geweest. Nu hij haar zoveel jaren niet gezien had, kon kolonel Aureliano Buendía zich er slechts over verbazen hoe oud en hoe dik ze was geworden en hoezeer haar lach zijn schallende klank had verloren, maar hij verbaasde zich bovendien over het inzicht dat ze bereikt had bij het lezen van de kaarten. 'Pas op je mond,' zei ze tot hem en hij vroeg zich af of het de vorige keer, toen ze datzelfde gezegd had op het toppunt van zijn roem, soms een vizioen was geweest waarin zijn lot op verbazingwekkende wijze was voorzien. Toen zijn lijfarts kort daarop de laatste okselgezwellen was komen behandelen, had hij hem – zonder al teveel belangstelling te tonen – gevraagd waar precies de plaats van het hart was. De dokter beluisterde zijn borst en tekende er een kringetje op met een in jodium gedrenkt propje watten.

De dag van de wapenstilstand, een dinsdag, brak zoel en regenachtig aan. Reeds voor vijf uur 's ochtends verscheen kolonel Aureliano Buendía in de keuken waar hij zijn gewone kop koffie zonder suiker gebruikte. 'Op een dag als vandaag kwam jij op de wereld,' zei Úrsula tegen hem. 'Iedereen stond versteld van je wijd open ogen.' Hij lette niet op haar, want hij zat scherp te luisteren naar de voorbereidingen van de troepen, de trompetsignalen en de luide commando's die de dageraad verscheurden. Ofschoon die geluiden hem na zoveel jaren oorlog volkomen vertrouwd moesten zijn, voelde hij ditmaal dezelfde koude rillingen en dezelfde slapheid in zijn knieën die hij in zijn jeugd had ondergaan in de aanwezigheid van een naakte vrouw. Als hij toen met haar getrouwd was, dacht hij, vol verwarring en eindelijk toch in een valstrik van de heimwee geraakt, zou hij nu misschien een man zonder oorlogen en zonder roem zijn geweest, een naamloze ambachtsman, een gelukkig dier. Dit schokkende maar te laat gekomen besef, dat bij zijn voorgevoelens nooit een rol had gespeeld, vergalde zijn ontbijt. Toen kolonel Gerineldo Márquez, vergezeld van een groepje revolutionaire officieren, hem om zeven uur in de morgen kwam afhalen, vond hij zijn vriend zwijgzamer, nadenkender en eenzamer dan ooit. Úrsula probeerde een nieuwe deken om zijn schouders te leggen. 'Wat moet de regering wel denken,' zei ze. 'Straks denken ze nog dat je je hebt overgegeven omdat je zelfs geen geld meer had om een deken te kopen.' Maar hij weigerde het ding. Pas in de deuropening, toen hij zag dat het nog steeds regende, liet hij zich een oude vilten hoed van José Arcadio Buendía opzetten.

'Aureliano,' zei Úrsula toen, 'mocht je daarginds je noodlot ontmoeten – beloof me dan, dat je aan je moeder zult denken.'

Hij schonk haar een afwezige glimlach, hief zijn hand op met wijd uitgespreide vingers en verliet het huis zonder een woord, om het hoofd te bieden aan de kreten, de verwijten, de verwensingen die hem tot aan de rand van het dorp zouden begeleiden. Úrsula deed de sluitbalk op de deur, vastbesloten om hem voor de rest van haar leven niet meer weg te halen. 'Hier binnen zullen we wegrotten,' dacht ze. 'In dit huis zonder mannen zullen we tot stof vergaan, maar we zullen dit ellendige dorp niet het genoegen gunnen dat ze ons zien huilen.' De hele morgen bleef ze in de meest verborgen hoekjes zoeken naar een aandenken aan haar zoon, maar ze kon niets vinden.

De plechtigheid speelde zich af op een afstand van twintig kilometer van Macondo, in de schaduw van een reusachtige katoenboom waar omheen men later het dorp Neerlandia zou stichten. De afgevaardigden van regeringen en partijen en de commissie van opstandelingen die de wapens kwamen uitleveren, werden bediend door een groep kwetterende novicen in witte habijten, als een vlucht duiven die door de regen waren opgeschrikt. Kolonel Aureliano Buendía kwam aan op een bemodderde muilezel. Hij had zich niet geschoren en de pijn van zijn okselgezwellen kwelde hem meer dan de geweldige mislukking van zijn dromen, want hij was reeds gekomen aan het eindpunt van iedere hoop, een punt dat verder ligt dan de roem en de heimwee naar de roem. Geheel in overeenstemming met de door hemzelf uitgevaardigde voorschriften was er geen sprake van muziek of vuurpijlen of klokgelui of juichkreten of enig ander blijk van vertoon waardoor het sombere karakter van de wapenstilstand veranderd zou kunnen worden. Een rondtrekkend fotograaf, die van hem het enige portret maakte dat bewaard had kunnen worden, werd gedwongen zijn platen te vernietigen nog voordat ze ontwikkeld waren.

De plechtigheid duurde nauwelijks langer dan de tijd die nodig was om de handtekeningen te zetten. Rondom de ruwhouten tafel, geplaatst in het midden van een opgelapte circustent, zaten de afgevaardigden van de regering en de laatste officieren die trouw waren gebleven aan kolonel Aureliano Buendía. Voordat de handtekeningen werden geplaatst, trachtte de persoonlijke vertegenwoordiger van de president van de republiek hardop de akte van overgave voor te lezen, maar kolonel Aureliano Buendía verzette zich daartegen. 'Laten we geen tijd verliezen met formaliteiten,' zei hij en hij maakte zich op om de documenten te tekenen zonder ze door te lezen. Toen verbrak een van zijn officieren de slaapverwekkende stilte in de tent.

'Kolonel,' zei hij, 'doet u ons het genoegen om niet als eerste te tekenen.'

Kolonel Aureliano Buendía schikte zich daarin. Terwijl het document de tafel rond ging, in een zo doordringende stilte dat men de handtekeningen had kunnen ontcijferen aan het gekras van de pen op het papier, bleef de bovenste plaats nog steeds leeg. Kolonel Aureliano Buendía maakte zich gereed om hem te vullen.

'Kolonel,' zei een andere officier toen, 'u hebt nog steeds tijd om de zaak ten goede te keren.'

Zonder een spier van zijn gezicht te vertrekken tekende kolonel Aureliano Buendía de eerste kopie. Hij had nog maar nauwelijks de laatste getekend, toen in de ingang van de tent een revolutionair kolonel verscheen die een muilezel, beladen met twee koffers, aan de teugel meevoerde. Ondanks zijn buitengewoon jeugdige leeftijd stond zijn gezicht verveeld en lijdzaam. Het was de schatbewaarder van de revolutie in het district Macondo. Hij had een gevaarlijke reis van zes dagen gemaakt en de muilezel half dood van de honger meegesleurd om op tijd aanwezig te kunnen zijn bij de wapenstilstand. Met ergerniswekkende bedachtzaamheid laadde hij de koffers af, opende ze en legde tweeënzeventig goudstaven op de tafel, één voor één. Niemand herinnerde zich het bestaan van dit fortuin. In de chaos van het laatste jaar, toen het opperbevel uiteengevallen was en de revolutie was ontspoord in een bloedige wedijver tussen de opstandelingenleiders, was het onmogelijk geweest om ieders verantwoordelijkheden nauwkeurig bij te houden. Het goud van de opstand, omgesmeed tot staven die daarna met opgekookt slijk waren bedekt, was op die manier buiten ieders bereik gebleven. Kolonel Aureliano Buendía liet de tweeënzeventig goudstaven opnemen in de inventarislijst van de overgave en maakte aan de plechtigheid een einde zonder een nadere discussie toe te staan. De broodmagere jongeling bleef echter voor hem staan en keek hem aan met zijn kalme, honingkleurige ogen.

'Nog iets?' vroeg kolonel Aureliano Buendía hem.

De jonge kolonel klemde zijn tanden op elkaar.

'Een ontvangstbewijs,' zei hij.

Kolonel Aureliano Buendía schreef het ter plaatse uit. Daarna gebruikte hij een glas limonade en een stukje biscuit, die door de novicen werden rondgedeeld, en toen trok hij zich terug in een tent die men voor hem klaar had gezet voor het geval hij wilde uitrusten. Daar trok hij zijn hemd uit en ging zitten op de rand van het veldbed en om kwart over drie in de middag vuurde hij een pistoolschot af in het jodiumcirkeltje dat zijn lijfarts op zijn borst had getekend. Op dat moment nam Úrsula in Macondo de deksel van de pan met melk die op het fornuis stond, bevreemd dat het zo lang duurde voordat de vloeistof kookte. Ze zag dat de melk vol wormen zat.

'Ze hebben Aureliano vermoord!' riep ze uit.

Ze keek naar de patio, gehoor gevend aan een uit eenzaamheid geboren gewoonte, en toen zag ze José Arcadio Buendía, geheel doorweekt, versomberd door de regen, veel ouder dan toen hij stierf. 'Ze hebben hem met verraad gedood,' legde Úrsula uit, 'en niemand heeft hem de liefdedaad bewezen om zijn ogen te sluiten.' Tegen het vallen van de avond zag ze door haar tranen heen de snelle, oranjekleurig oplichtende schijven die als een laatste ademtocht langs de hemel flitsten en ze was er zeker van dat dit een teken van de dood was. Ze zat nog altijd onder de kastanjeboom te snikken op de knieën van haar echtgenoot, toen men kolonel Aureliano Buendía thuisbracht – de ogen wijd opengesperd van woede en gewikkeld in een deken die stijf stond van het bloed.

Hij was buiten levensgevaar. Het projectiel had een door niets belemmerde weg genomen, zo nauwkeurig, dat de dokter een in jodium gedrenkt stuk touw in zijn borst kon steken en het uit zijn rug weer tevoorschijn kon halen. 'Dit is mijn meesterwerk,' zei hij met voldoening. 'Het was het enige punt waarlangs een kogel kon passeren zonder een vitaal lichaamsdeel te raken.' Kolonel Aureliano Buendía zag zich nu omringd door medelijdende novicen die wanhopige psalmen aanhieven voor zijn eeuwige zielerust en het speet hem mateloos dat hij het schot niet op zijn verhemelte had gericht, zoals hij van plan was geweest, al was het alleen maar om de voorspelling van Pilar Ternera bespottelijk te maken.

'Als mij nog enige macht zou zijn overgebleven,' zei hij tot de dokter, 'had ik u zonder vorm van proces laten fusilleren. Niet omdat u mijn leven hebt gered, maar omdat u me voor gek hebt gezet.'

Deze mislukte dood bezorgde hem binnen een paar uur alle aanzien terug die hij had verloren. Dezelfde mensen, die de leugen hadden verspreid dat hij de oorlog had verkwanseld voor een villa waarvan de muren uit goudstaven waren gemetseld, omschreven de zelfmoordpoging nu als een eervolle daad en verklaarden hem tot martelaar. Later, toen hij de Orde van Verdienste afwees die hem door de president van de republiek werd toegekend, trokken zelfs zijn meest fervente rivalen door zijn slaapvertrek en smeekten hem de voorwaarden van de wapenstilstand te verwerpen en een nieuwe oorlog uit te roepen. Het huis raakte vol met verzoeningsgeschenken. Kolonel Aureliano Buendía, te laat onder de indruk gekomen van de massale steun van zijn vroegere strijdmakkers, wees de mogelijkheid om hen te gerieven niet onmiddellijk van de hand. Integendeel, op zeker moment leek hij zo enthousiast over het idee van een nieuwe oorlog dat hij, althans naar de mening van kolonel Gerineldo Márquez, slechts op een voorwendsel scheen te wachten om de strijd opnieuw op te vatten. Dat voorwendsel bood zich inderdaad aan toen de president van de republiek weigerde de pensioenen uit te keren aan de voormalige tegenstanders, liberaal zowel als conservatief, zolang hun dossiers niet door een speciale commissie waren herzien en zolang de betreffende wet niet door het parlement was goedgekeurd. 'Daarmee doet hij de overeenkomst geweld aan!' bulderde kolonel Aureliano Buendía. 'Zo sterven ze nog van ouderdom, terwijl ze wachten op de post!' Voor de eerste keer verliet hij de schommelstoel die Úrsula voor zijn herstel had aangeschaft en heftig ijsberend door zijn kamer dicteerde hij een in krasse termen gestelde boodschap voor de president van de republiek. In dit telegram, dat nooit openbaar werd gemaakt, wees hij deze eerste schending van het verdrag van Neerlandia nadrukkelijk van de hand en dreigde hij met een oorlog totterdood indien de uitbetaling van de pensioenen niet binnen een termijn van vijftien dagen was geregeld. Zijn optreden was zo terecht, dat hij zelfs had kunnen rekenen op de steun van de voormalige conservatieve troepen. Maar de regering reageerde slechts door het contingent militairen, dat zogenaamd ter bescherming voor de deur van het huis was geplaatst, te versterken en hem alle bezoek te verbieden. Soortgelijke maatregelen werden in het hele land genomen jegens andere gevaarlijke aanvoerders. De operatie geschiedde zo drastisch, zo doeltreffend en zozeer te gelegener tijd, dat toen kolonel Aureliano twee maanden na de wapenstilstand voor genezen werd verklaard, de meest verbeten opruiers al gedood of verbannen waren of zich voor altijd hadden laten inkapselen in het bestuursapparaat.

In december verliet kolonel Aureliano Buendía zijn ziekenkamer en hij hoefde slechts één blik op de waranda te werpen om nooit meer aan een oorlog te willen denken. Met een vitaliteit die op haar leeftijd onmogelijk scheen, was Úrsula het huis nogmaals gaan verjongen. 'Nu zullen ze eens zien wat voor iemand ik ben,' had ze gezegd, toen ze vernam dat haar zoon zou bleven leven. 'Geen huis zal mooier zijn of wijder openstaan voor iedereen dan dit huis vol waanzinnigen.' Ze liet haar woning schoonmaken en schilderen, kocht nieuwe meubelen, bracht de tuin weer in orde, zaaide nieuwe bloemen en wierp deuren en ramen wijd open om de oplichtende helderheid van de zomer zelfs tot in de slaapkamers te laten doordringen. Ze kondigde aan dat de talloze opeenvolgende rouwperioden voorbij waren en ruilde zelfs haar oude, gestrenge kleren voor jeugdiger kledij. Opnieuw werd het huis verblijd met de muziek van de pianola. Op het horen daarvan moest Amaranta weer denken aan Pietro Crespi, aan zijn gardenia van het avonduur, aan zijn lavendelgeur, en diep in haar verwelkte hart bloeide een reine wrok, gezuiverd door de tijd. Toen Úrsula op een middag de huiskamer aan kant trachtte te brengen, riep ze de hulp in van de soldaten die het huis bewaakten. De jonge commandant gaf daarvoor zijn toestemming. Langzaam maar zeker begon Úrsula hun nieuwe taken op te dragen. Ze nodigde hen uit om te komen eten, gaf hun kleren en schoenen en leerde hun lezen en schrijven. Toen de regering de bewaking ophief, bleef een van de soldaten in het huis wonen en hij was haar nog vele jaren van dienst. Op de morgen van nieuwjaarsdag werd de jonge commandant, tot waanzin gedreven om zijn versmade liefde, dood aangetroffen onder het raam van Remedios de Schone.

***

Jaren later, op zijn doodsbed, zou Aureliano Segundo terugdenken aan de regenachtige junimiddag dat hij de slaapkamer binnentrad om kennis te maken met zijn eerste kind. Ofschoon het een futloze en huilerige baby was en alle kenmerken van de Buendía's hem ontbraken, hoefde hij zich geen tweemaal te bedenken om hem een naam te geven.

'Hij zal José Arcadio heten,' zei hij.

Fernanda del Carpio, de knappe vrouw met wie hij een jaar geleden was getrouwd, kon zich daarmee verenigen. Daarentegen kon Úrsula een vaag gevoel van verontrusting niet verhelen. Het hardnekkig herhalen van de namen in de lange geschiedenis van de familie had haar tot enkele gevolgtrekkingen gebracht die naar haar mening onontkoombaar waren. De Aureliano's waren in zichzelf gekeerd, maar beschikten over een helder denkvermogen; de José Arcadio's waren doortastend en impulsief, maar waren getekend door een tragisch lot. De enige gevallen waarbij de indeling onmogelijk was, betroffen José Arcadio Segundo en Aureliano Segundo. Ze leken zo sterk op elkaar en waren in hun kindertijd allebei zo ondeugend, dat zelfs Santa Sofía de la Piedad hen niet uit elkaar kon houden. Op de dag dat ze gedoopt werden had Amaranta hen allebei een armbandje omgedaan, elk met zijn eigen naam, en hen verschillend gekleurde kleren aangetrokken die voorzien waren van hun initialen; maar toen ze eenmaal naar school begonnen te gaan, kwamen ze op het idee om hun kleren en armbandjes te ruilen en elkaar met hun eigen naam aan te spreken. Meester Melchor Escalona, gewend om José Arcadio Segundo te herkennen aan zijn groene hemd, raakte het spoor volkomen bijster bij de ontdekking dat hij de armband van Aureliano Segundo droeg en dat de ander zich daarentegen Aureliano Segundo noemde, ofschoon hij het witte hemd droeg en de armband omhad waarop de naam José Arcadio Segundo stond. Vanaf die tijd wist niemand meer met zekerheid wie wie was. Ook toen ze opgroeiden en het leven hen meer van elkaar deed verschillen, bleef Úrsula zich afvragen of de jongens zelf niet een vergissing hadden begaan tijdens een van hun ingewikkelde verwarringsspelletjes en nu voor altijd met elkaar verwisseld waren. Tot in het begin van hun jongelingsjaren bleven ze twee machines die volmaakt synchroon werkten. Ze werden tegelijkertijd wakker, voelden op hetzelfde moment behoefte om naar de badkamer te gaan, leden aan dezelfde gezondheidsstoornissen en droomden zelfs dezelfde dingen. Thuis, waar iedereen meende dat hun handelingen slechts overeenstemden door hun verlangen om verwarring te scheppen, drong de waarheid pas door op de dag dat Santa Sofía de la Piedad aan de een een glas limonade gaf. Hij had er nog niet van gedronken of de ander zei dat er geen suiker in zat. Santa Sofía de la Piedad, die inderdaad vergeten was er suiker in te doen, vertelde het aan Úrsula. 'Zo zijn ze allemaal,' antwoordde ze zonder verbazing te tonen. 'Getikt vanaf hun geboorte.'

De tijd maakte tenslotte een einde aan alle verwarring. Degene die uit de verwisselingsspelletjes de naam Aureliano Segundo had overgehouden, werd net zo potig als zijn grootvader en degene die met de naam José Arcadio Segundo was blijven zitten, werd net zo benig als de kolonel. Het enige wat ze daarna nog deelden was de sfeer van eenzaamheid die bij de gehele familie behoorde. Misschien was het juist deze mengeling van lichaamsbouw, namen en karakters die Úrsula tot het vermoeden bracht dat ze sinds hun jeugd door elkaar geklutst waren.

Het duidelijkste verschil openbaarde zich onder de oorlog, toen José Arcadio Segundo aan kolonel Gerineldo Márquez vroeg of hij mee mocht om naar de fusilleringen te kijken. Tegen de wens van Úrsula in werd zijn verzoek ingewilligd. Aureliano Segundo daarentegen rilde alleen al bij de gedachte dat hij een executie zou moeten bijwonen. Hij zat liever thuis. Toen hij twaalf jaar was, vroeg hij aan Úrsula wat zich in het zorgvuldig afgesloten kamertje bevond. 'Papieren,' antwoordde ze. 'Het zijn de boeken van Melquíades en de vreemde dingen die hij in zijn laatste levensjaren schreef.' Dit antwoord suste zijn nieuwsgierigheid niet, maar maakte die juist groter. Hij bleef zo lang aandringen en beloofde zo plechtig dat hij niets kapot zou maken, dat Úrsula hem de sleutels gaf. Niemand had het vertrek meer betreden sinds de dag dat ze het lijk van Melquíades hadden weggehaald en op de deur het hangslot hadden aangebracht waarvan de onderdelen nu door roest aaneengesmeed waren. Maar toen Aureliano Segundo de vensters openwierp, viel het licht volkomen vertrouwd naar binnen – alsof het gewend was om het vertrek elke dag te verlichten – en nergens was er een spoor van stof of spinrag te zien; integendeel, alles was schoon en aangeveegd, schoner en beter geveegd dan op de dag van de begrafenis, en de inkt in de inktpot was niet verdroogd en de glans van het metaal was niet door roest gewijzigd en de gloeiende kolen van het distilleerapparaat waarmee José Arcadio Buendía het kwik had laten verdampen, waren nog niet gedoofd. Op de planken lagen de ongerept gebleven manuscripten en de boeken die gekaft waren in een kartonachtig materiaal, zo bleek als gelooide mensenhuid. Ofschoon het vertrek jarenlang op slot was geweest, leek de lucht er zuiverder te zijn dan in de rest van het huis. Alles leek nog onlangs gebruikt en toen Úrsula een paar weken later het kamertje betrad met een bezem en een emmer water om de vloer te schrobben, had ze in feite niets te doen. Aureliano Segundo zat verdiept in een boek. Ofschoon de kaft ervan ontbrak en de titel nergens te vinden was, genoot de jongen uitbundig van de geschiedenis van een vrouw die tafelde door rijstkorreltjes op te pikken met spelden en de geschiedenis van de visser die aan zijn buurman een loodje voor zijn net te leen vroeg en toen had de vis, waarmee hij hem later beloonde, een diamant in zijn maag en van de lamp die aan alle wensen voldeed en van tapijten die vlogen. Vol verwondering vroeg hij aan Úrsula of dat alles waar was en zij antwoordde van ja en dat de zigeuners jaren geleden zulke wonderlijke lampen en vliegende tapijten hadden meegebracht naar Macondo.

'Weet je wat het is,' zuchtte ze. 'De wereld gaat langzamerhand kapot en die dingen zijn er al niet meer.'

Toen Aureliano Segundo klaar was met het boek, waarvan de meeste verhalen zonder einde bleken omdat er bladzijden ontbraken, zette hij zich aan de taak om de manuscripten te ontcijferen. Dat was onmogelijk. De letters leken op wasgoed dat aan de lijn te drogen hing en vertoonden meer overeenkomst met notenschrift dan met taal. Toen hij op een gloeiendhete middag weer in de manuscripten zat te snuffelen, voelde hij plotseling dat hij niet meer alleen was in het vertrek. Tegen de achtergrond van het fel oplichtende venster zat Melquíades, de handen op de knieën. Hij was hooguit veertig jaar. Hij droeg hetzelfde anachronistische vest en dezelfde hoed van ravenvlerken en het vet uit zijn haar, door de hitte tot smelten gebracht, stroomde langs zijn bleke wangen – precies zoals Aureliano en José Arcadio hem gezien hadden toen ze nog kinderen waren. Aureliano Segundo herkende hem onmiddellijk, want deze overgeërfde herinnering was van generatie op generatie doorgegeven en tot hem gekomen vanuit het geheugen van zijn grootvader.

'Gedag,' zei Aureliano Segundo.

'Gedag, jongen,' zei Melquíades.

Vanaf die dag zagen ze elkaar elke middag, verscheidene jaren achtereen. Melquíades vertelde hem over de wereld en probeerde hem te doordringen van zijn oeroude wijsheid, maar hij weigerde de manuscripten te vertalen. 'Zolang er nog geen honderd jaar voorbij zijn gegaan, mag niemand de betekenis ervan weten,' verklaarde hij. Aureliano Segundo hield het geheim van deze gesprekken zorgvuldig voor zich. Op een dag meende hij dat zijn persoonlijke wereldje ineenstortte, want Úrsula kwam binnen op het moment dat Melquíades in de kamer was. Maar ze zag hem niet.

'Met wie praat je?' vroeg ze.

'Met niemand,' antwoordde Aureliano Segundo.

'Zo was je overgrootvader ook,' zei Úrsula. 'Die praatte ook in zichzelf.'

Ondertussen had José Arcadio Segundo zijn pleziertje gehad en een fusillering gezien. Voor de rest van zijn leven zou hem een levendige herinnering bijblijven aan de felle vuurflits van de zes gelijktijdig geloste schoten en aan de echo van het lawaai die stuksloeg tegen de bergen en de trieste glimlach en de verblufte ogen van de gefusilleerde, die rechtop bleef staan terwijl zijn hemd van bloed doordrenkt raakte en die zelfs nog bleef glimlachen toen ze hem losmaakten van de paal en hem in een kist vol kalk legden. 'Hij leeft,' dacht hij. 'Ze gaan hem levend begraven.' Het maakte zoveel indruk op hem, dat hij vanaf dat moment een hevige afkeer voelde van de oorlog en van de militaire praktijken – niet vanwege de terechtstellingen, maar vanwege het gruwelijke gebruik om gefusilleerden levend te begraven. Niemand wist wanneer hij er precies mee begon om de klokken van de kerktoren te luiden en pater Antonio Isabel, de opvolger van *El Cachorro*, als misdienaar terzijde te staan en de vechthanen te verzorgen op de patio van de pastorie. Toen kolonel Gerineldo Marquéz dit hoorde, gaf hij hem een ernstige schrobbering omdat hij een ambtsbediening aanleerde die door de liberalen werd afgekeurd. 'De kwestie is, denk ik, dat ik conservatief ben geworden,' antwoordde de jongen. Hij geloofde het werkelijk, alsof het een beschikking van het noodlot was. Kolonel Gerineldo Márquez, diep geschokt, vertelde het aan Úrsula.

'Des te beter,' zei ze goedkeurend. 'Ik hoop dat hij priester wordt, zodat God eindelijk toegang zal krijgen tot dit huis.'

Al spoedig kwam men te weten dat pater Antonio Isabel hem voorbereidde op de eerste communie. Hij onderwees hem de katechismus terwijl hij op de patio bezig was de hals van zijn vechthanen uit te scheren. Toen ze de broedse kippen op hun nesten plaatsten, legde hij met eenvoudige voorbeelden uit hoe God op de tweede scheppingsdag op het idee was gekomen om kippen binnenin een ei te laten ontstaan. Toen reeds begon de parochieherder de eerste symptomen te vertonen van de seniele aftakeling die hem jaren later zou doen beweren, dat de duivel waarschijnlijk zijn opstand tegen God gewonnen had en dat hij het was, die gezeten was op de hemelse troon – natuurlijk zonder zijn ware identiteit te onthullen teneinde de onbedachtzamen in de val te lokken. Gestaald door de onverschrokkenheid van zijn leermeester, raakte José Arcadio Segundo binnen een paar maanden minstens zo doorkneed in theologische kunstgrepen om de duivel te misleiden als in de fijnere kneepjes van de hanenfokkerij. Amaranta naaide voor hem een linnen pak met boord en das, kocht hem een paar witte schoenen en borduurde zijn naam in gouden letters op het lint van zijn waskaars. Twee dagen voor de eerste communie sloot pater Antonio Isabel zich met de jongen op in de sarcristie om hem de biecht te horen met behulp van een zondenregister. De lijst was zo lang dat de bejaarde parochieherder, gewend om tegen zessen naar bed te gaan, reeds lang voor het einde in slaap sukkelde in zijn stoel. Voor José Arcadio Segundo was deze ondervraging een openbaring. Het verbaasde hem niet dat de priester hem vroeg of hij slechte dingen had uitgehaald met vrouwen en hij antwoordde in alle eerlijkheid ontkennend, maar hij stond versteld van de vraag of hij ze soms had gedaan met dieren. Op de eerste vrijdag van mei ontving hij de communie, gekweld door nieuwsgierigheid. Later stelde hij zijn brandende vraag aan Petronio, de ziekelijke koster die in de kerktoren woonde en van wie men zei dat hij zich voedde met vleermuizen, en Petronio antwoordde: 'Zie je, er zijn verdorven christenen die klaar komen met ezelinnen.' José Arcadio Segundo bleef blijk geven van zoveel nieuwsgierigheid en vroeg zoveel nadere verklaringen, dat Petronio tenslotte zijn geduld verloor.

'Ik ga altijd op dinsdagnacht,' bekende hij. 'Als je belooft dat je het aan niemand vertelt, neem ik je aanstaande dinsdag mee.'

De eerstvolgende dinsdag daalde Petronio inderdaad uit zijn toren af met een houten bankje waarvan niemand tot nu toe begrepen had waarvoor het diende en hij nam José Arcadio Segundo mee naar een nabijgelegen boomgaard. De jongen raakte zozeer gehecht aan deze nachtelijke uitstapjes, dat het lange tijd duurde voordat men hem in de kroeg van Catarino zag verschijnen. Hij legde zich toe op de hanenfokkerij. 'Breng die beesten ergens anders heen,' beval Úrsula hem, toen ze hem voor de eerste keer met zijn prachtige dieren zag binnenkomen. 'Vechthanen hebben al teveel ellende over dit huis gebracht, dus zul jij er niet nog meer rampen aan toevoegen.' José Arcadio Segundo nam zijn dieren zonder tegenstribbelen weer mee, maar bleef ze fokken bij Pilar Ternera, zijn grootmoeder, die hem alles gaf wat hij nodig had om hem maar bij zich in huis te hebben. Al gauw gaf hij op de hanenmat blijk van de wijsheid die pater Antonio Isabel hem had ingegoten en beschikte hij over voldoende middelen om niet alleen zijn hanenrassen te verbeteren maar ook om te voorzien in al zijn behoeften als man. Úrsula vergeleek hem in die tijd vaak met zijn broer en ze kon maar niet begrijpen hoe de tweelingen, die in hun kindertijd slechts één persoon hadden geleken, tenslotte zo verschillend waren geworden. Die verbazing duurde echter niet lang, want al spoedig begon Aureliano Segundo de eerste tekenen te vertonen van luiheid en losbandigheid. Zolang hij zich had opgesloten in het kamertje van Melquíades, was hij een eenzelvige jongeman geweest, net als kolonel Aureliano Buendía in zijn jonge jaren. Maar kort voor het verdrag van Neerlandia gebeurde er iets wat hem uit zijn teruggetrokkenheid losmaakte en hem tegenover de werkelijkheid van de wereld plaatste. Een jonge vrouw die nummertjes verkocht voor de verloting van een accordeon, groette hem op zeer vertrouwelijke wijze. Dat verbaasde Aureliano Segundo niet, want het gebeurde regelmatig dat men hem voor zijn broer versleet.

196

Maar hij besloot het misverstand niet op te helderen, zelfs niet toen het meisje zijn hart onder gesnik trachtte te vermurwen en hem tenslotte meenam naar haar kamer. Reeds vanaf die eerste ontmoeting raakte ze zozeer op hem gesteld, dat ze bedrog pleegde bij de verloting om hem de accordeon te laten winnen. Na twee weken drong het tot Aureliano Segundo door, dat de vrouw beurtelings met hem en met zijn broer naar bed was geweest, in de mening dat ze een en dezelfde man waren; maar in plaats dat hij de situatie uitlegde, nam hij maatregelen om hem te laten voortbestaan. Hij ging niet meer naar het kamertje van Melquíades. Hij bracht zijn middagen door op de patio, waar hij de accordeon op het gehoor leerde bespelen ondanks de protesten van Úrsula, die in die tijd alle muziek in huis had verboden vanwege de rouwperioden en die bovendien slechts minachting had voor de accordeon, omdat dat instrument alleen maar paste bij de zwervers die het voetspoor drukten van Francisco de Man. Ondanks dat werd Aureliano Segundo tenslotte een meester op de accordeon en dat bleef hij ook nadat hij getrouwd was en kinderen kreeg en een van de meest geëerde mensen van Macondo werd.

Bijna twee maanden lang deelde hij de vrouw met zijn broer. Hij ging al diens gangen na, rafelde zijn plannen uit en wanneer hij er zeker van was dat José Arcadio Segundo die nacht hun gemeenschappelijke minnares niet zou bezoeken, ging hij zelf met haar slapen. Op een ochtend ontdekte hij dat hij ziek was. Twee dagen later trof hij zijn broer aan in de badkamer waar hij zich vastklampte aan een balk, badend in het zweet en tranen met tuiten huilend. Toen begreep hij het. Zijn broer bekende hem dat de vrouw hem had weggestuurd omdat hij haar besmet had met wat zij een slechte ziekte noemde. Hij vertelde bovendien hoe Pilar Ternera hem trachtte te genezen. Aureliano Segundo onderwierp zich in het geheim aan een behandeling met urinedrijvende wateren en schrijnende afwassingen met permanganaat en beide broers genazen, afzonderlijk van elkaar, na drie maanden vol heimelijk lijden. José Arcadio Segundo keerde niet meer naar de vrouw terug. Aureliano Segundo wist haar vergiffenis te verkrijgen en bleef met haar omgaan tot aan zijn dood.

Ze heette Petra Cotes. Onder de oorlog was ze in Macondo beland met een toevallig echtgenoot die leefde van loterijen en toen de man stierf, had ze het bedrijf voortgezet. Het was een schone, jonge mulattin met gele, amandelvormige ogen die haar gezicht de woestheid van een panter verleenden, maar ze bezat een edelmoedig hart en een wonderbaarlijke roeping voor de liefde. Toen het tot Úrsula doordrong dat José Arcadio Segundo van hanengevechten leefde en Aureliano Segundo accordeon speelde op de rumoerige feesten van zijn bijslaap, dacht ze dat ze gek werd van schaamte. Het was alsof de beide jongemannen alle fouten van de familie in zich verenigd hadden en juist geen enkele deugd. Toen besloot ze dan ook dat voortaan niemand meer Aureliano of José Arcadio genoemd mocht worden. Maar toen Aureliano Segundo zijn eerste kind kreeg, waagde ze het niet om tegen zijn wens in te gaan.

'Goed dan,' zei Úrsula. 'Maar op één voorwaarde: ik zal zijn opvoeding op mij nemen.'

Ofschoon ze al honderd jaar was en op het punt stond blind te worden van de grauwe staar, waren haar lichamelijke energie, haar rechtschapen karakter en haar geestelijke evenwichtigheid behouden gebleven. Niemand was beter geschikt dan zij om de deugdzame man groot te brengen die het aanzien van de familie zou moeten herstellen, een man die nooit zou horen praten over oorlog, vechthanen, slechte vrouwen en dolzinnige ondernemingen, vier rampzaligheden die volgens Úrsula het verval van haar geslacht hadden bepaald. 'Deze zal priester worden,' beloofde ze plechtig. 'En als God mij lang genoeg in leven laat, zal hij het tot Paus brengen.' Bij het horen daarvan barstte iedereen in lachen uit, niet alleen in de slaapkamer maar in het hele huis, waar de luidruchtige vrienden van Aureliano Segundo zich verzameld hadden. De oorlog, sinds lang verbannen naar de zolder van de slechte herinneringen, werd weer even in gedachten geroepen door het knallen van de champagnekurken.

'Op de gezondheid van de Paus!' toostte Aureliano Segundo.

De genodigden toostten in koor terug. Daarna speelde de heer des huizes op zijn accordeon, spatten de vuurpijlen uiteen

198

en werd in het hele dorp de trom geroerd als uiting van vreugde. Bij het aanbreken van de dag slachtten de in champagne gedrenkte genodigden een zestal koeien en stelden die op straat ter beschikking van het publiek. Niemand beschouwde dit alles als een schandaal. Sinds Aureliano Segundo zich met de leiding van het huis had belast, waren dergelijke feesten aan de orde van de dag – ook als er een minder gerede aanleiding voor bestond dan de geboorte van een Paus. Binnen een paar jaar tijd had hij, zonder er moeite voor te doen en slechts door puur geluk, een van de grootste fortuinen van het moerasgebied vergaard dank zij de bovennatuurlijke voortplantingssnelheid van zijn dieren. Zijn merries wierpen drie jongen tegelijk, zijn kippen legden tweemaal per dag en zijn varkens werden zo onbesuisd vet dat men – afgezien van magische kunstgrepen – eenvoudig geen verklaring wist voor zo'n buitensporige vruchtbaarheid. 'Nu moet je sparen,' zei Úrsula tot haar onbezonnen achterkleinzoon. 'Dit geluk zal niet je hele leven blijven duren.' Maar Aureliano Segundo luisterde niet naar haar. Hoe meer champagneflessen hij ontkurkte om zichzelf en zijn vrienden te bezatten, des te onstuimiger wierpen zijn dieren hun jongen en des te meer raakte hijzelf ervan overtuigd dat zijn goede gesternte niet te wijten was aan zijn eigen handelingen maar aan de invloed van Petra Cotes, zijn minnares, wier liefde de eigenschap bezat om de natuur zelf tot vertwijfeling te brengen. Hij was er zo zeker van dat dit de oorzaak van zijn voorspoed was, dat hij Petra Cotes nooit verre van zijn fokdieren hield en toen hij eenmaal getrouwd was en kinderen had bleef hij, met medeweten van Fernanda, nog steeds zijn leven met haar delen. Aureliano Segundo – even stevig en kolossaal gebouwd als zijn grootvader en zijn overgrootvader, maar met een levenslust en een onweerstaanbare innemendheid die zij niet bezaten – kreeg nauwelijks de tijd om zijn veestapel te tellen. Hij hoefde Petra Cotes slechts mee te nemen naar zijn fokbedrijven of haar te paard over zijn landerijen te laten gaan om te bewerken dat elk dier, dat met zijn ijzer gebrandmerkt was, ten prooi viel aan de onstuitbare epidemie van de voortplanting.

Zoals alle goede dingen die hen tijdens hun lange leven gevielen, vond ook deze ongehoorde voorspoed zijn oorsprong in een toevalligheid. Tot aan het einde van de oorlog had Petra Cotes zich onderhouden van de opbrengst van haar verlotingen en Aureliano Segundo speelde het klaar om zo nu en dan de spaarpotten van Úrsula te legen. Samen vormden ze een lichtzinnig paar en hun enige zorg was om elke nacht met elkaar te kunnen slapen, ook op de data dat dit verboden was, en dan in bed rond te dartelen tot het ochtendgloren. 'Die vrouw heeft je tot de ondergang gebracht!' kreet Úrsula tot haar achterkleinzoon, als ze hem als een slaapwandelaar thuis zag komen. 'Ze heeft je zozeer behekst, dat ik je een dezer dagen nog zie krimpen van de darmkolieken, met een pad in je buik!' José Arcadio Segundo, die pas na lange tijd de persoonsverwisseling had ontdekt, kon de hartstocht van zijn broer maar niet begrijpen. Hij herinnerde zich Petra Cotes als een onopvallende vrouw, eerder een beetje lui in bed en totaal gespeend van de fijnste kneepjes van de liefde. Maar Aureliano Segundo bleef doof voor de jammerklachten van Úrsula en de spotternijen van zijn broer; hij kende in die tijd slechts één gedachte, namelijk om een beroep te vinden dat hem in staat zou stellen om samen met Petra Cotes een eigen huis te hebben en dan met haar, op haar en onder haar te sterven in een nacht van koortsachtig genot dat alle grenzen overschreed. Toen kolonel Aureliano Buendía, eindelijk verlokt door de vredige bekoringen van de ouderdom, zijn werkplaats tenslotte weer opende, meende Aureliano Segundo dat het geen slechte zaak zou zijn om zich te wijden aan het vervaardigen van gouden visjes. Hij bracht vele uren door in het smoorhete vertrekje en keek toe hoe de harde metalen plaatjes, door de kolonel bewerkt met het onpeilbare geduld der ontgoochelden, langzaam maar zeker veranderden in vergulde schubben. Het leek hem zulk moeizaam werk en de gedachte aan Petra Cotes bleef hem zo indringend achtervolgen, dat hij na drie weken alweer uit de zilversmidse verdween. Omstreeks die tijd kwam Petra Cotes op het idee om konijnen te gaan verloten. De dieren vermenigvuldigden zich zo snel en werden zo gauw volwassen, dat ze nauwelijks de tijd kreeg om haar lootjes te verkopen. In het begin bemerkte Aureliano Segundo niets van de onrustbarende afmetingen van deze vermenigvuldiging. Maar op een nacht, toen men in het hele dorp al geen woord meer wilde horen over konijnenloterijen, hoorde hij een groot lawaai tegen de muur van de patio.

'Schrik maar niet,' zei Petra Cotes. 'Dat zijn de konijnen.'

Ze konden niet meer slapen, gekweld door het rumoer dat de dieren maakten. Bij het aanbreken van de dag deed Aureliano Segundo de deur open en toen zag hij dat de patio als geplaveid was met konijnen die blauwachtig glansden in het licht van de dageraad. Petra Cotes lachte zich een ongeluk en kon de verleiding niet weerstaan om hem voor de gek te houden.

'Deze zijn sinds gisteravond geboren,' zei ze.

'Grote genade!' zei hij. 'Waarom probeer je het niet met koeien?'

Een paar dagen later trachtte Petra Cotes wat ruimte te maken op haar patio en ze ruilde de konijnen voor een koe, die twee maanden daarna een drieling ter wereld bracht. Zo begon het allemaal. Van de ene op de andere dag werd Aureliano Segundo de eigenaar van landerijen en veestapels en hij had nauwelijks tijd genoeg om zijn overvolle paardenstallen en varkenskotten uit te breiden. Het was een brooddronken welvaartsgolf waarom hij zelf moest lachen en hij wist niet beter dan zich over te geven aan de wildste uitspattingen om zijn plezier bot te vieren. 'Uit de weg, koeien, want het leven is kort!' brulde hij. Úrsula vroeg zich af in wat voor nesten hij zich had gestoken, als hij geen struikrover was geworden en niet vervallen was tot veedief; telkens wanneer ze hem de champagne zag aanbreken, louter voor de lol om het schuim over zijn hoofd te laten lopen, verweet ze hem luidkeels de verkwisting. Ze bleef hem zozeer lastigvallen dat Aureliano Segundo op een dag, toen hij ontwaakt was met een meer dan sprankelend humeur, kwam aandragen met een kist geld, een blik stijfsel en een kwast en het huis van boven tot onder en van binnen en van buiten begon te beplakken met biljetten van een peso, terwijl hij uit volle borst de oude liedjes van Francisco de Man zong. Het oude huis, witgeschilderd sinds de tijd dat men er de pianola aflleverde, verkreeg het bedrieglijke uiterlijk van een moskee. Ondanks de opschudding in de familie, de beschaamdheid van Úrsula, de uitgelatenheid van het publiek dat zich op straat verdrong om maar niets te missen van deze ode aan de verspilling, beplakte Aureliano Segundo het gehele huis van de voorgevel tot en met de keuken, bad- en slaapkamers inbegrepen, waarna hij de overgebleven biljetten uitstrooide op de patio.

'Ziezo,' zei hij tenslotte. 'En nu hoop ik dat niemand in dit huis nog eens over geld begint te zeuren.'

Zo ging dat. Úrsula liet de bankbiljetten, waaraan grote plakken kalk kleefden, van de muren weken en het huis opnieuw wit schilderen. 'Mijn God,' bad ze, 'maak ons weer even arm als toen we dit dorp stichtten, opdat u ons voor deze verkwisting niet zult laten boeten in het hiernamaals.' Haar smeekbeden werden verhoord, maar in tegengestelde zin. Een van de arbeiders die de bankbiljetten afweekten stootte per ongeluk tegen een enorme gipsen Sint Jozef die in de laatste jaren van de oorlog door iemand in het huis was achtergelaten en het holle beeld sloeg in stukken tegen de grond. Het zat propvol gouden munten. Niemand kon zich herinneren wie deze levensgrote heilige had gebracht. 'Het waren drie mannen,' verklaarde Amaranta. 'Ze vroegen of wij het wilden bewaren tot de regen over was en ik zei dat ze het hier konden neerzetten, in de hoek, waar niemand er tegenaan zou lopen, en toen hebben ze het er heel voorzichtig neergezet en sindsdien heeft het er gestaan, maar ze zijn het nooit meer komen ophalen.' De laatste tijd had Úrsula menigmaal een kaars bij het beeld opgestoken en was ze ervoor neergeknield zonder te vermoeden dat ze geen heilige aanbad maar bijna tweehonderd kilo goud. Het vertraagde besef van haar ongewilde afgodendienst kon haar verslagenheid slechts vergroten. Ze spuwde op de verbijsterende hoop goudstukken, schepte ze in drie zeildoeken zakken en begroef die op een geheime plaats totdat de drie onbekenden het geld vroeg of laat zouden komen opeisen. Nog lang nadien, in de moeilijke jaren van haar hoge ouderdom, placht Úrsula zich te mengen in de gesprekken van de talloze reizigers die toen door het huis trokken en dan vroeg ze hen of ze tijdens de oorlog soms een gipsen Sint Jozef hadden achter-

gelaten om te bewaren totdat de regen was opgehouden.
Dit soort dingen, die Úrsula zozeer van streek brachten, waren in die tijd schering en inslag. Macondo liep verloren in een wonderbaarlijke welvaart. De uit leem en riet opgetrokken hutten van de stichters waren vervangen door bakstenen gebouwen met houten blinden en cementen vloeren die de verstikkende hitte om twee uur 's middags draaglijker maakten. Van het oude dorp van José Arcadio Buendía restten nog slechts de stoffige amandelbomen, voorbestemd om zelfs de moeilijkste omstandigheden het hoofd te bieden, en de rivier met de doorschijnende wateren, waarvan de prehistorische stenen vergruizeld werden door de bezeten steenhouwershamers van José Arcadio Segundo toen deze zich tot taak had gesteld om de bedding te zuiveren teneinde een bootdienst in te stellen. Het was een krankzinnige droom, slechts te vergelijken met die van zijn overgrootvader, want de steenachtige bedding en de talloze versperringen in de stroom verhinderden de doortocht van Macondo naar de zee. Maar in een onvoorziene opwelling van stoutmoedigheid wierp José Arcadio Segundo zich op dit plan. Tot dan toe had hij nooit blijk gegeven van enige verbeeldingskracht. Behalve zijn hachelijke avontuur met Petra Cotes had hij zich nooit tot een vrouw bekend. Úrsula beschouwde hem al als het tamste exemplaar dat de familie in zijn lange geschiedenis had voortgebracht, iemand die zelfs niet in staat was om op te vallen als onruststoker bij de hanengevechten, maar toen vertelde kolonel Aureliano Buendía hem de geschiedenis van het Spaanse galjoen dat op twaalf kilometer van de zee gestrand was en welks verkoolde spanten hijzelf tijdens de oorlog had gezien. Het verhaal, dat al zolang door zoveel mensen als fantasie werd beschouwd, was voor José Arcadio Segundo een ware openbaring. Hij deed zijn hanen over aan de meestbiedende, kocht gereedschappen, nam mensen in dienst en stortte zich op de gigantische taak om stenen te verpulveren, kanalen te graven, klippen te verwijderen en zelfs watervallen te slechten. 'Dat ken ik al uit mijn hoofd!' jammerde Úrsula. 'Het lijkt wel of de tijd rondjes draait en of we weer bij het begin zijn gekomen.' Zodra José Arcadio Segundo meende dat de rivier bevaarbaar was geworden, legde hij aan

zijn broer een omstandige uiteenzetting van zijn plannen voor en deze bezorgde hem het geld dat hij voor zijn onderneming nodig had. Daarna verdween hij voor lange tijd. Er werd al gefluisterd dat zijn plan om een boot te kopen niets anders was geweest dan een handigheidje om er met het geld van zijn broer vandoor te gaan, toen het bericht de ronde deed dat een merkwaardig vaartuig het dorp naderde. De inwoners van Macondo, die zich de reusachtige ondernemingen van José Arcadio Buendía al niet meer herinnerden, renden hals over kop naar de oever en aanschouwden met ogen vol ongeloof de aankomst van het eerste en tevens laatste vaartuig dat ooit in het dorp aanlegde. Het was niet meer dan een vlot van boomstammen, aan twintig dikke kabels voortgetrokken door twintig mannen die langs de oever liepen. José Arcadio Segundo, een glans van diepe tevredenheid in de ogen, stond op de voorplecht en leidde de tijdrovende manoeuvre. Met hem kwam een groep prachtige vrouwen mee die zich tegen de gloeiende zon beschermden met opzichtige parasols en die kostbare zijden omslagdoeken om hun schouders hadden en kleurige crèmes op hun gezicht en echte bloemen in hun haar en gouden slangen om hun armen en diamanten in hun gebit. Het vlot van boomstammen was het enige vaartuig dat José Arcadio Segundo stroomopwaarts wist te krijgen tot aan Macondo en dan nog slechts voor één keer, maar nooit gaf hij toe dat zijn onderneming schipbreuk had geleden; integendeel, hij schilderde zijn heldendaad af als een overwinning van zijn wilskracht. Uiterst nauwgezet legde hij rekening en verantwoording af tegenover zijn broer, waarna hij zich al gauw weer op de beslommeringen van zijn vechthanen wierp. Het enige wat van deze ongelukkige onderneming overbleef, was het zuchtje van vernieuwing dat was meegekomen met de Franse dames, wier schitterende kunsten een duidelijke verandering brachten in de traditionele methoden van de liefde en wier opvattingen over gezelligheid al spoedig een eind maakten aan de verouderde kroeg van Catarino en de straat veranderden in één grote bazaar vol Japanse lantaarntjes en weemoedige orgeltjes. Zij waren ook de aanstichters van het bloedige carnavalsfeest dat Macondo drie dagen lang in vervoering bracht en welks enige blijvende resultaat daarin bestond, dat het Aureliano Segundo de gelegenheid bezorgde om Fernanda del Carpio te leren kennen.

Remedios de Schone werd tot koningin uitgeroepen. Úrsula, wie de schrik om het hart sloeg bij de verontrustende schoonheid van haar achterkleindochter, kon deze uitverkiezing niet voorkomen. Tot dan toe had ze kunnen bewerken dat het meisje niet op straat kwam, tenzij om met Amaranta naar de mis te gaan en dan verplichtte ze haar nog om het gezicht te bedekken met een zwarte mantilla. De minst godvruchtige mannen – zij die zich in de kroeg van Catarino als priester verkleedden om heiligschennende missen op te dragen – trokken naar de kerk met als enige bedoeling een blik te slaan, al was het slechts voor één tel, op het gelaat van Remedios de Schone, over wier legendarische schoonheid met onthutst enthousiasme werd gesproken in de hele omstreek van het moeras. Het duurde lange tijd voordat ze daarin slaagden en toen hadden ze liever gehad dat de gelegenheid ertoe hen nooit geboden was, want de meesten konden sindsdien nooit meer rustig de slaap vatten. De man die het mogelijk maakte, een vreemdeling, verloor voor altijd zijn zelfbeheersing, raakte verstrikt in poelen van laagheid en ellende en werd jaren later door een nachttrein in stukken gereten toen hij in slaap was gevallen op de rails. Vanaf het moment dat men hem in de kerk zag verschijnen, gekleed in een kostuum van groen fluweel en een rijk geborduurd vest, kon er geen twijfel over bestaan dat hij, aangetrokken door de magische bekoorlijkheid van Remedios de Schone, van zeer ver was gekomen, wellicht zelfs uit een afgelegen stad in het buitenland. Hij was zo knap, zo waardig en zelfverzekerd, en zijn voorkomen was zo voornaam, dat Pietro Crespi naast hem op een zevenmaandskindje zou hebben geleken en vele vrouwen fluisterden met een smartelijke glimlach dat hij het was, die in feite de mantilla diende te dragen. Hij bemoeide zich met niemand in Macondo. Elke zondag kwam hij opdagen, vroeg in de morgen, als een sprookjesprins, op een paard met zilveren stijgbeugels en fluwelen schabrakken, en na de mis verliet hij het dorp onmiddellijk weer.

Zijn aanwezigheid was zo indrukwekkend dat men, reeds

vanaf zijn allereerste verschijnen in de kerk, het voor een uitgemaakte zaak hield dat tussen hem en Remedios de Schone een onuitgesproken, gespannen tweestrijd was gerezen, een geheime krachtmeting, een onherroepelijk duel dat zijn hoogtepunt niet slechts zou vinden in de liefde maar ook in de dood. Op de zesde zondag verscheen de vreemde heer met een gele roos in zijn hand. Staande woonde hij de mis bij, zoals hij altijd deed, en na afloop plaatste hij zich op de weg van Remedios de Schone en bood haar de enkele roos aan. Ze nam de bloem in ontvangst met een ongekunsteld gebaar, alsof ze op dit eerbetoon voorbereid was, en toen onthulde ze een ogenblik lang haar gezicht om hem met een glimlach te bedanken. Dat was alles wat ze deed. Maar het was een ogenblik met eeuwigheidswaarde, niet alleen voor de vreemde heer maar voor alle mannen die het ongelukkige voorrecht hadden het te beleven.

Vanaf die dag plaatste de vreemdeling een orkestje onder het raam van Remedios de Schone en liet het daar soms tot aan het ochtendgloren. Aureliano Segundo was de enige die een oprecht medeleven met hem voelde en hij trachtte hem van zijn standvastige houding af te brengen. 'Verdoe uw tijd niet langer,' zei hij op een nacht tegen hem. 'De vrouwen van dit huis zijn koppiger dan muilezels.' Hij bood hem zijn vriendschap aan, nodigde hem uit om te zwelgen in champagne, trachtte hem te doen begrijpen dat de vrouwen van zijn familie vanbinnen uit kiezelstenen bestonden, maar slaagde er niet in zijn koppigheid te doorbreken. Kolonel Aureliano Buendía, buiten zichzelf gebracht door de eindeloze nachtelijke muziek, dreigde hem van zijn aandoening te genezen met pistoolschoten. Niets kon hem aan h· t wankelen brengen, behalve de betreurenswaardige toestand van zedelijk verval waarin hijzelf vergleed. Van een keurig en onberispelijk man werd hij tot een sjofel en verachtelijk sujet. Het gerucht ging dat hij zijn machtspositie en zijn fortuin veronachtzaamde in zijn verre vaderland, ofschoon men zijn afkomst in feite nooit te weten kwam. Hij werd een vechtersbaas, een kroegloper, en werd 's morgens besmeurd met zijn eigen uitwerpselen wakker in de kroeg van Catarino. Het treurigste van deze tragedie was wel, dat Remedios de Schone niet eens naar hem keek, zelfs niet wanneer hij zich vorstelijk gekleed in de kerk vertoonde. Ze had de gele roos niet uit boosaardigheid in ontvangst genomen, maar eerder geamuseerd door de buitensporigheid van het gebaar en ze had de mantilla slechts opgeheven om beter in zijn gezicht te kunnen kijken en niet om het hare te vertonen.

In werkelijkheid was Remedios de Schone niet van deze wereld. Tot ver in haar puberteitsjaren moest Santa Sofía de la Piedad haar nog wassen en aankleden en ook toen zij eenmaal zichzelf kon helpen, moest men erop toezien dat ze geen beestjes op de muren schilderde met een stokje dat ze in haar eigen uitwerpselen had gedoopt. Op twintigjarige leeftijd kon ze nog niet lezen of schrijven of zich aan tafel van het eetgerei bedienen, terwijl ze altijd naakt door het huis liep omdat haar aard zich verzette tegen alle maatschappelijke conventies. Toen de jonge commandant van de bewakingspatrouille haar zijn liefde verklaarde, wees ze hem eenvoudig af omdat zijn wereldsheid haar verbaasde. 'Wat een dwaas is dat,' zei ze tegen Amaranta. 'Stel je voor – hij zegt dat hij doodgaat door mij, alsof ik een soort darmkoliek ben!' Toen men hem inderdaad dood aantrof onder haar raam, zag Remedios de Schone haar aanvankelijke indruk slechts bevestigd.

'Zie je wel,' verklaarde ze. 'Hij was volkomen dwaas.'

Het leek of een indringende helderheid haar in staat stelde om achter alle dingen de werkelijkheid te zien die elk formalisme oversteeg. Dat was tenminste de zienswijze van kolonel Aureliano Buendía, voor wie Remedios de Schone in geen enkel opzicht geestelijk onvolwaardig was, zoals men meende, maar juist het tegendeel daarvan. 'Het is of ze is thuisgekomen na twintig jaar oorlog,' zei hij altijd. Úrsula daarentegen dankte God dat hij de familie had beloond met een schepsel van buitengewone zuiverheid; maar tegelijkertijd maakte zij zich zorgen over haar schoonheid, want dat leek haar een tegenstrijdige deugd, een duivelse valstrik temidden van de onschuld. Dus had ze besloten haar gescheiden te houden van de wereld, haar te behoeden voor alle aardse verleidingen, zonder te beseffen dat Remedios de Schone reeds vanaf de moederschoot gevrijwaard was voor elke besmetting. Het zou nooit in haar hoofd zijn opgekomen om het meisje tot schoonheidsko- ningin te laten kiezen temidden van het tumult van een carna- valsfeest, maar Aureliano Segundo, verlokt door het doldrieste verlangen om zich als tijger te vermommen, sleepte pater An- tonio Isabel mee naar huis om Úrsula ervan te overtuigen dat het carnaval geen heidens feest was, zoals zij beweerde, maar een katholieke traditie. Toen ze eindelijk overtuigd was, of- schoon na veel tegenstribbelen, gaf ze haar toestemming voor de kroning.

Het bericht dat Remedios Buendía de vorstin van het feest zou zijn, overschreed binnen een paar uur de grenzen van het moerasgebied, drong door tot in verre streken waar men de onmetelijke betovering van haar schoonheid niet kende en wekte de argwaan op van diegenen die haar familienaam nog altijd beschouwden als een symbool van opstandig gewroet. Die argwaan was ongegrond. Als iemand in die tijd ongevaar- lijk was, was het wel de oude en ontgoochelde kolonel Aure- liano Buendía, die langzaam maar zeker elk contact met de werkelijke toestand in het land had verloren. Hij sloot zich op in zijn atelier en zijn betrekkingen met de rest van de wereld bestonden slechts uit de handel in gouden visjes. Een van de voormalige soldaten die in de eerste dagen van de vrede zijn huis hadden bewaakt, trok er op uit om ze te verkopen in de dorpen van het moeras en keerde dan beladen met geld en met nieuwtjes terug: dat de conservatieve regering, geholpen door de liberalen, bezig was de kalender te veranderen zodat elke president honderd jaar aan de macht zou zijn; dat het concor- daat met de Heilige Stoel eindelijk getekend was en dat er uit Rome een kardinaal was gekomen met een kroon van diaman- ten en een massief gouden troon en dat de liberale ministers zich hadden laten fotograferen terwijl ze geknield zijn ring kusten; dat de voornaamste danseres van een Spaans gezel- schap, op doorreis door de hoofdstad, uit haar kleedkamer was ontvoerd door een groep gemaskerde mannen en dat ze de zon- dag daarop spiernaakt had gedanst in de zomerresidentie van de president van de republiek. 'Praat me niet van politiek,' zei de kolonel tot hem. 'Onze taak is het verkopen van visjes.' Het allerwegen gefluisterde gerucht dat hij niets meer van de situatie in het land wilde weten omdat hij steenrijk werd met zijn zilversmidse, wekte bij Úrsula slechts de lachlust op toen het haar ter ore kwam. Zij, met haar verschrikkelijke nuchterheidszin, begreep totaal niets van de handel van de kolonel, die gouden visjes omruilde voor goudstukken en daarna de goudstukken weer in visjes veranderde, steeds opnieuw, zodat hij telkens harder moest werken naarmate hij meer verkocht en dat dan slechts om te voldoen aan een uitputtende vicieuze cirkel. In werkelijkheid gold voor hem niet de handel, maar het werk zelf. Het aaneenrijen van de schubben, het inleggen van de minuscule robijntjes in de oogholten, het pletten van de kieuwen en het aanbrengen van de vinnen kostte hem zoveel concentratie, dat hem geen ledig ogenblik overbleef om te vullen met de teleurstellingen van de oorlog. De aandacht die voor zijn uiterst nauwkeurige handwerk vereist was slokte hem zozeer op, dat hij in korte tijd sterker verouderde dan in al die oorlogsjaren; zijn werkhouding knakte zijn ruggegraat en het priegelwerk bedierf zijn gezichtsvermogen, maar zijn onverbiddelijke geconcentreerdheid beloonde hem met de vrede des harten. De laatste keer dat hij zich bemoeide met iets wat verband hield met de oorlog, was, toen een groep veteranen uit beide kampen zijn hulp inriep om de uitkering te verkrijgen van de lijfrenten, die altijd werden beloofd en altijd op hun punt van vertrek bleven steken. 'Vergeet het maar,' zei hij tot hen. 'Ik heb mijn eigen pensioen van de hand gewezen, zoals je ziet, omdat ik mezelf de kwelling wilde besparen om er tot aan mijn dood op te moeten wachten.' In het begin kwam kolonel Gerineldo Márquez tegen het vallen van de avond bij hem op bezoek en dan gingen ze samen aan de voordeur zitten om wat na te praten over het verleden. Maar Amaranta kon de herinneringen niet verdragen die bij haar werden opgeroepen door deze vermoeide man, wiens kaalhoofdigheid hem al te onstuimig in de afgrond van een vroegtijdige ouderdom had geworpen, en ze plaagde hem met onterechte grofheden totdat hij nog slechts bij bijzondere gelegenheden kwam en tenslotte geheel wegbleef, geveld door verlammingen. Zwijgzaam, in zichzelf gekeerd, ongevoelig voor de geest van nieuwe vitaliteit die het huis in beroering bracht, kwam kolonel Aureliano Buendía moeizaam tot het besef dat het geheim van de ouderdom uit niets anders bestaat dan een eerzaam verdrag met de eenzaamheid. Om vijf uur in de morgen werd hij wakker uit een lichte slaap, nam in de keuken zijn eeuwige kop bittere koffie, sloot zich voor de rest van de dag op in zijn werkplaats en slofte om vier uur 's middags over de waranda, een krukje achter zich aanslepend en zonder aandacht te schenken aan het laaien van de rozestruiken of aan de glans van het middaguur of aan de onverzettelijkheid van Amaranta, wier zwaarmoedigheid een geluid als van een ijzeren kookpot maakte dat in de avondschemering duidelijk hoorbaar was, en dan zette hij zich aan de voordeur zolang de muggen hem dat toestonden. Eenmaal waagde iemand het zijn eenzaamheid te verstoren.

'Hoe maakt u het, kolonel?' vroeg hij in het voorbijgaan.

'Hier,' antwoordde hij. 'Ik wacht tot mijn begrafenis voorbijkomt.'

Zodat de onrust, ontstaan doordat zijn naam wegens Remedios' kroning weer in het openbaar was gekomen, in feite elke grond miste. Maar velen geloofden dat niet. Onkundig van de tragedie die hen wachtte, stroomden de mensen in een lawaaierige uitbarsting van vrolijkheid het dorpsplein op. Het carnaval had het toppunt van uitgelatenheid bereikt en Aureliano Segundo had eindelijk zijn droom om als tijger vermomd te gaan werkelijkheid zien worden en doolde dolgelukkig door de opgetogen menigte, schor van het vele brullen, toen op de weg door het moeras een omvangrijke carnavalsoptocht verscheen die op een vergulde draagstoel de meest oogverblindende vrouw meevoerde die men zich maar kon voorstellen. Een ogenblik lang namen de vredelievende inwoners van Macondo hun maskers af om beter te kunnen kijken naar dit stralende, met een hermelijnen mantel en een kroon vol smaragden getooide wezen, dat bekleed scheen met gewettigde gezagvolheid en niet slechts met een koninklijke waardigheid van lovertjes en crêpepapier. Iedereen was scherpzinnig genoeg om te vermoeden dat het hier om een uitdaging ging. Maar Aureliano Segundo zette zich onmiddellijk over zijn verbijstering heen, verklaarde de nieuw aangekomenen tot eregasten en velde een Salomonsoordeel door Remedios de Schone en de koninklijke indringster tezamen op hetzelfde podium te zetten. Tot middernacht namen de vreemdelingen, die als bedoeïenen vermomd waren, van harte deel aan de feestvreugde en vergrootten die nog met schitterend vuurwerk en enige staaltjes van acrobatiek die deden denken aan de kunsten van de zigeuners. Plotseling, op het hoogtepunt van het feest, verbrak iemand het wankele evenwicht.

'Leve de liberale partij!' schreeuwde hij. 'Leve kolonel Aureliano Buendía!'

Geweersalvo's smoorden de pracht van het vuurwerk, angstkreten overstemden de muziek en de feestvreugde werd weggevaagd door paniek. Nog jarenlang bleef men beweren dat de koninklijke garde van de binnengedrongen vorstin had bestaan uit een contingent regeringstroepen die dienstgeweren verborgen hielden onder hun wijde boernoezen. De regering wees die beschuldiging in een buitengewone proclamatie van de hand en beloofde een diepgaand onderzoek naar het bloedige voorval. Maar de waarheid werd nooit aan het licht gebracht en altijd bleef de lezing overheersen dat de koninklijke garde, zonder enige provocatie van welke aard dan ook, op een teken van de commandant gevechtsstellingen had betrokken en meedogenloos op de menigte had geschoten. Toen de rust was weergekeerd, was in het hele dorp niet één valse bedoeïen overgebleven en telde men tussen de doden en gewonden op het plein negen paljassen, vier colombines, zeventien hartenkoningen, een duivel, drie muzikanten, twee Franse Paren en drie Japanse keizerinnen. In de panische verwarring was het aan José Arcadio Segundo gelukt om Remedios de Schone in veiligheid te brengen en Aureliano Segundo droeg in zijn armen de koninklijke indringster naar huis, wier gewaad in flarden was gescheurd en wier hermelijnen mantel doordrenkt was van het bloed. Ze heette Fernanda del Carpio. Men had haar uitgekozen als de schoonste van de vijfduizend schoonste vrouwen van het land en haar naar Macondo gebracht met de belofte dat ze zou worden uitgeroepen tot koningin van Madagaskar. Úrsula verpleegde haar alsof het haar eigen dochter was. Het dorp trok haar onschuld niet in twijfel, maar had eerder te doen met haar argeloosheid. Zes maanden na het bloedbad, toen de gewonden hersteld en de laatste bloemen op het massagraf verwelkt waren, ging Aureliano Segundo haar opzoeken in de verre stad waar ze met haar vader leefde en hij trouwde met haar in Macondo tijdens een luidruchtig volksfeest dat twintig dagen duurde.

**
*

Na twee maanden dreigde er al een einde aan het huwelijk te komen omdat Aureliano Segundo, in een poging om het weer goed te maken, Petra Cotes liet fotograferen terwijl ze gekleed was als koningin van Madagaskar. Toen Fernanda dit hoorde, pakte ze haar uitzet weer in haar koffers en vertrok zonder afscheid te nemen uit Macondo. Aureliano Segundo haalde haar in op de weg door het moeras. Na vele smeekbeden en beloften om zich te verbeteren wist hij haar mee terug te krijgen naar huis, waarna hij zijn bijslaap aan haar lot overliet.

Petra Cotes, zich bewust van haar krachten, toonde geen spoor van verontrusting. Zij had hem tot man gemaakt. Toen hij nog een jongen was, met een hoofd vol fantastische ideeën en zonder enig contact met de werkelijkheid, had ze hem uit het kamertje van Melquíades gehaald en hem zijn plaats bezorgd in de wereld. Zijn eigen aard had hem afwerend en mensenschuw doen worden, met een neiging tot eenzame overpeinzingen, maar zij had hem een heel ander karakter bezorgd, levenslustig, openhartig, losbandig, en hem vervuld van levensvreugde en plezier in feestjes en verspillingen, totdat ze hem van binnen en van buiten had veranderd in de man van wie ze sinds haar meisjesjaren had gedroomd. Hij was getrouwd – maar ja, dat deden jongens vroeg of laat allemaal. Zelf had hij het niet aangedurfd om haar van tevoren daarover in te lichten. Hij nam tegenover de situatie zo'n kinderlijke houding aan, dat hij haar met voorgewende wrok en ongegronde nukkigheden bestookte om te bewerken dat zij het zou zijn die de breuk veroorzaakte. Toen Aureliano Segundo haar op een dag alweer een onterecht verwijt maakte, weigerde ze nog langer in die val te lopen en noemde de dingen bij hun naam.

'De kwestie is,' zei ze, 'dat je wilt trouwen met de koningin.'

Aureliano Segundo, diep beschaamd, deed of hij een rolberoerte van woede kreeg, verklaarde dat hij gekwetst was en niet begrepen werd en kwam niet meer bij haar op bezoek. Petra Cotes verloor geen ogenblik haar prachtige zelfbeheersing als van een rustend dier; ze luisterde naar de muziek en de vuurpijlen van de bruiloft en naar het waanzinnige kabaal van het volksfeest alsof dit alles slechts een nieuwe kwajongensstreek van Aureliano Segundo was. Degenen die haar om haar lot beklaagden, stelde ze met een glimlachje gerust. 'Maak je maar niet ongerust,' zei ze. 'Koninginnen zijn *mijn* boodschappenmeisjes.' Tot een buurvrouw die een stel kaarsen bracht om daarmee het portret van de verloren geliefde te verlichten, zei ze met raadselachtige zelfverzekerdheid:

'De enige kaars die hem zal laten komen, brandt voortdurend.'

Zoals ze voorzien had, keerde Aureliano Segundo naar haar huis terug zodra de wittebroodsweken voorbij waren. Hij bracht niet alleen zijn gewone vrienden mee, maar ook een rondtrekkend fotograaf en het gewaad en de met bloed besmeurde hermelijnen mantel die Fernanda op het carnavalsfeest had gedragen. In de hitte van het feestgewoel dat die middag ontstond, doste hij Petra Cotes uit als koningin, kroonde haar voor het leven als soevereine vorstin van Madagaskar en deelde de afdrukken van de foto uit onder zijn vrienden. Ze leende zich gewillig voor dit spelletje, maar in haar hart had ze medelijden met hem, want ze veronderstelde dat hij wel erg van streek moest zijn als hij zijn toevlucht nam tot zo'n buitensporige verzoeningspoging. Om zeven uur 's avonds ontving ze hem bij zich in bed, nog altijd gekleed als koningin. Hij was nog geen twee maanden getrouwd, maar ze bemerkte onmiddellijk dat er strubbelingen moesten zijn in het echtelijk bed en ervoer de verrukkelijke voldoening van een zoete wraak. Maar toen hij twee dagen daarna niet meer durfde terugkeren en een

213

tussenpersoon zond om de voorwaarden van de scheiding te regelen, begreep ze, dat ze meer geduld zou moeten hebben dan ze gedacht had, want hij leek zich te willen opofferen voor de uiterlijke schijn. Ook toen liet ze zich niet uit het veld slaan. Ze schikte zich gewillig in alle voorwaarden, met een onderworpenheid die de algemene opvatting bevestigde dat ze een beklagenswaardige vrouw was. Het enige aandenken aan Aureliano Segundo dat ze in haar bezit hield, was een paar lakschoenen die hij naar zijn eigen zeggen wilde dragen in zijn doodskist. Ze wikkelde ze in doeken en borg ze weg op de bodem van een koffer, waarna ze zich opmaakte om een wachttijd uit te zitten waaraan elke wanhoop ontbrak.

'Vroeg of laat moet hij komen,' zei ze tegen zichzelf. 'Al was het maar om die schoenen aan te doen.'

Ze hoefde minder lang te wachten dan ze verondersteld had. In werkelijkheid had Aureliano Segundo reeds in de huwelijksnacht begrepen dat hij allang naar het huis van Petra Cotes zou zijn teruggekeerd voordat het nodig werd de lakschoenen aan te trekken: Fernanda was een vrouw die niet deugde voor deze wereld. Ze was geboren en getogen op duizend kilometer afstand van de zee, in een somber stadje waar op spookachtige nachten de karossen van de onderkoningen nog altijd over de keitjes van de smalle straten dokkerden. Elke avond om zes uur luidden de doodsklokken van tweeëndertig klokketorens. In het statige huis, geplaveid met grafstenen, ontwaarde men nimmer de zon. De lucht hing dood tussen de cypressen op de patio, tussen de verbleekte wandtapijten in de slaapkamers, tussen de doorlekkende arcaden rond de tuin vol lelies. Tot aan haar puberteit ontving Fernanda van de wereld geen ander teken dan de melancholische piano-oefeningen die in een naburig huis werden uitgevoerd door iemand die zich jaren achtereen de gril veroorloofde om geen siësta te houden. In het vertrek van haar zieke moeder, die groen en geel terneerlag onder de stoffige lichtval uit de vensters, luisterde ze naar de methodische, hardnekkige, neerslachtige loopjes en bedacht dat die muziek tenminste in de wereld was, terwijl zijzelf verkommerde bij het weven van rouwkroontjes en rouwpalmen. Haar moeder, zwetend van de koorts om vijf uur 's middags, vertelde haar van de pracht en praal van het verleden. Toen Fernanda nog heel klein was, had ze op een maanverlichte nacht een knappe, in het wit geklede vrouw gezien die de tuin overstak naar de huiskapel. Het was slechts een vluchtig visioen, maar ze was het meest geschrokken van de gewaarwording dat die vrouw sprekend op haar leek, alsof ze zichzelf gezien had met een voorsprong van twintig jaar in de tijd. 'Dat is je overgrootmoeder, de koningin,' zei haar moeder tussen de hoestbuien door. 'Ze stierf aan een kwade wind die haar overviel toen ze een lelie plukte.' Vele jaren later, toen ze zich al hetzelfde begon te voelen als haar overgrootmoeder, trok Fernanda dit kinderlijke vizioen in twijfel, maar haar moeder verweet haar die ongelovigheid.

'We zijn ontzettend rijk en machtig,' zei ze. 'Op een dag zul je koningin zijn.'

En ze geloofde het, ofschoon men zich alleen maar aan de lange tafel met het zilveren serviesgoed en de linnen lakens neerzette om een kop waterchocolade en een zoet broodje te gebruiken. Tot op de dag van de bruiloft droomde ze van een legendarisch vorstenbestaan, ook al moest haar vader, don Fernando, een hypotheek op het huis nemen om haar uitzet te kunnen kopen. Dat was geen onnozelheid en geen grootheidswaan van haar. Zo had men haar opgevoed. Zo lang ze zich kon herinneren, al sinds ze tot de jaren des onderscheids was gekomen, had ze haar behoeften gedaan in een gouden nachtspiegel met het wapenschild van de familie. Op twaalfjarige leeftijd verliet ze haar huis voor de eerste keer, in een koets die slechts twee kwartmijlen hoefde af te leggen om haar naar het klooster te brengen. Haar klasgenootjes verbaasden zich erover dat men haar apart zette, op een stoel met een zeer hoge rugleuning, en dat ze zelfs tijdens de recreatie niet met hen omging. 'Zij is anders,' legden de nonnen uit. 'Zij wordt koningin.' Haar klasgenootjes geloofden dat, want toen reeds was ze de schoonste, voornaamste en meest ingetogen jonge vrouw die ze ooit hadden gekend. Na acht jaar, toen ze eenmaal verzen kon schrijven in het Latijn, de klavecimbel kon bespelen, met edellieden over de valkenjacht en met aartsbisschoppen over apologie kon converseren en staatszaken kon

215

bespreken met buitenlandse regeerders en goddelijke aangelegenheden met de Paus, keerde ze naar het huis van haar ouders terug om rouwpalmen te weven. Ze trof het huis als leeg-
geplunderd aan. Slechts de hoogst noodzakelijke meubelen, de
grote kandelaars en het zilveren servies waren overgebleven,
want alle huishoudelijke benodigdheden waren inmiddels een
voor een verkocht om de kosten van haar opvoeding te dekken. Haar moeder was gestorven aan de koorts van vijven;
haar vader, don Fernando, altijd in het zwart gekleed, altijd
met een staand boord en een zware gouden horlogeketting op
de borst, gaf haar elke maandag een zilveren geldstuk voor de
kosten van het huishouden en nam dan meteen de rouwpalmen mee die in de afgelopen week gereed waren gekomen. Hij
bracht het grootste deel van de dag door in zijn studeerkamer
en de weinige keren dat hij de straat op ging, kwam hij voor
zessen alweer terug om gezamenlijk de rozenkrans te bidden.
Nooit kon Fernanda met iemand vriendschap sluiten. Nooit
had ze horen spreken over de burgeroorlogen die het land deden leegbloeden. En altijd hoorde ze de piano-oefeningen om
drie uur in de middag. Ze begon zelfs de illusie van het ko-
ningschap al te verliezen, toen de deurklopper twee dringende
slagen liet horen en ze de voordeur opende voor een statig militair met plechtige gebaren, een litteken op zijn wang en een
gouden medaille op zijn borst. Hij sloot zich met haar vader op
in het studeervertrek. Twee uur later kwam haar vader bij
haar in de naaikamer. 'Maak je eigendommen gereed,' zei hij
tot haar. 'Je moet een lange reis maken.' Zo brachten ze haar
naar Macondo. In één enkele dag en met bruut geweld bedolf
het leven haar onder al het gewicht van een realiteit die haar
ouders jarenlang voor haar hadden verborgen. Eenmaal in huis
teruggekeerd sloot ze zich, doof voor de smeekbeden en de
verklaringen van don Fernando, op in haar slaapkamer om er
te wenen en te proberen de schroeiplek van deze ongehoorde
bespotting uit te wissen. Ze had zich al voorgenomen haar
slaapvertrek tot aan haar dood niet meer te verlaten, toen Aureliano Segundo haar kwam opzoeken. Het was een ongeloof-
lijk gelukkige speling van het lot, want in de verdoving van haar
verontwaardiging en in een storm van schaamte had ze hem

belogen om te voorkomen dat hij ooit haar ware identiteit zou achterhalen. De enige tastbare gegevens, waarover Aureliano Segundo beschikte toen hij op weg ging om haar te zoeken, waren haar niet te miskennen accent van de hoogvlakte en haar werk als weefster van rouwpalmen. Hij achtervolgde haar zonder mededogen. Met dezelfde woeste stoutmoedigheid waarmee José Arcadio Buendía het gebergte overstak om Macondo te stichten, met dezelfde blinde trots waarmee kolonel Aureliano Buendía zijn nutteloze oorlogen voerde, met dezelfde onzinnige vasthoudendheid waarmee Úrsula het voortbestaan van haar geslacht bleef veiligstellen, ging ook Aureliano Segundo op zoek naar Fernanda zonder één ogenblik de moed te verliezen. Wanneer hij vroeg waar men rouwpalmen verkocht, brachten ze hem van huis tot huis om de beste uit te zoeken. Wanneer hij vroeg waar zich de mooiste vrouw bevond die ooit op aarde had rondgelopen, brachten alle moeders hem naar hun dochters. Hij dwaalde door oorden vol verwarring, door tijden die slechts tot vergetelheid dienden, door doolhoven van teleurstellingen. Hij trok door een gele vlakte waar de echo slechts gedachten herhaalde en de angst slechts onheilspellende luchtspiegelingen opriep. Na wekenlang vruchteloos zoeken kwam hij tenslotte bij een onbekende stad waar alle doodsklokken luidden. Ofschoon hij ze nog nooit gezien had en niemand ze hem ooit had beschreven, herkende hij onmiddellijk de muren die door het zout van de knoken waren aangevreten en de vervallen houten balkons die door zwammen waren verteerd en op de grote voordeur, vrijwel uitgewist door de regen, het droefgeestigste bordje van de hele wereld: *Rouwpalmen te koop*. Vanaf dat moment tot aan de kille morgen dat Fernanda onder de hoede van Moeder Overste het huis verliet, was er maar nauwelijks voldoende tijd om bij de nonnen een uitzet te laten naaien en zes koffers te vullen met de kandelaars, het zilveren servies, de gouden nachtspiegel en de ontelbare andere nutteloze brokstukken van een familie-catastrofe die zich in de loop van twee eeuwen had voltrokken. Don Fernando wees een uitnodiging om mee te gaan van de hand. Hij beloofde later te zullen komen, wanneer hij al zijn verbintenissen had geregeld, en zodra hij zijn dochter zijn zegen had gegeven, sloot hij zich weer op in zijn studeerkamer en begon de brieven met het familiewapen en met de sombere vignetten te schrijven die het eerste menselijke contact zouden gaan vormen dat Fernanda en haar vader ooit van hun leven met elkaar hadden. Voor haar was dit de werkelijke datum van haar geboorte; voor Aureliano Segundo was het bijna tegelijkertijd het begin en het einde van zijn geluk.

Fernanda bracht een kostbaar almanakje met gouden sleuteltjes mee, waarin haar geestelijk leidsman alle dagen van geslachtelijke onthouding met paarse inkt had aangetekend. Als men de Goede Week, de zondagen, de vasten- en onthoudingsdagen, de eerste vrijdagen, de retraites, de persoonlijke offertjes en de belemmeringen van haar perioden aftrok, bleven er van het gehele jaar slechts tweeënveertig bruikbare dagen over, verstrooid over een oerwoud van paarse kruisjes. Aureliano Segundo, overtuigd dat de tijd deze prikkeldraadversperring wel omver zou halen, zette het bruiloftsfeest tot lang voorbij het voorziene tijdstip voort. Úrsula kwam een uitputting nabij van de talloze lege cognac- en champagneflessen die ze in de vuilnisbak moest gooien om te voorkomen dat ze het huis verstopt deden raken. Tegelijkertijd echter intrigeerde het haar dat de jonggehuwden op verschillende uren en in afzonderlijke kamers sliepen, terwijl de muziek en de vuurpijlen en de veeslachtingen onverminderd voortgingen. Ze dacht terug aan haar eigen ervaringen en vroeg zich af of Fernanda soms ook een kuisheidsgordel droeg die vroeg of laat de spotlust van het dorp zou opwekken en de oorzaak zou worden van een tragedie. Maar Fernanda vertelde dat ze eenvoudig twee weken liet voorbijgaan voordat ze een eerste contact met haar echtgenoot zou toestaan. Toen die termijn eenmaal verstreken was, opende ze inderdaad de deur van haar slaapkamer – met de offerbereidheid waarmee iemand zich als zoenoffer beschikbaar zou stellen – en Aureliano Segundo kon zijn blik laten rusten op de mooiste vrouw van de wereld, met sprankelende ogen als van een verschrikt dier en met lange, koperkleurige lokken die over het kussen golfden. Die aanblik boeide hem zozeer, dat het een ogenblik duurde voordat het tot hem doordrong dat Fernanda een wit nachthemd droeg waarvan de zoom tot aan haar enkels en de mouwen tot aan haar polsen reikten en waarin een groot, rond, sierlijk omboord gat zat ter hoogte van haar buik. Aureliano Segundo kon niet voorkomen dat hij het uitproestte van het lachen.

'Dit is wel het meest obscene wat ik van mijn leven heb gezien!' riep hij met een schaterlach die in het hele huis weergalmde. 'Nu ben ik me toch getrouwd met een liefdezustertje!'

Toen hij een maand later nog niet had kunnen bereiken dat zijn echtgenote het hemd uit liet, ging hij naar Petra Cotes en liet haar gekleed als koningin vereeuwigen. Nog later, toen het hem gelukt was om Fernanda weer mee naar huis te krijgen, gaf ze in de onstuimigheid van hun verzoening aan zijn aandrang toe, maar ze kon hem niet de rust bezorgen waarvan hij had gedroomd toen hij haar was gaan opzoeken in de stad met de tweeëndertig klokketorens. Aureliano Segundo beleefde aan zijn vrouw slechts een diep gevoel van verlatenheid. Op een nacht, kort voor de geboorte van hun eerste kind, begreep Fernanda dat haar man in het geheim naar de sponde van Petra Cotes was teruggekeerd.

'Dat is zo,' gaf hij toe. En met een klank van neerslachtige gelatenheid legde hij uit: 'Ik moest wel, anders jongen de dieren niet meer.'

Het kostte hem wel enige tijd om haar van deze ongewone gang van zaken te overtuigen, maar toen hij daar eenmaal in geslaagd was – met bewijzen die werkelijk onweerlegbaar leken – liet Fernanda hem slechts één ding beloven: dat hij zich nooit door de dood zou laten verrassen in het bed van zijn bijslaap. Zo leefden ze gedrieën verder, zonder het elkaar lastig te maken; Aureliano Segundo plichtsgetrouw en vol genegenheid jegens beide vrouwen, Petra Cotes trots als een pauw over de verzoening en Fernanda voorwendend dat ze de waarheid niet kende.

Dit verdrag kon echter niet bewerken dat Fernanda geheel tot de familie ging behoren. Tevergeefs drong Úrsula erop aan dat ze zich zou ontdoen van de wollen boetekraag waarmee ze 's morgens opstond als ze de liefde had bedreven en die het gesmiespel van de buren opwekte. Ze kon haar er evenmin toe overhalen om de badkamer te gebruiken en de gouden nachtspiegel over te doen aan kolonel Aureliano Buendía, zodat hij hem in visjes kon omzetten. Amaranta voelde zich zo onbehaaglijk bij haar nuffige uitspraak en haar gewoonte om voor alles een eufemisme te gebruiken, dat ze in Fernanda's bijzijn steeds een soort koeterwaals sprak.

'Zijfij isfis vafan hetfet soorfoort,' zei ze dan, 'datfat bafabangfang isfis vanfan zijnfijn eifeigenfen strofont.'

Fernanda ergerde zich aan dat geplaag en toen ze op een dag wilde weten wat Amaranta zei, gebruikte deze bij haar antwoord geen enkel eufemisme.

'Ik zeg,' zei ze, 'dat jij er zo een bent die geen verschil weet tussen een kont en een quatertemperdag.'

Vanaf die dag spraken ze niet meer met elkaar. Wanneer de omstandigheden dat noodzakelijk maakten, stuurden ze elkaar briefjes of brachten ze hun opmerkingen op indirecte wijze over. Ondanks de zichtbare vijandigheid van de familie bleef Fernanda vasthouden aan haar voornemen, de gewoonten van haar voorvaderen aan de anderen op te leggen. Ze maakte een einde aan het gebruik om te eten in de keuken en wanneer iemand maar honger voelde opkomen en legde iedereen de verplichting op om op een vastgesteld tijdstip te verschijnen aan de grote tafel in de eetkamer, die gedekt werd met de linnen tafellakens en de kandelaars en het zilveren servies. Zo raakte een handeling, die Úrsula altijd als de gewoonste zaak van de wereld had beschouwd, omgeven met een plechtstatige lijzigheid waartegen nota bene de zwijgzame José Arcadio Segundo als eerste in opstand kwam. Maar de gewoonte werd hen dwingend opgelegd, net als het gebruik om vóór het avondmaal de rozenkrans te bidden, en dit alles trok zozeer de aandacht van de buren, dat al gauw het gerucht rondging dat de Buendía's niet als gewone stervelingen aan tafel gingen, maar het eten als zodanig hadden veranderd in een plechtige hoogmis. Zelfs de bijgelovigheden van Úrsula, niet zozeer ontstaan uit de overlevering als wel uit haar inspiratie van het ogenblik, kwamen in conflict met de waandenkbeelden die Fernanda van haar ouders had meegekregen en die, zorgvuldig omschreven als ze waren, voor elke gelegenheid vastlagen. Zolang Úrsula in het volle bezit van al haar vermogens was, bleven enkele

220

oude gewoonten voortbestaan en bleef het familieleven een zekere invloed ondergaan van haar bevliegingen. Maar toen ze het gezichtsvermogen verloor en door de last der jaren naar een hoekje werd verbannen, sloot de kring van stijve vormelijkheid die Fernanda vanaf het moment van haar komst in het leven had geroepen, zich tenslotte geheel. Zij was degene die over het lot van de familie besliste en niemand anders. De handel in zoetigheden en suikerbeesten, die door Santa Sofía de la Piedad op uitdrukkelijk verlangen van Úrsula was voortgezet, werd door Fernanda beschouwd als een onwaardige bezigheid en ze aarzelde niet om het zaakje op te doeken. De deuren van het huis, die van de vroege ochtend tot de late avond wagenwijd openstonden, werden tijdens de siësta gesloten onder het voorwendsel dat de zon teveel warmte veroorzaakte in de slaapkamers en tenslotte gingen ze de hele dag dicht. Het brood en de tak aloë die al sinds de tijd van de stichting van Macondo boven de deuropening hingen, werden vervangen door een nisje met het Allerheiligst Hart van Jezus. Die veranderingen drongen tenslotte zelfs door tot kolonel Aureliano Buendía en hij voorzag de uiteindelijke gevolgen ervan. 'We veranderen langzamerhand in sjieke lui,' protesteerde hij. 'Als dat zo doorgaat, vechten we op den duur opnieuw tegen het conservatieve regime – maar dan om een koning op hun plaats te zetten.' Fernanda was tactisch genoeg om met hem niet in botsing te komen. In haar hart ergerde ze zich aan zijn onafhankelijke geest en aan zijn verzet tegen elke vorm van maatschappelijke dwang. Ze raakte buiten zichzelf van zijn koppen koffie om vijf uur 's morgens, van de wanorde in zijn werkplaats, van zijn gerafelde deken en zijn gewoonte om tegen het vallen van de avond in de voordeur te gaan zitten. Maar ze moest dit losse radertje in het familie-mechanisme wel door de vingers zien, want in haar ogen was de oude kolonel een door jaren en teleurstellingen tam geworden dier dat in een opwelling van seniele razernij het hele huis van zijn grondvesten zou kunnen rukken. Toen haar echtgenoot hun eerste zoon de naam van zijn overgrootvader besloot te geven, durfde ze zich daartegen niet te verzetten omdat ze nog pas een jaar geleden in huis was gekomen. Maar toen hun eerste dochtertje werd geboren, maakte ze onomwonden haar besluit kenbaar dat het kind Renata zou heten, naar haar moeder. Úrsula had besloten dat het de naam Remedios zou krijgen. Na een gespannen tweestrijd, waarin Aureliano Segundo als geamuseerd bemiddelaar optrad, doopten ze het kind met de namen Renata Remedios, maar Fernanda bleef haar kortweg Renata noemen terwijl de familie van haar man en de rest van het dorp het meisje aanspraken met Meme, het verkleinwoord van Remedios.

In het begin praatte Fernanda nooit over haar familie, maar na verloop van tijd begon ze haar vader op te hemelen. Aan tafel sprak ze over hem als over een buitengewoon wezen dat aan alle ijdelheid verzaakt had en bezig was heilig te worden. Aureliano Segundo, verbaasd over deze voortijdige zaligverklaring van zijn schoonvader, kon de verleiding niet weerstaan om kleine grapjes te maken achter de rug van zijn echtgenote om. De rest van de familie volgde zijn voorbeeld. Zelfs Úrsula, aan wie alles gelegen was om de eenheid in de familie te bewaren en die in stilte leed onder de huiselijke wrijvingen, ontzag zich eenmaal niet om op te merken dat haar achterachterkleinzoon wel van een pauselijke toekomst verzekerd moest zijn, aangezien hij 'de kleinzoon van een heilige en de zoon van een koningin en een veedief' was. Ondanks deze lacherige samenzwering wenden de kinderen aan de gedachte dat hun grootvader een legendarische figuur was, iemand die vrome verzen overschreef in zijn brieven en hen elk jaar met Kerstmis een kist vol geschenken zond die nauwelijks door de voordeur paste. In werkelijkheid waren dit de allerlaatste, schamele resten van het statige familiebezit. Met behulp daarvan bouwde men op de slaapkamer van de kinderen een altaar met heiligenbeelden op ware grootte, wier glazen ogen hen een griezelige schijn van levensechtheid verleenden en wier lakense, met kunstzinnig borduurwerk versierde gewaden van een betere kwaliteit waren dan ooit door een inwoner van Macondo was gedragen. Langzaam maar zeker werd de begrafenisachtige grandeur van het oude, kille herenhuis overgebracht naar de zondoorlichte woning van de Buendía's. 'Ze hebben ons het hele familiegraf gestuurd,' merkte Aureliano Segundo eenmaal

op. 'Alleen de treurwilgen en de grafzerken ontbreken nog.'
Ofschoon in de kist nooit iets meekwam waarmee de kinderen
konden spelen, zagen ze het hele jaar reikhalzend uit naar de
maand december, want ondanks alles vormden de ouderwetse
en altijd onverwachte geschenken steevast een nieuwigheid in
huis. Tegen het tiende kerstfeest, toen de kleine José Arcadio
zich al gereedmaakte om af te reizen naar het seminarie, arriveerde de zending van grootvader aanzienlijk eerder dan in
voorgaande jaren – een enorme kist, zorgvuldig dichtgespijkerd en waterdicht gemaakt met geteerd zeildoek en voorzien
van het gewone opschrift in gotische letters waarmee hij gea-
dresseerd was aan de weledelgeboren mevrouw doña Fernanda
del Carpio de Buendía. Terwijl zij in haar slaapkamer de brief
ging lezen, haastten de kinderen zich om de kist te openen. Als
altijd geholpen door Aureliano Segundo schraapten ze het geteerde zeildoek weg, wrikten het deksel los, verwijderden de
beschermende laag zaagsel en troffen een grote loden koffer
aan die met koperen bouten was gesloten. Terwijl de kinderen
ongeduldig toekeken, verwijderde Aureliano Segundo de acht
bouten en tilde de loden dekplaat op. Gelukkig kon hij de kinderen nog juist op tijd en met een luide kreet opzij trekken
toen hij in de koffer don Fernando zelf ontwaarde, in het
zwart gekleed en met een kruis op de borst, de huid opengebarsten in stinkende blaasjes en zachtjes sudderend in een
schuimende, borrelende, grijsachtig parelende soep.

Kort na de geboorte van het dochtertje werd het onverwachte
jubileum van kolonel Aureliano Buendía aangekondigd, dat
door de regering was bevolen om de eerstvolgende verjaring
van het verdrag van Neerlandia te vieren. Dit voornemen
druiste zozeer in tegen de officiële politiek, dat de kolonel zich
er heftig tegen verklaarde en het eerbetoon van de hand wees.
'Dit is de eerste keer dat ik het woord jubileum hoor,' zei hij.
'Maar wat het ook moge betekenen, het kan niet anders dan
een bespotting zijn.' De kleine zilversmidse vulde zich met
boodschappers. Op een dag keerden, zij het veel ouder en veel
plechtstatiger, de in het zwart geklede advocaten terug die in
vroeger dagen als raven rond de kolonel hadden gedraaid.
Toen deze hen zag verschijnen, zoals ze toen ook waren geko-

men om de oorlog te laten verzanden, kon hij het cynisme van hun loftuitingen eenvoudig niet verdragen. Hij beval hen hem met rust te laten en wees er met nadruk op, dat hij geen weldoener der natie was, zoals ze beweerden, maar een handwerksman zonder herinneringen, wiens enige droom erin bestond om ooit van vermoeidheid te mogen sterven in de vergetelheid en de armetierigheid van zijn gouden visjes. Hij raakte wel het meest verontwaardigd bij het bericht dat de president van de republiek van plan was om de plechtigheden te Macondo persoonlijk bij te wonen teneinde hem de Orde van Verdienste op te spelden. Kolonel Aureliano Buendía gaf opdracht om hem mede te delen – en wel woord voor woord – dat hij waarlijk met verlangen uitzag naar deze late maar alleszins verdiende kans om hem neer te schieten, niet om hem te laten boeten voor de achterlijkheid en de willekeurigheden van zijn regering, maar omdat het hem ontbrak aan eerbied voor een oude man die niemand kwaad deed. Hij uitte deze bedreiging met zoveel heftigheid, dat de president van de republiek zijn reis op het laatste moment afgelastte en hem de onderscheiding toezond middels een persoonlijk vertegenwoordiger. De verlamde kolonel Gerineldo Márquez, van alle kanten en op allerlei wijzen onder druk gezet, verliet zijn ziekbed om zijn oude wapenbroeder tot andere gedachten te brengen. Toen deze de door vier mannen gedragen schommelstoel zag aankomen en daarin, tussen dikke kussens, de vriend die sinds hun jongensjaren al zijn overwinningen en tegenslagen met hem had gedeeld, betwijfelde hij geen ogenblik dat hij zich deze krachtsinspanning getroostte om hem zijn solidariteit te betuigen. Maar toen hij het werkelijke doel van dit bezoek vernam, liet hij hem vierkant uit zijn atelier zetten.

'Al te laat bemerk ik,' zei hij, 'dat ik je een grote dienst zou hebben bewezen als ik je had laten fusilleren.'

Zodat de huldiging voortgang vond zonder dat een van de familieleden erbij was. Het was louter toeval dat de plechtigheid samenviel met de carnavalsweek, maar niemand kon kolonel Aureliano Buendía de halsstarrige gedachte uit het hoofd praten dat ook deze samenloop van omstandigheden door de regering was bewerkstelligd om de wreedheid van de bespotting te vergroten. Eenzaam gezeten in zijn werkplaats hoorde hij de mars-muziek, de saluutschoten, de klokken die het Te Deum inluid-den en een paar zinnen van de redevoeringen die tegenover het huis werden uitgesproken toen men de straat naar hem vernoemde. Zijn ogen werden vochtig van verontwaardiging en machteloze woede en voor het eerst sinds zijn militaire onder-gang speet het hem, dat hij niet meer beschikte over het jeug-dige élan om een bloedige oorlog uit te roepen die het conser-vatieve regime met wortel en tak zou kunnen uitroeien. De echo's van het jubileum waren nog niet uitgestorven, toen Úr-sula op de deur van zijn atelier klopte.

'Laat me met rust,' zei hij. 'Ik ben bezig.'

'Doe open,' hield Úrsula aan met een heel gewone stem. 'Dit heeft niets te maken met het feest.'

Toen nam kolonel Aureliano Buendía de sluitbalk van zijn deur en in de deuropening ontwaarde hij zeventien mannen wier voorkomen, lichaamsbouw en huidskleur van de meest uiteenlopende aard waren, maar die allen gehuld gingen in een sfeer van eenzaamheid die voldoende was om hen waar ook ter wereld te herkennen. Het waren zijn zoons. Zonder zich met elkaar te verstaan, zelfs zonder elkaar te kennen, waren ze toe-gestroomd uit de meest afgelegen hoeken van het kustgebied, aangelokt door de ruchtbaarheid die aan het jubileum was ge-geven. Allen droegen met trots de voornaam Aureliano en de achternaam van hun moeder. In de drie dagen dat ze – tot gro-te voldoening van Úrsula en tot grote ergernis van Fernanda – in het huis vertoefden, zetten ze de boel erger op stelten dan de oorlog ooit had kunnen doen. Amaranta zocht tussen de oude paperassen naar het aantekenboekje waarin Úrsula hun namen en hun geboorte- en doopdata had opgeschreven en no-teerde van ieder de huidige woonplaats in de daarvoor bestem-de ruimte. Aan de hand van die lijst had men een samenvat-ting kunnen geven van twintig jaar oorlogvoeren. Men had er de nachtelijke dwaalwegen van de kolonel mee kunnen recon-strueren, vanaf de vroege morgen dat hij aan het hoofd van eenentwintig man uit Macondo vertrok om zich in een hersen-schimmige opstand te werpen, tot aan de avond dat hij voor de laatste maal terugkeerde in een deken die stijf stond van het bloed. Aureliano Segundo greep de gelegenheid aan om de neven te onthalen op een van champagne en accordeonklanken bruisend feest, dat gezien werd als een vertraagde genoegdoening voor het carnaval dat door het jubileum in de war was gestuurd. Ze vernielden de helft van het servies, verwoestten de rozestruiken toen ze een stier achterna zaten om hem te jonassen, doodden de kippen met revolverschoten, dwongen Amaranta om te dansen op de trieste walsen van Pietro Crespi, kregen Remedios zover dat ze een mannenbroek aantrok en meedeed aan het mastklimmen en lieten in de eetkamer een met vet ingewreven zwijn los dat Fernanda omverliep, maar niemand beklaagde zich over deze ongemakken omdat het huis daverde onder een aardbeving van welbehagen. Kolonel Aureliano Buendía, die hen aanvankelijk met argwaan had ontvangen en de afstamming van sommigen zelfs in twijfel trok, vermaakte zich met hun dwaasheden en voordat ze weer vertrokken gaf hij hen allemaal een gouden visje ten geschenke. Zelfs de weinig toeschietelijke José Arcadio Segundo bood hen een middag van hanenvertier, iets wat bijna in een tragedie eindigde omdat verschillende Aureliano's zo doorkneed waren in de louche praktijken van het hanengevecht, dat ze het geknoei van pater Antonio Isabel in een oogwenk doorzagen. Aureliano Segundo, die de onbegrensde feestmogelijkheden zag welke hem door deze onstuimige bloedverwanten werden geboden, gaf als zijn mening te kennen dat ze bij hem moesten blijven werken. De enige die het aanbod aanvaardde was Aureliano Triste, een forse mulat met de daadkracht en de onderzoekende geest van zijn grootvader, die zijn fortuin al had gezocht in de halve wereld en voor wie het hetzelfde bleef waar hij zich bevond. De anderen meenden hun bestemming reeds te hebben gevonden, ook al waren ze nog vrijgezel. Allen waren bekwame vaklieden en vredelievende, huiselijke mannen. Op Aswoensdag, vlak voordat ze zich weer verspreidden over de gehele kuststreek, wist Amaranta te bereiken dat ze hun zondagse kleren aantrokken en met haar mee gingen naar de kerk. Eerder geamuseerd dan godvruchtig lieten ze zich meevoeren naar de communiebank, waar pater Antonio Isabel hun het askruisje gaf op hun voorhoofd. Toen ze weer thuis waren en de jongste zijn voorhoofd wilde wassen, ontdekte hij, dat de vlek onuitwisbaar was en dat dit ook het geval was bij zijn broers. Ze probeerden het met water en zeep, met zand en een borstel en tenslotte zelfs met puimsteen en loogwater, maar ze konden het kruisje niet uitvegen. Daarentegen konden Amaranta en alle anderen die naar de mis waren geweest het zonder moeite verwijderen. 'Des te beter,' zei Úrsula bij het afscheid. 'Van nu af aan kan niemand jullie meer voor een ander houden.' Ze vertrokken in groepsverband, voorafgegaan door een orkestje en onder het afschieten van vuurpijlen, en ze lieten in het dorp de indruk achter dat het geslacht Buendía voor vele eeuwen zijn zaad had uitgezaaid. Aureliano Triste, met het askruisje op zijn voorhoofd, stichtte aan de rand van het dorp de ijsfabriek waarvan José Arcadio Buendía in zijn uitvinderswaan nog had gedroomd.

Maanden na zijn aankomst, toen hij alom reeds bekend en geliefd was, ging Aureliano Triste op zoek naar een huis om zijn moeder en een ongetrouwde zus (die geen dochter van de kolonel was) te laten overkomen en zijn oog viel op de vervallen woning die, schijnbaar geheel verlaten, in een hoek van het plein stond. Hij vroeg wie de eigenaar ervan was. Iemand vertelde hem dat dit huis van niemand was, maar dat er vroeger een eenzame weduwe had gewoond die zich voedde met aarde en met de kalk van de muren en die men in haar laatste levensjaren slechts tweemaal op straat had zien verschijnen met een hoed vol piepkleine bloemetjes en met schoenen in de kleur van oud zilver, toen ze het plein overstak naar het postkantoor om brieven te sturen naar de bisschop. Ze vertelden hem bovendien dat ze als enige metgezellin een gewetenloze dienstmaagd had gehad, die honden en katten en elk dier dat maar in het huis binnendrong doodsloeg en de krengen daarna midden op straat wierp om het hele dorp te treiteren met de verpestende verrottingsstank. Sinds de zon het lege velletje van het laatste dier gemummificeerd had, was er al zoveel tijd verstreken, dat iedereen het als vaststaand aannam dat de eigenares van het huis en haar dienstmaagd al lang voor het einde van de burgeroorlogen overleden waren en dat het huis nog slechts overeind stond omdat er in de afgelopen jaren geen strenge winters en geen verwoestende stormen waren geweest. De door roest verbrokkelde scharnieren, de hooguit door trossen spinrag overeind gehouden deuren, de door vocht versmolten vensters en de door gras en wilde bloemen aangetaste fundamenten, waarin hagedissen en allerlei ongedierte nestelden, leken inderdaad de opvatting te bevestigen dat er minstens gedurende een halve eeuw geen levende ziel meer had gewoond. De impulsieve Aureliano Triste had dergelijke aanwijzingen niet nodig om daadwerkelijk op te treden. Hij zette zijn schouder tegen de voordeur en de vermolmde houten deurposten stortten zonder geraas ineen onder een geluidloze lawine van stof en aarde uit de nesten van de witte termieten. Aureliano Triste bleef op de drempel staan wachten tot het waas van stof verdwenen was en toen zag hij midden in de kamer een broodmagere vrouw, nog gekleed in de stijl van de vorige eeuw, met luttele vergeelde haren op haar kale schedel en met grote, nog altijd mooie ogen waarin de laatste sterren van de hoop waren uitgeblust en met een gezicht waarvan de huid gekloofd was door de dorheid van de eenzaamheid. Diep geschokt door dit visioen uit een andere wereld, gaf Aureliano Triste zich nauwelijks rekenschap van het feit dat de vrouw hem onder schot hield met een antiek legerpistool.

'Neemt u me niet kwalijk,' mompelde hij.

Ze bleef roerloos staan in het midden van de met overtollige meubelstukken volgepropte kamer en onderzocht centimeter voor centimeter de geweldige reus met zijn vierkante schouders en met de tatoeëring van as op zijn voorhoofd en dwars door de nevel van het stof zag ze hem in de nevelen van een vroegere tijd, met een dubbelloops jachtgeweer op zijn rug en een stel konijnen in zijn hand.

'Om Godswil,' riep ze gesmoord. 'Ik verdien het niet dat ze me die herinnering aandoen!'

'Ik wilde het huis huren,' zei Aureliano Triste.

Toen hief de vrouw het pistool op, richtte het met vaste hand op het askruisje en spande de haan met een onverzoenlijke besluitvaardigheid.

'Ga weg,' beval ze.

Die avond vertelde Aureliano Triste tijdens de maaltijd het

hele voorval aan de familie en Úrsula huilde van ontsteltenis. 'Lieve God,' riep ze uit, terwijl ze de handen aan het hoofd sloeg. 'Dus ze leeft nog!' De tijd, de oorlogen en de talloze dagelijkse rampzaligheden hadden haar Rebeca doen vergeten. De enige die geen moment uit haar gedachten had gezet dat Rebeca nog leefde en levend wegrotte in haar larvensoep, was de oud geworden maar onverzoenlijke Amaranta. Zij dacht aan haar bij het aanbreken van de dag, wanneer de kilte van haar hart haar deed ontwaken in haar eenzame bed; zij dacht aan haar wanneer ze haar verwelkte borsten en haar ingevallen buik inzeepte en wanneer ze zich hulde in de witte onderrokken en de linnen keurslijfjes van de ouderdom en wanneer ze aan haar hand het zwarte zwachtel van haar gruwelijke boetedoening verschoonde. Altijd, op ieder uur van de dag, slapend of wakend, op de meest verheven en de meest lage momenten, altijd dacht Amaranta aan Rebeca, want de eenzaamheid had haar herinneringen uitgezeefd en de hinderlijke vuilnisbelten van de weemoed verbrand die het leven in haar hart had opgeworpen en het andere afval, het bitterste afval, gezuiverd en verheven en vereeuwigd. Dank zij haar wist Remedios de Schone van het bestaan van Rebeca. Telkens wanneer ze langs het bouwvallige huis kwamen, vertelde ze het meisje een onaangenaam voorval, een schandelijk verzinsel, in een poging haar nichtje deelgenoot te maken van haar wegterende wrok, zodat die ook na haar dood zou blijven voortleven, maar haar bedoelingen leden schipbreuk omdat Remedios ongevoelig was voor alle hartstochten en vooral voor die van anderen. Úrsula daarentegen had een tegenovergesteld proces ondergaan; zij dacht aan Rebeca terug met een van onzuiverheden ontdane herinnering, want het beeld van het beklagenswaardige schepseltje, dat bij haar thuis was afgeleverd met de beenderen van haar ouders in een linnen zak, had de overhand gekregen over de belediging die Rebeca tenslotte onwaardig had gemaakt om met de familiestam verbonden te blijven. Aureliano Segundo vond dat ze haar in huis moesten halen om haar te beschermen, maar zijn goede bedoelingen werden gedwarsboomd door de onwankelbare starheid van Rebeca, die vele jaren van leed en ellende nodig had gehad om de voorrechten van de eenzaamheid te verkrijgen en die niet van plan was daarvan af te zien in ruil voor een oude dag welke verstoord zou worden door de valse aantrekkelijkheid van een anders medelijden.

Toen de zeventien zonen van kolonel Aureliano Buendía in februari terugkeerden, nog altijd getekend met het askruisje, vertelde Aureliano Triste hen in de hitte van het feestgedruis over Rebeca en binnen een halve dag brachten ze het uiterlijk van het huis weer helemaal in orde, vervingen de vermolmde deuren en ramen, schilderden de gevel in vrolijke kleuren, verstevigden de muren en stortten nieuw cement in de scheuren van de fundamenten, maar ze kregen geen toestemming om de herstelwerkzaamheden binnen voort te zetten. Rebeca vertoonde zich niet eenmaal in de deuropening. Ze liet hen de onbesuisde restauratie voltooien, maakte daarna een berekening van de kosten en zond Argénida, de oude dienstmaagd die haar nog altijd gezelschap hield, met een handvol geldstukken die sinds de laatste burgeroorlog al niet meer in omloop waren en die Rebeca nog steeds bruikbaar achtte. Toen pas besefte men hoe onvoorstelbaar ver haar vervreemding van de wereld was voortgeschreden en men begreep dat het onmogelijk zou zijn haar uit haar hardnekkige zelfbegraving te bevrijden zolang er nog een vleugje leven in haar was.

Bij het tweede bezoek dat de zonen van kolonel Aureliano Buendía aan Macondo brachten besloot een ander, Aureliano Centeno geheten, te blijven werken bij Aureliano Triste. Hij behoorde tot de allereersten die naar het huis waren gekomen om de doop te ontvangen en Úrsula en Amaranta herinnerden zich hem nog heel goed, omdat hij in een paar uur tijd elk breekbaar voorwerp had vernield dat maar in zijn handen terechtkwam. De tijd had zijn primitieve groeikracht wat getemperd en hij was nu een man van middelmatig postuur, ontsierd door de littekens van de pokken, maar het verbazingwekkende vernietigingsvermogen van zijn handen bleef onverminderd voortbestaan. Hij brak zoveel borden, zelfs zonder ze aan te raken, dat Fernanda het beter achtte om een tinnen servies te kopen voordat hij de allerlaatste stukken van haar kostbare vaatwerk om zeep had gebracht en ook toen nog waren de stevige metalen borden binnen korte tijd gekarteld en verbogen. Maar in ruil voor deze onontkoombare eigenschap, die voor hemzelf al even ergerniswekkend was, was hij begiftigd met een hartelijkheid die onmiddellijk vertrouwen inboezemde en met een verbazingwekkende werkkracht. In korte tijd wist hij de ijsproduktie dermate te verhogen dat de plaatselijke markt geheel verzadigd raakte en Aureliano Triste de mogelijkheid moest overwegen om de handel uit te breiden tot andere nederzettingen in het moeras. Toen ook vatte hij het plan op voor de definitieve ingreep waarmee hij niet alleen zijn bedrijf kon moderniseren maar bovendien het dorp kon verbinden met de rest van de wereld.

'We moeten de spoorlijn hierheen halen,' zei hij.

Het was de eerste keer dat men dit woord in Macondo hoorde vallen. Geconfronteerd met de tekening die Aureliano Triste aan tafel maakte en die een rechtstreekse afstammeling was van de schetsen waarmee José Arcadio Buendía het plan van de zonne-oorlog had toegelicht, zag Úrsula haar indruk bevestigd dat de tijd rondjes draaide. Maar in tegenstelling tot zijn grootvader verloor Aureliano Triste tijd noch eetlust en kwelde hij niemand met aanvallen van slechtgehumeurdheid; integendeel, hij beschouwde ook de meest onbezonnen plannen als reële mogelijkheden, maakte nuchtere berekeningen over kosten en tijdsduur en voerde zijn projekten uit zonder te vervallen in vlagen van verbittering. Aureliano Segundo verstrekte hem het geld voor de aanleg van de spoorlijn met precies dezelfde luchthartigheid waarmee hij geld gestoken had in de absurde bootdienst van zijn broer – want als hij iets bezat van zijn overgrootvader en iets miste van wat kolonel Aureliano Buendía kenmerkte, was het wel een volstrekte ongevoeligheid voor iedere wijze les uit het verleden. Aureliano Triste raadpleegde de kalender en vertrok de eerstvolgende woensdag om weer terug te kunnen zijn voordat de regen kwam. Men ontving geen berichten meer. Aureliano Centeno, overrompeld door de overvloed die de fabriek verliet, begon proeven te nemen met het vervaardigen van ijs op basis van vruchtensap in plaats van water en legde zo, zonder het te weten of te willen, de grondslag voor de uitvinding van het consumptieijs, alleen

231

maar omdat hij enige variatie wilde brengen in de produktie van een onderneming die hij reeds als zijn eigendom beschouwde, aangezien uit niets bleek dat zijn broer nog zou terugkomen, ook niet toen de regen alweer was opgehouden en daarna nog een hele zomer zonder enig bericht was voorbijgegaan. Maar in het begin van de volgende winter kwam een vrouw, die op het heetste uur van de dag de was ging doen in de rivier, de hoofdstraat inrennen terwijl ze luide kreten slaakte in een onrustbarende staat van opgewondenheid.

'Er komt een griezelig ding aan,' wist ze tenslotte uit te leggen, 'iets als een fornuis dat een dorp voortsleept.'

Op dat moment werd de bevolking opgeschrikt door een kolossale, hijgende ademhaling en een gefluit dat angstwekkend weergalmde. Natuurlijk had men in de voorafgaande weken de ploegen wel gezien die de dwarsliggers en de rails aanbrachten, maar niemand had er aandacht aan geschonken omdat men meende dat het weer zo'n kunststukje was van de zigeuners met hun stokoude en door niemand meer ernstig genomen rimram van fluiten en tamboerijnen waarmee de voortreffelijkheid werd aangeprezen van wie weet wat voor smeuïg smeerseltje van Jeruzalemse jandoedelgeleerden. Maar toen men eenmaal bekomen was van de ontsteltenis over het ontzagwekkende gefluit en gesnuif, stroomden alle inwoners de straat op en zagen hoe Aureliano Triste hen toewuifde vanaf de locomotief en staarden als betoverd naar het met bloemen versierde treintje dat voor de eerste keer aankwam, zij het met acht maanden vertraging. Het onschuldige gele treintje dat zoveel zekerheden en onzekerheden, zoveel vreugde en tegenspoed, zoveel veranderingen en rampen en weemoed zou brengen naar Macondo.

De inwoners van Macondo, overdonderd door zoveel wonderbaarlijke uitvindingen, vielen van de ene verbazing in de andere. Ze bleven hele nachten op om te kijken naar de bleke elektrische lampjes, gevoed door een installatie die Aureliano

Triste bij de tweede reis van de trein had meegebracht en welks doffe gezoem hen bijna een obsessie bezorgde voordat ze er na veel tijd en moeite aan gewend waren. Ze raakten diep verontwaardigd over de bewegende beelden die don Bruno Crespi, nu een welvarend zakenman, in het theater met de leeuwenmuilloketjes op het doek wierp, omdat een persoon die na de ene film dood en begraven was en om wiens tegenspoed men smartelijke tranen had gestort, in de eerstvolgende film weer opdook, springlevend en wel en dan veranderd in een Arabier. Het publiek, dat twee centavos betaalde om de wederwaardigheden van de helden te mogen delen, nam deze ongehoorde zwendel niet en sloeg de zitplaatsen kort en klein. Op aandringen van don Bruno Crespi legde de burgemeester in een openbare bekendmaking uit, dat de bioscoop slechts een zinnebeeldig toestel was dat de ongebreidelde hartstochten van het publiek niet verdiende. Na deze ontmoedigende verklaring geraakten de meeste mensen tot de overtuiging dat ze het slachtoffer waren geworden van een nieuwe, omslachtige zigeunerstreek en ze besloten niet meer naar de bioscoop te gaan, aangezien ze aan hun eigen zorgen al genoeg hadden om ook nog te gaan huilen over de verzonnen ellende van niet bestaande wezens. Iets dergelijks gebeurde ook met de cilindergrammofoons die de vrolijke Franse dames hadden meegebracht ter vervanging van de ouderwetse orgeltjes en die een tijd lang zo'n ernstige bedreiging vormden voor de belangen van de orkestjes. In het begin werd de klandizie in de verboden straat louter door nieuwsgierigheid verdubbeld en men hoorde zelfs fluisteren dat eerbiedigwaardige dames zich als boerentrienen verkleedden om het nieuwtje van dichtbij te kunnen bekijken, maar ze bekeken het zo vaak en van zo dichtbij, dat ze al gauw tot de conclusie kwamen dat het geen tovermolen was, zoals iedereen dacht en zoals de Franse dames beweerden, maar een mechanisch foefje dat in de verste verte niet te vergelijken viel met iets wat zo ontroerend, zo menselijk en zo vol dagelijkse werkelijkheid was als een groepje muzikanten. Het was een grote teleurstelling – zo groot, dat toen de grammofoons werkelijk populair werden en er in elk huis een te vinden was, ze nog steeds niet beschouwd werden als vermaaksobjecten voor volwassenen maar als iets wat de kinderen zo aardig uit elkaar konden halen. Toen daarentegen iemand van het dorp in de gelegenheid werd gesteld om de harde werkelijkheid van de telefoon te beproeven die in het spoorwegstation was aangebracht en die vanwege zijn slinger beschouwd werd als een ruwe versie van de grammofoon, raakten zelfs de meest ongelovige Thomassen in grote verwarring. Het was of God besloten had hun vermogen tot verbijstering in al zijn omvang op de proef te stellen en de bevolking van Macondo onafgebroken heen en weer liet slingeren tussen uitgelatenheid en ontgoocheling, tussen twijfels en onthullingen, net zolang totdat niemand meer met zekerheid wist waar de grenzen van de werkelijkheid lagen. Het was een wanordelijk mengelmoesje van waarheden en verdichtingen en zelfs het spookbeeld van José Arcadio Buendía onder de kastanjeboom werd door ongeduld verteerd en zag zich gedwongen om op klaarlichte dag door het gehele huis te gaan dwalen. Sinds de spoorweg officieel was ingewijd en de trein met regelmaat elke woensdag om elf uur begon aan te komen en men het primitieve houten stationnetje had ingericht met een schrijftafel, de telefoon en een loket om kaartjes te verkopen, zag men in de straten van Macondo allerlei mannen en vrouwen verschijnen die net deden alsof hun gedrag heel gewoon en gebruikelijk was, maar die in werkelijkheid eerder op circusklanten leken. In een dorp als Macondo, wantrouwig gemaakt door de ervaringen met de zigeuners, bestond er niet veel toekomst voor deze evenwichtskunstenaars van de losvaste handel, die met evenveel voortvarendheid een fluitketel aanboden als een leefregel om na zeven dagen de redding van de ziel te bewerken; toch behaalden ze geweldige winsten bij diegenen die zich uit vermoeidheid lieten overhalen of die altijd al onachtzaam waren geweest. Tussen al deze helden van de valse voorspiegeling, met hun rijbroeken en hun beenkappen, hun kurken hoeden, hun brillen met stalen montuur, hun topazen ogen en hun huid als een kalkoense haan, verscheen op een van al die woensdagen in Macondo en in het huis van de Buendía's, waar hij de lunch gebruikte, de mollige en minzame Mr. Herbert.

Aan tafel merkte niemand hem op, totdat hij de eerste tros

bananen had opgegeten. Aureliano Segundo had hem bij toeval ontmoet toen hij in moeizaam Spaans zijn ongenoegen uitte omdat er geen kamer vrij was in Hotel Jacob; hij had de man mee naar huis genomen, zoals hij vaak met vreemdelingen deed. Mr. Herbert deed in kabelballonnen die hij over de halve wereld meesleepte en die hem een uitstekende winst bezorgden, maar in Macondo had hij niemand de lucht in kunnen krijgen omdat men daar de vliegende tapijten van de zigeuners had gezien en beproefd en zijn uitvinding dus als een achteruitgang beschouwde. Daarom zou hij met de eerstvolgende trein vertrekken. Toen men hem een van de trossen gespikkelde bananen voorzette die tijdens het middagmaal gewoonlijk in de eetkamer werden opgehangen, trok hij er de eerste vrucht af zonder al teveel enthousiasme te tonen. Maar al pratend bleef hij dooreten, zorgvuldig kauwend en langzaam genietend, niet zozeer met het genot van een grage eter als wel met de verstrooidheid van een geleerde, en toen hij de eerste tros verorberd had, vroeg hij meteen om een tweede. Uit een gereedschapskist die hij altijd bij zich droeg haalde hij een klein foedraal met optische instrumenten. Met de ongelovige geboeidheid van een diamanthandelaar begon hij de banaan zorgvuldig te onderzoeken, sneed hem met een speciaal lancet in stukken, woog deze op een schaaltje zoals een apotheker gebruikt en bepaalde de omvang met een kalibreertoestel van een geweermaker. Daarna haalde hij uit zijn kist nog een reeks instrumenten, waarmee hij de temperatuur, de vochtigheidsgraad van de atmosfeer en de intensiteit van het licht opmat. De ceremonie wekte zoveel nieuwsgierigheid dat niemand rustig kon afeten; men wachtte tot Mr. Herbert eindelijk een onthullende uitspraak zou doen, maar hij zei geen woord waaruit zijn bedoelingen ook maar vaagjes zouden kunnen blijken.

De daaropvolgende dagen zag men hem met een netje en een tenen mandje op vlinders jagen in de omgeving van het dorp. 's Woensdags arriveerde een groep ingenieurs, landbouwexperts, waterloopkundigen, topografen en landmeters, die gedurende een paar weken op onderzoek uittrokken op dezelfde plaatsen waar Mr. Herbert op vlinders had gejaagd. Nog later kwam meneer Jack Brown in een extra wagon die men aan de staart van het gele treintje had gehaakt en die geheel met zilveren plaatwerk was bekleed en was uitgerust met armstoelen van kardinaalsrood fluweel en een dak van blauw glas. Met deze speciale wagon kwamen ook de plechtstatige, in het zwart geklede en voortdurend rond meneer Brown draaiende advocaten mee die in vroeger tijden overal achter kolonel Aureliano Buendía waren aangetrokken en dit bracht de mensen op het idee dat de landbouwexperts, de waterloopkundigen, de topografen en de landmeters, alsmede Mr. Herbert met zijn kabelballonnen en zijn kleurige vlinders en meneer Brown met zijn rijdende mausoleum en zijn woeste Duitse herders, iets te maken hadden met de oorlog. Maar de argwanende inwoners van Macondo kregen niet veel tijd om dat te denken, want nauwelijks waren ze zich gaan afvragen wat er nu weer voor onbegrijpelijks gebeurde, of het hele dorp was al veranderd in een waar kampement van houten huizen met zinken daken, bevolkt door vreemdelingen die uit de hele wereld samenstroomden en die ook al aankwamen met de trein, niet alleen gezeten op de banken en de balkons maar zelfs op de daken van de wagons. De vreemdelingen, die later hun kwijnende vrouwen met mousseline jurken en grote gevoileerde hoeden lieten overkomen, bouwden aan de andere kant van de spoorlijn een geheel eigen dorp met palmen langs de straten en metalen tralievensters in de huizen en witte tafeltjes op de terrassen en molenwiekende ventilators aan de plafonds en uitgestrekte, blauwachtige wandelparken met kwartels en pauwen. Het hele gebied werd, als één reusachtige kippenren, omgeven met een metalen hekwerk dat onder stroom stond en dat in de koele zomermaanden elke morgen zwart zag van de aangebrande zwaluwen. Niemand wist nog wat ze daar eigenlijk zochten en men begon al te vermoeden dat het in feite slechts filantropen waren, toen ze al een kolossale omwenteling hadden teweeggebracht – veel ingrijpender dan de kunststukjes van de oude zigeuners, maar lang niet zo begrijpelijk en van minder voorbijgaande aard. Ze beschikten over hulpmiddelen die in vroeger tijden slechts ten dienste stonden aan de Goddelijke Voorzienigheid en daarmee wijzigden ze het grillige patroon van de regenbuien, versnelden ze de cyclus van de oogst, verwijderden ze de rivier van de plaats waar hij altijd had gelegen en verplaatsten hem, compleet met zijn witte stenen en zijn ijskoude stroomversnellingen, naar het andere einde van het dorp, achter het kerkhof. Bij die gelegenheid bouwden ze ook het betonnen pantser om de verkleurde zerk van José Arcadio om te voorkomen dat het water besmet zou raken met de kruitgeur van het lijk. Voor de vreemdelingen die onbemind waren gekomen veranderden ze de straat van de lieftallige Franse dames in een nederzetting die uitgebreider was dan hun eigen dorp en op een glorieuze woensdag lieten ze een trein vol onwaarschijnlijke hoeren komen, weelderige vrouwen die uiterst bedreven waren in de meest onvergetelijke behandelingen en die beschikten over allerlei zalfjes en toestellen om de krachtelozen te stimuleren, de schuchteren aan te vuren, de veeleisenden te verzadigen, de eenvoudigen van harte te verrukken, de veelzijdigen te overbluffen en de eenzelvigen tot andere gedachten te brengen. In de Straat van de Turken, verrijkt met fel verlichte kruidenierswinkels die de plaats innamen van de oude bontgekleurde bazaartjes, zwierven op zaterdagavond hele massa's avonturiers rond, die elkander verdrongen tussen de goktafeltjes, de schiettenten, het steegje waar men de toekomst voorspelde en dromen uitlegde en de kraampjes met spijzen en dranken die bij het aanbreken van de zondag her en der tegen de grond gesmakt lagen, tussen roerloze lichamen die soms toebehoorden aan gelukzalige dronkaards maar meestal aan nieuwsgierigen, geveld door schoten, vuistslagen, messteken en weggesmeten flessen. Het was zo'n onstuimige en stormachtige invasie, dat het de eerste tijd onmogelijk was om door de straat te komen, gehinderd als men was door de meubelen en de koffers en het timmergereedschap van al diegenen die, zonder iemands toestemming daarvoor te vragen, een huis begonnen te bouwen op het eerste de beste stukje braakliggend terrein – om maar te zwijgen van het schandalige optreden van al de stelletjes die hun hangmatten tussen de amandelbomen spanden en onder een zonnescherm de liefde bedreven, op klaarlichte dag en onder het oog van iedereen. Er was slechts één rustig hoekje, ingericht door vreedzame Antilliaanse negers die aan de uiterste rand hun eigen straat bouwden met houten huizen op palen, waar ze 's avonds in de portieken gingen zitten en droefgeestige gezangen aanhieven in hun onordelijke Papiamento. In korte tijd traden er zoveel veranderingen in, dat de oorspronkelijke inwoners van Macondo acht maanden na het bezoek van Mr. Herbert extra vroeg uit bed kwamen om hun eigen dorp te verkennen.

'Kijk toch eens wat voor ellende we ons op de hals gehaald hebben,' placht kolonel Aureliano Buendía in die tijd te zeggen. 'En dat alleen maar omdat we een vreemdeling een banaan hebben laten eten.'

Aureliano Segundo daarentegen kon zijn plezier niet op met deze toevloed van vreemdelingen. Het huis raakte plotseling vol met onbekende gasten, met onverwoestbare keetschoppers uit de gehele wereld, en het bleek nodig om slaapkamers bij te bouwen op de patio, de eetkamer uit te breiden en de oude tafel te vervangen door een andere met zestien plaatsen, compleet met nieuwe dekschalen en serviezen – en zelfs toen nog moest men in ploegen werken om te kunnen eten. Fernanda moest haar bezwaren inslikken en iedereen als een vorst onthalen, ook de gasten met de meest verdorven inborst, die de waranda bevuilden met hun modderlaarzen, in de tuin urineerden, her en der hun slaapmatten ontrolden om de siësta te houden en zich uitten zonder rekening te houden met de fijngevoeligheden van de dames of de lange tenen van de heren. Amaranta ergerde zich dermate aan de invasie van het plebs, dat ze weer in de keuken ging eten, net als vroeger. Kolonel Aureliano Buendía – overtuigd dat het merendeel van degenen die hem in zijn atelier kwamen bezoeken, dit niet deden uit sympathie of achting maar uit nieuwsgierigheid naar een historisch relikwie, een museumfossiel – besloot de sluitbalk op zijn deur te doen en liet zich nog slechts zien bij de spaarzame gelegenheden dat hij in de voordeur ging zitten. Wat Úrsula betreft, nog in de tijd dat ze al met haar voeten sleepte en zich tastend langs de muren voortbewoog, ervoer ze een kinderlijke opgetogenheid wanneer het tijdstip van de aankomst van de trein naderde. 'We moeten vlees en vis klaarmaken,' beval ze aan de vier keukenmeiden, die zich onder de onverstoorbare leiding van Santa Sofía de la Piedad afbeulden om alles op tijd gereed te hebben. 'We moeten van alles klaarmaken,' drong ze aan, 'want je weet nooit wat de vreemdelingen willen eten.' De trein kwam aan op het warmste uur van de dag. Tijdens het middagmaal daverde het huis van een drukte als op een marktplein en de zwetende kostgangers, die niet eens wisten wie hun gulle gastheren waren, stormden en bloc naar binnen om de beste plaatsen aan tafel te bezetten, terwijl de keukenmeiden elkander voor de voeten liepen met enorme ketels soep, pannen vlees, schalen groenten en bakken rijst en de onuitputtelijke vaten citroenlimonade met pollepelsvol leegdeelden. De wanorde was zo groot, dat Fernanda buiten zichzelf raakte bij het besef dat menigeen tweemaal at en meer dan eens voelde ze de neiging opkomen om in smadelijke viswijventaal haar hart te luchten wanneer een eter zich vergiste en haar om de rekening vroeg. Er was nu meer dan een jaar verlopen sinds het bezoek van Mr. Herbert en men wist slechts, dat de vreemdelingen van plan waren bananen te zaaien in het betoverde gebied dat José Arcadio Buendía en zijn mannen eenmaal doorkruist hadden op zoek naar de route die hen bij de grote uitvindingen moest brengen. Twee andere zoons van kolonel Aureliano Buendía, nog steeds met het askruisje op hun voorhoofd, kwamen naar Macondo, aangelokt door deze vulkanische uitbarsting. Ze rechtvaardigden hun besluit met een zin die wellicht de beweegredenen van iedereen weergaf.

'We zijn gekomen,' zeiden ze, 'omdat iedereen komt.'

Remedios de Schone was de enige die immuun bleef voor de gesel van de banaan. Ze was blijven steken in een verheven adolescentie, steeds minder toegankelijk voor omgangsvormen, steeds onverschilliger voor kwaadwilligheid en achterdocht, volkomen gelukkig in een eigen wereld van simpele waarheden. Ze kon maar niet begrijpen waarom vrouwen zich het leven ingewikkeld maakten met corsetten en onderrokken, zodat ze voor zichzelf een wijde zak van grof katoen naaide die ze eenvoudig over haar hoofd wierp en die zonder mankeren het hele kledingvraagstuk oploste zonder haar te beroven van de indruk dat ze naakt was, iets wat volgens haar zienswijze de enige fatsoenlijke manier was om thuis rond te lopen. Men plaagde haar zozeer met het verzoek de stortvloed van

239

haar te kortwieken, die reeds tot haar kuiten reikte, en haar lokken met sierkammen op te steken of vlechten te maken met gekleurde linten, dat ze eenvoudig haar hoofd kaalknipte en pruiken maakte voor de heiligenbeelden. Hoe meer ze, in een hang naar persoonlijk gemak, de eisen van de mode van zich afzette en hoe meer ze, gehoor gevend aan haar eigen spontaanheid, de omgangsvormen met voeten trad, des te overrompelender werd haar ongelooflijke schoonheid en des te uitdagender werd haar gedrag tegenover mannen. Dat was misschien wel het wonderlijkste aspect van haar ingeboren neiging om alles te vereenvoudigen. Toen de zonen van kolonel Aureliano Buendía voor de eerste keer in Macondo kwamen, herinnerde Úrsula zich ineens dat ze hetzelfde bloed in hun aderen droegen als haar achterkleindochter en ze huiverde onder een lang vergeten spookbeeld. 'Houd je ogen goed open,' waarschuwde ze het meisje. 'Met ieder van hen zul je kinderen krijgen met een varkensstaart.' Remedios de Schone trok zich zo weinig van die waarschuwing aan, dat ze zich in mannenkleren hulde en zich in zand wentelde om in de mast te kunnen klimmen – iets wat bijna een tragedie veroorzaakte onder de zeventien neven, die volkomen buiten zinnen waren van dit onverdraaglijke schouwspel. Vandaar dat ze tijdens hun bezoek aan het dorp geen van allen in huis mochten slapen en de vier die tenslotte bleven, woonden op bevel van Úrsula op kamers die ze elders hadden gehuurd. Toch zou Remedios de Schone zich de tranen hebben gelachen als ze van deze voorzorgsmaatregel op de hoogte was geweest. Tot aan het allerlaatste ogenblik van haar verblijf op aarde ontging het haar volkomen, dat haar onontkoombare lot van onrustzaaister elke dag opnieuw een ware ramp betekende. Telkens wanneer ze ondanks Úrsula's verbod in de eetkamer verscheen, veroorzaakte ze een panische ademnood onder de vreemdelingen. Het was maar al te duidelijk dat ze onder het grove hemd volkomen naakt was en niemand zag in, dat haar kaalgeschoren maar volmaakt gevormde schedel geen uitdaging betekende en dat ze niemand op misdadige wijze tartte wanneer ze zonder enige schaamte haar dijen ontblootte om de warmte kwijt te raken of wanneer ze met overgave haar vingers aflikte nadat ze met haar handen had zitten eten. Wat niemand van de familie ooit te weten kwam, was, dat de vreemdelingen onmiddellijk bespeurden dat Remedios de Schone een sfeer van onrust verspreidde, een windvlaag vol zielekwellingen, die zelfs nog merkbaar bleef wanneer ze al uren geleden was voorbijgekomen. Mannen die de liefde over de gehele wereld hadden uitgeprobeerd en zeer ervaren waren in de roerselen ervan, verklaarden dat ze nimmer hadden geleden onder een gewaarwording die ook maar enigszins leek op wat in hun binnenste veroorzaakt werd door de natuurlijke geur van Remedios de Schone. Op de waranda vol begonia's, in de salon, in alle hoeken van het huis kon men precies de plaats bepalen waar ze was geweest en de tijd bepalen die verstreken was sinds ze er was weggegaan. Het was een duidelijk, niet te verwarren spoor dat geen van de huisgenoten kon onderscheiden, omdat het al sinds lange tijd was ingebed in de geuren van alledag; maar de vreemdelingen herkenden het onmiddellijk. Daarom waren zij de enigen die konden begrijpen dat de jonge commandant van de bewakingstroepen van liefde was gestorven en dat een vreemde, van elders gekomen heer geheel aan lager wal was geraakt. Zich niet bewust van de onrustverwekkende sfeer waarin ze zich bewoog, niet wetend van de onverdraaglijke staat van inwendige ontwrichting die ze in het voorbijgaan veroorzaakte, behandelde Remedios de Schone alle mannen zonder een spoor van kwaad opzet en bracht hen prompt buiten zichzelve met haar argeloze levensblijheid. Toen Úrsula het tenslotte voor elkaar kreeg dat ze bij Amaranta in de keuken bleef eten, zodat de vreemdelingen haar niet meer te zien zouden krijgen, vond ze dat alleen maar prettiger omdat ze zo gevrijwaard was van elke vorm van discipline. In werkelijkheid kon het haar niet schelen waar ze at, als het maar niet was op vaste tijdstippen maar in overeenstemming met de schommelingen van haar eetlust. Soms stond ze 's nachts om drie uur op om een lunch te gebruiken, sliep daarna de gehele dag en leefde dan maandenlang met een volledig omgedraaide dagindeling totdat het een of andere voorval haar weer in het gareel bracht. Wanneer die dingen allemaal iets beter verliepen, stond ze gewoonlijk om een uur of elf op en sloot zich wel twee uur achtereen op in de badkamer, waar ze in al haar naaktheid schorpioenen bleef doodslaan totdat de diepe en nog altijd aanwezige slaap uit haar was weggetrokken. Daarna spoelde zich zich af met water uit het bassin, scheppend met een kalebas. Die handeling was zo langdurig, geschiedde zo nauwgezet en bevatte zoveel ceremoniële toestanden dat iemand, die haar niet beter kende, gedacht zou hebben dat ze verdiept was in een welverdiende verering van haar eigen lichaam. Maar voor haar miste dit eenzame ritueel ieder spoor van zinnelijkheid; het was slechts een manier om de tijd te doden totdat ze honger kreeg. Op een dag, toen ze zich weer gereedmaakte om te gaan baden, tilde een vreemdeling een dakpan op en snakte naar adem bij de overstelpende aanblik van haar naaktheid. Zij ontdekte de onthutste ogen tussen de gebroken dakpannen en reageerde niet met schaamte, maar met verontrusting.

'Pas op!' riep ze. 'Straks valt u nog naar beneden.'

'Ik wil alleen maar naar u kijken,' mompelde de vreemdeling.

'O, goed,' antwoordde ze. 'Maar wees voorzichtig, want die dakpannen zijn verrot.'

Op het gezicht van de vreemdeling lag een uitdrukking van pijnlijke verbijstering en hij leek zwijgend te worstelen met zijn meest primitieve aandriften om dit fata morgana niet te laten vervluchtigen. Remedios de Schone meende dat hij gebukt ging onder de angst dat de dakpannen het zouden begeven en ze baadde zich haastiger dan gewoonlijk om hem niet te lang in gevaar te laten verkeren. Terwijl ze water uit het bassin schepte vertelde ze hem, dat het inderdaad een probleem was zoals het dak eruit zag, want zij meende dat de dikke laag bladeren, die door de regen verrot waren, er de oorzaak van was dat de badkamer vol schorpioenen raakte. De vreemdeling vatte dit gebabbel abusievelijk op als een maniertje om haar behaagziekte te verhelen en toen ze zich begon in te zepen, bezweek hij dan ook voor de verleiding om een volgende stap te wagen.

'Laat mij u inzepen,' fluisterde hij.

'Hartelijk dank voor uw vriendelijk aanbod,' antwoordde

ze. 'Maar ik heb genoeg aan mijn twee handen.'

'Al was het alleen uw rug maar,' smeekte de vreemdeling.

'Dat zou nergens toe dienen,' antwoordde ze. 'Men heeft nog nooit gehoord dat iemand zijn rug inzeepte.'

Later, toen ze zich begon af te drogen, vroeg de vreemdeling haar smekend en met tranen in de ogen of ze met hem wilde trouwen. Zij antwoordde oprecht dat ze nooit zou trouwen met een man die zo dwaas was, dat hij bijna een uur verdeed en zelfs zijn middagmaal liet schieten – alleen maar om te zien hoe een vrouw in het bad ging. Toen ze tenslotte het hemd aantrok, wist de man zich geen raad met de constatering dat ze er inderdaad niets onder droeg, zoals iedereen vermoedde, en hij voelde zich voor eeuwig gebrandmerkt met het gloeiende ijzer van dit geheim. Dus nam hij nog twee dakpannen weg om zich in de badkamer te laten zakken.

'Het is hier erg hoog,' waarschuwde ze hem verschrikt. 'Dat wordt uw dood nog!'

De weggeteerde dakpannen begaven het onder een rampzalig gekraak en de man kon nog nauwelijks een kreet van schrik slaken voordat hij zijn schedel brak en zonder doodsstrijd overleed op de cementen vloer. De vreemdelingen, die het rumoer vanuit de eetkamer hadden gehoord en zich haastten om het lijk te verwijderen, bespeurden in zijn huid de verstikkende geur van Remedios de Schone. Die was zo diep in het lichaam doorgedrongen, dat uit de scheuren in zijn schedel geen bloed naar buiten drong maar een amberkleurige olie die geheel doortrokken was van datzelfde geheime aroma en toen beseften ze dat de geur van Remedios de Schone een man ook na de dood nog bleef kwellen, totdat zijn beenderen tot stof waren vergaan. Desondanks brachten ze dit gruwelijke ongeluk niet onmiddellijk in verband met de beide andere mannen die om Remedios de Schone het leven hadden gelaten. Er was nog een slachtoffer nodig voordat de vreemdelingen – en met hen de meeste oorspronkelijke inwoners van Macondo – geloof hechtten aan het fabeltje dat Remedios Buendía niet tot liefde inspireerde maar een waas van dood en vernietiging uitstraalde. De gelegenheid om dat te bevestigen deed zich pas maanden later voor, op de middag dat Remedios de Schone met een groepje vriendinnen ging kijken naar de nieuwe plantages. Sinds kort was het voor de mensen van Macondo een geliefde ontspanning om door de vochtige, eindeloze, met bananenbomen omgeven lanen te wandelen waar de stilte van elders leek te zijn aangevoerd, nog altijd ongebruikt en daarom zo onhandig bij het overbrengen van ieders stemgeluid. Soms kon men niet verstaan wat er op een halve meter afstand werd gezegd, terwijl het daarentegen volkomen begrijpelijk was aan het andere einde van de plantage. Voor de meisjes van Macondo gaf dit nieuwe spelletje aanleiding tot veel gegiechel en schrik, koude rillingen en geginnegap, en 's avonds sprak men over zo'n wandeling alsof het een ervaring uit een droom was geweest. De faam van deze stilte was zo groot, dat Úrsula het hart niet had om dit verzetje aan Remedios de Schone te onthouden en op een middag stond ze haar toe om ook te gaan kijken, op voorwaarde dat ze een hoed opzette en een behoorlijke jurk aantrok. Vanaf het ogenblik dat het groepje vriendinnen de plantage betrad, raakte de lucht bezwangerd van een dodelijk aroma. De mannen die aan het werk waren in de irrigatiegreppels, voelden zich aangegrepen door een zeldzame geboeidheid en bedreigd door een onzichtbaar gevaar en velen gaven toe aan een verschrikkelijke neiging tot huilen. Remedios de Schone en haar hevig geschrokken vriendinnen werden bijna aangerand door een groep wild geworden manspersonen en konden zich juist op tijd redden in een naburig huis. Kort daarna werden ze bevrijd door de vier Aureliano's, wier askruisjes een heilig ontzag inboezemden alsof ze een teken van uitverkiezing vormden, een kenmerk van onkwetsbaarheid. Remedios de Schone vertelde aan niemand dat een van de mannen, gebruikmakend van het tumult, haar buik had kunnen vastgrijpen met een hand die eerder leek op de klauw van een adelaar welke zich vastklampt aan de rand van een afgrond. In een soort plotseling opgerezen helderheid had ze haar aanrander aangekeken en de ontroostbare ogen gezien die sinds dat ogenblik in haar hart gebrand stonden als zacht gloeiend medelijden. Die avond snoefde de man op zijn stoutmoedigheid en in de Straat van de Turken pochte hij op zijn geluk – slechts een paar minuten voordat zijn borst werd ingedrukt door de trap van een paard en een massa vreemdelingen hem midden op straat zagen kronkelen van de pijn, waarna hij stikte in zijn eigen bloedspuwingen.

De veronderstelling dat Remedios de Schone over dodelijke krachten beschikte, werd nu gesteund door vier onweerlegbare feiten. Al beweerden sommige grootschreeuwers dat het best de moeite waard zou zijn om je leven te geven voor één liefdesnacht met zo'n verbijsterende vrouw, toch was het een feit dat niemand zijn best deed om dat te bereiken. Misschien was er niet méér voor nodig – niet alleen om haar te temmen maar ook om haar gevaren te bezweren – dan een oeroud en eenvoudig gevoel als doodgewone liefde; maar dat was het enige wat bij niemand opkwam. Úrsula trok zich niets meer van het meisje aan. In vroeger tijden, toen ze nog niet had afgezien van haar voornemen om haar voor de wereld te behoeden, had ze haar best gedaan het meisje te interesseren voor de meest elementaire huishoudelijke zaken. 'Mannen eisen veel meer dan je denkt,' had ze raadselachtig gezegd. 'Je moet altijd veel meer koken, veel meer vegen, veel meer pietluttigheden verdragen dan jij nu denkt.' In diepste wezen bedroog ze zichzelf bij haar pogingen het meisje op te leiden voor enig huiselijk geluk, want ze was ervan overtuigd dat op de hele wereld geen man te vinden zou zijn die, als de hartstocht eenmaal bevredigd was, ook maar één enkele dag genoegen zou nemen met een slordigheid welke alle begrip teboven ging. De geboorte van de laatste José Arcadio en haar onwankelbare wens om hem een opleiding tot Paus te bezorgen deden haar tenslotte afzien van verdere bemoeienissen met haar achterkleindochter. Ze liet haar eenvoudig aan haar lot over en vertrouwde erop dat er vroeg of laat wel een wonder zou gebeuren en dat er op deze wereld, waar je van alles tegenkwam, ook wel een man zou zijn met voldoende flegma om zich met de zorg voor haar te belasten. Amaranta had al veel eerder elke poging opgegeven om haar achternichtje in een bruikbare vrouw te veranderen. Al sinds de lang vervlogen middagen in de naaikamer, waar het meisje al nauwelijks zin had om aan de slinger van de naaimachine te draaien, was ze tot de slotsom gekomen dat Remedios de Schone achterlijk was. 'We zullen je nog moeten verloten,' had ze gezucht, verbijsterd over het feit dat de woorden van geen enkele man tot haar konden doordringen. Later, toen Úrsula erop toezag dat Remedios de Schone met een mantilla voor het gezicht naar de mis ging, had Amaranta gedacht dat dit mysterieuze gedoe zo aanlokkelijk zou blijken, dat er al gauw een man zou opduiken wiens belangstelling in voldoende mate was gewekt om met veel geduld de zwakke plekken van haar hart te zoeken. Maar toen ze eenmaal had meegemaakt hoe onzinnig het meisje een gegadigde afwees die om vele redenen aantrekkelijker was dan een vorstenzoon, had ze alle hoop opgegeven. Wat Fernanda betreft, zij deed niet eens een poging om het meisje te begrijpen. Toen ze Remedios de Schone voor de eerste maal te zien kreeg, gekleed als koningin op het bloedige carnavalsfeest, had ze gedacht dat dit een buitengewoon schepsel moest zijn. Maar toen ze haar eenmaal met de vingers zag eten, niet in staat om een antwoord uit te brengen dat op zichzelf geen wonder van simpelheid was, beklaagde ze zich nog slechts over het feit dat de gekken van de familie zo lang bleven leven. Ofschoon kolonel Aureliano Buendía nog altijd meende en meermalen te kennen gaf dat Remedios de Schone in werkelijkheid het meest verlichte wezen was dat hij ooit had gekend en dat ze dit elk ogenblik aantoonde met haar verbazingwekkende bekwaamheid om iedereen voor gek te zetten, liet men haar eenvoudig over aan Gods genade. Remedios de Schone bleef zwerven door de woestijn van haar eenzaamheid, zonder een kruis te hoeven torsen en langzaam rijpend in haar zorgeloze dromen, in haar eindeloze baden, in haar maaltijden zonder etensuur, in haar diepe en langdurige stilten zonder herinneringen, totdat Fernanda op een middag in maart haar zwaar linnen lakens wilde vouwen in de tuin en daarbij de hulp inriep van de vrouwen in het huis. Ze waren nog maar net begonnen of Amaranta bemerkte dat Remedios de Schone doorschemerd werd van een intense bleekheid.

'Voel je je niet goed?' vroeg ze.

Remedios de Schone, die het laken aan het andere einde vasthad, schonk haar een medelijdend glimlachje.

'Integendeel,' zei ze. 'Ik heb me nooit beter gevoeld.'

Nauwelijks had ze dat gezegd of Fernanda voelde hoe een zwakke vlaag van licht de lakens uit haar handen trok en ze in hun volle breedte ontvouwde. Amaranta voelde een geheimzinnig trillen in het kantwerk van haar onderrokken en trachtte zich aan het laken vast te grijpen om niet te vallen, terwijl Remedios de Schone op hetzelfde ogenblik begon op te stijgen. Úrsula, al bijna blind, was de enige die kalm genoeg bleef om de aard van deze onstuitbare wind te onderkennen en ze liet de lakens over aan de genade van het licht en toen zag ze hoe Remedios de Schone haar ten afscheid toewuifde tussen het verblindend klapwieken van de lakens, die met haar opstegen, die met haar de lucht van mestkevers en dahlia's verlieten, die met haar doordrongen tot in de lucht waar de tijd van vier uur 's middags ophield en zich voor altijd met haar verloren in de hoge luchten waar zelfs de hoogste vogels van de herinnering haar niet meer konden bereiken.

De vreemdelingen geloofden natuurlijk dat Remedios de Schone tenslotte haar onontkoombaar lot van bijenkoningin had moeten ondergaan en dat haar familie de eer trachtte te redden met het smoesje over de hemelvaart. Fernanda, die zich opvrat van nijd, aanvaardde tenslotte het wonder en nog lange tijd smeekte ze God de lakens terug te sturen. Het merendeel van de bevolking geloofde in het wonder; men stak zelfs kaarsen op en bad novenen. Wellicht zou men lange tijd over niets anders hebben gepraat, als de verbijstering niet spoedig had moeten plaatsmaken voor de ontzetting over het uitroeien van de Aureliano's. Ofschoon kolonel Aureliano Buendía het nooit als een voorgevoel had onderkend, had hij het tragische einde van zijn zoons in zekere zin voorzien. Toen Aureliano Serrador en Aureliano Arcaya, de twee die temidden van het tumult waren aangekomen, de wens uitdrukten om in Macondo te blijven, probeerde hun vader hen van dat plan af te brengen. Hij begreep niet wat ze kwamen zoeken in een dorp dat van de ene dag op de andere veranderd was in een oord vol gevaren. Maar Aureliano Centeno en Aureliano Triste bezorgden hen werk in hun ondernemingen, daarbij gesteund door Aureliano Segundo. De motieven die kolonel Aureliano Buendía had om zich tegen hun besluit te verzetten, waren toen nog uiterst verward. Sinds hij meneer Brown had zien verschijnen in de eerste automobiel die in Macondo aankwam – een oranjekleurige wagen met open kap en met een hoorn die de honden met zijn gekef schrik aanjoeg – had de oude vechtjas slechts verontwaardiging gekend over de slaafse fratsen van de bevolking en hij was gaan beseffen dat er in de aard van de mannen iets veranderd moest zijn, sinds de tijd dat ze vrouw en kinderen verlieten en een jachtgeweer op de schouder namen om zich naar de oorlog te begeven. Na de wapenstilstand van Neerlandia hadden de plaatselijke autoriteiten nog slechts bestaan uit burgemeesters zonder ondernemingsgeest en rechters voor de sier, gekozen uit de vredigste en meest vermoeide conservatieven van Macondo. 'Dit is een regering van arme donders,' placht kolonel Aureliano Buendía op te merken als hij de barrevoets gaande politieagenten langs zag komen, gewapend met hun houten knuppels. 'Hoeveel oorlogen hebben wij niet gevoerd – en dat alleen maar om te voorkomen dat ze ons huis blauw verfden!' Maar toen de bananenmaatschappij eenmaal was aangekomen, werden de plaatselijke functionarissen vervangen door eigenmachtig optredende vreemden die op bevel van meneer Brown in de elektrische kippenren moesten wonen omdat ze, naar hij zei, recht hadden op de waardigheid die bij hun ambt behoorde en niet mochten lijden onder de warmte en de muggen en de talloze andere ongemakken en ontberingen van het dorp zelf. De oude politieagenten werden vervangen door gehuurde sluipmoordenaars. Weggedoken in zijn atelier dacht kolonel Aureliano Buendía diep over al deze veranderingen na en voor het eerst in alle zwijgzame jaren van eenzaamheid werd hij gekweld door de onwrikbare zekerheid, dat het een grote vergissing was geweest om de oorlog niet tot het bittere einde voort te zetten. Omstreeks die tijd ging de broer van de sinds lang vergeten kolonel Magnífico Visbal met zijn kleinzoon van zeven jaar een frisdrankje gebruiken bij een van de kraampjes op het plein en omdat het kind per ongeluk tegen een korporaal van de politie opbotste en zijn drankje over diens uniform morste, hakte de barbaar het arme kind met zijn kapmes in moten en onthoofdde daarna met één slag de grootvader, toen deze tussenbeide trachtte te komen. Het hele

248

dorp zag de onthoofde langskomen toen een groep mannen hem naar huis bracht en ze zagen ook het afgehakte hoofd, dat door een vrouw werd meegedragen aan het haar, en de bloeddoordrenkte linnen zak waarin ze de brokstukken van het kind hadden gedaan.

Voor kolonel Aureliano Buendía was hiermee de grens van het lijdzaam toezien bereikt. Plotseling bemerkte hij dat hij weer brandde van dezelfde verontwaardiging die hij in zijn jonge jaren had gevoeld, toen hij het lijk zag van de vrouw die werd doodgeslagen omdat ze gebeten was door een dolle hond. Hij staarde naar de groep nieuwsgierigen die tegenover het huis stonden en met zijn vroegere stentorstem, teruggekeerd door de diepe minachting die hij voor zichzelf voelde, bedolf hij hen onder de zware last van haat die hij niet langer in zijn hart kon verdragen.

'Een dezer dagen zal ik mijn jongens eens bewapenen!' schreeuwde hij. 'Dan kunnen ze afrekenen met die schijtvreemdelingen!'

In de loop van die week werden, op de meest uiteenlopende plaatsen van het kustgebied, al zijn zeventien zonen als konijnen afgeschoten door ongeziene misdadigers die hun wapens richtten op het snijpunt van hun askruisjes. Aureliano Triste verliet om zeven uur 's avonds het huis van zijn moeder, toen een geweerschot opklonk in de duisternis en zijn voorhoofd doorboord werd. Aureliano Centeno werd aangetroffen in zijn hangmat, die hij in de fabriek placht op te hangen, met een ijshaak tussen zijn wenkbrauwen die tot aan het handvat in zijn voorhoofd was geramd. Aureliano Serrador was met zijn verloofde naar de bioscoop geweest, had haar in het huis van haar ouders achtergelaten en keerde door de Straat van de Turken naar huis terug, toen iemand wiens identiteit nooit werd vastgesteld vanuit de menigte een revolverschot op hem afvuurde dat hem in een pan met kokende boter deed belanden. Een paar minuten daarna klopte iemand op de deur van de kamer waar Aureliano Arcaya zich met een vrouw had opgesloten en brulde: 'Kom gauw, want ze maken je broers af!' De vrouw die bij hem was vertelde later, dat Aureliano Arcaya uit bed sprong en de deur openrukte en werd opgewacht met een salvo uit een mauser waardoor zijn schedel aan stukken werd gereten. Terwijl men in die nacht des doods het huis gereedmaakte om te waken bij de vier lijken, rende Fernanda als een waanzinnige door het hele dorp om te zoeken naar Aureliano Segundo, die door Petra Cotes in een kleerkast was opgesloten omdat ze meende dat het bevel tot uitroeien gold voor eenieder die de naam van de kolonel droeg. Ze liet hem pas na vier dagen eruit, toen de telegrammen uit de verschillende delen van het kustgebied hen tot het besef hadden gebracht dat de wraak van de onbekende vijand uitsluitend gericht was op de broers die met het askruisje waren getekend. Amaranta zocht het aantekenboekje weer op waarin de gegevens van de neven stonden opgeschreven en naarmate de telegrammen binnenstroomden, schrapte ze naam voor naam door totdat slechts die van de oudste jongen overbleef. Ze herinnerde zich hem nog heel goed vanwege het contrast tussen zijn donkere huid en zijn grote groene ogen. Hij heette Aureliano Amador, was timmerman van beroep en woonde in een afgelegen dorp in de uitlopers van het gebergte. Toen Aureliano Segundo twee weken op het telegram van zijn dood had gewacht, zond hij een boodschapper naar hem toe om hem te waarschuwen, denkend dat hij niets wist van de dreiging die hem boven het hoofd hing. De boodschapper keerde terug met de mededeling dat Aureliano Amador gespaard was gebleven. Op de avond van de slachting had hij thuis bezoek ontvangen van twee mannen die hun revolvers op hem hadden leeggeschoten, maar ze hadden niet op het askruisje gemikt. Aureliano Amador had over de omheining van de patio kunnen springen en was verdwenen in de doolhoven van het gebergte waarvan hij elke meter kende dank zij zijn vriendschap met de indianen, met wie hij handelde in hout. Sindsdien had men niets meer van hem vernomen.

Voor kolonel Aureliano Buendía waren het zwarte dagen. De president van de republiek zond hem een rouwtelegram waarin hij een diepgaand onderzoek beloofde en eer betoonde aan de overledenen. Op zijn bevel verscheen de burgemeester op de begrafenis met vier rouwkransen die hij op de kisten wilde leggen, maar de kolonel zette hem de deur uit. Na de be-

250

grafenis ontwierp hij een in heftige bewoordingen gesteld telegram voor de president van de republiek en bracht het persoonlijk weg, maar de telegrafist weigerde het te verzenden. Toen verrijkte hij het nog met termen die van een opmerkelijke agressiviteit blijk gaven, stopte het in een envelop en wierp het op de post. Zoals hem ook gebeurd was bij de dood van zijn echtgenote, zoals hem tijdens de oorlog zo vaak gebeurd was bij de dood van zijn beste vrienden, voelde hij ook nu geen verdriet maar een blinde en ongerichte woede, een uitputtende machteloosheid. Hij ging zelfs zo ver dat hij pater Antonio Isabel van medeplichtigheid beschuldigde omdat deze zijn zoons met onuitwisbare as getekend had, zodat ze gemakkelijk herkend konden worden door hun vijanden. De afgeleefde priester, die ze niet allemaal meer op een rijtje had staan en die langzamerhand zijn parochianen schrik aanjoeg met de ongerijmde interpretaties waaraan hij zich op de preekstoel waagde, kwam op een middag het huis binnenstappen met het kommetje waarin hij de as van Aswoensdag had klaargemaakt en probeerde met de inhoud ervan de gehele familie te zalven, teneinde aan te tonen dat het er gewoon met water af ging. Maar de schrik van het gruwelijke gebeuren was zo diep ingevreten, dat zelfs Fernanda zich niet voor het experiment leende en nooit meer zag men een Buendía op Aswoensdag neerknielen aan de communiebank.

Kolonel Aureliano Buendía kon gedurende lange tijd zijn kalmte niet meer terugvinden. Hij stopte met het vervaardigen van visjes, at slechts met grote moeite en zwierf als een slaapwandelaar door het gehele huis, terwijl hij zijn deken meezeulde en een stomme woede verbeet. Na drie maanden was zijn huid asgrauw geworden en de oude snor met de gegomde punten droop neer over zijn kleurloze lippen; daarentegen waren zijn ogen weer dezelfde twee gloeiende kolen die alle aanwezigen bij zijn geboorte hadden doen schrikken en die in vroeger tijden de stoelen hadden laten dansen door er alleen maar naar te kijken. In de furie van zijn gekweldheid probeerde hij tevergeefs de voorgevoelens op te roepen die hem in zijn jonge jaren over de wegen van het gevaar hadden geleid tot aan de trieste woestenij van de roem. Hij was verdwaald, verloren gelopen, in een oneigen huis waar niets of niemand bij hem het geringste spoor van genegenheid kon verwekken. Eenmaal opende hij het kamertje van Melquíades om er te zoeken naar de sporen van een verleden dat zich nog voor de oorlog had afgespeeld, maar hij vond er slechts afbraak, rommel, hopen vuilnis die zich daar vergaard hadden na zoveel jaren leegstaan. Op de kaften van de boeken die niemand meer had gelezen en op de oude, door het vocht geweekte perkamenten woekerde een welige flora. In de lucht die eenmaal het zuiverst en het meest doorlicht was geweest van het hele huis, dreef nu een onverdraaglijke stank van bedorven herinneringen. Op een morgen trof hij Úrsula aan onder de kastanjeboom, wenend op de knieën van haar gestorven echtgenoot. Kolonel Aureliano Buenía was in huis de enige die de forse grijsaard, kromgetrokken door een halve eeuw van weer en wind, niet meer zag. 'Zeg je vader eens gedag,' maande Úrsula hem. Hij bleef even staan bij de kastanjeboom en ontdekte voor de zoveelste maal dat ook deze lege ruimte geen enkele genegenheid in zijn binnenste opriep.

'Wat zegt hij?' vroeg hij.

'Hij is erg verdrietig,' antwoordde Úrsula, 'want hij denkt dat je gaat sterven.'

'Zeg hem maar, dat men niet sterft wanneer men moet maar wanneer men kan,' glimlachte de kolonel.

De voorspelling van zijn gestorven vader bracht enige beroering teweeg in de laatste asresten van trots die in zijn hart waren achtergebleven, maar hij zag dit bij vergissing aan voor een plotselinge opleving van krachten. Vandaar dat hij Úrsula achtervolgde met het verzoek hem te vertellen op welk gedeelte van de patio de gouden geldstukken waren begraven die ze hadden gevonden in de gipsen Sint Jozef. 'Dat zul je nooit weten,' zei ze tot hem, met een vastberadenheid die haar was ingegeven door de wijze lessen van het verleden. 'Op een dag moet de eigenaar van dat fortuin wel komen opdagen,' voegde ze eraan toe, 'en slechts hij zal het opgraven.' Niemand wist waarom een man, die altijd zo onthecht had geleefd, nu ineens met zoveel gretigheid op geld begon te jagen – en hij verlangde geen bescheiden hoeveelheden, die wellicht nodig waren om aan een plotselinge noodsituatie te voldoen, maar een waar fortuin van zo'n buitensporige omvang dat alleen het noemen ervan al voldoende was om Aureliano Segundo te doen verzinken in een zee van verbijstering. Zijn oude partijgenoten, bij wie hij aanklopte om hulp, verstopten zich om hem niet te hoeven ontvangen. Het was in die tijd dat men hem hoorde zeggen: 'Het enige verschil tussen conservatieven en liberalen bestaat tegenwoordig daarin, dat de liberalen naar de mis van vijven gaan en de conservatieven naar de mis van achten.' Hoe dan ook, hij hield zo naarstig vol, hij smeekte zo hard en hij zondigde zozeer tegen zijn principes van persoonlijke waardigheid, dat hij – overal rondschuifelend met stille ijver en meedogenloze verbetenheid, links en rechts kleine beetjes lospeuterend – in acht maanden tijd méér geld bij elkaar wist te krijgn dan Úrsula in de grond had zitten. Toen ging hij op bezoek bij de zieke kolonel Gerineldo Márquez om diens hulp te vragen bij het uitroepen van de totale oorlog.

Op een zeker tijdstip was kolonel Gerineldo Márquez inderdaad de enige die aan de beschimmelde touwtjes van de rebellie had kunnen trekken, al was het dan vanaf het bed waarop hij verlamd terneerlag. Terwijl kolonel Aureliano Buendía na de wapenstilstand van Neerlandia zijn toevlucht had gezocht in de ballingschap van zijn gouden visjes, was hij onafgebroken in contact gebleven met de opstandige officieren die trouw waren gebleven tot aan de ondergang. Samen met hen voerde hij de trieste oorlog van de dagelijkse vernederingen, van de smeekbeden en verzoekschriften, van het komt u morgen maar terug, van het ja binnenkort, van het wij bestuderen uw geval met de nodige aandacht; de reddeloos verloren oorlog tegen uw dienstwillige dienaren die met de meeste hoogachting tekenden en nooit de pensioenen toekenden. De andere oorlog, de bloedige die twintig jaar had geduurd, had hen nimmer zoveel verliezen opgeleverd als de steeds doorvretende strijd tegen het eeuwigdurende op de lange baan schuiven. Kolonel Gerineldo Márquez, die aan drie moordaanslagen was ontsnapt, vijf zware verwondingen had overleefd en ongedeerd uit talloze veldslagen was gekomen, was zelf ten slachtoffer gevallen aan het onmenselijke beleg van het afwachten en tenondergegaan in de trieste nederlaag van de ouderdom, denkend aan Amaranta tussen de ruitvormige lichtplekken in een huis dat hem geleend was. De laatste veteranen van wie men ooit nog hoorde, verschenen op een foto in de krant, hun onwaardige gezichten hoog opgeheven, naast een anonieme president van de republiek die hen een speldje met zijn afbeelding schonk om op hun revers te steken of die hen een met bloed en vuil besmeurd vaandel teruggaf om over hun doodskist te leggen. De anderen, de waardigsten, wachtten in het halfduister van de liefdadigheid nog steeds op een brief, terwijl ze stierven van honger, in leven bleven van woede en van ouderdom wegrotten in de uitgelezen drek van de roem. Dus toen kolonel Aureliano Buendía zijn vriend uitnodigde om samen met hem een dodelijk oproer uit te vaardigen dat voor eens en voor altijd een eind zou maken aan dit schandalige, corrupte, door buitenlanders in stand gehouden regime, kon kolonel Gerineldo Márquez een huivering van medelijden niet onderdrukken.

'Ach, Aureliano,' zuchtte hij, 'ik wist wel dat je oud was, maar nu pas besef ik dat je veel ouder bent dan je lijkt.'

**

In de overrompeling van haar laatste levensjaren had Úrsula maar zelden tijd kunnen vinden om aandacht te schenken aan de pauselijke vorming van José Arcadio, zodat deze in allerijl moest worden klaargemaakt voor zijn vertrek naar het seminarie. Zijn zusje Meme, heen en weer geslingerd tussen de vormelijkheid van Fernanda en de verbittering van Amaranta, bereikte vrijwel tegelijkertijd de leeftijd waarop ze, zoals voorzien was, naar de nonnenschool gestuurd moest worden waar men van haar een klavecimbelvirtuose zou maken. Úrsula werd besprongen door ernstige twijfels over de doelmatigheid van de methoden waarmee ze de geest van de slome leerling-Opperherder had gestaald; toch wierp ze de schuld hiervan niet op haar wankele ouderdom noch op de donkere wolken waardoor ze nog maar nauwelijks de omtrekken van alles kon onderscheiden, maar op iets wat zijzelf niet kon omschrijven en wat ze vagelijk opvatte als een toenemende slijtage van de tijd. 'De jaren van tegenwoordig zijn niet meer wat ze geweest zijn,' placht ze te zeggen, in het besef dat de dagelijkse werkelijkheid tussen haar vingers vandaan glipte. Vroeger, dacht ze, deden de kinderen er veel langer over om te groeien. Als je alleen maar bedacht hoeveel tijd er voor nodig was geweest om de oudste José Arcadio met de zigeuners te laten meegaan en voor alles wat er daarna nog gebeurd was voordat hij, gevlekt als een slang en pratend als een astronoom, weer was teruggekeerd en voor alle andere dingen die er in huis waren voorgevallen voordat Amaranta en Arcadio de taal van de indianen vergaten en Spaans leerden spreken... En je hoefde maar te denken aan de vele uren van zon en nachtvocht die de arme José Arcadio Buendía onder de kastanjeboom had moeten doorstaan en aan de tijd dat ze zijn dood beweend hadden, voordat men een ten dode opgeschreven kolonel Aureliano Buendía thuisbracht die, na zoveel oorlogen en na zoveel verdriet om zijnentwille, nu nog niet eens vijftig jaar oud was. Als ze vroeger de hele dag bezig was geweest met het bakken van suikerbeesten, had ze nog genoeg tijd over om zich met de kinderen te bemoeien en het wit van hun ogen te bekijken om te zien of ze een slokje wonderolie nodig hadden. Maar tegenwoordig, nu ze niets meer te doen had en van 's morgens vroeg tot 's avonds laat rondsjouwde met José Arcadio schrijlings op haar heup, had de slechte kwaliteit van de tijd haar ertoe gedwongen haar zaakjes maar half af te maken. De waarheid was dat Úrsula zich heftig tegen het ouder worden verzette, ook nog toen ze reeds het getal van haar jaren vergeten was en overal in de weg liep en zich met alles probeerde te bemoeien en de vreemdelingen lastig viel met haar eeuwige gevraag of ze omstreeks de oorlog niet een gipsen Sint Jozef in huis hadden achtergelaten om te bewaren tot de regen voorbij was. Niemand kwam ooit te weten wanneer ze precies het gezichtsvermogen begon te verliezen. Nog in haar allerlaatste jaren, toen ze al niet meer uit bed kwam, leek het eenvoudig dat ze geveld was door verval van krachten, maar niemand ontdekte dat ze blind was. Zij had het al bemerkt voor de geboorte van José Arcadio. Aanvankelijk meende ze dat het slechts een

voorbijgaande oogzwakte was en slikte ze heimelijk merg-
stroop en deed ze bijenhoning op haar ogen, maar al gauw
raakte ze ervan overtuigd dat ze onherroepelijk in duisternis
verzonk, zo erg zelfs, dat ze nooit een helder inzicht kreeg in
de uitvinding van het elektrische licht, want toen men de eerste
lampen aanlegde kon ze nog slechts de vage weerschijn ervan
onderscheiden. Ze vertelde het aan niemand, want dat zou een
openlijke erkenning van haar nutteloosheid zijn geweest. Ze
zette zich aan een stilzwijgende inprenting van alle afstanden
tussen de dingen en van de stemmen van de mensen, zodat ze
met haar geheugen zou kunnen blijven kijken wanneer de
schaduwen van de grauwe staar haar dat niet meer zouden
toestaan. Later zou ze een onverwachte steun vinden in de
geuren die zich in haar duisternis voordeden met veel meer
overtuigingskracht dan omtrekken of kleuren en die haar
voorgoed de schande bespaarden van het afgedankt zijn. In de
schemering binnenshuis kon ze de draad in de naald steken en
een knoopsgat maken en wist ze precies wanneer de melk op
het punt stond te gaan koken. Zo grondig kende ze de plaats
waar alles zich bevond, dat ze soms zelf vergat dat ze blind
was. Op een dag zette Fernanda het huis op stelten omdat ze
haar trouwring had verloren en toen was Úrsula degene die
hem terugvond op een richel in de slaapkamer van de kinderen. Want terwijl de anderen overal luchthartig rondliepen,
bleef zij hen stilletjes met haar vier overgebleven zintuigen be-
spieden om niet onverhoeds door hen betrapt te worden en zo
ontdekte ze na verloop van tijd dat elk lid van de familie –
elke dag opnieuw en zonder het zelf te weten – precies dezelfde trajecten aflegde, dezelfde handelingen verrichtte en vrijwel
dezelfde woorden herhaalde op hetzelfde uur. Pas wanneer ze
van deze tot in details herhaalde routine afweken, liepen ze
het risico om iets te verliezen. Dus toen ze Fernanda's ontsteltenis bemerkte omdat ze de ring kwijt was, bedacht Úrsula,
dat ze die dag slechts één afwijkend ding had gedaan: ze had
de matrassen van de kinderen in de zon gelegd omdat Meme
de avond tevoren een wandluis had ontdekt. Omdat de kinderen bij die schoonmaak hadden geholpen, veronderstelde Úrsula dat ze de ring had neergelegd op de enige plek waar zij er

niet bijkonden: de richel. Fernanda daarentegen zocht hem alleen maar op de route van haar dagelijkse loopjes, zonder te weten dat het zoeken van verloren zaken door gewoonten en sleur juist belemmerd wordt en dat het daarom zoveel moeite kost om iets terug te vinden.

De opvoeding van José Arcadio hielp Úrsula bij haar uitputtende taak om op de hoogte te blijven van de geringste veranderingen in huis. Wanneer ze bemerkte dat Amaranta de heiligen in de slaapkamer aankleedde, deed ze net alsof ze de jongen de verschillende kleuren wilde leren.

'Eventjes kijken,' zei ze dan, 'vertel me maar eens welke kleur de heilige Aartsengel Rafael draagt.'

Op die manier verstrekte de jongen haar de gegevens die haar ogen haar ontzegden en lang voordat hij naar het seminarie was vertrokken, kon Úrsula de verschillende kleuren van de gewaden van de heiligen al aan het weefsel onderscheiden. Soms echter gebeurden er onvoorziene ongelukjes. Op een middag zat Amaranta te borduren op de waranda der begonia's en Úrsula botste tegen haar op.

'In Godsnaam,' protesteerde Amaranta, 'kijk toch uit waar u loopt!'

'Jij bent het, die zit waar je niet hoort te zijn,' antwoordde Úrsula.

Voor haar stond dat vast. Maar vanaf die dag begon ze zich rekenschap te geven van iets wat nog niemand had ontdekt, namelijk, dat de zon in de loop van het jaar onmerkbaar van positie veranderde en dat degenen die op de waranda zaten langzaam maar zeker en zonder het zelf te merken van plaats veranderden. Van toen af aan hoefde Úrsula slechts de datum te onthouden om de juiste plaats te weten waar Amaranta zat. Ofschoon het beven van haar handen steeds duidelijker merkbaar werd en ze zich geen raad wist met het gewicht van haar benen, zag men haar tengere gestalte nooit op zoveel plaatsen tegelijk als toen. Ze was bijna even naarstig bezig als toen het hele gewicht van het huishouden nog op haar schouders drukte. Desondanks was ze in de ondoordringbare eenzaamheid van haar hoge leeftijd zo helder van geest en onderzocht ze zelfs de onbelangrijkste gebeurtenissen in de familie met zo-

257

veel zorg, dat ze voor de eerste maal een aantal waarheden ontdekte die ze vroeger door haar drukke bezigheden niet had kunnen zien. Omstreeks de tijd dat men José Arcadio voor het seminarie klaarmaakte, had ze reeds een zeer gedetailleerde herwaardering van het familieleven sinds de stichting van Macondo achter de rug en was de mening, die zij altijd over haar afstammelingen had gehad, grondig gewijzigd. Ze begreep nu dat kolonel Aureliano Buendía zijn genegenheid voor de familie niet verloren had door de ontberingen van de oorlog, zoals ze vroeger geloofde, maar omdat hij nooit iemand had liefgehad, zelfs zijn echtgenote Remedios niet, noch de talloze eennachtsvrouwen die door zijn leven waren gegaan – en zijn zoons wel het allerminst. Het begon bij haar te dagen dat hij al die oorlogen niet gevoerd had uit idealisme, zoals iedereen dacht, en de naderende overwinning niet had afgewezen uit vermoeidheid, zoals iedereen dacht, maar dat hij gewonnen en verloren had om één en dezelfde reden en dat was uit pure en zondige trots. Ze kwam tot de conclusie dat deze zoon, voor wie ze haar leven had willen geven, eenvoudig niet tot liefde in staat was. Toen ze hem nog in haar schoot droeg, had ze hem op een nacht horen huilen. Het was zo'n duidelijke jammerklacht geweest dat José Arcadio Buendía naast haar wakkerschrok en zich al blij maakte met de gedachte dat het kind een buikspreker zou worden. Andere mensen voorspelden dat hij helderziend zou zijn. Zijzelf had daarentegen gehuiverd onder de zekerheid dat dit diepe gebrom een eerste aanwijzing was van de zozeer gevreesde varkensstaart en ze had God gesmeekt om het schepseltje in haar buik te laten sterven. Maar de helderheid van haar hoge ouderdom deed haar nu inzien en meermalen verklaren, dat het huilen van kinderen in de moederschoot geen voorbode is van buiksprekersgaven of helderziendheid, maar een onomstotelijk bewijs van ongeschiktheid voor de liefde. Deze ontwaarding van het beeld van haar zoon wekte in haar binnenste met één slag alle deernis op die hij verdiende. Amaranta daarentegen, die haar angst aanjoeg met de hardheid van haar hart, die haar verbitterde met haar samengebalde verbittering, trad bij dit laatste onderzoek naar voren als de tederste vrouw die ooit bestaan had en met een van medelijden vervuld inzicht begreep Úrsula nu dat de onterechte kwellingen, waaraan ze Pietro Crespi had onderworpen, niet waren ingeblazen door wraaklust, zoals iedereen dacht, en dat de langzame marteling waarmee ze het leven van kolonel Gerineldo Márquez had bedorven, niet veroorzaakt was door de onverkwikkelijke gal van haar verbittering, zoals iedereen dacht, maar dat die twee gebeurtenissen niets anders waren geweest dan een gevecht op leven en dood tussen een mateloze liefde en een onoverwinnelijke lafhartigheid, een gevecht dat tenslotte gewonnen was door de onredelijke angst die Amaranta altijd had gekend voor haar eigen geteisterde hart. Omstreeks die tijd begon Úrsula ook over Rebeca te praten, haar in de herinnering op te roepen met een genegenheid van oudsher die nu gesterkt werd door een al te laat berouw en door plotseling gevoelde bewondering, want ze begreep dat slechts zij, Rebeca, die zich nimmer gevoed had met haar melk maar met de aarde van de aarde en met de kalk van de muren, die in haar aderen nooit haar bloed had meegedragen maar het onbekende bloed van de onbekenden wier beenderen nog altijd dat klokkende geluid maakten in het graf – ze begreep dat Rebeca, met haar ongeduldige hart en haar onstuimige buik, de enige was die de ongeremde zedelijke moed bezat welke Úrsula zich voor haar eigen geslacht had gewenst.

'Rebeca,' zei ze dan, tastend langs de muren, 'wat zijn we onrechtvaardig geweest tegenover jou!'

Thuis dacht men eenvoudig dat ze wartaal uitkraamde, vooral toen ze het in haar hoofd haalde om met opgeheven rechterarm rond te lopen, als de aartsengel Gabriël. Toch besefte Fernanda dat er een zon van helder denken moest bestaan in die schaduwen van ongerijmdheid, want Úrsula kon nog zonder te weifelen zeggen hoeveel geld er het afgelopen jaar in huis was uitgegeven. Amaranta kreeg eenzelfde idee toen haar moeder op een dag in de keuken in een pan soep stond te roeren en plotseling, zonder te weten dat men haar hoorde, opmerkte dat de maïsmolen, die ze nog van de eerste zigeuners hadden gekocht en die al was zoekgeraakt nog voordat José Arcadio vijfenzestig maal een reis om de wereld had gemaakt, zich nog steeds bij Pilar Ternera thuis bevond. Pilar

Ternera, ook al tegen de honderd, maar nog gezond en beweeglijk ondanks haar ongelooflijke dikte waarmee ze de kinderen schrik aanjoeg zoals haar lach vroeger de duiven deed opstuiven, verbaasde zich nauwelijks over de trefzekere opmerking van Úrsula, want haar eigen ervaringen begonnen haar te leren dat een wakkere ouderdom aanmerkelijk spitser kan zijn dan het lezen van de kaarten.

Hoe dan ook, toen het tot Úrsula doordrong dat ze niet genoeg tijd had gehad om de roeping van José Arcadio te sterken, liet ze zich door schrik bevangen. Ze begon fouten te begaan omdat ze met haar ogen trachtte te kijken naar dingen die ze met haar intuïtie veel duidelijker kon zien. Op een morgen goot ze de inhoud van een inktpot uit over het hoofd van de kleine jongen, in de mening dat het bloesemwater was. In haar koppige vastberadenheid om zich met alles te bemoeien legde ze de anderen zoveel hindernissen in de weg, dat ze overvallen werd door vlagen van slechtgehumeurdheid en ze probeerde wanhopig de duisternissen te verdrijven die haar tenslotte geheel omgaven, als een hemd van spinrag. Omstreeks die tijd viel haar dan ook de gedachte in, dat haar gestumper niet moest worden toegeschreven aan een eerste overwinning van ouderdom en lichtloosheid, maar aan de gebreken van de tijd. Vroeger, dacht ze, toen God met de maanden en de jaren nog niet dezelfde zwendel bedreef die de Turken uithaalden bij het afmeten van een el katoen, waren de dingen heel anders geweest. Nu groeiden niet alleen de kinderen harder, maar ook de gevoelens ontwikkelden zich op een andere manier. Nauwelijks was Remedios de Schone met ziel en lichaam ten hemel opgenomen, of de onhebbelijke Fernanda liep overal te mopperen over het feit dat ze de lakens had meegenomen. Nauwelijks waren de lichamen van de Aureliano's koud geworden in hun graven, of Aureliano Segundo had het huis alweer versierd en vulde het alweer met dronkelappen die op de accordeon speelden en zich aan champagne bedronken alsof er geen christenmensen maar honden waren gestorven en alsof dit huis van krankzinnigen, dat zoveel hoofdpijn en zoveel suikerbeesten had gekost, was voorbestemd om te veranderen in een vergaarbak van verdorvenheid. Terwijl Úrsula bij het inpakken van José Arcadio's koffer over dit alles nadacht, vroeg ze zich af of het niet te verkiezen was om meteen maar in haar graf te gaan liggen en de aarde over zich heen te laten werpen en geheel onbevreesd vroeg ze aan God of hij werkelijk meende dat de mensen van ijzer waren gemaakt, aangezien ze zoveel zorgen en teleurstellingen te verwerken kregen; maar door dat te vragen en het steeds opnieuw te vragen wakkerde ze haar eigen verwarring slechts aan en ze voelde een onweerstaanbaar verlangen opkomen om in ruige taal los te barsten, net als een vreemdeling, en zich eindelijk eens een opstandig moment te veroorloven – het zo vaak begeerde en zo vaak uitgestelde ogenblik om alle berusting van zich af te schudden en éénmaal lak te hebben aan alles en iedereen en haar hart te bevrijden van de grenzenloze hopen slechte woorden die ze had moeten inslikken gedurende een hele eeuw van goed fatsoen.

'Godverdomme!' riep ze.

Amaranta, die juist het linnengoed in de koffer wilde leggen, dacht dat ze gebeten was door een schorpioen.

'Waar is-ie?' vroeg ze geschrokken.

'Wie?'

'Dat beest!' verklaarde Amaranta nader.

Úrsula zette een vinger op haar hart.

'Hier,' zei ze.

Op een donderdag, om twee uur 's middags, vertrok José Arcadio naar het seminarie. Úrsula zou altijd aan hem terugdenken zoals ze hem bij het afscheid in haar gedachten prentte: sloom en ernstig en zonder een traan te laten, zoals ze hem geleerd had, en bijna stikkend van de warmte in het groen fluwelen pak met de koperen knopen en met de gesteven das om zijn hals. De eetkamer die hij achterliet, was doortrokken van de penetrante geur van al het bloesemwater dat zij over zijn hoofd had gegoten om zijn spoor in het huis te kunnen volgen. Zolang de afscheidslunch duurde, wist de familie alle nervositeit met vrolijke opmerkingen te verhullen en met overtrokken enthousiasme bejubelde men de invallen van pater Antonio Isabel. Maar toen de koffer met de fluwelen bekleding en het zilveren beslag eenmaal werd weggehaald, was het alsof men een doodskist het huis uit droeg. De enige die weigerde bij het afscheid aanwezig te zijn, was kolonel Aureliano Buendía.

'Dat was het laatste wat ons nog ontbrak,' mopperde hij. 'Een Paus!'

Drie maanden later brachten Aureliano Segundo en Fernanda hun dochtertje Meme naar het college, waarna ze terugkeerden met een klavecimbel die de plaats innam van de pianola. Omstreeks die tijd begon Amaranta haar eigen doodskleed te weven. De bananenkoorts was geluwd. De oorspronkelijke inwoners van Macondo, die zich met moeite vastklampten aan hun wankele bestaansmiddelen van oudsher, voelden zich door de nieuwelingen op een zijspoor gezet, maar werden gesterkt door de indruk dat ze een schipbreuk hadden overleefd. In het huis bleef men nog altijd genodigden ontvangen voor het middagmaal en eigenlijk keerde de oude gang van zaken niet meer terug voordat de bananenmaatschappij jaren later weer verdween. Desalniettemin traden er radicale veranderingen op in de traditionele opvattingen over gastvrijheid, want nu was het Fernanda die haar wetten aan het huis oplegde. Nu Úrsula verbannen was naar de duisternissen en Amaranta werd opgeslorpt door haar werk aan de lijkwade, had de voormalige leerling-koningin haar handen vrij om de gasten te schiften en hen de strenge normen op te leggen die haar waren ingeprent door haar eigen ouders. Haar stugge vormelijkheid veranderde het huis in een oase van afgesleten gedragsregels, in een dorp dat schok na schok ontving van de platvloersheid waarmee de vreemdelingen hun gemakkelijk gewonnen fortuinen verspilden. Voor haar waren slechts die mensen goed, die niets met de bananenmaatschappij vandoen hadden – en daarmee uit. Zelfs haar zwager José Arcadio Segundo werd het slachtoffer van haar discrimineringsijver, omdat hij in de vervoering van het eerste uur zijn schitterende vechthanen opnieuw van de hand had gedaan en als opzichter in dienst was getreden van de bananenmaatschappij.

'Zolang je de schurft van de vreemdelingen draagt, zet je geen voet meer in dit huis,' zei Fernanda.

De in huis opgelegde bekrompenheid was zo groot, dat Aureliano Segundo zich voor eens en voor altijd beter thuis ging voelen bij Petra Cotes. Eerst verplaatste hij de feesten daarheen, onder het voorwendsel dat hij zijn echtgenote van die last wilde bevrijden. Daarna bracht hij de stallen voor de paarden en het andere vee over, onder het voorwendsel dat de dieren hun vruchtbaarheid verloren. Tenslotte verhuisde hij ook het kleine kantoortje waar hij zijn zaken afhandelde, onder het voorwendsel dat het minder warm was in het huis van zijn bijzit. Toen het tot Fernanda doordrong dat ze een onbestorven weduwe was geworden, was het al te laat om de dingen tot hun vroegere staat terug te brengen. Aureliano Segundo kwam nauwelijks nog thuis eten en de weinige uiterlijkheden waarmee hij de schijn ophield, zoals slapen bij zijn echtgenote, konden niemand overtuigen. Op een nacht werd hij door de dageraad verrast in het bed van Petra Cotes, louter en alleen uit onachtzaamheid. In tegenstelling tot wat hij verwachtte, maakte Fernande hem niet het minste verwijt en toonde ze geen spoor van wrok, maar diezelfde dag stuurde ze zijn beide klerenkoffers naar het huis van zijn bijslaap. Ze zond ze op klaarlichte dag en met de opdracht ze midden over straat te vervoeren, zodat iedereen ze kon zien, want ze meende dat haar verdoolde echtgenoot die schande niet zou kunnen verdragen en met nederig gebogen hoofd in de schaapskooi zou terugkeren. Maar dit heroïsche gebaar was slechts een bewijs temeer van het feit dat Fernanda bitter weinig afwist van het karakter van haar echtgenoot én van de aard van een gemeenschap die in geen enkel opzicht leek op de kringen van haar ouders, want wie de koffers langs zag komen zei slechts bij zichzelf, dat dit per slot van rekening de logische bekroning was van een geschiedenis, welks intieme feiten aan iedereen bekend waren – en Aureliano Segundo vierde de teruggekregen vrijheid met een feest van drie dagen. Zijn echtgenote was ook anderszins in het nadeel, want ze begon een onaantrekkelijke rijpheid te bereiken met haar sombere jurken tot op de enkels, haar ouderwetse medaillons en haar misplaatste hoogmoed, terwijl zijn bijslaap leek op te bloeien in een tweede jeugd, gehuld in nauwsluitende en opzichtige kleren van echte zijde en met tijgerogen die vlamden van de gloed van haar herovering. Aureliano Segundo wijdde zich weer aan haar met het vuur van de jeugd, net als vroeger, toen Petra Cotes hem

263

niet beminde omdat hij het was, maar omdat ze hem met zijn tweelingbroer verwarde en met beiden naar bed ging in de mening dat God haar gezegend had met een man die de liefde bedreef alsof het er twee waren. De weergekeerde hartstocht was zo overstelpend, dat ze meer dan eens elkaar in de ogen keken op het moment dat ze wilden gaan eten en dan zonder een woord de deksels op de schalen deden en zich in de slaapkamer overgaven aan de honger en de liefde. Aureliano Segundo, op nieuwe ideeën gebracht door wat hij tijdens zijn vluchtige bezoeken aan de Franse dames had gezien, kocht voor Petra Cotes een bed met een aartsbisschoppelijk baldakijn erboven, hing fluwelen gordijnen voor de ramen en bedekte het plafond en de muren van de slaapkamer met grote spiegels van bergkristal. Nooit was hij onbesuisder en meer tot feesten geneigd dan in die tijd. De trein, die nu elke dag om elf uur aankwam, bracht hem kisten en nog eens kisten vol champagne en cognac. Op de terugweg van het station sleepte hij in de opwelling van het ogenblik elke levende ziel mee die hij maar op zijn weg vond, vreemd of afkomstig uit Macondo, bekend of nog onbekend, zonder onderscheid te maken van welke aard ook. Zelfs de glibberige meneer Brown, die uitsluitend in een vreemde taal praatte, liet zich verleiden door de aanlokkelijke gebaren welke Aureliano Segundo tot hem richtte en werd een paar maal laveloos dronken in het huis van Petra Cotes en ging zelfs zover, dat hij zijn woeste Duitse herders, die hem overal begeleidden, liet dansen op liedjes uit Texas die hij, hoe dan ook, uitkraamde onder begeleiding van de accordeon.

'Uit de weg, koeien!' schreeuwde Aureliano Segundo op het hoogtepunt van het feest. 'Uit de weg, want het leven is kort!'

Nooit zag hij er beter uit, nooit was men meer op hem gesteld en nooit wierpen zijn dieren hun jongen met groter voortvarendheid dan toen. Tijdens de eindeloze feesten werden er zoveel koeien, varkens en kippen geslacht, dat de aarde van de patio zwart en drassig werd van al het bloed. De patio was een blijvende stortplaats voor beenderen en ingewanden, een vuilnisbelt van overgebleven kliekjes, en elk uur moest men een staaf dynamiet aansteken om te voorkomen dat de gieren de ogen van de gasten uitpikten. Aureliano Segundo werd dik en paars en kreeg onderkinnen als gevolg van zijn eetlust, die niet eens te vergelijken viel met de honger van José Arcadio toen deze terugkeerde van zijn reis om de wereld. De faam van zijn ongeremde vraatzucht, zijn mateloze verspillingskracht en zijn ongehoorde gastvrijheid overschreed al gauw de grenzen van het moerasgebied en lokte de meest doorgewinterde smulpapen van de hele kuststreek naderbij. Van alle kanten kwamen de beroemdste veelvraten toestromen om te kunnen deelnemen aan de ondoordachte tournooien in volpropperij en uithoudingsvermogen die georganiseerd werden in het huis van Petra Cotes. Aureliano Segundo was en bleef een onoverwinnelijk eter – tot de ongelukkige zaterdag dat Camila Sagastume kwam opdagen, een kolossale vrouw die in het gehele land bekend was onder de toepasselijke naam De Olifant. Het duel werd voortgezet tot dinsdagmorgen vroeg. Gedurende de eerste vierentwintig uur, toen ze een kalf met yucca en maniokwortels en gebraden bananen verorberden met daarbij anderhalve kist champagne, wist Aureliano Segundo zich nog zeker van de overwinning. Zo te zien was hij veel enthousiaster en veel levenslustiger dan zijn onverstoorbare tegenstandster, want zij beschikte over een stijl die ontegenzeggelijk beroepsmatiger was maar die minder spannend aandeed in de ogen van het bontgekleurde publiek dat zich in huis verdrong. Terwijl Aureliano Segundo met grote happen at, op hol gebracht door zijn verlangen naar de overwinning, sneed De Olifant haar vlees met de bekwaamheid van een chirurg en at het zonder haast en zelfs met een zeker genoegen op. Ze was een gigantische, massieve vrouw, maar haar kolossale gezetheid werd ruimschoots goedgemaakt door haar tedere vrouwelijkheid en ze bezat zo'n knap gezicht, zulke fijne en welverzorgde handen en zo'n onweerstaanbare persoonlijke aantrekkingskracht, dat Aureliano Segundo bij haar binnenkomst fluisterend opmerkte dat hij er de voorkeur aan had gegeven om de wedstrijd niet aan tafel maar in bed te houden. Later, toen hij zag hoe ze het achterdeel van het kalf verorberde zonder ook maar een enkele regel van de meest onberispelijke welgemanierdheid te overtreden, merkte hij in alle ernst op dat deze verfijnde, boeiende en onverzadigbare dikhuid in zekere zin de ideale vrouw was.

Hij vergiste zich niet. De reputatie van lorren- en benenraapster, die aan De Olifant was vooruitgesneld, miste elke grond. Het was niet waar dat ze ossen tot gehakt vermaalde en ze was evenmin de vrouw met de baard in een Grieks circus, zoals men beweerde, maar ze was directrice van een zangacademie. Ze had leren eten toen ze al een eerzaam huismoeder was en een methode zocht om haar kinderen beter te voeden, niet met kunstmatige middelen die de eetlust opwekten maar door een volmaakte geestelijke rust. De theorie die zij in de praktijk demonstreerde, berustte op het principe dat iemand, die al zijn gewetenszaken tot in de perfectie geregeld had, zonder onderbreking kon dooreten totdat hij door vermoeidheid werd overmand. Zodat ze om morele redenen en niet uit sportieve belangstelling haar academie en haar huishouden in de steek had gelaten om zich te meten met een man wiens faam als reusachtig maar principeloos eter door het gehele land was gegaan. Zodra ze Aureliano Segundo zag, besefte ze dat niet zijn maag hem in de steek zou laten maar zijn karakter. Toen de eerste nacht ten einde liep, was De Olifant nog altijd even onverstoorbaar, terwijl Aureliano Segundo afgemat raakte van al het lachen en praten. Ze sliepen vier uren. Na het ontwaken dronken ze allebei het sap van vijftig sinaasappels, acht liter koffie en dertig rauwe eieren. Toen de tweede dag aanbrak en ze al vele uren niet hadden geslapen en twee varkens, een tros bananen en vier kisten champagne hadden verslonden, begon De Olifant te vermoeden dat Aureliano Segundo zonder het te weten dezelfde methode had ontdekt als zij, maar dan langs de absurde weg van de onbegrensde onverantwoordelijkheid. Hij was dus veel gevaarlijker dan ze gedacht had. Op het moment dat Petra Cotes twee gebraden kalkoenen op tafel zette, was Aureliano Segundo echter nog slechts één stap van een verstopping verwijderd.

'Als u niet meer kunt, moet u niet meer eten,' zei De Olifant. 'Dan blijft de strijd onbeslist.'

Ze zei het in alle oprechtheid, want ze wist dat ook zij geen hap meer zou kunnen eten uit wroeging over het feit dat ze haar tegenstander de dood in dreef. Maar Aureliano Segundo vatte het op als een nieuwe uitdaging en propte zich vol met kalkoen, totdat hij de grens van zijn ongelooflijke eetvermogen verre had overschreden. Hij verloor het bewustzijn. Hij viel voorover in het bordje met de botjes, schuimbekkend als een hond en bijna stikkend in schorre pijngeluiden. Temidden van de duisternissen voelde hij hoe men hem van de spits van een hoge toren in een bodemloze afgrond wierp en in een laatste flits van helderheid besefte hij, dat hij aan het einde van die tomeloze val zou worden opgewacht door de dood.

'Breng me naar Fernanda,' wist hij nog te zeggen.

De vrienden die hem thuisbrachten veronderstelden, dat hij hiermee de belofte aan zijn echtgenote inloste om niet in het bed van zijn minnares te overlijden. Petra Cotes poetste de lakschoenen op die hij in zijn doodskist wilde dragen en ze zocht al iemand om ze weg te brengen, toen men haar kwam zeggen dat Aureliano Segundo buiten gevaar was. Inderdaad herstelde hij binnen een week en veertien dagen later gaf hij een feest zonder weerga om het feit te vieren dat hij het had overleefd. Hij bleef in het huis van Petra Cotes wonen, maar bezocht Fernanda nu elke dag en soms bleef hij bij de familie eten, alsof het lot de gehele situatie had omgedraaid en zijn echtgenote tot bijslaap en zijn minnares tot echtgenote had gemaakt.

Voor Fernanda was het een hele opluchting. In de verveling van haar verlatenheid vond ze slechts afleiding in haar klavecimbel-oefeningen tijdens de siësta en in de brieven aan haar kinderen. In de gedetailleerde epistels die ze hen elke veertien dagen stuurde, stond geen regel die de waarheid bevatte. Ze hield haar zorgen voor hen verborgen. Ze verhulde de droefgeestigheid van een huis dat ondanks de lichtval over de begonia's, ondanks de verstikkende warmte van twee uur 's middags, ondanks de herhaalde vlagen feestgedruis die van de straat naar binnen waaiden, steeds meer begon te lijken op het koloniale herenhuis van haar ouders. Fernanda dwaalde eenzaam rond tussen drie levende spoken en het dode spook van José Arcadio Buendía, dat zich soms met aandachtige nieuwsgierigheid in de schemerige woonkamer neerzette als ze op de klavecimbel speelde. Kolonel Aureliano Buendía was niet meer dan een schaduw. Sinds hij voor de laatste keer de straat op was gegaan om een oorlog zonder toekomst voor te stellen aan kolonel Gerineldo Márquez, verliet hij zijn werkplaats alleen nog maar om te gaan urineren onder de kastanjeboom. Hij ontving geen andere bezoekers dan de kapper die om de drie weken bij hem kwam. Hij voedde zich met wat Úrsula hem eenmaal per dag bracht, wat het ook was, en ofschoon hij met evenveel hartstocht als vroeger zijn gouden visjes bleef vervaardigen, had hij besloten ze niet langer te verkopen zodra hij had gemerkt dat de mensen ze niet kochten als sieraden maar als een aandenken aan het verleden. Op de patio had hij een brandstapel aangericht met de poppen van Remedios die al sinds zijn trouwdag zijn slaapkamer hadden verluchtigd. De altijd attente Úrsula begreep wat haar zoon aan het doen was, maar ze kon het hem niet beletten.

'Je hebt een hart van steen,' zei ze tegen hem.

'Dit heeft niets met het hart te maken,' zei hij. 'De kamer raakt vol motten.'

Amaranta weefde aan haar lijkwade. Fernanda begreep maar niet waarom ze zo nu en dan een brief aan Meme schreef en haar zelfs cadeautjes stuurde, terwijl ze daarentegen geen woord wilde horen over José Arcadio. 'Ze zullen sterven zonder te weten waarom,' antwoordde Amaranta toen die vraag haar middels Úrsula werd gesteld en met dit antwoord werd in Fernanda's hart een raadsel geplant dat ze nooit heeft kunnen oplossen. Amaranta – lang, kaarsrecht, hautain, altijd gekleed in talrijke kanten onderrokken en gehuld in een sfeer van voornaamheid die weerstand bood aan de jaren en aan alle slechte herinneringen – leek op haar voorhoofd het askruisje van de maagdelijkheid te dragen. In feite droeg ze het op haar hand, onder het zwarte zwachtel dat ze zelfs onder het slapen niet afdeed en dat ze zelf waste en streek. Haar leven werd geheel in beslag genomen door het borduren van de zelfgeweven lijkwade. Men zou haast gezegd hebben dat ze overdag haar borduurwerk verrichtte en het dan 's nachts weer uithaalde – en dan niet met de bedoeling haar eenzaamheid aldus te doorbreken, maar hem daarentegen juist in stand te houden.

In de jaren dat Fernanda door haar man verlaten was, was het haar grootste angst dat Meme voor de eerste vakantie zou terugkomen en Aureliano Segundo dan niet in huis zou aantreffen. De aanval van congestie maakte een einde aan die vrees. Toen Meme eenmaal terugkeerde, waren haar ouders overeengekomen dat het meisje moest blijven geloven dat Aureliano Segundo een huiselijk echtgenoot was en dat ze bovendien niets mocht merken van alle triestheid in huis. Elk jaar speelde Aureliano Segundo twee maanden lang zijn rol van voorbeeldig echtgenoot en organiseerde feestjes met veel ijsjes en biskwietjes die door de opgewekte, dartele studente werden opgevrolijkt met de klavecimbel. Toen al was het duidelijk dat ze van het karakter van haar moeder maar weinig had geërfd. Ze leek eerder een tweede uitgave van Amaranta, toen deze de verbittering nog niet had leren kennen en het huis nog in rep en roer bracht met de springerigheid van haar twaalf, veertien jaren – dus voordat de geheime hartstocht voor Pietro Crespi de koers van haar hart voor altijd verlegde. Maar in tegenstelling tot Amaranta, in tegenstelling tot alle anderen, gaf Meme in geen enkel opzicht blijk van de doem van eenzaamheid die de hele familie kenmerkte en ze leek alleszins tevreden met de wereld, ook als ze zich om twee uur 's middags opsloot in de woonkamer om met onwrikbare discipline te oefenen op de klavecimbel. Het was duidelijk dat het haar thuis uitstekend beviel, dat ze het hele jaar droomde van het komen en gaan van jongelui dat met haar aankomst werd ingeluid en dat ze wel iets had meegekregen van het feesttalent en de buitensporige gastvrijheid van haar vader. Het eerste teken van deze rampzalige erfenis bleek tijdens de derde vakantie, toen Meme thuiskwam met vier nonnen en achtenzestig klasgenootjes die ze, naar eigen goeddunken en zonder enig voorbericht, had uitgenodigd om een week bij haar familie te komen logeren.

'Wat een ramp!' klaagde Fernanda. 'Dat kind is al even erg als haar vader!'

Men stond voor de noodzaak om hangmatten en bedden te vragen aan de buren, aan tafel negen ploegen in te delen, vaste tijden in te stellen voor het gebruik van het bad en veertig krukjes te lenen om te voorkomen dat de meisjes met hun blauwe uniformen en hun mannenschoenen de gehele dag op en neer moesten drentelen. De logeerpartij werd een fiasco, want de rumoerige collégiennes waren nog maar net klaar met ontbijten of ze moesten alweer beginnen aan de eerste ploeg voor het middagmaal en daarna voor het avondeten en in die hele week konden ze slechts eenmaal een wandeling maken naar de plantages. 's Avonds waren de nonnen volkomen uitgeput, niet in staat om nog een vin te verroeren of een bevel uit te delen, maar de groep onvermoeibare jongedames zat dan nog steeds zoetsappige schoolliedjes te zingen op de patio. Op een dag liepen ze bijna Úrsula onder de voet, die haar uiterste best deed om nuttig te zijn op die plaatsen waar ze het meest in de weg liep. Op een andere dag veroorzaakten de nonnen een ware rel omdat kolonel Aureliano Buendía onder de kastanje geürineerd had zonder zich erom te bekommeren dat de meisjes op de patio waren. En Amaranta zaaide paniek toen een van de nonnen de keuken binnenkwam op het moment dat ze zout in de soep deed en de vrouw alleen maar wist te vragen wat dat voor witte stof was, die ze met handenvol in de ketel wierp.

'Arsenicum,' zei Amaranta.

Op de eerste avond na de aankomst van de studentes ontstonden er zoveel verwikkelingen bij hun pogingen om voor bedtijd naar het toilet te gaan, dat de laatste meisjes om één uur 's nachts nog steeds in en uit liepen. Dus kocht Fernanda tweeënzeventig nachtspiegels, maar daarmee wist ze het avondlijk probleem slechts te veranderen in een ochtendlijk probleem, want reeds bij het krieken van de dag stond er voor het toilet een lange rij meisjes, ieder met haar nachtspiegel in de hand, wachtend op een beurt om het ding om te spoelen. Ofschoon sommige meisjes last van koorts kregen en bij anderen de muggebeten ontstoken raakten, toonden ze voor het merendeel een onverwoestbare weerstand tegen de grootste ongemakken en zelfs op het heetste uur van de dag ravotten ze nog door de tuin. Toen ze tenslotte vertrokken, waren de bloemen vernield, de meubels uit elkaar en de muren overdekt met tekeningen en opschriften, maar in de opluchting over hun vertrek vergaf Fernanda hen met graagte die vernielingen. Ze bracht de geleende bedden en krukjes terug en borg de tweeënzeventig nachtspiegels op in de kamer van Melquíades. Het altijd afgesloten vertrekje, dat in vroeger tijden de spil was geweest waar het geestelijk leven van de familie omheen draaide, stond vanaf die dag bekend als *De Kamer van de Nachtspiegels*. Voor kolonel Aureliano Buendía was dit de enig juiste benaming, want terwijl het de rest van de familie nog steeds verbaasde dat de kamer van Melquíades onaantastbaar bleef voor stof en verval, was het vertrek in zijn ogen veranderd in een vuilnisbelt. Hoe dan ook, het leek hem nauwelijks te interesseren wie er gelijk had – en dat hij van de nieuwe bestemming van het kamertje op de hoogte raakte, kwam slechts, omdat Fernanda een hele middag heen en weer liep om de tweeënzeventig nachtspiegels weg te bergen en hem danig stoorde bij zijn werk.

Omstreeks die tijd verscheen ook José Arcadio Segundo weer in het huis. Zonder iemand te begroeten liep hij over de gehele waranda, waarna hij zich in het atelier opsloot om te praten met de kolonel. Ofschoon Úrsula hem niet kon zien, ontleedde ze feilloos het hakkengeklik van zijn opzichterslaarzen en ze verbaasde zich over de onoverbrugbare afstand die hem scheidde van zijn familie, zelfs van zijn tweelingbroer met wie hij in zijn kinderjaren zulke vernuftige verwarringsspelletjes speelde en met wie hij nu niets meer gemeen had. Hij was mager als een lat, somber, nadenkend van aard; hij bezat een oosters aandoende droefgeestigheid en op zijn herfstkleurige gelaat lag een duistere weerschijn. Hij leek wel het meest op zijn moeder, Santa Sofía de la Piedad. Úrsula maakte zich verwijten dat ze hem als vanzelf vergat wanneer ze over de familie sprak, maar toen ze hem opnieuw in huis hoorde en bemerkte dat de kolonel hem tijdens zijn werkuren toeliet in zijn atelier, begon ze opnieuw haar oudste herinneringen te onderzoeken en kwam ze opnieuw tot de overtuiging dat hij in zijn kinderjaren op zeker ogenblik verwisseld moest zijn met zijn tweelingbroer, want hij was het die zich Aureliano diende te noemen en niet de ander. Niemand kende zijn levensomstandigheden. Op zekere dag hoorde men dat hij geen vaste verblijfplaats had, dat hij hanen fokte ten huize van Pilar Ternera en dat hij daar soms bleef slapen, maar dat hij vrijwel altijd de nacht doorbracht in de vertrekken van de Franse dames. Hij zwierf maar wat rond, zonder genegenheden, zonder ambities, als een zwerfster in het planetensysteem van Úrsula

In werkelijkheid behoorde José Arcadio Segundo niet meer tot de familie, zoals hij ook nooit tot een andere familie zou kunnen behoren na die lang vervlogen ochtend dat kolonel Gerineldo Márquez hem meenam naar de kazerne – zodat niet de fusillering, maar de trieste en enigszins spottende glimlach van de gefusilleerde hem zijn leven lang zou bijblijven. Het was niet alleen de oudste maar bovendien de enige herinnering uit zijn jeugd. De andere herinnering, aan een oude man met een anachronistisch vest en een hoed als ravenvlerken die sprookjes vertelde voor een fel oplichtend venster, kon hij in geen enkele periode van zijn leven plaatsen. Het was een vaag herinnerd beeld, geheel ontbloot van betekenis of weemoed, heel anders dan de herinnering aan de gefusilleerde, want die had in feite de loop van zijn leven bepaald en keerde bij het ouder worden steeds duidelijker in zijn geheugen terug, alsof het verstrijken van de tijd hem alleen maar dichterbij bracht. Úrsula riep José Arcadio Segundo's hulp in om te bereiken dat kolonel Aureliano Buendía zijn eenzame opsluiting zou doorbreken. 'Haal hem over om naar de bioscoop te gaan,' zei ze tegen hem. 'Als de films hem niet bevallen, dan heeft hij toch minstens de gelegenheid om frisse lucht te ademen.' Maar al gauw besefte ze dat hij voor haar smeekbeden even ongevoelig was als de kolonel altijd was geweest en dat de beide mannen met hetzelfde pantser waren afgeschermd tegen elke vorm van genegenheid. Ofschoon zij noch iemand anders ooit te weten kwam waarover ze spraken tijdens hun langdurige perioden van afzondering in de werkplaats, begreep ze, dat dit de enige familieleden waren die hecht verbonden waren door een innerlijke verwantschap.

De kwestie was, dat zelfs José Arcadio Segundo de kolonel niet uit zijn teruggetrokkenheid had kunnen bevrijden. De invasie van schoolmeisjes had de uiterste grenzen van zijn geduld geweld aangedaan. Onder het voorwendsel dat de echtelijke slaapkamer ondanks de vernietiging van Remedios' schattige poppen nog altijd was overgeleverd aan de genade van de motten, hing hij zijn hangmat op in zijn werkplaats en van toen af aan verliet hij het vertrek nog slechts om naar de

272

patio te gaan teneinde zijn behoeften te doen. Úrsula slaagde er niet eens in een doodnormaal gesprek met hem aan te knopen. Ze wist dat hij de borden met voedsel geen blik waardig keurde, maar ze eenvoudig aan de rand van de tafel zette totdat hij zijn visje had afgemaakt en dat het hem niets kon schelen als er een vel op de soep kwam of als het vlees koud werd. Sinds kolonel Gerineldo Márquez hem zijn hulp bij een bejaardenoorlog geweigerd had, was hij innerlijk steeds meer verhard. Hij deed de sluitbalk op zichzelf, diep in zijn binnenste, en tenslotte sprak de familie nog slechts over hem alsof hij dood was. Nooit meer gaf hij blijk van enige menselijke reactie – tot aan die elfde oktober dat hij zich naar de voordeur begaf om te kijken naar een circusstoet. Die dag was voor kolonel Aureliano Buendía precies hetzelfde geweest als alle andere dagen van zijn laatste levensjaren. Om vijf uur 's morgens werd hij wakker van het lawaai van de padden en de krekels aan de buitenzijde van de muur. De druilregen hield al sinds zaterdag aan, maar hij had niet hoeven luisteren naar het ijle gefluister van de druppels op de bladeren in de tuin, want hij zou het toch wel gevoeld hebben aan de kou in zijn botten. Als altijd was hij gekleed in de wollen deken en in de lange onderbroek van ruw katoen, die hij uit persoonlijk gemak bleef dragen, ofschoon hijzelf altijd over een 'Goten-broek' sprak vanwege de muffe ouderwetsheid van die dracht. Hij trok zijn nauwsluitende rijbroek aan, maar deed de broeksband niet dicht en bracht evenmin in zijn hemd de gouden boordeknoop aan die hij altijd droeg, want hij had zich voorgenomen om in bad te gaan. Daarna legde hij de deken over zijn hoofd, als een monnikskap, kamde met zijn vingers de druipsnor uit en ging urineren op de patio. Het zou nog zo lang duren voordat de zon opkwam, dat José Arcadio Buendía nog altijd zat te slapen onder het afdak van neerhangende, door de regen weggeteerde palmbladeren. Hij zag zijn vader niet, zoals hij hem nooit gezien had, en hij hoorde evenmin de onbegrijpelijke zin die het spookbeeld tot hem richtte toen het wakkerschrok van de stroom warme urine die over zijn schoenen spatte. Hij besloot het bad tot later uit te stellen, niet vanwege de kou en de vochtigheid maar vanwege de neerdrukkende oktobernevel.

Eenmaal terug in zijn werkplaats bespeurde hij de schroeilucht van de pitten waarmee Santa Sofía de la Piedad het fornuis aanstak en hij wachtte in de keuken tot de koffie warm zou zijn en hij zijn kop zonder suiker mee kon nemen. Santa Sofía de la Piedad vroeg hem welke dag van de week het was, zoals ze elke morgen vroeg, en hij antwoordde dat het dinsdag elf oktober was. Terwijl hij stond te kijken naar deze onverstoorbare vrouw, die in een gouden waas gehuld was door de weerschijn van het vuur en die noch op dit moment noch op enig ander ogenblik van haar leven volledig scheen te bestaan, moest hij plotseling denken aan een andere elfde oktober, midden in de oorlog, toen hij wakker was geworden met de schokkende zekerheid dat de vrouw, met wie hij geslapen had, dood was. Dat was ze inderdaad en hij was de datum nooit vergeten omdat ook zij hem een uur van tevoren gevraagd had welke dag het was. Ondanks die herinnering drong het ook ditmaal niet tot hem door hoezeer zijn voorgevoelens hem in de steek hadden gelaten en terwijl de koffie pruttelde, bleef hij – uit louter nieuwsgierigheid, maar zonder het geringste gevaar van weemoed – nadenken over die vrouw, wier naam hij nooit gekend had en wier gezicht hij nooit levend had gezien omdat ze stommelend in de duisternis naar zijn hangmat was gekomen. Maar hij wist niet meer dat in de leegte van alle vrouwen, die op dezelfde manier in zijn leven waren gekomen, juist zij degene was geweest die in de vervoering van hun eerste bijeenzijn bijna gestikt was in haar eigen tranen en dat zij, nauwelijks één uur voordat ze stierf, gezworen had hem te beminnen tot aan de dood. Hij dacht niet meer aan haar, noch aan een andere vrouw, zodra hij met zijn dampende kop koffie zijn werkplaats was binnengegaan en het licht aandeed om de gouden visjes te tellen die hij bewaarde in een oud blik. Het waren er zeventien. Sinds hij besloten had ze niet meer te verkopen, vervaardigde hij twee visjes per dag en wanneer hij er vijfentwintig af had, wierp hij ze weer in de smeltkroes om ze opnieuw te gaan maken. Hij werkte de hele ochtend door, verdiept in zijn werk, zonder aan iets te denken, zonder te bemerken dat de regen om tien uur verhevigde en er iemand langs de werkplaats kwam rennen, roepend dat ze de deuren moesten sluiten omdat het huis anders onderliep; hij werkte door, vrijwel zonder besef te hebben van zichzelf, totdat Úrsula met het middagmaal binnenkwam en het licht uitdeed.

'Wat een regen,' zei Úrsula.

'Oktober,' zei hij.

Terwijl hij dat zei, sloeg hij niet eens zijn blik op van het eerste visje van die dag, want hij was juist bezig de robijnen van de oogjes op hun plaats te brengen. Pas toen hij het af had en het bij de rest in het blik had gelegd, begon hij de soep op te eten. Daarna at hij heel langzaam het stukje vlees, op smaak gebracht met uien, en de witte rijst en de plakjes gebakken banaan, alles tezamen op hetzelfde bord. Zijn eetlust veranderde nooit, onder de beste noch de slechtste omstandigheden. Na het middageten werd hij bekropen door de neerslachtigheid van het nietsdoen. Uit een soort wetenschappelijk bijgeloof placht hij nooit te werken of te lezen of zich te baden of de liefde te bedrijven voordat de spijsvertering twee uur de tijd had gekregen; dat idee zat zo diep ingeworteld, dat hij meermalen zijn krijgsoperaties had uitgesteld om zijn troepen niet bloot te stellen aan het risico van een verstopping. Zodat hij in zijn hangmat ging liggen, met een pennemesje de was uit zijn oren verwijderde en na een paar minuten in slaap viel. Hij droomde dat hij een leeg huis met witte muren binnenging en dat hij gekweld werd door het naargeestige besef dat hij de eerste mens was die hier binnentrad. In de droom herinnerde hij zich dat hij dit ook de afgelopen nacht had gedroomd, zoals het de laatste jaren al zoveel nachten was gebeurd, en hij wist bovendien dat dit beeld bij het ontwaken uit zijn geheugen zou zijn gewist, omdat deze steeds terugkerende droom de eigenschap bezat om slechts herinnerd te kunnen worden binnen de droom zelf. En inderdaad, toen de kapper een ogenblik later op de deur van de werkplaats klopte, werd kolonel Aureliano Buendía wakker met de vaste overtuiging dat hij onwillekeurig een paar seconden was ingedoezeld en dat hij geen tijd had gehad om iets te dromen.

'Vandaag niet,' zei hij tegen de kapper. 'We zien elkaar vrijdag wel.'

Hij had een baard van drie dagen, doorspikkeld met pluizig

275

grijs, maar hij vond het niet nodig zich te scheren omdat hij vrijdag zijn haar zou laten knippen en dan alles tegelijk kon laten doen. Het kleverige zweet van de ongewenste siësta deed de littekens van de gezwellen weer voelbaar worden in zijn oksels. De regen was opgehouden, maar de zon brak nog steeds niet door. Kolonel Aureliano Buendía liet een weergalmende boer die het zuur van de soep weer op zijn verhemelte bracht en het was of zijn organisme hem daarmee het bevel gaf om de deken om zijn schouders te slaan en naar het toilet te gaan. Daar bleef hij langer zitten dan nodig was, neergehurkt boven de dichte gistingswolk die uit de houten bak oprees, totdat de sleur hem deed beseffen dat het tijd werd zijn werk te hervatten. In de ogenblikken die hij op het toilet doorbracht herinnerde hij zich weer dat het dinsdag was en dat José Arcadio Segundo niet in zijn werkplaats was gekomen omdat het vandaag betaaldag was op de bedrijven van de bananenmaatschappij. Zoals alle herinneringen van de laatste jaren bracht ook deze gedachte hem ertoe om terug te denken aan de oorlog, zonder dat het iets terzake deed. Hij herinnerde zich hoe kolonel Gerineldo Márquez hem eens beloofd had een paard met een witte bles op het voorhoofd voor hem te bemachtigen en dat er daarna nooit meer over gesproken was. Daarna dreven zijn gedachten weg naar verschillende onsamenhangende oorlogsfeiten, maar hij bracht ze zich in gedachten zonder er een oordeel over te vellen, want omdat hij nooit aan iets anders kon denken, had hij geleerd om slechts aan koude te denken en daarmee te voorkomen dat de onslijtbare herinneringen hem met gevoelens zouden kwellen. Toen hij weer terug was in zijn werkplaats en zag dat de lucht droger begon te worden, besloot hij dat dit een goed ogenblik was om een bad te nemen, maar Amaranta was hem voor. Zodat hij maar begon aan het tweede visje van die dag. Hij was juist bezig de staart te krullen, toen de zon met zoveel kracht doorbrak dat de helderheid van het licht kraakte als een vissersboot. De lucht, schoongewassen door de druilregen van drie dagen, vulde zich met vliegende mieren. Toen drong het tot hem door dat hij aandrang voelde om te urineren, maar hij stelde het uit totdat hij het visje in elkaar had gezet. Om tien over vier wilde hij

zich juist naar de patio begeven, toen hij het verre koperge-
schal hoorde en het bonzen van de Turkse trom en het gejuich
van de kinderen en voor het eerst sinds zijn jeugd liep hij met
open ogen in de val van de weemoed en beleefde hij nog eenmaal de wonderlijke zigeunermiddag waarop zijn vader hem
had meegenomen om kennis te maken met het ijs. Santa Sofía
de la Piedad hield op met wat ze aan het doen was in de keuken en rende naar de voordeur.

'Het is een circus!' riep ze.

In plaats van dat hij naar de kastanjeboom ging, liep ook kolonel Aureliano Buendía naar de voordeur en mengde zich onder
de nieuwsgierigen die de optocht gadesloegen. Hij keek naar
een in goud uitgedoste vrouw op de nek van een olifant. Hij
keek naar een mistroostige dromedaris. Hij keek naar een als
Hollands boerinnetje verklede beer die met een grote lepel en
een braadpan de maat aangaf van de muziek. Hij keek naar de
clowns die kopjeduikelden in de achterhoede van de optocht en
tenslotte keek hij weer in het gezicht van zijn eigen ellendige
eenzaamheid, toen eenmaal alles voorbijgetrokken was en er
niets anders restte dan de zondoorlichte ruimte van de straat
en de lucht vol vliegende mieren en een paar toeschouwers die
terugschrokken voor de afgrond van hun eigen besluiteloosheid. Toen ging hij naar de kastanjeboom, denkend aan het
circus, en terwijl hij urineerde probeerde hij aan het circus te
blijven denken, maar hij kon de herinnering al niet meer terugvinden. Hij trok zijn hoofd tussen zijn schouders, als een
haantje, en bleef roerloos staan met zijn voorhoofd tegen de
stam van de kastanje. De familie bemerkte het pas de volgende
dag om elf uur, toen Santa Sofía de la Piedad het huisvuil op
de belt achter de patio ging gooien en het haar opviel dat de
gieren naar beneden kwamen.

De laatste vakantie van Meme viel samen met de rouw om de
dood van kolonel Aureliano Buendía. In het potdicht afgesloten huis was geen plaats voor feestjes. Men sprak slechts fluis-

277

terend, men at in stilte, men bad driemaal per dag de rozenkrans en zelfs de klavecimbel-oefeningen op het heetst van de siësta bezaten een begrafenisachtige galm. Ondanks haar heimelijke vijandigheid jegens de kolonel had Fernanda deze gestrenge rouw aan het huis opgelegd, onder de indruk gekomen van de plechtigheid waarmee de regering de gedachtenis aan haar gestorven vijand ophemelde. Zolang de vakantie van zijn dochter duurde kwam Aureliano Segundo als gewoonlijk weer thuis slapen en Fernanda moest iets gedaan hebben om haar voorrechten als wettige echtgenote te herkrijgen, want het jaar daarop trof Meme thuis een pasgeboren zusje aan dat tegen de wil van de moeder gedoopt was met de namen Amaranta Úrsula.

Meme had haar studies beëindigd. Het diploma, blijkens welke ze zich klavecimbelsoliste mocht noemen, vond zijn rechtvaardiging in de virtuositeit waarmee ze volksthema's uit de zeventiende eeuw ten gehore bracht op het feest dat georganiseerd werd om de bekroning van haar studie te vieren en dat tegelijkertijd de rouwperiode afsloot. De genodigden bewonderden niet zozeer haar kunst als wel haar merkwaardige tweeslachtigheid. Haar luchthartige en zelf enigszins kinderlijke aard leek nauwelijks geschikt te zijn voor serieuze bezigheden, maar wanneer ze zich aan de klavecimbel zette, veranderde ze op slag in een ander meisje met een onverwachte rijpheid die haar een indruk van volwassenheid bezorgde. Zo was ze altijd geweest. In werkelijkheid bezat ze geen uitgesproken aanleg, maar ze had de hoogste cijfers kunnen behalen dank zij een onbuigzame discipline die ze zichzelf had opgelegd om niet in conflict te komen met haar moeder. Men had haar de opleiding van elke ander beroep kunnen laten volgen en dan zouden de resultaten precies hetzelfde zijn geweest. Al sinds ze heel jong was, was ze gebukt gegaan onder de vormelijkheid van Fernanda, onder haar gewoonte om alles voor anderen te beslissen, en ze zou een veel grotere opoffering dan klavecimbellessen hebben verdragen om maar niet in botsing te komen met haar moeders onplooibaarheid. Tijdens de diploma-uitreiking op school kreeg ze het gevoel dat dit document met het Gotische schrift en de zwierige hoofdletters haar zou bevrijden van

278

een verplichting die ze niet zozeer uit gehoorzaamheid als wel uit gemakzucht op zich had genomen; ze meende zelfs dat ook de halsstarrige Fernanda voortaan geen belangstelling meer zou hebben voor een instrument dat zelfs door de nonnen als een museumstuk werd beschouwd. De eerste jaren dacht ze dat ze zich misrekend had, want toen ze al de halve stad met haar spel in slaap gewiegd had – en dat niet alleen thuis in de salon, maar op alle liefdadigheidsfeesten, schoolavonden en nationale herdenkingen die er in Macondo maar werden georganiseerd – bleef haar moeder alle nieuwe inwoners uitnodigen die verondersteld werden de gaven van haar dochter te kunnen waarderen. Pas na de dood van Amaranta, toen de familie zich opnieuw een tijdlang in de rouw terugtrok, kon Meme de klavecimbel afsluiten en het sleuteltje ergens in een kleerkast laten slingeren zonder dat Fernanda haar lastig viel met de vraag wanneer en door wiens schuld het was zoekgeraakt. Meme doorstond de uitvoeringen met dezelfde stoïcijnse kalmte waarmee ze zich aan haar opleiding had gewijd. Het was de prijs van haar vrijheid. Fernanda was zo ingenomen met haar meegaandheid en zo trots op de bewondering die haar kunst allerwegen wekte, dat ze er nooit bezwaar tegen maakte dat haar dochter het huis vol vriendinnen haalde en de middag doorbracht op de plantages en met Aureliano Segundo of betrouwbare gehuwde dames naar de bioscoop ging, mits de film natuurlijk vanaf de preekstoel was goedgekeurd door pater Antonio Isabel. In die ogenblikken van ongedwongen plezier kwamen Meme's ware liefhebberijen naar boven. Ze vond haar geluk juist aan de keerzijde van de discipline, in de lawaaierige feestjes, in het verliefde gekwebbel, in de langdurige perioden van afzondering met haar vriendinnen, tijdens welke ze leerden roken en over mannendingen praatten en het eens zo erg uit de hand liep met drie flessen suikerrietrum, dat ze elkaar tenslotte spiernaakt stonden op te meten om hun lichaamsdelen te vergelijken. Nooit zou Meme de avond vergeten dat ze, kauwend op een stronk zoethout en zonder dat men haar anderszijn bemerkte, thuiskwam en plaatsnam aan de tafel waaraan Fernanda en Amaranta het avondmaal gebruikten zonder een woord tegen elkaar te zeggen. Ze had twee geweldige uren doorgebracht in de slaapkamer van een vriendin, waar ze hadden zitten huilen van het lachen en van de ontsteltenis, en toen het ergste eenmaal voorbij was had ze in haar binnenste de zeldzame dapperheid voelen oprijzen die ze vroeger altijd gemist had, in de tijd dat ze hem juist zo nodig had gehad om van school te kunnen weglopen en zonder omhaal van woorden aan haar moeder te zeggen dat ze de pot op kon met haar klavecimbel. Toen ze eenmaal aan het hoofd van de tafel zat en de kippesoep begon te eten die als een levenwekkend elixer in haar maag viel, zag ze Fernanda en Amaranta eindelijk omgeven door het beschuldigende waas van de werkelijkheid. Ze moest haar uiterste best doen om hen niet hun aanstellerigheid, hun geestelijke armetierigheid, hun grootheidswaan in het gezicht te slingeren. Tijdens haar tweede vakantie had ze al gehoord dat haar vader alleen maar thuis woonde om de schijn op te houden en aangezien ze Fernanda kende als geen ander en er later voor gezorgd had dat ze kon kennismaken met Petra Cotes, kon ze haar vader alleen maar gelijk geven. Ook zij had liever een dochter willen zijn van zijn minnares. Meme, beneveld door de alcohol, dacht met verrukking aan het schandaal dat zou ontstaan als ze nu haar gedachten luidkeels uitte en de innerlijke bevrediging van die schelmse opwelling was zo groot, dat Fernanda het bemerkte.

'Wat is er met jou?' vroeg ze.

'Niets,' antwoordde Meme. 'Alleen merk ik nu pas hoeveel ik van jullie houd.'

Amaranta schrok van de overduidelijke haat waarmee deze opmerking geladen was. Maar Fernanda was zo geroerd, dat ze gek van angst meende te worden toen Meme omstreeks middernacht wakker werd met een hoofd dat bijna spleet van de pijn en gal begon te braken tot ze er haast in stikte. Ze gaf haar een flesje castor-olie, legde papperige omslagen op haar buik en zakken ijs op haar hoofd en dwong haar zich te houden aan het dieet en de vijf dagen bedrust, voorgeschreven door de nieuwe, zonderlinge Franse dokter die haar langer dan twee uur onderzocht en daarna tot de weifelachtige slotsom kwam dat ze leed aan een ongemak dat slechts vrouwen eigen is. Meme, in de steek gelaten door haar dapperheid en verzonken in een ellendige staat van geestelijke ontreddering, had geen andere keuze en schikte zich erin. Úrsula, reeds volslagen blind maar nog altijd actief en helder van geest, was de enige die de juiste diagnose aanvoelde. 'Als je het mij vraagt,' dacht ze, 'zijn dat dezelfde dingen die aan dronkaards overkomen.' Maar ze zette dat idee van zich af en maakte zich zelfs verwijten over zo'n ondoordacht oordeel. Aureliano Segundo voelde zijn geweten steken toen hij Meme's jammerlijke toestand zag en hij nam zich voor om zich voortaan meer met haar te bemoeien. Zo ontstond tussen vader en dochter die vrolijke, kameraadschappelijke verhouding die hem bevrijdde van de bittere eenzaamheid tijdens zijn feesten en die haar verloste van Fernanda's bevoogding, zonder dat daardoor de huiselijke crisis werd uitgelokt die al onvermijdelijk scheen. Aureliano Segundo onttrok zich zoveel mogelijk aan zijn verplichtingen om maar bij Meme te kunnen zijn en haar te kunnen meenemen naar de bioscoop of het circus en hij wijdde zijn vrije tijd grotendeels aan haar. De laatste tijd begon zijn karakter langzaam te verzuren door zijn onbesuisd toegeven aan elk verlangen en door de hindernissen van zijn absurde zwaarlijvigheid, welke hem al niet meer toestond zijn eigen schoenveters vast te maken. De ontdekking van zijn dochter gaf hem zijn oude jovialiteit weer terug en het genoegen, dat hij aan hun samenzijn beleefde, haalde hem langzaam maar zeker weer uit zijn ongebonden bestaan. Meme bloeide open in haar vruchtbaarheidsleeftijd. Ze was niet knap, zoals ook Amaranta dat nooit was geweest, maar ze was zeer innemend en ongecompliceerd en bezat de eigenschap om vanaf het eerste moment in de smaak te vallen. Ze bezat een modern gerichte geest waar Aureliano Segundo met graagte over waakte en die zich slechts kon stoten aan de verouderde soberheid en de slecht verhulde vrekkigheid van Fernanda. Het was haar vader, die besloot haar te bevrijden uit de slaapkamer waar ze als kind al had gelegen en waar de onthutste ogen van de heiligen haar angsten van opgroeiend meisje nog altijd bleven voeden. Hij richtte een andere kamer voor haar in met een hemelbed, een grote kaptafel en fluwelen gordijnen, zonder te beseffen dat hij in feite een tweede versie schiep van de woonomgeving van Petra Cotes.

Hij was zo gul voor Meme dat hij zelf niet eens wist hoeveel geld hij haar gaf, aangezien ze het zelf uit zijn zakken haalde, en hij voorzag haar van elk nieuw schoonheidsmiddeltje dat maar opdook in de bedrijfswinkels van de bananenmaatschappij. De kamer van Meme vulde zich langzamerhand met puimsteen kussentjes om nagels te polijsten, haarkrullers, tandpasta's, oogdruppels om de blik kwijnend te maken en zoveel andere kosmetische middelen en ultramoderne schoonheidsapparaten, dat Fernanda, telkens wanneer ze de slaapkamer binnenkwam, door schaamte overvallen werd bij de gedachte dat de toilettafel van haar dochter precies hetzelfde moest zijn als die van de Franse dames. Maar Fernanda moest in die dagen haar tijd verdelen tussen de kleine Amaranta Úrsula, die ziekelijk en lastig was, en een opwindende briefwisseling met haar onzichtbare artsen. Dus toen ze de saamhorigheid tussen vader en dochter bemerkte, volstond ze ermee om aan Aureliano Segundo de belofte te ontwringen dat hij Meme nooit zou meenemen naar het huis van Petra Cotes. Het was een onnodige voorzorgsmaatregel, want de minnares van haar man ergerde zich zozeer aan de kameraadschap die tussen haar geliefde en diens dochter bestond, dat ze niets van het meisje wilde weten. Ze werd gekweld door een ongekende angst, alsof ze bij instinct begreep dat Meme, alleen al door de wens ertoe te uiten, zou kunnen bereiken wat Fernanda nooit gelukt was: haar te beroven van een liefde waarvan ze zich al zeker had geweten tot aan haar dood. Voor het eerst moest Aureliano Segundo zich de nijdige gezichten en de schampere kwaadaardigheden laten welgevallen van zijn bijslaap en hij vreesde al dat zijn heen en weer gesjouwde klerenkoffers de terugweg naar het huis van zijn echtgenote zouden afleggen. Maar dat gebeurde niet. Niemand kende een man grondiger dan Petra Cotes haar geliefde en ze wist dat de koffers zouden blijven op de plaats waar ze waren, want Aureliano Segundo verfoeide niets zozeer als de noodzaak zich het leven ingewikkeld te maken met verbeteringen en verhuizingen. Zodat de koffers bleven waar ze waren en Petra Cotes zich opmaakte om haar geliefde te heroveren door de enige wapens te wetten waarover zijn dochter niet kon beschikken. Ook dat was een onnodige inspanning, want Meme had nooit de bedoeling zich te mengen in de persoonlijke zaken van haar vader en als ze dat wel gewild had, had ze zich zeker uitgesproken ten gunste van zijn minnares. Maar ze had eenvoudig geen tijd om iemand dwars te zitten. Ze hield zelf haar slaapkamer schoon en maakte zelf haar bed op, zoals de nonnen het haar hadden geleerd. 's Morgens wijdde ze zich aan haar garderobe en zat op de waranda te borduren of te naaien op de oude naaimachine van Amaranta. Terwijl de anderen de siësta hielden, oefende zij twee uur lang op de klavecimbel, wel wetend dat ze Fernanda met dit dagelijkse offertje rustig hield. Om diezelfde reden bleef ze concerten geven op parochiebazaars en schooluitvoeringen, ofschoon de verzoeken daartoe steeds minder werden. Tegen het vallen van de avond knapte ze zich op, trok haar eenvoudige jurken en haar stugge rijglaarsjes aan en als ze niets te doen had met haar vader, begaf ze zich naar het huis van een van haar vriendinnen waar ze dan bleef tot het tijd werd voor het avondeten. Het gebeurde maar zelden dat Aureliano Segundo haar daarna niet kwam afhalen om naar de bioscoop te gaan.

Meme telde tussen haar vriendinnen ook drie Noordamerikaanse meisjes die de omheining van de elektrische kippenren hadden kunnen doorbreken en vriendschap hadden aangeknoopt met meisjes uit Macondo. Een van hen was Patricia Brown. Uit dankbaarheid voor de gastvrijheid van Aureliano Segundo opende meneer Brown ook voor Meme de deuren van zijn huis en nodigde haar uit voor de zaterdagse dansavonden, de enige gelegenheid waarbij de vreemdelingen omgingen met de oorspronkelijke ingezetenen. Toen Fernanda dit hoorde, zette ze Amaranta Úrsula en de onzichtbare artsen voor een ogenblik uit haar gedachten en voerde een waar melodrama op. 'Denk je eens in wat de kolonel ervan zal denken in zijn graf,' zei ze tegen Meme. Natuurlijk zocht ze de steun van Úrsula. Maar in tegenstelling tot wat iedereen verwachtte, zag het blinde oudje er niets laakbaars in dat Meme naar de dansavonden ging en vriendschap onderhield met Noordamerikaanse meisjes van haar leeftijd, zolang ze tenminste haar oordeelskracht bewaarde en zich niet liet bekeren tot het protestantisme. Meme begreep de denkwijze van haar betovergrootmoeder

283

uitstekend en na ieder dansavondje stond ze de volgende morgen vroeger op dan anders om naar de mis te gaan. De bezwaren van Fernanda bleven aanhouden tot op de dag dat Meme thuiskwam met het ontwapenende bericht dat de Noordamerikanen haar wilden horen spelen op de klavecimbel. Het instrument werd voor de zoveelste keer uit huis gesleept en overgebracht naar de woning van meneer Brown, waar de jonge soliste inderdaad een allerhartelijkst applaus en de meest enthousiaste gelukwensen in ontvangst mocht nemen. Vanaf die dag werd ze niet alleen uitgenodigd voor de dansavonden maar ook voor de zondagse zwemuurtjes in het privé-bad en eenmaal per week vroeg men haar te eten. Meme leerde zwemmen als een beroepskracht en ze leerde tennissen en Virginia-ham met schijven ananas eten. Tussen het dansen, zwemmen en tennissen door wist ze zich al gauw te redden in het Engels. Aureliano Segundo raakte zo enthousiast over de vorderingen van zijn dochter, dat hij van een rondreizend handelaar een zesdelige Engelse encyclopedie met talloze kleurenplaten kocht die Meme in haar vrije uren doorlas. Deze lectuur eiste de aandacht op die ze vroeger besteed zou hebben aan verliefd gedweep of aan achter slot en grendel uitgevoerde experimenten met haar vriendinnen – niet omdat ze zich het lezen uit zelfdiscipline had opgelegd, maar omdat ze alle belangstelling verloren had voor het gepraat over mysteries die iedereen kende. Ze dacht aan haar dronkenschap terug als aan een kinderachtig avontuur en het leek haar zo grappig dat ze het aan Aureliano Segundo vertelde en die vond het zelfs nog grappiger dan zij. 'Dat moest je moeder eens weten,' zei hij, stikkend van het lachen, zoals hij altijd zei wanneer ze hem weer een geheimpje verklapte. Hij had haar laten beloven dat ze hem met evenveel vertrouwen op de hoogte zou stellen van haar eerste verkering en Meme had hem verteld dat ze wel iets voelde voor een roodharige Noordamerikaan die de vakantie was komen doorbrengen bij zijn ouders. 'Wat ontzettend,' lachte Aureliano Segundo. 'Dat moest je moeder eens weten.' Maar Meme vertelde hem ook dat de jongen naar zijn land was teruggekeerd en geen teken van leven meer had gegeven. De rijpheid van haar oordeel verstevigde de huiselijke vrede. Au-

reliano Segundo wijdde weer meer uren aan Petra Cotes en ofschoon hij niet meer zo met hart en ziel van zijn feesten genoot als vroeger, liet hij geen gelegenheid voorbijgaan om er
een te organiseren en zijn accordeon uit het foedraal te halen
waarvan verschillende toetsen al met schoenveters waren gere-
pareerd. Thuis borduurde Amaranta aan haar eeuwigdurende
doodskleed en liet Úrsula zich door de ouderdom meeslepen tot
in de diepste diepten van de duisternis, waar nog slechts het
spookbeeld van José Arcadio Buendía onder zijn kastanjeboom
voor haar zichtbaar bleef. Fernanda versterkte haar macht. De
maandelijkse brieven aan haar zoon José Arcadio bevatten
geen enkele leugenachtige regel meer en het enige wat ze voor
hem verborgen hield was haar briefwisseling met de onzichtbare artsen, die nu een goedaardig gezwel in haar dikke darm
hadden geconstateerd en haar voorbereidden op een ingreep
langs telepathische weg.

Men had kunnen denken dat in het vermoeide huis van de
Buendía's nog lange tijd vrede en alledaags geluk zou heersen,
als de ongelegen dood van Amaranta niet een nieuw schandaal
had verwekt. Het was een onverwacht gebeuren. Ofschoon ze
al oud was en zich met niemand meer bemoeide, zag ze er nog
sterk en kaarsrecht uit en was ze nog even kerngezond als altijd. Niemand had nog haar gedachten gekend sinds de middag
dat ze kolonel Gerineldo Márquez definitief afwees en zich in
haar slaapkamer opsloot om te huilen. Toen ze weer naar buiten kwam, waren al haar tranen uitgeput. Niemand zag haar
wenen bij de hemelvaart van Remedios de Schone noch bij de
uitroeiing van de Aureliano's noch bij de dood van kolonel
Aureliano Buendía, de man van wie ze op deze wereld wel het
meest had gehouden, ofschoon ze dit pas kon laten merken
toen zijn lijk werd aangetroffen onder de kastanjeboom. Ze
hielp het lichaam naar binnen dragen. Ze kleedde hem in zijn
militaire uitmonstering, schoor hem, kamde hem en gomde zijn
snor met meer zorg dan hijzelf ooit had gedaan in zijn roemrij-
ke jaren. Niemand veronderstelde dat er iets van liefde zat in
die handeling, want men was al gewend geraakt aan Amaranta's vertrouwdheid met de rituelen van de dood. Fernanda verklaarde geërgerd dat ze het katholicisme nooit in verband

285

bracht met het leven maar uitsluitend met de dood, alsof het geen godsdienst was maar een handleiding voor begrafenisgebruiken. Maar Amaranta was al tezeer vastgelopen in het moeras van haar herinneringen om deze apologetische spitsvondigheden nog te kunnen begrijpen. Ze had de ouderdom bereikt terwijl haar weemoed springlevend was gebleven. Wanneer ze de walsen van Pietro Crespi hoorde, voelde ze nog evenveel aandrang om te gaan huilen als in haar meisjesjaren, alsof het verstrijken van de tijd en de lessen van het leven tot niets hadden gediend. De muziekrollen, die ze zelf had weggegooid onder het voorwendsel dat ze wegteerden van het vocht, bleven in haar herinnering nog altijd draaien en aan de hamertjes trekken. Ze had geprobeerd ze te smoren in de hachelijke hartstocht die ze zich met haar neef Aureliano José had veroorloofd en ze had geprobeerd ze te ontvluchten in de kalme en mannelijke bescherming van kolonel Gerineldo Márquez, maar ze had ze zelfs niet kunnen vernietigen met de grootste wanhoopsdaad van haar ouderdom, toen ze de kleine José Arcadio drie jaar voor zijn vertrek naar het seminarie in bad deed en hem streelde – en niet zoals een grootmoeder haar kleinzoon zou strelen, maar zoals een vrouw dat doet bij een man, zoals volgens de geruchten ook de Franse dames deden en zoals ze zelf bij Pietro Crespi had willen doen toen ze twaalf, veertien jaar oud was en hem voor zich zag met zijn strakke dansbroek en met zijn toverstokje waarmee hij de maat van de metronoom aangaf. Soms speet het haar gruwelijk dat ze die uitbarsting van ellende op haar levensweg had achtergelaten en soms bezorgde het haar zoveel woede, dat ze met haar naalden in haar vingers prikte, maar groter spijt en groter woede en groter verbittering bezorgde haar de scherp riekende en wormstekige poel van gefrustreerde liefde die ze met zich meesleepte tot aan de dood. Zoals kolonel Aureliano Buendía altijd aan de oorlog dacht zonder het te kunnen vermijden, zo dacht Amaranta altijd aan Rebeca. Maar terwijl haar broer zijn herinneringen van hun besmettelijkheid had kunnen ontdoen, had zij ze slechts doen opvlammen. Al vele jaren smeekte ze God slechts één ding: dat hij haar niet zou straffen door haar eerder te laten sterven dan Rebeca. Telkens wanneer ze langs haar huis kwam en het voortschrijdende verval opmerkte, troostte ze zich met de gedachte dat God haar gebed verhoorde. Op een middag, toen ze op de waranda zat te naaien, werd ze besprongen door de zekerheid dat ze nog altijd op deze plaats, in deze houding en onder ditzelfde licht zou zitten wanneer men haar het bericht van Rebeca's dood zou komen brengen. Ze ging erop zitten wachten, zoals men wacht op een brief, en het is wel zeker dat ze in een bepaalde periode knopen afrukte en ze weer aanzette om het wachten niet nog langer en nog smartelijker te laten worden door gebrek aan werk. Niemand in huis gaf zich er rekenschap van dat Amaranta toen een schitterende lijkwade borduurde voor Rebeca. Later, toen Aureliano Triste vertelde dat hij haar gezien had en dat ze veranderd was in een geestverschijning, met haar gekloofde huid en nog maar een paar vergeelde haren op haar schedel, verbaasde Amaranta zich geen ogenblik, omdat hier een spookbeeld werd beschreven dat geheel overeenkwam met wat zij zich al lang voorstelde. Ze had zich voorgenomen het lijk van Rebeca bij te werken, de vernielingen in het gezicht met paraffine te verhullen en haar een pruik te bezorgen van het haar van de heiligenbeelden. Ze zou een prachtig lijk vervaardigen, in een doodskleed van lijnwade en in een kist die gevoerd was met pluche en met purperen lubben, en daarna zou ze haar met een schitterende begrafenis ter beschikking stellen aan de wormen. Ze werkte het plan uit met zoveel haat, dat het met een schok tot haar doordrong dat ze precies hetzelfde gedaan zou hebben als ze uit liefde had gehandeld; desondanks liet ze zich door haar verwarring niet overrompelen, maar bleef ze de bijzonderheden zo nauwgezet vervolmaken, dat ze tenslotte een waar specialiste werd, een virtuose in het ritueel van de dood. Er was slechts één ding waarmee haar huiveringwekkend plan geen rekening hield en dat was de mogelijkheid dat ze, ondanks haar tot God gerichte smeekbeden, wel eens eerder zou kunnen sterven dan Rebeca. Dat gebeurde inderdaad. En toch voelde Amaranta zich in haar laatste ogenblikken niet teleurgesteld; integendeel, ze was bevrijd van alle bitterheid, omdat de dood tegenover haar zo welwillend was geweest om zich een paar jaar van tevoren aan te kondigen.

Ze ontmoette de dood kort voordat Meme naar de nonnenschool vertrok, toen ze op een gloeiendhete middag bemerkte dat er nog iemand zat te naaien op de waranda. Ze herkende de verschijning onmiddellijk en de dood bleek niets angstwekkends te bezitten, want het was een vrouw in een blauw gewaad en met lange loshangende haren, wat ouderwets van uiterlijk en niet zonder gelijkenis met Pilar Ternera in de tijd dat die nog kwam helpen bij het werk in de keuken. Vaak was ook Fernanda aanwezig, maar zij zag de verschijning niet — ofschoon deze zo echt en zo menselijk was, dat ze Amaranta eenmaal vroeg of ze een draad in haar naald wilde doen. De dood vertelde haar niet wanneer ze zou sterven noch of haar laatste uur eerder zou slaan dan dat van Rebeca, maar gaf haar wel de opdracht om op zes april aanstaande haar eigen lijkwade te gaan vervaardigen. Amaranta kreeg toestemming om hem zo ingewikkeld en zo kunstzinnig uit te voeren als ze wilde, mits het met evenveel oprechtheid gebeurde als het werk aan Rebeca's doodskleed; bovendien kreeg ze te horen dat ze zonder pijn, angst of bitterheid zou sterven op de avond van de dag dat de lijkwade gereedkwam. In een poging zoveel mogelijk tijd te rekken, bestelde Amaranta de duurste linnen garens en begon ze het kleed eigenhandig te weven. Ze deed het zo zorgvuldig, dat alleen dit werk al vier jaar duurde. Daarna begon ze te borduren. Naarmate het einde van haar arbeid onherroepelijk naderde, begon ze in te zien dat nog slechts een wonder het werk zou kunnen vertragen tot na de dood van Rebeca. Maar toen bleek de concentratie op haar arbeid al voldoende te zijn om haar de kalmte te bezorgen die ze nodig had om de gedachte aan die teleurstelling te verdragen. Toen ook begon ze iets te begrijpen van de vicieuze cirkel van gouden visjes waarin kolonel Aureliano Buendía had geleefd. De wereld trok zich terug tot buiten de oppervlakte van haar huid en haar binnenste bleef gevrijwaard van elke bitterheid. Het speet haar dat ze die openbaring niet vele jaren eerder had gehad, toen het nog mogelijk was geweest haar herinnering te zuiveren en het universum te herscheppen onder een nieuw licht en zonder huivering terug te denken aan de lavendelgeur van Pietro Crespi in de avondschemering en Rebeca te bevrijden uit haar sop van ellende, niet uit haat of uit liefde, maar dank zij een mateloos begrijpen van de eenzaamheid. De haat die ze op een avond in Meme's woorden had bespeurd, had haar niet aangegrepen omdat ze zo op het meisje gesteld was, maar omdat ze zichzelf herhaald zag in een andere jeugd die even rein leek te zijn als haar eigen jeugd had moeten lijken en die desondanks ook al bezoedeld was door wrok. Maar in die tijd had ze zich al zo intens in haar lot geschikt, dat ze niet eens van streek raakte bij de zekerheid dat alle mogelijkheden om iets goed te maken voor altijd waren afgesneden. Ze had nog slechts één doel voor ogen en dat was de lijkwade af te maken. Ze verhaastte het werk in plaats van dat ze het met onnutte verfijningen vertraagde, zoals ze in het begin had gedaan. Een week van tevoren berekende ze wanneer ze precies de laatste steek zou doen, namelijk in de nacht van vier op vijf februari, en zonder een reden te geven drong ze er bij Meme op aan om een klavecimbelconcert te vervroegen dat ze voor de dag erna had afgesproken, maar het meisje luisterde niet naar haar. Toen zocht Amaranta naar een manier om achtenveertig uur tijd te winnen en ze meende even dat de dood haar daarbij van dienst was, want op de avond van de vierde februari maakte een felle storm de elektriciteitscentrale onklaar. Maar de volgende dag legde ze toch om acht uur 's morgens de laatste hand aan het kunstzinnigste werk dat ooit door een vrouw was verricht en zonder dramatisch te doen kondigde ze aan dat ze die avond zou sterven. Ze bracht niet alleen haar familie op de hoogte maar ook het hele dorp, want ze had zich in het hoofd gezet dat ze een leven van armetierigheid kon goed maken door de wereld een laatste dienst te bewijzen en niets achtte ze daarvoor beter geschikt dan de bereidheid om brieven mee te nemen voor de doden.

Het bericht dat Amaranta Buendía tegen het vallen van de avond zou afreizen met de post van de dood, verspreidde zich voor het middaguur door heel Macondo en om drie uur 's middags stond er in de woonkamer al een grote doos vol brieven. Zij die niet wilden schrijven, gaven Amaranta mondelinge boodschappen mee die ze opschreef in een klein boekje, compleet met de naam en de sterfdatum van de overledenen voor

wie ze bestemd waren. 'Maak u maar niet bezorgd,' stelde ze
de afzenders gerust. 'Het eerste wat ik bij mijn aankomst doe,
is naar hem vragen en dan zal ik hem uw bericht overbrengen.' Het leek wel een klucht. Amaranta toonde geen spoor
van ontreddering en niet het geringste teken van pijn en ze
zag er zelfs iets jeugdiger uit, nu ze haar plicht vervuld had.
Ze was nog even slank en kaarsrecht als altijd. Zonder de hard
geworden jukbeenderen en de paar ontbrekende tanden zou ze
minder oud geleken hebben dan ze in werkelijkheid was. Ze
regelde zelf dat de brieven in een geteerde kist werden gedaan
en ze wees precies hoe men deze in het graf moest plaatsen om
hem het beste tegen het vocht te beschermen. 's Morgens had
ze een timmerman laten komen en zich de maat laten nemen
voor de doodskist, staande, in de woonkamer, alsof het voor
een nieuwe japon was. Ze ontplooide in haar laatste uren zoveel energie, dat Fernanda dacht dat ze iedereen voor de gek
hield. Úrsula, uit ervaring wetend dat alle Buendía's zonder
ziekte stierven, betwijfelde geen ogenblik dat Amaranta het
voorteken van haar dood had ontvangen; maar door al dat gedoe met die brieven werd ze bekropen door de vrees dat de op
gezweepte afzenders haar levend zouden begraven in hun ver
langen de post zo gauw mogelijk op zijn bestemming te later
komen. Zodat ze het huis begon te ontruimen door luidkeel
met de indringers te gaan ruziën en om vier uur 's middag
was ze in haar opzet geslaagd. Op dat uur had Amaranta a
haar eigendommen onder de armen verdeeld en op de sober
doodskist van ongeschaafde planken restten nog slechts een
verschoning en de eenvoudige fluwelen muiltjes die ze in d
dood zou dragen. Ze zag die maatregel niet over het hoofd
want ze herinnerde zich dat ze bij de dood van kolonel Aure
liano Buendía een paar nieuwe schoenen voor hem hadde
moeten kopen omdat hij nog slechts de pantoffels bezat die h
in zijn werkplaats droeg. Kort voor vijven kwam Aurelian
Segundo zijn dochter afhalen voor het concert en hij ston
stomverbaasd over het feit dat het huis al helemaal was inge
richt voor de begrafenis. Als iemand op dat tijdstip springle
vend leek, was het wel de doodkalme Amaranta die zelfs no
tijd had gehad om haar eksterogen bij te snijden. Aurelian

Segundo en Meme namen afscheid van haar onder het maken van vrolijke grappen en ze beloofden dat ze aanstaande zaterdag op het feest van de verrijzenis zouden komen. Om vijf uur kwam pater Antonio Isabel, aangetrokken door de geruchten dat Amaranta Buendía brieven voor de doden in ontvangst nam, het huis binnenstappen met de Heilige Teerspijze en hij moest meer dan vijf minuten wachten voordat de stervende uit het bad kwam. Toen hij haar zag binnenkomen in een hemd van madapolam en met het haar los op de rug, meende de afstandse parochieherder dat het een grap was en hij zond haastig zijn misdienaar weg. Hij hoopte echter van de gelegenheid gebruik te kunnen maken om Amaranta na twintig jaar de biecht te horen. Amaranta antwoordde eenvoudig dat ze geen enkele vorm van geestelijke bijstand nodig had omdat ze een rein geweten bezat. Fernanda was diep geschokt. Luidkeels en zonder zich er iets van aan te trekken dat iedereen het hoorde, vroeg ze zich af wat voor gruwelijke zonde Amaranta wel bedreven zou hebben als ze een heiligschennende dood verkoos boven de vernedering van een biecht. Toen ging Amaranta liggen en ze verplichtte Úrsula om in het openbaar getuigenis af te leggen van haar maagdelijkheid.

'Laat niemand zich iets in het hoofd halen,' schreeuwde ze, zodat Fernanda het goed kon horen. 'Amaranta Buendía verrekt van deze wereld zoals ze is gekomen.'

Ze stond niet meer op. Opgepropt tussen grote kussens, alsof ze werkelijk ziek was, legde ze vlechten in haar haar en rolle die op tot wrongen boven haar oren, zoals ze in opdracht van de dood in haar kist zou moeten liggen. Daarna vroeg ze Úrsula om een spiegel en voor het eerst in meer dan veertig jaar zag ze haar door leeftijd en lijden verwoest gezicht en het verbaasde haar hoezeer ze leek op het beeld dat ze in gedachten van zichzelf had gevormd. Úrsula leidde uit de stilte in de kamer af, dat het al donker begon te worden.

'Neem toch afscheid van Fernanda,' smeekte ze haar. 'Een minuut van verzoening is meer waard dan een leven vol vriendschap.'

'Het hoeft al niet meer,' antwoordde Amaranta.

Meme kon niet anders dan aan haar denken toen men de

291

lampen van het geïmproviseerde podium ontstak en ze aan het tweede deel van het programma begon. Halverwege het stuk kwam iemand het bericht in haar oor fluisteren en de uitvoering werd geschorst. Toen ze thuiskwamen moest Aureliano Segundo zich duwend een weg zoeken door de menigte om te kunnen kijken naar het lijk van de oude maagd, lelijk en riekend, met het zwarte zwachtel om haar hand en gehuld in de kunstzinnig bewerkte lijkwade. Ze lag in de woonkamer opgebaard, naast de kist met de post.

Na de negen nachten waken voor Amaranta kwam Úrsula niet meer uit haar bed. Santa Sofía de la Piedad belastte zich met de zorg voor haar. Ze bracht het eten naar haar slaapkamer en bezorgde haar oleaanwater om zich te wassen en hield haar op de hoogte van alles wat er in Macondo gebeurde. Aureliano Segundo bezocht haar erg vaak en bracht dan kleren mee die ze vlak naast het bed neerlegde, bij de dingen die onontbeerlijk waren voor het dagelijks leven, zodat ze zich in korte tijd een eigen wereld had geschapen onder handbereik. Ze wist een grote genegenheid te wekken in de kleine Amaranta Úrsula, die sterk op haar leek, en ze leerde het kleintje lezen. Haar helderheid van geest en haar vermogen om zichzelf genoeg te zijn wekten de indruk dat ze op volkomen natuurlijke wijze was geveld door het gewicht van haar honderd jaren en ofschoon het duidelijk was dat ze gebrekkig zag, vermoedde niemand dat ze volslagen blind was. Ze beschikte in die dagen over zoveel tijd en zoveel innerlijke stilte om het familieleven te observeren, dat zij de eerste was die iets bemerkte van het stille verdriet van Meme.

'Kom eens hier,' zei ze tot haar. 'Nu we toch alleen zijn moet je dit arme oudje maar eens vertellen wat eraan scheelt.'

Meme maakte zich met een hol lachje van het gesprek af. Úrsula drong niet aan, maar ze zag haar vermoedens bevestigd toen Meme haar niet meer kwam bezoeken. Ze wist dat het meisje zich vroeger dan gewoonlijk opknapte, dat ze geen ogenblik rust kende als ze wachtte tot ze de straat op kon gaan, dat ze in de aangrenzende slaapkamer hele nachten in haar bed lag te woelen en dat ze al overstuur raakte van het gefladder van een enkele vlinder. Op een dag hoorde Úrsula haar zeggen dat ze naar Aureliano Segundo ging en ze verbaasde zich over Fernanda's gebrek aan fantasie, want die vermoedde niets toen haar echtgenoot later het huis binnenstapte om naar zijn dochter te vragen. Het was maar al te duidelijk dat Meme haar handen vol had aan geheimzinnige bezigheden, dringende afspraakjes en onderdrukte verlangens – al lang voordat Fernanda op een avond het huis in rep en roer bracht omdat ze haar dochter in de bioscoop had betrapt op het zoenen van een man.

Meme was in die tijd zozeer met zichzelf bezig, dat ze Úrsula ervan beschuldigde haar te hebben verraden. In werkelijkheid had ze zichzelf verraden. Al lange tijd liet ze op haar weg een stroom van aanwijzingen achter waarvan zelfs de grootste slaapkop zou zijn opgeschrokken en dat Fernanda ze pas zo laat ontdekte, kwam slechts omdat ook haar blik verduisterd was door haar geheime betrekkingen met de onzichtbare artsen. Maar ook in die toestand merkte ze tenslotte iets van de diepe stilten, de plotselinge schrikreacties, de wisselende stemmingen en de elkaar tegensprekende verklaringen van haar dochter. Ze zette zich aan een meedogenloze maar zorgvuldig verborgen bespionering. Ze liet haar dochter gewoon weggaan met haar vriendinnen, hielp haar zich te kleden voor de zaterdagse dansavonden en stelde haar nooit een onbescheiden vraag waarmee ze haar argwaan had kunnen wekken. Ze bezat al talloze bewijzen dat Meme andere dingen deed dan ze beweerde, maar nog steeds liet ze niets van haar vermoedens doorschemeren omdat ze wachtte op de juiste gelegenheid. Op een avond kondigde Meme aan dat ze met haar vader naar de bioscoop ging. Kort daarop hoorde Fernanda de vuurpijlen van het dronkemansfeest en de niet te miskennen accordeon van Aureliano Segundo opklinken uit de richting van Petra Cotes. Toen kleedde ze zich aan en betrad de bioscoop en in het halfdonker van de stalles herkende ze haar dochter. Overrompeld door de emoties van dit succes slaagde ze er niet in de man te bekijken die haar zat te zoenen, maar temidden van het oorverdovende gefluit en gelach van het publiek ving ze nog juist zijn trillende stem op. 'Het spijt me, liefste,' hoorde ze hem zeggen en toen sleurde ze Meme zonder een woord de zaal uit, onderwierp haar aan de schande te worden meegesleept door de overvolle Straat van de Turken en zette haar thuis achter slot en grendel in haar slaapkamer.

De volgende dag herkende Fernanda de stem van de man, omdat hij om zes uur 's middags op bezoek kwam. Hij was jong, droefgeestig, bezat donkere en melancholische ogen die haar minder verrast zouden hebben als ze de zigeuners nog had gekend, en ging gehuld in een sfeer van dromerigheid die voor een teerhartiger vrouw voldoende zou zijn geweest om de redenen van haar dochter te begrijpen. Hij droeg een versleten linnen pak en schoenen die wanhopig waren opgeknapt met verschillende lagen zinkwit over elkaar en in zijn hand hield hij een hoed die hij pas 's zaterdags had gekocht. Nog nooit van zijn leven was hij zo slecht op zijn gemak geweest en nooit zou hij banger zijn dan op dit moment, maar hij bezat een waardigheid en een zelfbeheersing die hem vrijwaarden voor elke vernedering en zijn voorkomen kon met recht voortreffelijk genoemd worden, ofschoon daaraan afbreuk werd gedaan door zijn handen vol vlekken en de nagels die in zware arbeid waren gebroken. Maar Fernanda hoefde slechts eenmaal naar hem te kijken om als bij instinct te weten dat hij niet meer dan een handarbeider was. Ze zag onmiddellijk dat hij zijn enige zondagse pak droeg en dat de huid onder zijn hemd was aangevreten door de schurft van de bananenmaatschappij. Ze liet hem niet eens praten. Ze liet hem geen voet zetten binnen de deur die ze een ogenblik later haastig moest sluiten omdat het huis vol raakte met gele vlinders.

'Maak dat je wegkomt,' zei ze. 'Bij fatsoenlijke mensen heb jij niets te zoeken.'

Hij heette Mauricio Babilonia. Hij was geboren en getogen in Macondo en werkte als leerling-monteur in de garages van de bananenmaatschappij. Meme had hem bij toeval ontmoet op een middag dat ze met Patricia Brown de auto ging halen om een ritje door de plantages te maken. Aangezien de chauffeur ziek was, kreeg hij de opdracht hen rond te rijden en zo zag Meme eindelijk haar verlangen bevredigd om eens vlak bij het stuur te zitten en het hele systeem van het autorijden van dichtbij te bekijken. In tegenstelling tot de officiële chauffeur bleek Mauricio Babilonia bereid om het in de praktijk te demonstreren. Dit gebeurde in de tijd dat Meme steeds vaker in het huis van meneer Brown begon te komen en men het besturen van automobielen nog altijd onwaardig vond voor dames. Zodat ze genoegen moest nemen met theoretische verklaringen en daarna zag ze Mauricio Babilonia maandenlang niet meer terug. Later zou ze zich herinneren dat haar aandacht tijdens dat ritje al getrokken was door zijn mannelijke schoonheid, afgezien dan van de grofheid van zijn handen; maar ze herinnerde zich bovendien dat ze na afloop met Patricia Brown had gesproken over de ergernis die hij bij haar gewekt had met zijn lichtelijk hautaine zelfverzekerdheid. Op de eerste zaterdag dat ze met haar vader naar de bioscoop ging, zag ze Mauricio Babilonia opnieuw. Hij zat in zijn linnen pak niet ver bij hen vandaan en ze bemerkte dat hij de film weinig aandacht schonk en zich liever omdraaide om naar haar te kijken – niet zozeer om naar haar te kijken, maar om haar te laten merken dat hij naar haar keek. Meme ergerde zich gruwelijk aan de platvloersheid van die aanpak. Na afloop kwam Mauricio Babilonia naar hen toe om Aureliano Segundo te begroeten en toen pas hoorde Meme dat ze elkaar kenden, omdat hij nog gewerkt had in de primitieve elektriciteitscentrale van Aureliano Triste. Vandaar dat hij haar vader behandelde met de beleefdheid van een ondergeschikte en deze ontdekking nam bij haar de geprikkeldheid weg die door zijn hooghartige houding was veroorzaakt. Ze hadden elkaar nog nooit alleen ontmoet en behalve een groet hadden ze nog geen woord met elkaar gewisseld, toen ze op een nacht een droom kreeg waarin hij haar redde tijdens een schipbreuk en zij geen dankbaarheid voelde maar woede. Het was alsof ze hem de gelegenheid had geboden om iets te doen wat hij wenste, terwijl Meme juist het tegendeel verlangde – niet alleen met Mauricio Babilonia maar met elke man die zich maar voor haar interesseerde. Daarom raakte ze na de droom zo verontwaardigd, dat ze hem niet verfoeide maar juist een onweerstaanbare aandrang voelde om hem terug te zien. Dat verlangen werd in de loop van de week steeds groter en op zaterdagavond was het zo overstelpend geworden, dat ze haar uiterste best moest doen om Mauricio Babilonia bij de begroeting in de bioscoop niet te laten merken dat haar hart klopte in haar keel. Overrompeld door een verward gevoel van blijdschap en woede tegelijk stak ze hem voor de allereerste keer haar hand toe en toen pas veroorloofde Mauricio Babilonia zich om ook zijn hand uit te steken. Binnen een fractie van een seconde had Meme alweer spijt van haar impulsieve gebaar, maar die spijt veranderde onmiddellijk in wreed genoegen toen ze bemerkte dat ook zijn hand kil en zweterig was. Die nacht begreep ze dat ze geen ogenblik rust zou hebben zolang ze Mauricio Babilonia niet van de ijdelheid van zijn verlangens had doordrongen en de gehele week bleef ze onafgebroken met dat voornemen bezig. Ze nam haar toevlucht tot allerlei vergeefse slimmigheidjes om Patricia Brown zo ver te krijgen dat ze meemocht om de auto te halen. Tenslotte maakte ze gebruik van de roodharige Noordamerikaan, die omstreeks die tijd zijn vakantie doorbracht in Macondo, en onder het voorwendsel dat ze de nieuwe automodellen wilde bekijken, liet ze zich door hem meenemen naar de garages. Vanaf het moment dat ze Mauricio Babilonia terugzag, kon ze zichzelf niet meer bedriegen en begreep ze wat er in werkelijkheid aan de hand was: dat ze geen raad meer wist met haar verlangen om geheel alleen te zijn met hem. Desondanks werd ze woedend bij het besef dat hij dit onmiddellijk begreep zodra hij haar zag binnenkomen.

'Ik kwam de nieuwe modellen bekijken,' zei Meme.

'Dat is een mooie smoes,' antwoordde hij.

Meme besefte dat ze opnieuw haar vingers brandde aan de gloed van zijn verwaande optreden en ze zocht wanhopig naar een manier om hem te vernederen. Maar daarvoor gaf hij haar niet eens de tijd. 'Schrik maar niet zo,' zei hij zachtjes. 'Het is echt niet de eerste keer dat een vrouw gek wordt op een man.' Ze voelde zich zo van haar stuk gebracht dat ze de garage verliet zonder de nieuwe autotypes te hebben gezien en die nacht lag ze van de eerste tot de laatste minuut te woelen in haar bed, huilend van verontwaardiging. De roodharige Noordamerikaan, voor wie ze werkelijk belangstelling begon op te vatten, leek haar nog slechts een luierkind. Toen ook liet ze voor het eerst haar gedachten gaan over de gele vlinders die altijd aan de verschijning van Mauricio Babilonia voorafgingen. Ze had ze al eerder gezien, vooral in de garage, maar toen had ze gedacht dat ze werden aangetrokken door de geur van de verf. Een paar maal had ze bemerkt dat ze boven haar hoofd rondfladderden in het schemerdonker van de bioscoop. Maar toen Mauricio Babilonia haar overal begon te volgen, als een spook dat slechts zij kon onderscheiden tussen de mensen, begreep ze dat de gele vlinders iets te maken moesten hebben met hem. Mauricio Babilonia was er altijd – tussen het publiek op de concerten, in de bioscoop, in de hoogmis – en je hoefde hem niet te zien om dat te weten, want de vlinders verraadden zijn aanwezigheid. Eenmaal raakte Aureliano Segundo zo ontstemd over het verstikkende gefladder, dat ze hem in een opwelling haar geheim wilde opbiechten, zoals ze vroeger aan hem beloofd had, maar als bij instinct besefte ze dat hij ditmaal niet zou lachen: 'Wat zou je moeder wel zeggen als ze dat wist!' Toen ze op een morgen bezig waren de rozen te snoeien, slaakte Fernanda een kreet van schrik en ze liet Meme onmiddellijk weggaan van de plaats waar ze bezig was, in hetzelfde deel van de tuin waar Remedios de Schone ten hemel was gevaren. Een ogenblik lang had ze de indruk gekregen dat dit wonder zich met haar dochter zou herhalen, want een plotseling gefladder in de lucht had haar de stuipen op het lijf gejaagd. Het waren de vlinders. Meme zag ze verschijnen, alsof ze ineens uit het licht geboren waren, en haar hart maakte een luchtsprong. Op dat moment kwam Mauricio Babilonia binnen met een pakje dat, naar hij beweerde, een cadeautje van Patricia Brown bevatte. Meme verdrong haar blos, verborg haar verwarring en wist zelfs een volkomen natuurlijk glimlachje te voorschijn te brengen bij haar verzoek, het pakje op de balustrade van de waranda te leggen omdat haar handen vol aarde zaten. Het enige wat Fernanda opmerkte aan de man die zij een paar maanden later de toegang zou weigeren zonder zich te herinneren dat ze hem al eerder gezien had, was de galachtige tint van zijn huid.

'Wat een merkwaardige man is dat,' zei Fernanda. 'Je ziet aan zijn gezicht dat hij gauw zal sterven.'

Meme dacht dat haar moeder nog onder de indruk was van

de vlinders. Toen ze klaar waren met het snoeien van de rozestruiken, waste ze haar handen en nam het pakje mee naar haar slaapkamer om het te openen. Het was een soort Chinees spelletje, bestaande uit vijf doosjes die in elkaar pasten, en in het binnenste doosje zat een kaartje dat moeizaam van een boodschap voorzien was door iemand die nauwelijks kon schrijven: *Zaterdag zien we elkaar in de bioscoop.* Meme voelde een vertraagde ontzetting oprijzen bij de gedachte dat het pakje zo lang op de balustrade had gelegen, binnen het bereik van Fernanda's nieuwsgierigheid. Ze voelde zich wel gestreeld door de stoutmoedigheid en het vernuft van Mauricio Babilonia, maar toch rees er slechts vertedering in haar op bij de eenvoud waarmee hij verwachtte dat ze op het afspraakje zou ingaan. Ze wist toen al dat Aureliano Segundo die zaterdagavond andere verplichtingen had. Maar in de loop van die week werd ze zozeer door brandende verlangens verteerd, dat ze haar vader 's zaterdags wist over te halen om haar alleen in het theater achter te laten en haar na de voorstelling weer te komen afhalen. Zolang de lampen brandden, fladderde er een nachtvlinder rond boven haar hoofd. En toen gebeurde het. Zodra de lichten doofden, kwam Mauricio Babilonia naast haar zitten. Meme voelde hoe ze heen en weer dobberde in een moeras van radeloosheid, waaruit ze – net als bij de schipbreuk in haar droom – slechts gered zou kunnen worden door deze man, die geurde naar motorolie en die nauwelijks te zien was in het schemerduister.

'Als je niet gekomen was, zou je me nooit meer gezien hebben,' zei hij.

Meme voelde het gewicht van zijn hand op haar knie en ze wist dat ze beiden op hetzelfde moment alle hulpeloosheid achter zich lieten.

'Wat ik zo vervelend vind van jou,' glimlachte ze, 'is dat je altijd precies datgene zegt wat niet hoort.'

Ze werd dol op hem. Ze kon niet meer slapen en niet meer eten en ze verzonk zo diep in eenzaamheid, dat zelfs haar vader veranderde in een blok aan haar been. Ze ontwierp een ingewikkeld netwerk van gelogen bezigheden om Fernanda op een dwaalspoor te brengen, verloor haar vriendinnen uit he oog en lapte de goede zeden aan haar laars om maar bij Mauricio Babilonia te kunnen zijn, op elk uur van de dag en op iedere denkbare plaats. In het begin stootte ze zich aan zijn ruwheid. De eerste keer dat ze elkaar alleen troffen, in de verlaten weilanden achter de garages, sleurde hij haar meedogenloos in een staat van dierlijkheid waaruit ze uitgeput ontwaakte. Het duurde even voordat ze besefte dat ook dit een vorm van tederheid was en toen verloor ze pas goed haar kalmte en nu leefde ze nog uitsluitend voor hem, bezeten van het verlangen om zich onder te dompelen in zijn bedwelmende geur van met loogwater afgeboende motorolie. Kort voor de dood van Amaranta belandde ze onverhoeds in een helder ogenblik temidden van de waanzin en toen rilde ze van de onzekerheid van hun toekomst. Ze hoorde praten over een vrouw die de toekomst voorspelde uit speelkaarten en ging in het verborgene bij haar op bezoek. Het was Pilar Ternera. Zodra deze haar zag binnenkomen, doorzag ze Meme's diep verborgen drijfveren. 'Ga zitten,' zei ze. 'Ik heb geen speelkaarten nodig om de toekomst van een Buendía uit te zoeken.' Meme wist niet dat deze honderdjarige waarzegster haar eigen overgrootmoeder was en ze zou het ook nooit te weten komen. Ze zou het bovendien niet geloofd hebben na de agressieve werkelijkheidszin waarmee de vrouw haar onthulde dat de hunkering van het verliefd-zijn slechts tot rust komt in bed. Dat was ook het standpunt van Mauricio Babilonia, maar Meme weigerde erin te geloven omdat ze in de grond van haar hart veronderstelde dat het was ingeblazen door de geringe oordeelskracht van een handarbeider. Ze meende in die dagen dat de liefde op de ene manier slechts verwoestend werkte op de liefde op de andere manier, aangezien het in de aard van de mannen lag om de honger te verachten zodra ze hun eetlust hadden bevredigd. Pilar Ternera hielp niet alleen die misvatting uit de weg, ze bood haar bovendien het oude bed met de gordijnen aan waarin ze Arcadio, Meme's grootvader, had gekregen en daarna Aureliano José. Ze leerde het meisje bovendien hoe ze een ongewenste zwangerschap kon vermijden middels de dampen van mosterdomslagen en ze gaf haar recepten voor liefdesdrankjes die bij voorkomende strubbelingen 'zelfs afrekenden met gewetenswroeging.' Dit onderhoud vervulde Meme met dezelfde dapperheid die ze op de middag van haar dronkenschap had gevoeld. De dood van Amaranta verplichtte haar echter haar beslissing uit te stellen. Terwijl de negen nachten waken voortgang vonden, verwijderde ze zich geen ogenblik van de zijde van Mauricio Babilonia, die schuilging in de menigte welke het huis binnenstroomde. Later kwamen nog de voortgezette rouw en de verplichte afzondering van de familie en dus gingen ze voor een tijdje uit elkaar. De dagen waren zozeer vervuld van innerlijke onrust, onbedwingbaar verlangen en verdrongen hunkeringen, dat Meme zich naar het huis van Pilar Ternera haastte op de eerste de beste middag dat ze weer naar buiten kon. Ze gaf zich aan Mauricio Babilonia over zonder een spoor van schaamte, zonder weerstand, zonder aanstellerigheden, en met zo'n vloeiend talent en zo'n wijze intuïtie, dat een achterdochtiger man dan haar geliefde het had kunnen aanzien voor een langdurig gelouterde ervaring. Meer dan drie maanden beminden ze elkaar tweemaal per week, behoed door de ongeweten medeplichtigheid van Aureliano Segundo die zijn dochter zonder enig boos opzet van een alibi voorzag, uitsluitend omdat hij haar verlost wilde zien van de starheid van haar moeder.

Op de avond dat Fernanda hen in de bioscoop betrapte, werd Aureliano Segundo bedolven onder de last van zijn geweten en hij bezocht Meme in de slaapkamer waar ze door Fernanda was opgesloten; hij vertrouwde er op dat ze zich tegenover hem zou ontdoen van alle geheimen waarop hij nog recht meende te hebben. Maar Meme ontzegde hem dat voorrecht. Ze was zo zeker van zichzelf, zozeer verankerd in haar eenzaamheid, dat Aureliano Segundo de indruk kreeg dat er geen enkele band meer tussen hen bestond en dat hun kameraadschap en hun saamhorigheid niets anders waren dan een illusie uit het verleden. Hij dacht erover om met Mauricio Babilonia te gaan praten, in de mening dat zijn overwicht als vroegere werkgever de jongen van zijn plannen zou doen afzien, maar Petra Cotes bezwoer hem dat dit vrouwenzaken waren. Zodat hij hulpeloos bleef ronddobberen in het voorgeborchte van zijn besluiteloosheid en zich nauwelijks gesterkt wist door de hoop dat de eenzame opsluiting wel een eind zou maken aan de grillen van zijn dochter.

Meme liet geen spoor van verdriet blijken. Integendeel, vanuit de aangrenzende slaapkamer bespeurde Úrsula het tot rust gekomen ritme van haar slaap, de kalmte van haar bezigheden, de regelmaat van haar maaltijden en de gezonde werking van haar spijsvertering. Het enige wat Úrsula na bijna twee maanden opsluiting intrigeerde, was, dat Meme zich niet 's morgens baadde, zoals iedereen deed, maar 's avonds om zeven uur. Eenmaal dacht ze erover om haar te waarschuwen voor de schorpioenen, maar Meme, overtuigd dat Úrsula haar had verraden, deed zo koel tegen haar dat ze het meisje maar liever niet lastig viel met het gezeur van een bemoeizieke betovergrootmoeder. Tegen het vallen van de avond stroomden de gele vlinders het huis binnen, elke dag weer. Als Meme uit de badkamer terugkeerde, kwam ze een wanhopige Fernanda tegen die alsmaar vlinders doodde met een flitspuit. 'Dit is een ramp,' zei ze. 'Mijn leven lang hebben ze me verteld dat vlinders in de avond alleen maar ongeluk brengen.' Op een avond ging Fernanda heel toevallig Meme's slaapkamer binnen terwijl deze in het bad zat. Er waren zoveel vlinders dat ze nauwelijks kon ademhalen. Ze greep de eerste de beste lap om ze te verjagen en haar hart werd ijskoud van schrik toen ze de avondlijke baden van haar dochter in verband bracht met de mosterdomslagen die over de grond rolden. Ditmaal wachtte ze niet op een geschikt moment, zoals ze de eerste keer had gedaan. Reeds de volgende dag werd de nieuwe burgemeester, die net als zij van de hoogvlakten was afgedaald, op het middagmaal uitgenodigd en ze verzocht hem 's avonds een agent achter de patio te laten waken omdat ze de indruk had dat men haar kippen stal. Die avond haalde de agent Mauricio Babilonia neer toen deze de dakpannen verwijderde om zich in de badkamer te laten zakken, waar Meme wachtte, naakt en sidderend van liefde tussen de schorpioenen en de vlinders, zoals ze de laatste maanden vrijwel elke avond had gedaan. Een kogel boorde zich in zijn ruggegraat en ketende hem voor de rest van zijn leven aan zijn bed. Hij stierf van ouderdom in volstrekte eenzaamheid, zonder een klacht, zonder een protest, zonder zijn trouw ooit geweld aan te doen, gekweld door herinneringen en door de gele vlinders die hem geen ogenblik rust gunden, en algemeen geminacht als kippendief.

*
**

De gebeurtenissen die Macondo de genadeslag zouden geven begonnen zich al vaagjes af te tekenen, toen de zoon van Meme Buendía werd thuisbezorgd. De openbare situatie was toen al zo onzeker, dat niemands hoofd ernaar stond om zich te verdiepen in particuliere schandaaltjes – zodat Fernanda kon rekenen op omstandigheden die bijzonder geschikt waren voor haar plan, het jongetje verborgen te houden alsof hij nooit had bestaan. Ze moest hem wel in ontvangst nemen, want de omstandigheden waaronder hij werd afgeleverd maakten een afwijzing onmogelijk. En ze moest hem tegen haar wil voor de rest van zijn leven onderhouden, want toen het er op aan kwam miste ze de moed om gehoor te geven aan haar heimelijk genomen besluit hem in de badkuip te verdrinken. Ze sloot hem op in de voormalige werkplaats van kolonel Aureliano Buendía. Ze wist Santa Sofía de la Piedad wijs te maken dat ze hem drijvend in een mandje had aangetroffen. Úrsula zou sterven zonder zijn afkomst te kennen. De kleine Amaranta Úrsula, die een keer de werkplaats binnenliep op het moment dat Fernanda het jongetje te eten gaf, geloofde eveneens in het fabeltje van het drijvende mandje. Aureliano Segundo, voorgoed van zijn echtgenote verwijderd geraakt door de onredelijke manier waarop ze het drama met Meme had aangepakt, kwam het bestaan van zijn kleinzoon pas drie jaar na diens aankomst te weten, toen het jongetje door een onachtzaamheid van Fernanda uit zijn gevangenschap ontsnapte en gedurende een fractie van een seconde op de waranda verscheen, geheel naakt en met verwarde haren en voorzien van een indrukwekkend geslachtsdeel als een knobbelige kalkoensnavel, alsof hij geen menselijk wezen was maar de wandelende definitie van een menseneter.

Fernanda had niet gerekend op de laffe streek die haar onontkoombaar lot met haar had uitgehaald. Dit kind belichaam-

302

de de terugkeer van een schande die ze voor altijd uit huis meende te hebben gebannen. Nauwelijks had men Mauricio Babilonia met zijn verpletterde ruggegraat weggevoerd of Fernanda had reeds een uiterst gedetailleerd plan uitgewerkt waarmee ze elk spoor van dit smadelijke gebeuren kon uitwissen. Zonder zich met haar man te verstaan maakte ze de volgende dag haar bagage gereed, stopte de drie verschoningen die haar dochter nodig kon hebben in een koffertje en liep een half uur voor de aankomst van de trein Meme's slaapkamer binnen.

'We gaan, Renata,' zei ze.

Ze gaf geen enkele verklaring. Wat Meme betreft, zij verwachtte noch verlangde enige uitleg. Niet alleen was het haar onverschillig waarheen ze gingen, het zou haar zelfs om het even zijn geweest als men haar naar de slachtbank had geleid. Sinds ze het schot achter de patio had gehoord en tegelijkertijd de jammerkreten van Mauricio Babilonia opving, had ze geen woord meer gesproken en dat zou ze voor de rest van haar leven ook niet meer doen. Toen haar moeder haar beval uit de slaapkamer te komen, deed ze dat zonder zich te kammen of haar gezicht te wassen en ze stapte als een slaapwandelaarster in de trein, zonder aandacht te schenken aan de gele vlinders die haar nog altijd vergezelden. Fernanda heeft nooit geweten – en ze nam ook nooit de moeite om het uit te zoeken – of ze uit eigen wil tot deze keiharde stilte had besloten of dat ze stom was geworden door de klap van de tragedie. De reis door het voormalige betoverde gebied drong nauwelijks tot Meme door. Ze zag niets van de onafzienbare, schaduwrijke bananenplantages aan weerszijden van de spoorlijn. Ze zag niets van de witte huizen van de vreemdelingen of van de door stof en warmte verdorde tuinen of van de vrouwen met hun korte broeken en blauwgestreepte bloeses die een kaartje legden op de waranda's. Ze zag niets van de met bananen afgeladen ossekarren op de stoffige wegen. Ze zag niets van de jonge meisjes die als elften in de doorschijnende rivieren doken en de passagiers van de trein achterlieten met de bittere herinnering aan hun prachtige borsten. Ze zag niets van de ordeloos geplaatste, ellendige barakken van de arbeiders waar de gele vlinders van

Mauricio Babilonia rondfladderden en waar in de portieken
zeer jonge, vervuilde kinderen op hun potjes zaten en veelge-
plaagde vrouwen liepen die verwensingen schreeuwden bij het
langskomen van de trein. Deze vluchtige beelden, die een lust
voor haar oog waren geweest toen ze van school naar huis
kwam, trokken door Meme's hart zonder het op te fleuren. Niet
eenmaal keek ze uit het raampje, ook niet toen de vochtige
hitte van de plantages voorbij was en de trein door de vlakte
vol klaprozen stoof waar nog altijd de verkoolde spanten van
het Spaanse galjoen lagen en tenslotte op weg ging naar dezelfde doorschijnende luchten en dezelfde vuil schuimende zee
waarvoor, nu bijna een eeuw geleden, alle illusies van José
Arcadio Buendía in duigen waren gevallen.

Om vijf uur 's middags, toen ze het eindstation van de moe-
rasstreek hadden bereikt, stapte ze uit de trein omdat Fernanda
dat ook deed. Ze namen een koetsje dat op een reusachtige
vleermuis leek en getrokken werd door een astmatisch paard
en daarmee reden ze door de verlaten stad, in welks eindeloze
en door salpeterzuur gekliefde straten een piano-oefening
weerklonk, zoals Fernanda ze gehoord had tijdens de siësta's
van haar meisjesjaren. Ze gingen aan boord van een binnen-
vaartuig, welks houten rad een lawaai als een oordeel maakte
en welks door roest aangevreten ijzeren huidplaten het licht
weerkaatsten als de muil van een oven. Meme sloot zich op in
haar hut. Tweemaal per dag zette Fernanda een bord met eten
naast haar bed en tweemaal per dag kon ze het onaangeroerd
weer meenemen, niet omdat Meme besloten had van honger te
sterven maar omdat alleen al de geur van het voedsel haar te-
genstond en haar maag zelfs een slok water weer uitdreef. Ze
wist toen zelf nog niet eens dat haar vruchtbaarheid de mos-
terddampen te slim af was geweest, zoals ook Fernanda da
pas een jaar later zou bemerken toen men het kind bij haar
bracht. In de verstikkende hut, waar ze gekweld werd door het
trillen van de ijzeren wanden en de onverdraaglijke stank van
de modder die door de raderboot werd opgewoeld, verstreken
zoveel dagen dat Meme de tel kwijt raakte. In elk geval was er
al een lange tijd voorbijgegaan toen ze op zekere dag zag hoe
de laatste gele vlinder vernietigd werd tussen de vinnen van

le ventilator en ze dat aanvaardde als een onweerlegbaar teken dat Mauricio Babilonia gestorven was. Toch liet ze zich
niet murw slaan door berusting. Ze bleef aan hem denken toen
ze per muilezel de moeizame doorsteek ondernamen door de
hallucinerende vlakte waar ook Aureliano Segundo had rond-
gedwaald, op zoek naar de mooiste vrouw die ooit op de wereld had rondgelopen; ze bleef aan hem denken toen ze langs
Indianenpaden over het gebergte klommen en de sombere stad
binnentrokken waar de bronzen rouwgalm van tweeëndertig
kerken weerklonk in de geplaveide straatjes. Die nacht sliepen
ze in het verlaten koloniale huis, op dikke planken die Fernanda op de grond had gelegd in een vertrek waar het onkruid al
was doorgedrongen, toegedekt met gordijnflarden die ze van
de vensters rukten en die tot stof vervielen als ze zich maar
omdraaiden. Meme begreep waar ze zich bevonden, want in
haar slapeloze afgrijzen zag ze de in het zwart geklede heer
aangskomen die in een lang vervlogen kersttijd bij haar thuis
was afgeleverd in een loden kist. De volgende morgen bracht
Fernanda haar na de mis naar een somber gebouw dat Meme
onmiddellijk herkende uit de verheerlijkende beschrijvingen
die haar moeder altijd gaf van het klooster waar men haar
voor koningin had opgeleid en toen begreep ze, dat ze aan het
einde van de reis was gekomen. Terwijl Fernanda in een aangrenzend kantoortje met iemand overlegde, bleef zij achter in
een zaal als een schaakbord, waar grote olieverfschilderijen
hingen van aartsbisschoppen uit de koloniale tijd en waar ze
stond te rillen van de kou omdat ze nog altijd gekleed ging in
haar stamijnen jurkje met zwarte bloemetjes en haar stugge
rijglaarsjes die waren kromgetrokken van de ijzige koude op
de hoogvlakte. Ze stond nog altijd rechtop in het midden van
de zaal, denkend aan Mauricio Babilonia onder de gele licht-
stroom uit de hoge vensters, toen uit het kantoortje een heel
knappe novice kwam die haar koffertje met de drie verschoningen bij zich had. Ze bleef niet eens bij Meme stilstaan,
maar stak haar in het voorbijgaan slechts een hand toe.

'We gaan, Renata,' zei ze.

Meme nam haar hand en liet zich wegvoeren. De allerlaatste
keer dat Fernanda haar zag – wanhopig pogend haar stappen

aan te passen aan de ferme tred van de novice – was het ijzeren hekwerk van het slot al achter haar dichtgevallen. Ze dacht nog altijd aan Mauricio Babilonia, aan zijn oliegeur en zijn kring van vlinders, en ze zou altijd aan hem blijven denken, elke dag van haar leven, tot aan die verre herfstochtend dat ze, onder een andere naam en zonder ooit nog een woord te hebben gesproken, van ouderdom zou sterven in een schemerig ziekenhuis in Krakow.

Fernanda keerde naar Macondo terug in een trein die beschermd werd door zwaarbewapende politiemannen. Tijdens de reis werd haar aandacht getrokken door de spanning onder de passagiers, de militaire voorbereidingen in de dorpen langs de spoorlijn en de atmosfeer die als verijld leek door de zekerheid dat er iets ernstigs ging gebeuren, maar ze verkreeg pas nadere inlichtingen toen ze weer in Macondo kwam en men haar vertelde dat José Arcadio Segundo de arbeiders van de bananenmaatschappij tot een staking aanzette. 'Dat is het laatste wat ons nog ontbrak,' zei Fernanda tot zichzelf. 'Een anarchist in de familie!' Twee weken later brak de staking uit, maar zonder de dramatische gevolgen die men gevreesd had. De arbeiders verlangden slechts dat men hen niet meer zou verplichten de bananen op zondag te plukken en te laden en dit verzoek leek zo gerechtvaardigd, dat zelfs pater Antonio Isabel zich er gunstig over uitsprak omdat het naar zijn mening overeenkwam met de wet van God. Het succes van deze staking en van andere acties die in de daaropvolgende maanden werden ondernomen, rukte de kleurloze José Arcadio Segundo – van wie men placht te zeggen dat hij alleen maar nuttig was geweest om het dorp met Franse hoeren te vullen – met één slag uit de anonimiteit. Met dezelfde plotselinge besluitvaardigheid waarmee hij zijn vechthanen had weggedaan om een onzinnige bootdienst op te richten, had hij zijn positie als ploegbaas bij de bananenmaatschappij opgegeven en partij gekozen voor de arbeiders. Al gauw werd hij nagewezen als agent van een internationale samenzwering tegen de openbare orde. Op zekere avond, in de loop van een week die verduisterd werd door de somberste geruchten, ontsnapte hij als door een wonder aan vier revolverschoten die een onbekende op hem afvuurde toen

ij van een geheime vergadering kwam. In de maanden daarna
leef de atmosfeer zo gespannen, dat zelfs Úrsula het in haar
oekje vol duisternissen bespeurde en de indruk kreeg dat ze
pnieuw de hachelijke tijden beleefde waarin haar zoon Aure-
ano de homeopatische pillen van de subversiviteit in zijn zak-
en droeg. Ze probeerde met José Arcadio Segundo te praten
m hem op dit precedent te wijzen, maar Aureliano Segundo
ertelde haar dat de verblijfplaats van zijn tweelingbroer sinds
e avond van de aanslag onbekend was.
'Net als met Aureliano!' riep Úrsula uit. 'Het lijkt wel of de
vereld alleen maar rondjes draait.'
Fernanda bleef ongevoelig voor de onzekerheden van die
agen. Sinds ze met haar echtgenoot een hevige woordenwis-
eling had gehad omdat ze zonder zijn medeweten over Me-
ie's lot had beslist, miste ze ieder contact met de buitenwe-
ld. Aureliano Segundo had op het punt gestaan zijn dochter
gaan redden, desnoods met behulp van de politie, maar Fer-
anda toonde hem papieren waaruit bleek dat Meme uit vrije
il in het klooster was getreden. In werkelijkheid had Meme
pas getekend toen ze al aan de andere kant van het ijzeren
ek was gekomen, maar ze had het gedaan met dezelfde min-
chting waarmee ze zich had laten wegvoeren. Diep in zijn
art geloofde Aureliano Segundo niet in de wettigheid van
eze bewijzen, zomin als hij kon geloven dat Mauricio Babilo-
ia de patio was binnengedrongen om kippen te stelen, maar
e beide verklaringen kwamen goed van pas om zijn geweten
sussen en zo kon hij zonder zelfverwijt terugkeren in de
haduw van Petra Cotes, waar hij al gauw weer begon met
jn rumoerige feesten en onzinnige vreetpartijen. Zich verre
oudend van de onrust in het dorp en doof blijvend voor de
reeswekkende voorspellingen van Úrsula, draaide Fernanda
e schroeven van haar weldoordachte plan tot het laatst toe
an: ze schreef haar zoon José Arcadio, die de lagere wijdin-
en al zou ontvangen, een uitvoerige brief waarin ze hem mede-
eelde dat zijn zuster Renata in de vrede des Heren was ont-
apen als gevolg van de gele koorts. Daarna belastte ze Santa
fía de la Piedad met de zorg voor Amaranta Úrsula en be-
n orde te scheppen in haar briefwisseling met de onzichtbare

artsen welke door Meme's wederwaardigheden in het honderd was gelopen. Als eerste stelde ze nu definitief de datum vast voor de uitgestelde ingreep langs telepathische weg. Maar de onzichtbare artsen antwoordden, dat zoiets niet aan te raden was zolang de toestand van sociale onlusten in Macondo voort-duurde. Fernanda echter had er zo'n haast mee en was zo slecht op de hoogte van de situatie, dat ze hen in een volgende brief uitlegde dat er in Macondo helemaal geen onlusten wa-ren, maar dat alles slechts het gevolg was van de dwaasheden van een zwager van haar, die tegenwoordig last had van vak-bondsbevliegingen, zoals hem dat vroeger eveneens was over-komen met de hanenfokkerij en de scheepvaart. Ze waren nog steeds niet tot overeenstemming gekomen, toen op een snikhe-te woensdag een bejaarde non bij het huis van de Buendía's aanklopte met een mandje aan haar arm. Santa Sofía de la Pie-dad, die de deur opende, meende dat het een cadeautje was en ze probeerde haar te verlossen van het mandje, dat bedekt was met een keurig kanten kleedje. Maar de non verhinderde dat want ze had de opdracht gekregen om het persoonlijk en onder de strengste geheimhouding te overhandigen aan doña Fer-nanda del Carpio de Buendía. Het was de zoon van Meme. Fernanda's vroegere biechtvader legde in een brief uit dat het kind twee maanden geleden geboren was en dat ze de vrijheid hadden genomen hem te dopen met de naam Aureliano, naar zijn grootvader, omdat zijn moeder haar mond niet had open gedaan om haar wens te kennen te geven. Inwendig kookte Fernanda over deze gemene streek van het noodlot, maar ze vond de kracht om dat voor de non te verbergen.

'We zullen zeggen dat we hem drijvend in dat mandje heb ben aangetroffen,' glimlachte ze.

'Dat gelooft geen mens,' zei de non.

'Als ze het geloven van de Heilige Schrift,' antwoordde Fer nanda, 'dan zie ik niet in, waarom ze mij niet zouden geloven.

Die middag bleef de non bij de Buendía's eten, want ze moest toch wachten tot ze met de trein terug kon. Ze hield zich strikt aan de geheimhouding die van haar was geëist en zei verder geen woord over het kind, maar Fernanda be schouwde haar als een ongewenste getuige van haar schande en ze betreurde het dat men al lang had gebroken met de middeleeuwse gewoonte om de brenger van slecht nieuws te wurgen. Op dat moment besloot ze het kleine hummeltje in de badkuip te verdrinken als de non eenmaal weer vertrokken was, maar voor zoiets bleek haar moed niet toereikend en dus wachtte ze maar liever totdat God haar in zijn eindeloze goedheid zou verlossen van dit blok aan haar been.

De nieuwe Aureliano was net één jaar geworden toen de algehele spanning tot uitbarsting kwam, zonder enige waarschuwing vooraf. José Arcadio Segundo en andere vakbondsleiders, die tot nu toe achter de schermen waren gebleven, traden in dat weekend plotseling in de openbaarheid en organiseerden demonstraties in alle dorpen van de bananenstreek. De politie beperkte zich tot het handhaven van de openbare orde. Maar in de nacht van maandag op dinsdag werden de vakbondsleiders uit hun huizen gesleurd en met kluisters van vijf kilo aan hun enkels naar de gevangenis gezonden in de hoofdstad van de provincie. In hun midden werd ook José Arcadio Segundo weggevoerd, alsmede een zekere Lorenzo Gavilán, een kolonel uit de Mexicaanse revolutie die in Macondo in ballingschap verbleef en beweerde dat hij nog getuige was geweest van het heldhaftige optreden van zijn goede vriend Artemio Cruz. Binnen drie maanden werden ze echter weer in vrijheid gesteld omdat de regering en de bananenmaatschappij niet tot overeenstemming konden komen over de vraag wie hen in de gevangenis moest voeden. De bezwaren van de arbeiders waren ditmaal gegrond op de ongezonde toestand van de woningen, het bedrog bij de medische verzorging en de onbillijkheid in hun arbeidsomstandigheden. Ze beweerden bovendien dat men hen niet betaalde met echt geld, maar met bonnen die slechts gebruikt konden worden om Virginia-ham te kopen in de bedrijfswinkels van de maatschappij. José Arcadio Segundo werd opgesloten omdat hij onthulde dat het systeem van de bonnen slechts een foefje van de maatschappij was om de bananenboten te financieren, die zonder de koopwaar van de bedrijfswinkels leeg hadden moeten terugkeren van New Orleans naar de havens waar de bananen werden geladen. De overige klachten waren algemeen bekend. De artsen van de maatschappij onderzochten de zieken niet, maar zetten ze in een lange rij voor de klinieken en dan legde een verpleegster bij iedereen een pilletje met de kleur van kopervitriool op de tong, of ze nu leden aan malaria, een druiper of hardlijvigheid. Die therapie was overal al zo bekend, dat de kinderen van het dorp herhaaldelijk in de rij gingen staan en de pillen dan niet doorslikten, maar ze mee naar huis namen om er de nummers mee aan te geven die bij het lotto-spel werden afgeroepen. De arbeiders van de maatschappij waren ondergebracht in miserabele krotten. De ingenieurs weigerden daarin toiletten aan te brengen, maar omstreeks Kerstmis voorzagen ze de kampen van één draagbare plee per vijftig personen en ze deden omstandig voor hoe men ze diende te gebruiken om te zorgen dat ze zo lang mogelijk meeingen. De aftandse, in het zwart geklede advocaten, die in vroeger tijden kolonel Aureliano Buendía hadden belegerd en die nu als gevolmachtigden optraden voor de bananenmaatschappij, ontzenuwden deze aantijgingen met kunstgrepen die aan de magie leken te zijn ontsproten. Toen de arbeiders unaniem een lijst van eisen opstelden, duurde het lange tijd voordat ze die officieel onder het oog konden brengen van de bananenmaatschappij. Zodra meneer Brown van dit bewijs van eensgezindheid hoorde, haakte hij zijn weelderige glazen wagon aan de trein en verdween uit Macondo, samen met de bekendste functionarissen van zijn onderneming. De zaterdag daarop werd een van hen echter aangetroffen in een bordeel en een paar arbeiders dwongen hem een afschrift van de klachtenlijst te tekenen, terwijl hij naakt naast de vrouw lag die had meegewerkt om hem in deze val te laten lopen. De droefgeestige advocaten toonden voor het gerecht aan dat deze man niets met de maatschappij te maken had en ze lieten hem zelfs als oplichter arresteren om ervoor te zorgen dat niemand hun argumenten in twijfel kon trekken. Later werd meneer Brown zelf betrapt toen hij incognito in een derdeklasse-wagon reisde en ook hem lieten ze een afschrift van hun lijst met eisen tekenen. De volgende dag verscheen hij voor de rechters, maar met zwartgeverfd haar en zich bedienend van moeiteloos Spaans. De advocaten toonden aan dat dit niet de heer Jack Brown was, directeur van de bananenmaatschappij en geboren in Prattville, Alabama, maar een argeloos koopman in geneeskrachtige kruiden, geboren in Macondo en aldaar gedoopt met de naam Dagoberto Fonseca. Toen de arbeiders kort daarop opnieuw een poging waagden, lieten de advocaten in alle openbare gelegenheden het overlijdensbericht van meneer Brown aanplakken, gewaarmerkt door consuls en gezantschapssecretarissen en kond gevend van het feit dat hij op negen juni jongstleden te Chicago was overreden door een brandweerauto. De arbeiders, die genoeg kregen van dit hermeneutisch delirium, lieten de autoriteiten van Macondo links liggen en klommen met hun klachten op tot voor het hoogste gerechtshof. En daar toonden de goochelaars der gerechtigheid overduidelijk aan, dat hun eisen elke rechtsgrond misten – eenvoudig omdat de bananenmaatschappij geen arbeiders in vaste dienst had, noch ooit gehad had, noch ooit zou hebben, maar slechts nu en dan iemand aanwierf voor een karweitje van louter tijdelijke aard. Zodat de lasterpraat over Virginia-ham, wonderpillen en kerstpleeën automatisch verviel en middels een gerechtelijke uitspraak en plechtige proclamaties werd vastgesteld dat de arbeiders helemaal niet bestonden.

De grote staking brak uit. De bananenteelt bleef halverwege liggen, de vruchten verkommerden aan hun takken en de treinen van honderdtwintig wagons bleven staan op de zijlijnen. De dorpen raakten overspoeld met werkeloze arbeiders. De Straat van de Turken sprankelde van een dagenlange zaterdag en men moest ploegen van vierentwintig uur instellen in de biljartzaal van Hotel Jacob. Daar bevond zich ook José Arcadio Segundo op de dag dat bekendgemaakt werd dat het leger de opdracht had gekregen om de openbare orde te herstellen. Ofschoon hij geen zienersgaven bezat, was dit bericht voor hem niets anders dan de voorbode van de dood die hij al verwacht had sinds de lang vervlogen ochtend dat kolonel Gerineldo Márquez hem liet kijken naar een terechtstelling. Desondanks kon dit boze voorteken zijn plechtige ernst niet beïnvloeden. Hij volvoerde de stoot die hij van plan was en miste zijn carambole niet. Kort daarop maakten het tromgeroffel, de trompetsignalen en de kreten en het gedrang van de mensen hem erop attent, dat er niet alleen een einde was gekomen aan dit partijtje biljart maar ook aan de stille en eenzame strijd die hij sinds de morgen van de executie met zichzelf had geleverd. Toen ging hij naar de deur en keek naar hen. Het waren drie regimenten en hun marstempo, gelijkgetrokken door de galeitrommen, deed de aarde dreunen. Hun snuivende ademhaling als van een veelkoppige draak vervulde de helderheid van het middaguur met een verpestende damp. Ze waren klein, gedrongen, woest. Ze zweetten het zweet van paarden en stonken naar in de zon verschrompeld aas en bezaten de zwijgende, ondoordringbare verbetenheid van de mannen van de hoogvlakte. Ofschoon het langer dan een uur duurde voordat ze allemaal voorbij waren, had men kunnen denken dat het slechts een paar pelotons waren die alsmaar rondjes liepen, want ze waren allemaal hetzelfde, zonen van dezelfde moeder, en allen droegen met dezelfde afgestomptheid het gewicht van hun ransels en veldflessen en de schande van hun geweren met de gevelde bajonetten en de last van hun blinde gehoorzaamheid en hun stompzinnige eergevoel. Úrsula hoorde hen langskomen vanaf het bed der duisternissen en ze hief haar hand op met gekruiste vingers. Santa Sofía de la Piedad bestond heel even volledig, gebogen over het geborduurde tafellaken dat ze net had gestreken, denkend aan haar zoon José Arcadio Segundo die zonder een spier van zijn gezicht te vertrekken de laatste soldaten voorbij zag gaan vanuit de deuropening van Hotel Jacob.

De krijgswetten stelden het leger in de gelegenheid om een bemiddelende rol te spelen in het conflict, maar niet eenmaal werd er een poging tot verzoening ondernomen. Zodra de soldaten in Macondo waren aangekomen zetten ze hun geweren aan de kant, gingen de bananen plukken en laden en brachten de treinen weer op gang. De arbeiders, die zich tot nu toe hadden tevredengesteld met afwachten, trokken de bergen in met geen andere wapens dan hun kapmessen en begonnen deze sabotage te saboteren. Ze staken plantagegebouwen en bedrijfswinkels in brand, vernielden de rails om de treinen – die zich langzamerhand al een weg baanden met mitrailleurvuur – de doorgang te versperren en sneden de draden van telegraaf en

312

telefoon door. De bevloeiingskanalen kleurden zich met bloed. Meneer Brown, die levend en wel in zijn elektrische kippenren verbleef, werd met zijn gezin en met de familieleden van zijn landgenoten uit Macondo gehaald en naar veiliger oorden overgebracht onder bescherming van het leger. De situatie dreigde uit te lopen op een bloedige en ongelijke burgerstrijd, toen de autoriteiten een oproep tot de arbeiders richtten om zich te verzamelen in Macondo. In deze oproep werd tegelijkertijd aangekondigd dat de Burgerlijk en Militair Gouverneur van de Provincie aanstaande vrijdag persoonlijk zou komen en bereid was in te grijpen in het conflict.

José Arcadio Segundo bevond zich tussen de menigte die al vanaf vrijdagochtend vroeg bij het station te hoop liep. Hij had deelgenomen aan een vergadering van vakbondsleiders en was samen met kolonel Gavilán afgevaardigd om zich tussen de mensen te begeven en hen van advies te dienen al naar gelang de omstandigheden dat vereisten. Hij voelde zich niet erg prettig en op zijn verhemelte verzamelde zich een salpeterachtige klefheid toen hij eenmaal bemerkte dat het leger een aantal mitrailleurnesten had ingericht rondom het pleintje en dat de stad van de vreemdelingen behalve door het hekwerk ook nog beschermd werd met stukken geschut. Tegen het middaguur was de open ruimte voor het station geheel ingenomen door meer dan drieduizend personen – arbeiders, vrouwen en kinderen, wachtend op een trein die maar niet kwam opdagen – en de mensen verdrongen zich zelfs in de zijstraten die nu door het leger met een rij machinegeweren waren afgesloten. Het leek eerder op een vrolijk volksfeest dan op de ontvangst van een hooggeplaatste figuur. Men had de eetentjes en de drankkraampjes van de Straat van de Turken naar het stationsplein overgebracht en de menigte verdroeg welgemoed de verveling van het wachten en het schroeien van de zon. Kort voor drieën ging het gerucht rond dat de officiële trein pas de volgende dag zou komen. De vermoeide wachtenden slaakten een zucht van teleurstelling. Toen klom een luitenant op het dak van het station, waar vier mitrailleursnesten de menigte bestreken, en gebaarde om stilte. Naast José Arcadio Segundo stond een zeer dikke vrouw, blootsvoets en met twee jongetjes van vier en zeven jaar. Ze tilde de jongste op en ofschoon ze José Arcadio Segundo niet kende, verzocht ze hem het andere kind op te tillen zodat hij beter kon horen wat er gezegd werd. José Arcadio Segundo zette de jongen schrijlings op zijn nek. Vele jaren later zou dit jongetje – ook al wilde niemand hem geloven – blijven volhouden dat hij met eigen ogen gezien had hoe de luitenant met behulp van een grammofoonhoorn het Decreet Nummer Vier van de Burgerlijk en Militair Commandant van de Provincie voorlas. Het was getekend door generaal Carlos Cortes Vargas en zijn secretaris, majoor Enrique García Isaza, en in drie artikelen van nog geen tachtig woorden verklaarde het de stakers tot een *misdadigersbende*, zodat het leger toestemming had ze de kogel te geven.

Toen het decreet onder een oorverdovend gefluit van verontwaardiging was voorgelezen, nam een kapitein de plaats in van de luitenant op het dak van het station en gebaarde met de grammofoonhoorn dat hij iets wilde zeggen. De menigte werd weer stil.

'Dames en heren,' zei de kapitein met zachte, langzame en enigszins vermoeide stem, 'u hebt vijf minuten om u te verwijderen.'

Het gefluit en de kreten werden tweemaal zo luid als tevoren en smoorden het trompetsignaal waarmee het begin van de gestelde termijn werd aangegeven. Niemand verroerde zich.

'Er zijn nu vijf minuten voorbijgegaan,' zei de kapitein op dezelfde toon. 'Nog één minuut en dan openen wij het vuur.'

José Arcadio Segundo baadde in het kille zweet. Hij liet de jongen van zijn schouders glijden en gaf hem weer terug aan de vrouw. 'Die schoften zijn in staat om te schieten,' fluisterde ze. José Arcadio Segundo kreeg geen tijd om te antwoorden, want op dat moment hoorde hij de schorre stem van kolonel Gavilán die de woorden van de vrouw luidkeels herhaalde. Dronken van de spanning en van de prachtige diepte van deze stilte en tegelijkertijd overtuigd dat deze menigte, geheel in de ban van de dood, door niets of niemand in beweging kon worden gebracht, ging José Arcadio Segundo op zijn tenen staan en verhief voor het eerst van zijn leven zijn stem.

'Schoften!' schreeuwde hij. 'Die ene minuut krijg je van ons
314

cadeau!'

Na die kreet gebeurde er iets wat hem geen schrik maar een soort van hallucinatie bezorgde. De kapitein gaf bevel tot vuren en veertien machinegeweren gehoorzaamden onmiddellijk. Maar het leek allemaal niet meer dan een klucht. Het was alsof de machinegeweren geladen waren met losse flodders, want men hoorde hun gretige geknetter en men zag hun fel oplichtend vuurspuwen wel, maar niet de minste reactie, geen stemgeluid, zelfs geen zucht viel te bespeuren onder de samengepakte menigte die als versteend leek in een plotseling verkregen onkwetsbaarheid. Maar ineens werd de betovering verbroken door een doodskreet aan de kant van het station: 'Auauau! Moeder!' Een schok als van een aardbeving, een ademstoot als van een vulkaan, een gerommel als van een zondvloed barstten los in het centrum van de menigte en verspreidden zich met ongehoorde kracht naar de randen. José Arcadio Segundo had nog maar net de tijd om het jongetje weer op te tillen en toen was de moeder met het andere kind al opgeslokt door de mensenmassa die uiteengeslingerd werd door de paniek.

Vele jaren later zou het jongetje nog steeds vertellen – ook al bleven zijn buren hem verslijten voor een getikte oude vent – dat José Arcadio Segundo hem boven zijn hoofd tilde en zich liet meevoeren naar een zijstraat, bijna zwevend, alsof ze dobberden op de doodsangst van de menigte. Door deze bevoorrechte positie kon de jongen zien hoe de losgeslagen massa de hoek bereikte en hoe de rij machinegeweren aldaar het vuur opende. Meerdere stemmen schreeuwden tegelijkertijd:

'Ga liggen! Ga liggen!'

De mensen van de eerste rijen hadden dat al gedaan, weggevaagd door de vlagen mitrailleurvuur. De overlevenden gingen niet op de grond liggen, maar probeerden naar het pleintje terug te keren en toen zwiepte de paniek met zijn drakenstaart en liet hen in één hechte golf opbotsen tegen de andere hechte golf die in tegenovergestelde richting kwam, in beweging gezet door het zwiepen van de drakenstaart in de tegenoverliggende zijstraat, waar de machinegeweren eveneens zonder ophouden vuurden. Ze zaten in de val en wervelden rond in een gigantische maalstroom die langzaam maar zeker afnam tot

315

aan zijn eigen epicentrum, omdat de randen – al draaiende en als bij het schillen van een ui – systematisch werden afgesneden door de onverzadigbare en methodisch werkende messen van het mitrailleurvuur. Het kind zag een vrouw die op haar knieën lag, de armen als aan het kruis gespreid, op een open plek die op wonderlijke wijze gespaard was gebleven voor de op hol geslagen massa. Daar zette José Arcadio Segundo hem neer, op hetzelfde ogenblik dat hij zelf met bebloed gezicht vooroversloeg en vlak voordat de dolgeworden massa vernietigend neerrolde over de lege ruimte, de geknielde vrouw, het licht van de hoge en dorre hemelen en deze hoerenwereld waar Úrsula Iguarán zoveel suikerbeesten had verkocht.

Toen José Arcadio Segundo weer wakker werd, lag hij op zijn rug in het donker. Het drong onmiddellijk tot hem door dat hij zich in een eindeloos lange, geruisloos voortsnellende trein bevond en dat zijn haar aaneengeplakt zat van opgedroogd bloed en dat al zijn botten hem pijn deden. Hij voelde zich ontzettend slaperig. Vast van plan om nog menig uur te slapen, draaide hij zich op de zijde die hem het minst pijn deed en toen pas bemerkte hij dat hij languit op de doden lag. In de hele wagon was geen plekje meer vrij, afgezien van een smal gangetje in het midden. Na het bloedbad moesten er een paar uur zijn voorbijgegaan, want de lijken bezaten al dezelfde temperatuur als gips in de herfst en ook dezelfde vastheid, als van versteend schuim, en degenen die ze hadden ingeladen, hadden de tijd gehad om ze te stuwen op dezelfde ordelijke manier waarop men trossen bananen vervoerde. In een poging aan deze nachtmerrie te ontkomen, sleepte José Arcadio Segundo zich van de ene wagon naar de andere, in de rijrichting van de trein, en in de lichtflitsen die bij het passeren van slapende dorpen door de kieren van het hout drongen, zag hij de dode mannen, de dode vrouwen, de dode kinderen, die in zee zouden worden gesmeten als afgekeurde bananen. Hij herkende slechts een vrouw die frisdranken had verkocht op het plein en kolonel Gavilán, om wiens hand nog steeds de riem met de zilveren gesp gewikkeld zat waarmee hij zich een weg had willen banen door de paniek. Toen hij bij de eerste wagon was, waagde hij een sprong in het duister en drukte zich languit tegen het talud totdat de hele trein voorbij was. Het was de langste die hij ooit gezien had, bestaande uit wel tweehonderd goederenwagons en met een locomotief aan beide uiteinden en nog een derde in het midden. De trein voerde geen licht, zelfs niet de rode en groene rangeerlampjes, en gleed met geruisloze nachtsnelheid weg. Op de wagons zag hij de donkere bobbels van de soldaten met hun in stelling gebrachte mitrailleurs.

Kort na middernacht plensde er een geweldige stortbui naar omlaag. José Arcadio Segundo wist niet waar hij van de trein was gesprongen, maar hij begreep dat hij weer in Macondo zou komen als hij maar niet de richting nam waarheen de trein was gereden. Na meer dan drie uur lopen zag hij, doorweekt tot op zijn botten en met een gruwelijke hoofdpijn, eindelijk de eerste huizen opdoemen in het licht van de dageraad. Aangetrokken door de geur van koffie stapte hij een keuken binnen waar een vrouw met een kindje in haar armen gebogen stond over een fornuis.

'Goedemorgen,' zei hij, aan het eind van zijn krachten. 'Ik ben José Arcadio Segundo Buendía.'

Hij sprak de naam volledig uit, letter voor letter, om zichzelf ervan te overtuigen dat hij nog leefde. En daar deed hij goed aan, want toen de vrouw die magere, sombere gestalte in de deuropening had zien staan, hoofd en kleren onder het bloed en aangeraakt door de donkere ernst van de dood, had ze gedacht dat het een spookverschijning was. Ze herkende hem. Ze gaf hem een deken waarin hij zich kon hullen zolang zijn kleren droogden bij het fornuis, warmde water zodat hij zijn wond kon wassen, die slechts een schram over zijn huid bleek te zijn, en gaf hem een schone lap om zijn hoofd te verbinden. Daarna schonk ze een kop koffie voor hem in – zonder suiker, want ze had gehoord dat de Buendía's hun koffie altijd zo dronken – en hing zijn kleren uit bij het vuur.

José Arcadio Segundo sprak geen woord voordat hij de koffie had opgedronken.

'Het moeten er drieduizend zijn geweest,' mompelde hij toen.

'Wat?'

'De doden,' verklaarde hij nader. 'Waarschijnlijk waren het

alle mensen die bij het station stonden.'

De vrouw nam hem op met een medelijdende blik. 'Hier zijn geen doden geweest,' zei ze. 'Al sinds de tijd van uw oom, de kolonel, is er in Macondo niets meer gebeurd.' In de drie keukens waar José Arcadio Segundo zich nog ophield voordat hij zijn huis bereikte, zei iedereen hetzelfde: 'Er zijn geen doden geweest.' Hij liep over het stationsplein en zag er de eetkraampjes, die keurig op elkaar gestapeld stonden, maar ook daar vond hij geen spoor van het bloedbad. De straten lagen verlaten onder de onophoudelijke regen en de huizen waren dicht, zonder een teken van leven binnen hun muren. De enige menselijke noot kwam van het eerste klokgelui voor de mis. Hij klopte aan bij het huis van kolonel Gavilán. Een zwangere vrouw die hij al vaker had gezien deed de deur voor zijn neus weer dicht. 'Hij is weg,' zei ze geschrokken. 'Hij is terug naar zijn eigen land.' De hoofdpoort van de omheinde kippenren werd als altijd bewaakt door twee plaatselijke politieagenten die in de regen van steen leken te zijn, met hun gummijassen en hun gummihelmen. De Antilliaanse negers in hun afgelegen straatje zongen in koor hun zaterdagse psalmen. José Arcadio Segundo sprong over de omheining van de patio en ging het huis binnen door de keuken. Santa Sofía de la Piedad verhief nauwelijks haar stem. 'Laat Fernanda je maar niet zien,' zei ze. 'Daarstraks was ze bezig op te staan.' Als bij stilzwijgende afspraak bracht ze haar zoon naar de *Kamer met de Nachtspiegels*, maakte het wankele bed van Melquíades voor hem in orde en om twee uur 's middags, toen Fernanda de siësta hield, reikte ze hem een bord met eten aan door het venster.

Aureliano Segundo was thuis blijven slapen omdat de regen hem daar verrast had en om drie uur 's middags wachtte hij nog altijd tot het zou opklaren. Op dat uur bracht Santa Sofía de la Piedad hem heimelijk op de hoogte en dus ging hij een bezoek brengen aan zijn broer in het kamertje van Melquíades. Ook hij geloofde niet in het verhaal van het bloedbad of in de gruwel van de met lijken volgeladen trein die zich naar de zee spoedde. De vorige avond was in een buitengewone nationale proclamatie bekend gemaakt dat de arbeiders hadden voldaan

aan een bevel om het station te ontruimen en dat ze zich in een vredige stoet naar hun huizen hadden begeven. De bekendmaking vermeldde bovendien dat de vakbondsleiders uit een hoogstaand patriottisch streven op twee punten van hun eisen hadden afgezien: de hervorming van de medische verzorging en de bouw van toiletten in hun huizen. Nog later werd bekend dat de militaire autoriteiten niet alleen een overeenkomst met de arbeiders hadden bereikt, maar zich bovendien gehaast hadden om dit aan meneer Brown mee te delen en dat deze niet alleen de nieuwe voorwaarden had aanvaard, maar bovendien had aangeboden een volksfeest van drie dagen te bekostigen om het einde van het conflict te vieren. Maar toen de militairen hem vroegen welke datum men kon aankondigen voor de ondertekening van het accoord, keek hij door het raam naar de van bliksemschichten doorsneden hemel en maakte hij een gebaar van grote besluiteloosheid.

'Dat zal gebeuren als het opklaart,' zei hij. 'Zolang het regent worden alle activiteiten opgeschort.'

Het had al drie maanden niet geregend en dit gebeurde in de droge periode. Maar toen meneer Brown zijn besluit kenbaar maakte, plensde in het gehele banandistrict de stortbui neer die José Arcadio Segundo op weg naar Macondo had overvallen. Een week later regende het nog steeds. De officiële lezing van de gebeurtenissen, duizend maal herhaald en in het gehele land ingehamerd met alle communicatiemiddelen die de regering maar ten dienste stonden, drong zich tenslotte aan iedereen op; er waren geen doden gevallen, de arbeiders waren tevreden naar hun gezinnen weergekeerd en de bananenmaatschappij schortte alle activiteiten op zolang het regende. De krijgswetten bleven gelden, voor het geval de onophoudelijke plensregen tot een ramp zou uitgroeien en noodmaatregelen noodzakelijk zou maken, maar de troepen bleven in de kazernes. Overdag slenterden de soldaten door de ondergelopen straten en speelden schipbreukje met de kinderen, hun broekspijpen opgerold tot halverwege het been. 's Nachts, na de avondklok, sloegen ze deuren in met hun geweerkolven, lichtten verdachte personen van hun bed en voerden hen mee op een reis waarvan geen terugkeer mogelijk was. Het was de

319

voortzetting van de opsporing en uitroeiing van de misdadigers, moordenaars, brandstichters en oproeikraaiers van het Decreet Nummer Vier, maar de militairen ontkenden dit zelfs tegenover de familieleden van hun slachtoffers die de bureaus van de commandanten in en uit liepen in de hoop op nadere berichten. 'Dat is vast een droom geweest,' hielden de officieren vol. 'In Macondo is niets gebeurd, gebeurt niets en zal ook nooit iets gebeuren. Dit is een gelukkig dorp.' Zo wisten ze de uitroeiing van de vakbondsleiders tot een goed einde te brengen.

José Arcadio Segundo was de enige die het overleefde. Op een nacht in februari hoorden ze de niet te miskennen slagen van de geweerkolven op de deur van het huis. Aureliano Segundo, die nog steeds wachtte tot het zou opklaren en hij kon vertrekken, deed de deur open voor zes soldaten onder bevel van een officier. Doorweekt van de regen en zonder ook maar een woord te zeggen begonnen ze het hele huis te doorzoeken, kamer na kamer en kast na kast, van de salon tot en met het graanschuurtje. Úrsula schrok wakker zodra ze in haar kamer het licht ontstaken en ze liet geen zuchtje horen, zolang het onderzoek duurde, maar ze hield haar vingers gekruist en liet ze meedraaien met de bewegingen van de soldaten. Santa Sofía de la Piedad wist José Arcadio Segundo nog te waarschuwen, die lag te slapen in het kamertje van Melquíades, maar hij begreep dat het al te laat was om nog een vluchtpoging te wagen. Zodat Santa Sofía de la Piedad de deur weer afsloot en hij zijn hemd en zijn schoenen aantrok en op de rand van zijn bed ging zitten wachten tot ze binnenkwamen. Op dat moment doorzochten ze reeds de zilversmidse. De officier had het hangslot laten verwijderen en in het licht van zijn snel rondzwiepende lantaarn merkte hij de werkbank op en de glazen kast met flesjes zuur en de instrumenten die nog op de plek lagen waar hun eigenaar ze had achtergelaten en hij scheen te begrijpen dat in dit vertrek niemand woonde. Toch vroeg hij heel listig aan Aureliano Segundo of hij soms zilversmid was en deze legde hem uit dat dit het atelier was geweest van kolonel Aureliano Buendía. 'Aha,' zei de officier en hij ontstak het licht en gaf bevel tot zo'n nauwkeurig onderzoek, dat ze zelfs

le achttien gouden visjes niet over het hoofd zagen die nooit
omgesmolten waren en die in hun oude blik verborgen zaten
achter de flesjes zuur. De officier onderzocht ze stuk voor stuk
op de werkbank en toen werd hij ineens menselijk. 'Ik zou er
graag een willen meenemen, als u mij dat toestaat,' zei hij. 'Er
is een tijd geweest dat ze een teken van ondergrondse activiteiten waren, maar nu zijn ze nog slechts een aandenken.' Hij
was jong, bijna nog een tiener, zonder een spoor van verlegenheid en met een natuurlijke innemendheid die tot op dat ogenblik niet merkbaar was geweest. Aureliano Segundo gaf hem
dat visje cadeau. De officier stak het met kinderlijk glanzende
ogen in de borstzak van zijn tuniek en deed de rest weer in het
blik om ze op hun plaats terug te zetten.
    'Het is een aandenken van onschatbare waarde,' zei hij. 'Ko-
lonel Aureliano Buendía is een van onze grootste mannen geweest.'
    Deze plotselinge vermenselijking kon echter zijn beroepsma-
tige aanpak niet beïnvloeden. Bij het kamertje van Melquíades,
dat opnieuw met het hangslot was afgesloten, klampte Santa
Sofía de la Piedad zich nog vast aan een laatste sprankeltje
hoop. 'In deze kamer heeft al haast een eeuw niemand meer
gewoond,' zei ze. Desondanks liet de officier het vertrek openen en toen liet hij de lichtbundel van zijn lantaarn erin rond-
spelen en Aureliano Segundo en Santa Sofía de la Piedad zagen de Arabische ogen van José Arcadio Segundo oplichten op
het moment dat de lichtflits over zijn gezicht gleed en ze begrepen dat dit het einde was van een angstige spanning en tegelijkertijd het begin van een nieuwe, waarvan ze slechts ont-
slagen zouden worden als ze zich aan berusting overgaven.
Maar de officier bleef het kamertje met zijn lantaarn beschij-
nen en toonde slechts enige belangstelling toen hij de tweeënzeventig nachtspiegels ontdekte die in de kasten stonden opgestapeld. Toen pas deed hij de lamp aan. José Arcadio Seguendo
zat op de rand van het bed, klaar om mee te gaan, ernstiger en
nadenkender dan ooit. Achter hem bevonden zich de planken
met de losgetornde boeken en de rollen perkament en de schone en keurig opgeruimde schrijftafel en de nog altijd verse inkt
in de inktpotten. In de lucht hing dezelfde reinheid, dezelfde

doorschijnendheid en dezelfde onaantastbaarheid voor stof en verval die Aureliano Segundo in zijn kinderjaren had gekend en die slechts kolonel Aureliano Buendía nooit had kunnen ontwaren. Maar de officier had slechts oog voor de nachtspiegels.

'Hoeveel personen wonen in dit huis?' vroeg hij.

'Vijf.'

De officier begreep er kennelijk niets van. Hij hield zijn blik gericht op de plek waar Aureliano Segundo en Santa Sofía de la Piedad heel duidelijk José Arcadio Segundo zagen zitten en ineens begreep ook deze, dat de militair naar hem stond te kijken zonder hem te zien. Daarna deed de jonge officier het licht uit en sloot de deur. Toen hij zich tot zijn soldaten richtte, begreep Aureliano Segundo dat hij de kamer had gezien met dezelfde ogen als kolonel Aureliano Buendía.

'Inderdaad, in die kamer is al een eeuw lang niemand meer geweest,' zei de officier tot zijn soldaten. 'Ik wed dat er zelfs slangen zitten.'

Toen de deur dicht ging, wist José Arcadio Segundo met zekerheid dat zijn strijd nu voorbij was. Jaren geleden had kolonel Aureliano Buendía hem verteld over de bekoringen van de oorlog en hij had getracht dat te bewijzen met ontelbare voorbeelden uit zijn eigen ervaringen. José Arcadio Segundo had dat geloofd. Maar in de nacht dat de militairen naar hem keken zonder hem te zien, in de nacht dat hij terugdacht aan de spanningen van de laatste maanden, aan de ellende van de gevangenis, aan de paniek bij het station en aan de met lijken beladen trein, kwam hij tot de conclusie dat kolonel Aureliano Buendía ofwel een oplichter ofwel een imbeciel moest zijn geweest. Hij kon niet inzien waarom je zoveel woorden nodig had om uit te leggen wat je in de oorlog voelde, als je slechts met één woord kon volstaan: angst. In het kamertje van Melquíades, waar hij zich beschermd wist door het bovennatuurlijke licht en het geruis van de regen en de gewaarwording dat hij onzichtbaar was, vond hij eindelijk de rust die hij tijdens zijn leven nimmer had gekend. Hem restte nog slechts de angst dat men hem levend zou begraven. Hij sprak hierover met Santa Sofía de la Piedad, die hem elke dag zijn eten racht, en zij beloofde dat ze zou vechten om in leven te blijen, ook nog als de krachten haar begaven, zodat ze zich eran kon vergewissen dat hij inderdaad dood was als men hem egroef. Bevrijd van elke angst wijdde José Arcadio Segundo ich daarna aan de perkamenten van Melquíades, die hij vele malen doorlas en met des te meer plezier naarmate hij er miner van snapte. Toen hij eenmaal gewend was geraakt aan het uisen van de regen, dat na twee maanden eenvoudig veranerde in een nieuwe vorm van stilte, zag hij zijn eenzaamheid og slechts verstoord door het komen en gaan van Santa Sofía e la Piedad. Vandaar dat hij haar vroeg de maaltijden vooraan op de vensterbank te plaatsen en het hangslot weer op de eur te doen. De rest van de familie vergat hem eenvoudig, het inbegrip van Fernanda, die er geen enkel bezwaar tegen ad om hem daar te laten zitten, vooral niet toen ze hoorde at de militairen naar hem hadden gekeken zonder hem te ien. Nadat hij zes maanden opgesloten had gezeten deed Aueliano Segundo het hangslot weer van de deur, aangezien de militairen weer waren vertrokken en hij iemand zocht met wie ij kon praten totdat de regen ophield. Zodra hij de deur opene werd hij besprongen door de verpestende stank van de achtspiegels, die op de grond waren neergezet en alle meeralen waren gebruikt. José Arcadio Segundo, verziekt door aalhoofdigheid en onverschillig voor de misselijkmakende ampen waarvan de lucht bezwangerd was, bleef de onbegrijelijke geschriften lezen en herlezen. Een engelachtige weerhijn straalde van hem af. Toen hij de deur hoorde opengaan oeg hij maar nauwelijks zijn ogen op – maar zijn broer had an die blik reeds voldoende om daarin het onontkoombare lot an zijn overgrootvader herhaald te zien.

'Het waren er meer dan drieduizend,' was alles wat José Arcadio Segundo zei. 'Nu weet ik zeker dat het alle mensen waen die bij het station stonden.'

Het regende vier jaar, elf maanden en twee dagen. Er waren
perioden dat het slechts motregende en dan kleedde ieder zich
op zijn paasbest en zette een gezicht als van een herstellend
zieke om zo'n opklaring feestelijk te vieren, maar al gauw wen-
de men eraan om deze korte rustpozen te zien als de voorbode
van een nieuwe weersverslechtering. De hemel verbrokkelde in
een paar loeiende stormen en het noorden zond een paar orka-
nen die stukken van de daken rukten en muren omver bliezen
en de laatste bananenaanplantingen met wortel en tak om-
ploegden. Zoals ook gebeurd was tijdens de slapeloosheidsplaag
waaraan Úrsula in die dagen alsmaar moest denken, was he
de ramp zelf die eenieder inspireerde tot afweermaatregelen tegen de verveling. Aureliano Segundo werkte wel het hards
van allen om zich niet gewonnen te geven aan de ledigheid
Op de avond dat meneer Brown het noodweer over hen ha
afgeroepen, was hij voor een onbelangrijke kwestie naar hui
gekomen en Fernanda had hem nog van dienst willen zijn me
een paraplu die ze in een kast had gevonden en waaraan d
helft van de baleinen ontbrak. 'Niet nodig,' had hij gezegd. 'Il
blijf hier wel totdat het opklaart.' Dat was natuurlijk geen ver
plichting waar hij niet meer onderuit kon, maar hij was va
plan zich letterlijk aan zijn woord te houden. Aangezien al zij
kleding zich in het huis van Petra Cotes bevond, trok hij on
de drie dagen de kleren uit die hij droeg en wachtte dan in on
derbroek tot ze waren gewassen. Om zich niet te vervele
wierp hij zich op de taak om de talloze gebreken aan het hui
te verhelpen. Hij repareerde scharnieren, oliede sloten, schroef
de sluitbalken aan en richtte spanjoletten. Maandenlang za
men hem rondzwerven met een gereedschapskist die nog in d
tijd van José Arcadio Buendía door de zigeuners moest zij
achtergelaten en niemand wist of de onwillekeurige gymnas
tiek, de winterse verveling of de gedwongen vleselijke onthou
ding er de oorzaak van was dat zijn dikke buik langzamerhan
inschrompelde als een leren wijnzak en zijn verzadigde schild
paddengezicht minder paars werd en zijn onderkinnen minde
uitpuilden, totdat hij van top tot teen aanzienlijk minder dil

huidig was geworden en zijn eigen schoenveters weer kon vastmaken. Toen Fernanda hem zo druk bezig zag met het aanzetten van deurkrukken en het demonteren van klokken, vroeg ze zich angstig af of hij soms ook vervallen was in de ondeugd van het scheppen om te vernietigen, zoals kolonel Aureliano Buendía deed met de gouden visjes, Amaranta met de knopen en de lijkwade, José Arcadio Segundo met de perkamenten en Úrsula met haar herinneringen. Maar dat was niet waar. Het nare was dat de regen alles in het ongerede bracht, dat zelfs in de droogste apparaten nog schimmel tussen het raderwerk ontstond als ze niet om de drie dagen werden geolied, dat de draden van alle goudstiksel verroestten en dat er saffraankleurige algen groeiden op alle kleren. De atmosfeer was zo vochtig dat de vissen door de deuren hadden kunnen binnenkomen en door de vensters hadden kunnen weggaan, omdat ze gewoon konden zwemmen in de lucht die in de kamers hing. Op een morgen werd Úrsula wakker met het gevoel dat haar leven ten einde liep in een allesdoordrenkende bedaardheid en ze had al gesmeekt om pater Antonio Isabel te halen, desnoods op een draagbaar, toen Santa Sofía de la Piedad ontdekte dat haar rug als betegeld was met bloedzuigers. Voordat de dieren haar geheel hadden kunnen leegzuigen, werden ze een voor een verwijderd door ze te verwarmen met gloeiende spaanders. Men stond voor de noodzaak om greppels te graven teneinde het huis droog te leggen en het te ontdoen van padden en slakken, zodat de vloeren konden drogen en ze de stenen vanonder de beddepoten konden verwijderen en weer op schoenen konden lopen. Aureliano Segundo, geheel in beslag genomen door de talloze karweitjes die zijn aandacht opeisten, besefte niet dat hij langzaam maar zeker oud werd, totdat hij op een middag vanuit een schommelstoel zat te kijken hoe vroeg het wel donker werd en ineens aan Petra Cotes dacht zonder opgewonden te raken. Hij zou geen enkel bezwaar hebben gehad om terug te keren tot de lauwe liefde van Fernanda, wier schoonheid bij het bereiken van de rijpere leeftijd tot rust was gekomen, maar de regen had hem ontdaan van elke oprisping van hartstocht en hem vervuld van de sponsachtige gelijkmoedigheid die gepaard gaat met alle gebrek aan eetlust.

Geamuseerd dacht hij aan de dingen die hij vroeger gedaan zou hebben tijdens een regenbui als deze, welke nu al een jaar aan de gang was. Hij was een van de eersten geweest die zinkplaten naar Macondo hadden laten komen, lang voordat de bananenmaatschappij ze in de mode bracht, en hij had dat slechts gedaan om er een dak van te maken op Petra Cotes's slaapkamer en zich te verkwikken aan de sfeer van peilloze intimiteit die het getokkel van de regen destijds in hem opwekte. Maar zelfs die dwaze herinneringen aan zijn wilde jeugd lieten hem nu onberoerd, alsof het hem toegemeten deel van lijfelijk genot gedurende zijn laatste feest was opgebruikt en hem nu als troostprijs nog slechts het vermogen restte om eraan terug te denken zonder spijt of bitterheid. Men had kunnen denken dat de zondvloed hem eindelijk de gelegenheid had bezorgd om te gaan zitten en zich aan overpeinzingen te wijden of dat zijn beslommeringen met tangen en oliekannen in zijn binnenste een laat verlangen hadden gewekt naar de vele nuttige taken die hij in zijn leven had kunnen verrichten en nooit verricht had, maar het een noch het ander berustte op waarheid, want de bekoringen van een huisbakken, zittende levenswijze die hem nu aan alle kanten toelachten, waren niet het gevolg van diep nadenken of van spijt over verloren kansen. Ze waren opgewoeld door de riek van de regen en kwamen van nog veel verder weg, uit de tijd dat hij in het kamertje van Melquíades de wonderlijke fabels las over vliegende tapijten en walvissen die schepen opslokten, met inbegrip van de bemanningen. Omstreeks die tijd gebeurde het dat de kleine Aureliano door een onachtzaamheid van Fernanda op de waranda verscheen en zijn grootvader het geheim van zijn afkomst te weten kwam. Hij knipte de haren van het kind, kleedde het aan, leerde het zijn angst voor de mensen af en al gauw kon men zien dat het met ere een Aureliano Buendía was – gezien zijn uitstekende jukbeenderen, zijn verwonderde blik en zijn sfeer van eenzaamheid. Voor Fernanda was het een hele opluchting. Ze had de volle omvang van haar hoogmoedige optreden al lang ingezien, maar ze wist niet hoe ze het weer goed moest maken, want hoe meer oplossingen ze bedacht, des te dwazer ze haar leken. Als ze geweten had dat Aureliano Segundo de kwestizou opvatten zoals hij nu deed, met de goedgemutstheid van een waar grootvader, had ze er niet zo lang omheen gedraaid en de onthulling niet zo lang uitgesteld, maar zou ze zich al een jaar tevoren uit dit lastige parket hebben bevrijd. Voor Amaranta Úrsula, wier tanden al gewisseld waren, was het neefje een nieuw en aalglad stuk speelgoed dat de verveling van de regen hielp verdrijven. Op een dag dacht Aureliano Segundo aan de Engelse Encyclopedie die nog in de slaapkamer van Meme lag en die nooit meer door iemand was aangeraakt. Hij begon de kinderen de platen te laten zien, vooral die van de dieren, en later toonde hij ze de kaarten en de foto's van verre landen en beroemde personen. Omdat hij geen Engels kende en zelfs de bekendste steden en de meest gevierde persoonlijkheden niet kon thuisbrengen, kwam hij op het idee om de namen en de bijschriften zelf te verzinnen en zo de onverzadigbare nieuwsgierigheid van de kinderen te bevredigen.

Fernanda meende werkelijk dat haar echtgenoot wachtte tot het zou opklaren en hij naar zijn bijslaap kon terugkeren. In de eerste regenmaanden vreesde ze dat hij een poging zou doen haar slaapkamer binnen te glippen, want dan had ze de schande moeten beleven om hem te onthullen dat ze sinds de geboorte van Amaranta Úrsula tot *die* verzoening niet in staat was. Dit was dan ook de oorzaak van haar gedreven briefwisseling met de onzichtbare artsen, een briefwisseling die herhaaldelijk werd onderbroken door de rampen welke aan de postdienst overkwamen. In de eerste maanden, toen men allerwegen hoorde vertellen dat de treinen in het noodweer ontspoorden, maakte een brief van de onzichtbare artsen haar duidelijk dat haar eigen correspondentie onderweg zoek raakte. Later, toen de contacten met haar onbekende pennevrienden geheel verbroken raakten, had ze er ernstig over gedacht om het tijgermasker voor te doen dat haar echtgenoot op het bloedige carnavalsfeest had gedragen en zich aldus vermomd en onder een andere naam te laten onderzoeken door de dokters van de bananenmaatschappij. Maar een van de vele personen die herhaaldelijk over de vloer kwamen om de slechte berichten over de zondvloed door te geven, vertelde haar dat de bananenmaatschappij bezig was zijn klinieken af te breken om ze over te brengen naar gebieden waar het niet regende. Toen liet ze de moed zakken. Vol berusting besloot ze te wachten tot de regen voorbij was en de post weer normaal zou werken en ondertussen trachtte ze haar heimelijk gedragen ellende te verlichten met wat haar maar in gedachten kwam, want ze zou liever sterven dan zich onder behandeling te stellen van de enige dokter die nog in Macondo was, de potsierlijke Fransman die zich voedde met hetzelfde gras als de ezels. Ze had toenadering gezocht tot Úrsula, in het vertrouwen dat die wel een middeltje zou weten voor haar klachten. Maar haar kronkelige gewoonte om de dingen nooit bij hun naam te noemen bracht haar ertoe om de voorkant naar de achterzijde te verplaatsen, de baring door de ontlasting te vervangen en vloeiingen met maagzuur te verwisselen om alles een beetje minder beschamend te maken. Zodat Úrsula in alle redelijkheid tot de slotsom kwam dat de klachten niet haar baarmoeder maar haar buik betroffen en haar aanraadde om 's morgens op de nuchtere maag een calomelpoedertje in te nemen. Als deze kwaal er niet geweest was – een kwaal die niets beschamends bezat voor iemand die ook niet leed aan valse schaamte – en als de brieven niet waren zoekgeraakt, zou Fernanda zich niet aan de regen gestoord hebben omdat haar hele leven zich in feite afspeelde alsof het altijd regende. Ze bracht geen wijzigingen aan in de vaste etensuren en lichtte de hand met geen enkel ritueel. Ook toen de tafel op stenen stond en de stoelen op dikke planken waren geplaatst om te voorkomen dat de disgenoten met hun voeten in het water zaten, bleef ze de tafel dekken met de linnen tafelkleden en het servies van Chinees porselein en ontstak ze tijdens het avondmaal nog steeds de kandelaars, want ze vond dat men geen enkele ramp als excuus kon gebruiken om de goede omgangsvormen te laten verslappen. Al lange tijd ging niemand meer de straat op. Als het aan Fernanda had gelegen, zouden ze dat nooit meer gedaan hebben – niet alleen sinds het was gaan regenen, maar al veel eerder dan dat – want ze vond dat deuren slechts waren uitgevonden om ze te sluiten en dat het slechts aan lichtekooien paste om benieuwd te zijn naar wat er op straat gebeurde. Desondanks was zij de eerste om te gaan kijken toen ze gewaarschuwd werden dat de begrafenisstoet van kolonel Gerineldo Márquez langs zou komen – maar het tafereel dat ze door een kier van het raam aanschouwde, liet haar in zo'n geschokte toestand achter dat ze haar zwakheid nog lange tijd betreurde.

Men had zich geen troostelozer stoet kunnen voorstellen. Ze hadden de kist geplaatst op een ossekar waarboven een afdak van bananenbladeren was gemaakt, maar de druk van de regen was zo groot en de straten waren zo drassig dat de wielen bij elke stap in de modder bleven steken en het afdak op het punt stond te bezwijken. Trieste waterstralen vielen op de kist en doordrenkten de vlag die erop was uitgespreid en die niets anders was dan het met bloed en stof bevuilde vaandel dat door de waardigste veteranen was geweigerd. Op de kist lag bovendien de sabel met de uit koper en zijde vervaardigde kwasten, dezelfde sabel die kolonel Gerineldo Márquez altijd aan de kapstok in de salon had gehangen om ongewapend de naaikamer van Amaranta te kunnen betreden. Achter de kar ploeterden de allerlaatste overlevenden van de capitulatie van Neerlandia door de modder, sommigen blootsvoets en allen met de broekspijpen tot aan de knieën opgerold, in de ene hand een stok waarop ze steunden en in de andere hand een rouwkrans van papieren bloemen die verkleurden in de regen. Als een onwerkelijk vizioen verschenen ze in de straat die nog altijd de naam van kolonel Aureliano Buendía droeg en allen keken in het voorbijgaan naar het huis en toen sloegen ze de hoek om naar het plein, waar ze hulp moesten gaan halen om de vastgelopen kar weer vlot te krijgen. Úrsula had zich door Santa Sofía de la Piedad naar de deur laten brengen. Ze volgde de wederwaardigheden van de begrafenisstoet met zoveel aandacht dat er bij niemand twijfel rees over de vraag of ze het werkelijk zag, vooral niet omdat haar hooggeheven, bezwerende aartsengelhand meebewoog met het deinen van de kar.

'Vaarwel, Gerineldo, mijn zoon!' riep ze. 'De groeten aan mijn mensen en zeg maar dat we elkaar terugzien zodra het opklaart.'

Aureliano Segundo hielp haar weer naar bed te brengen en met dezelfde vertrouwelijkheid waarmee hij haar altijd bejegende vroeg hij haar naar de zin van haar afscheidsgroet.

'Het is zo,' zei ze. 'Ik wacht alleen maar tot de regen voorbij is en dan zal ik sterven.'

Aureliano Segundo was geschrokken van de toestand van de straten. Te laat begon hij zich zorgen te maken over het lot van zijn dieren, zodat hij een stuk wasdoek over zijn hoofd wierp en zich naar het huis van Petra Cotes begaf. Hij trof haar aan op de patio, tot aan haar middel in het water, druk bezig het lijk van een paard op drift te brengen. Aureliano Segundo hielp haar met een dikke stok en het geweldige, opgezwollen kreng draaide ondersteboven en werd meegesleurd door de stroom vloeibare modder. Sinds de regen was begonnen had Petra Cotes niets anders gedaan dan haar patio te zuiveren van dode dieren. De eerste weken had ze geregeld een boodschap naar Aurelia Segundo gestuurd en erop aangedrongen dat hij de nodige maatregelen zou nemen, maar hij had geantwoord dat er geen haast bij was, dat de situatie niet verontrustend was en dat hij wel iets zou verzinnen als het opklaarde. Ze liet hem mededelen dat de veefokkerijen onder water liepen, dat de dieren naar hoger gelegen streken vluchtten waar ze niets te eten hadden en waar ze waren overgeleverd aan tijgers en ziekten. 'Er valt niets te doen,' antwoordde Aureliano Segundo. 'Zodra het opklaart worden er wel weer nieuwe geboren.' Petra Cotes had ze bij bosjes zien sterven en ze kwam handen tekort om alle lijken in stukken te hakken die diep in de modder waren vastgeraakt. In sprakeloze onmacht moest ze aanzien hoe de zondvloed meedogenloos afrekende met een fortuin dat eens beschouwd werd als het grootste en hechtste van heel Macondo en waarvan nu nog slechts de verpestende stank was overgebleven. Toen Aureliano Segundo eindelijk besloot eens te gaan kijken hoe de zaken er voor stonden, vond hij nog slechts het lijk van het paard en één mager muildier tussen de puinhopen van zijn stallen. Petra Cotes ontving hem zonder verrassing te tonen, zonder blijdschap of wrok, en veroorloofde zich slechts een ironisch glimlachje.

'Mooi op tijd,' zei ze.

Ze was ouder geworden en mager tot op het bot en haar priemende ogen als van een verscheurend dier waren droevig en tam geworden van het vele kijken naar de regen. Aureliano

330

Segundo bleef meer dan drie maanden in haar huis, niet omdat hij zich daar beter thuis voelde dan bij zijn familie maar omdat hij al die tijd nodig had om tot een besluit te komen het stuk wasdoek weer over zijn hoofd te werpen. 'Het heeft geen haast,' zei hij, zoals hij destijds ook had gezegd in het andere huis. 'Laten we hopen dat het over een paar uur opklaart.' Binnen een week was hij alweer gewend geraakt aan de vernielingen die de tijd en de regen hadden aangericht in de gezondheid van zijn minnares en langzaam maar zeker begon hij haar weer te zien zoals ze vroeger was en dacht hij weer terug aan haar sprankelende uitgelatenheid en aan de extatische vruchtbaarheid die haar liefde placht op te wekken in zijn dieren. Zo kwam het dat hij haar, deels uit liefde en deels uit eigenbelang, op een nacht in de tweede week wakker maakte met tunkerende strelingen. Petra Cotes reageerde niet. 'Ga nou maar rustig slapen,' mompelde ze. 'De tijden zijn niet geschikt voor dit soort dingen.' Aureliano Segundo bekeek zichzelf in de spiegels aan het plafond, zag de ruggegraat van Petra Cotes, als een rij garenklosjes aaneengeregen op een streng verwelkte zenuwen, en toen begreep hij dat ze gelijk had, ofschoon niet de tijden maar zijzelf niet meer geschikt waren voor dit soort dingen.

Aureliano Segundo keerde met zijn koffers naar huis terug, overtuigd dat niet alleen Úrsula maar alle inwoners van Macondo wachtten tot het opklaarde om daarna te kunnen sterven. Hij had ze in het voorbijgaan gezien, zoals ze met leeggelorpte blik en gekruiste armen in hun kamers zaten en de tijd in zijn geheel voelden verstrijken, een ongerepte tijd, want het had geen zin hem in maanden en jaren te verdelen, of de dagen in uren, als men toch niets anders kon doen dan kijken naar de regen. De kinderen ontvingen hem met grote vreugde en Aureliano Segundo speelde voor hen op zijn aamborstige accordeon. Maar het concert boeide hen veel minder dan de encyclopedische bijeenkomsten, zodat ze zich opnieuw terugtrokken in de slaapkamer van Meme, waar de verbeeldingskracht van Aureliano Segundo het luchtschip veranderde in een vliegende olifant die tussen de wolken een plekje zocht om te slapen. Op een dag werd zijn aandacht getrokken door een man op een paard die ondanks zijn exotische uitmonstering een vertrouwde indruk maakte en nadat hij hem lange tijd had bestudeerd, kwam hij tot de conclusie dat dit een foto was van kolonel Aureliano Buendía. Hij liet de afbeelding aan Fernanda zien en ook zij beaamde dat de ruiter niet alleen sterk geleek op de kolonel maar zelfs op alle leden van de familie, ofschoon het in werkelijkheid een Tartaars krijgsman was. Zo bracht hij zijn tijd door tussen slangenbezweerders en de kolossus van Rhodos, totdat zijn echtgenote hem mededeelde dat er nog slechts zes kilo gezouten vlees en één zak rijst waren overgebleven in de graanschuur.

'En wat wil je nu dat ik doe?' vroeg hij.

'Weet ik veel,' antwoordde Fernanda. 'Dat zijn mannenzaken.'

'Goed,' zei Aureliano Segundo, 'zodra het opklaart wordt er iets aan gedaan.'

Dit huishoudelijke probleem boezemde hem veel minder belangstelling in dan de encyclopedie, ook nog toen hij zich bij het middagmaal tevreden moest stellen met een stukje vleesafval en een beetje rijst. 'Momenteel is het onmogelijk om ook maar iets te doen,' zei hij. 'Het kan toch niet een heel mensenleven blijven regenen?' Maar hoe langer hij de noodsituatie in de voorraadschuur van zich af bleef schuiven, des te dieper werd de verontwaardiging van Fernanda – totdat haar terloopse protesten en haar weinige maar hartgrondige ontboezemingen ineens losbrandden in een onstuitbare, ongebreidelde stroom die op een morgen begon als het monotone gegons van de G-snaar van een gitaar en die, naarmate de dag vorderde, steeds luider, steeds voller en steeds tintelender van klank werd. Aureliano Segundo bemerkte het gemurmel pas de volgende dag, na het ontbijt, toen hij als verdoofd raakte door een gezoem dat toen al vloeiender en luider was dan het ruisen van de regen. Het was Fernanda, die zich door het hele huis liep te beklagen omdat men haar had opgeleid voor koningin en ze nu geëindigd was als dienstmeid in een huis vol gekken, met een luie, heidense, liederlijke echtgenoot die languit op zijn rug ging liggen wachten tot het brood uit de hemel kwam regenen, terwijl zij haar nieren afbeulde om een huishouder draaiende te houden met niet meer dan speldengeld en ze zoveel te doen had en, vanaf het moment dat God de dag liet komen tot aan bedtijd toe, zoveel moest verdragen en tegen zoveel dingen moest waarschuwen, dat ze met haar ogen vol gemalen glas in bed plofte en toch had niemand ooit goedemorgen, Fernanda, tegen haar gezegd of heb je goed geslapen, Fernanda, en nog nooit hadden ze haar gevraagd, al was het maar uit beleefdheid, waarom ze toch zo bleek zag of waarom ze 's morgens opstond met die paarse kringen onder haar ogen, ofschoon ze zoiets natuurlijk niet verwachtte van een familie die haar per slot van rekening altijd als een blok aan het been had beschouwd, een oude pannelap, niet meer dan een poppetje op de muur, en die altijd en overal over haar roddelden en haar achter haar rug een kwezel noemden, een Farizeeër, een manwijf, want zelfs Amaranta, zij ruste in vrede, had luidkeels durven beweren dat zij er zo een was die geen verschil kende tussen het rectum en quatertemperdagen, lieve God, wat een woorden, maar zij had alles berustend gedragen omwille van de intenties van de Heilige Vader, al had ze het niet genomen toen die schurk van een José Arcadio Segundo zei dat het de ondergang van de familie had betekend dat ze de deur hadden geopend voor een kakmadam van de hoogvlakte, stel je voor, een kakmadam die de broek aan wou hebben, Godbeware, een dochter van een slecht ras, van het soort dat door de regering werd gestuurd om arbeiders uit te moorden, toe maar, en toen had hij het over niemand anders dan over haar, een petekind van de Hertog van Alva, een dame met zo'n lange stamboom dat de echtgenoten van presidenten zich opvraten van nijd, een dame van volbloed adel als zij, die het recht bezat om te rekenen met elf achternamen van zuiver Iberische oorsprong en die in dit dorp van bastaards de enige sterveling was die geen kop als vuur kreeg voor een bestek van zestien delen, zodat haar echtbreker van een man ook niet hoefde te lachen dat al die lepels en vorken en al die grote en kleine messen niet bestemd waren voor gewone christenmensen maar voor duizendpoten, want per slot van rekening was zij de enige die met haar ogen dicht kon zeggen wanneer de witte wijn geserveerd werd en aan welke kant en in welk glas en wanneer de rode

333

wijn geserveerd werd en aan welke kant en in welk glas en dat was wel wat anders dan die boerentrien van een Amaranta, zij ruste in vrede, die geloofde dat witte wijn overdag geschonken werd en rode wijn 's avonds en zij was trouwens ook de enige in dit hele kustgebied die zich erop kon beroemen dat ze haar behoeften altijd op een gouden nachtspiegel had gedaan, maar daarom hoefde kolonel Aureliano Buendía, hij ruste in vrede, het nog niet te wagen om met zijn bijtende vrijmetselaarsgal te informeren waaraan ze dat voorrecht te danken had, tenzij het kwam omdat ze geen poep scheet maar astromelia's, stel je voor, met diezelfde woorden, en Renata, haar eigen dochter, die zo onbeschaamd was geweest om in de slaapkamer haar excrementen te bekijken, hoefde dan ook niet te antwoorden dat de nachtspiegel inderdaad heel erg heraldiek en heel erg van goud was, maar dat er niets anders dan louter poep in zat, lichamelijke poep, nog viezer dan andere poep omdat het poep was van een kakmadam, stel je voor, haar bloedeigen dochter, zodat ze zich nooit illusies had gemaakt over de rest van de familie maar in elk geval wel het recht had om wat meer waardering te verwachten van de kant van haar man, want of hij dat wilde of niet, hij was door het sacrament met haar in de echt verbonden, hij had het huwelijk voltrokken en hij was nu haar wettig beschermer die uit eigen vrije wil de zware verantwoording op zich had geladen om haar weg te halen uit haar adellijk geboortehuis, waar het haar nooit aan iets had ontbroken en waar ze zich over niets had hoeven beklagen, waar ze louter uit genoegen en als tijdverdrijf rouwpalmen had geweefd aangezien haar peetvader haar eens een brief had gestuurd met zijn handtekening erop en met de afdruk van zijn zegelring in de lak, alleen maar om haar te laten weten dat de handen van zijn petekind niet geschapen waren voor de ijdelheden van deze wereld, afgezien dan van klavecimbel spelen, en toch, ondanks al die waarschuwingen en vermaningen, had haar onzinnige echtgenoot haar uit haar huis gesleept en meegenomen naar deze helse kookpot waar je niet kon ademen van de hitte en nog voordat ze met Pinksteren al haar onthoudingsdagen achter de rug had gehad, was hij er al met zijn rondzwalkende koffers en zijn flodderaccordeon vandoor gegaan om in echtbreuk te zwelgen met een laagstaand schepsel bij wie je alleen maar hoefde te kijken naar haar billen, goed, dat woord was er nu eenmaal uit, bij wie je alleen maar hoefde te zien hoe ze met haar billen draaide als een jong veulen om te begrijpen wat dat er voor een was, dat dat er een was die, die, nou ja, heel anders dan zij, want zij bleef altijd dame, in een paleis of in een varkensstal, aan tafel of in bed, een dame van geboorte die God vreesde en Zijn wetten gehoorzaamde en zich onderwierp aan Zijn bedoelingen en met wie hij natuurlijk niet dezelfde acrobatische toeren en dezelfde landlopersfoefjes kon uithalen als met die ander, die zich natuurlijk voor alles leende, net als de Franse dames, en dat was dan nog een haartje erger, als je er goed over nadacht, want die hoeren waren tenminste nog zo eerlijk om een rode lamp boven hun deur te hangen, al die smeerlapperijen, stel je voor, dat ontbrak er nog maar aan, dat hij ze wilde uithalen met de enige en teerbeminde dochter van doña Renata Argote en don Fernando del Car- pio en dan vooral een dochter van de laatste, een heilig mens, een van de grootste christenen, Ridder van de Orde van het Heilig Graf, een van degenen die van God rechtstreeks het voorrecht verkrijgen om ongerept te blijven in hun graf, met een huid die glad blijft als bruidssatijn en met ogen die blijven leven en schitteren als smaragden.

'Dat is niet waar,' onderbrak Aureliano Segundo haar. Toen hij gebracht werd, begon hij al te stinken.'

Hij had het geduld opgebracht om de hele dag naar haar te luisteren, totdat hij haar op een onwaarheid betrapte. Fernanda lette niet op hem, maar ze liet wel haar stem dalen. Tijdens het avondmaal van die dag ging het tergende gezoem van haar klaagzang verloren in het getokkel van de regen. Aureliano Segundo at heel weinig, met diep gebogen hoofd, en trok zich al vroeg terug in zijn slaapkamer. De volgende dag, bij het ontbijt, was Fernanda wat rillerig en ze zag eruit alsof ze slecht had geslapen, maar ze leek zich geheel van haar wrok te hebben ontdaan. Toen vroeg haar echtgenoot echter of het niet mogelijk was een zachtgekookt eitje te krijgen en in plaats dat ze eenvoudig antwoordde dat de eieren al sinds de vorige week op waren, begon ze uit te weiden in een schampere filippica tegen mannen die hun tijd met navelstaren verdeden en daarna de gemoedsrust opbrachten om aan tafel om leeuwerikenlevertjes te vragen. Aureliano Segundo nam de kinderen mee om samen in de encyclopedie te gaan kijken, net als altijd, maar Fernanda deed net alsof ze de slaapkamer van Meme aan kant moest doen, zodat hij haar kon horen mompelen dat je natuurlijk wel lef nodig had om aan die arme wichten wijs te maken dat kolonel Aureliano Buendía in de encyclopedie stond afgebeeld. 's Middags, toen de kinderen hun siësta hielden, zette Aureliano Segundo zich op de waranda en ook daar achtervolgde Fernanda hem, daagde hem uit, kwelde ze hem, bleef ze om hem heen draaien met haar onverzoenlijke horzelgezoem, mompelend dat haar echtgenoot, nu haar nog slechts stenen restten om te eten, er natuurlijk weer bij ging zitten als de sultan van Perzië om naar de regen te turen, maar ja, wat was hij nu helemaal, een marionet, een profiteur, een nietsnut, nog slapper dan een dot poetskatoen, gewend om te leven van wat vrouwen hem gaven en overtuigd dat hij getrouwd was met de vrouw van Jonas die allang blij was geweest met dat fabeltje over de walvis. Aureliano Segundo aanhoorde haar twee uur achter elkaar, onverstoorbaar, alsof hij doof was. Hij onderbrak haar pas laat in de middag, toen hij zich geen raad meer wist met de galm als van een Turkse trom die zijn hoofd pijnigde.

'Houd nu alsjeblieft eens je mond,' smeekte hij.

Fernanda's stem werd alleen maar schriller. 'Ik zie niet in waarom ik mijn mond moet houden,' zei ze. 'Wie me niet wil horen, die gaat maar weg.' Toen verloor Aureliano Segundo zijn zelfbeheersing. Hij stond ongehaast op, alsof hij zich alleen maar wilde uitrekken, en met een volmaakt beheerste methodische razernij begon hij een voor een de potten met begonia's, de bakken met varens, de stenen siervazen met wilde marjolein van hun plaats te rukken en ze stuk voor stuk te pletter te gooien op de grond. Fernanda schrok, want in werkelijkheid had ze tot aan dat moment geen flauw idee gehad van de geweldige innerlijke kracht van haar gelamenteer, maar nu was het al te laat om nog een poging tot herstel te ondernemen. Aureliano Segundo, meegesleept door de ontembare

336

tormvloed waarin zijn gemoed zich luchtte, sloeg de ruiten
van de glazenkast in en zonder zich te haasten haalde hij de
tukken serviesgoed een voor een naar buiten en vergruizelde
e op de vloer. Systematisch, doodkalm, met dezelfde zorgvul-
ige bedachtzaamheid waarmee hij het huis vol bankbiljetten
aad geplakt, begon hij daarna alles tegen de muren kapot te
ooien: het Boheemse kristal, de handgeschilderde bloemenva-
en, de schilderijen van maagden in met rozen beladen bootjes,
e spiegels met hun gouden lijsten en alles wat maar breek-
aar was, vanaf de salon tot en met het graanschuurtje, en hij
esloot met de grote aarden pot uit de keuken die midden op
e patio uit elkaar sprong met een doffe plof. Daarna waste hij
ijn handen, wierp het stuk wasdoek over zijn hoofd en keerde
oor middernacht terug met een paar taaie lappen ingezouten
lees, verschillende zakken meel en rijst vol maden en enige
ossen verslapte bananen. Vanaf die dag was er nooit meer
nig gebrek aan etenswaren.

Amaranta Úrsula en de kleine Aureliano zouden altijd aan
e zondvloed terugdenken als aan een gelukkige periode. On-
anks de strengheid van Fernanda ploeterden ze in de modder-
oelen op de patio, vingen hagedissen om ze uit elkaar te ha-
n en speelden dat ze de soep vergiftigden door er verpulverde
lindervleugels in te gooien als Santa Sofía de la Piedad niet
eek. Úrsula was wel hun allerfijnste stuk speelgoed. Ze hiel-
en haar voor een grote, stokoude pop en sleepten haar overal
ee naartoe, opgedirkt met kleurige lappen en haar gezicht
eschilderd met roet en oleaanverf, en eenmaal stonden ze op
et punt haar ogen met een snoeimes uit te steken zoals ze ook
tijd met de padden deden. Niets bracht hen zozeer in verruk-
ng als de momenten dat ze aan het malen sloeg. Inderdaad
oest er in het derde jaar van de regen iets met haar hersenen
jn gebeurd, want langzaam maar zeker verloor ze alle begrip
oor de werkelijkheid en begon ze de tijd van het ogenblik te
erwarren met lang vervlogen perioden uit haar leven, zozeer
elfs, dat ze eens drie dagen ontroostbaar lag te huilen om de
ood van Petronila Iguarán, haar overgrootmoeder, die al
eer dan een eeuw in haar graf lag. Ze zonk weg in zo'n ver-
gaande staat van verwarring, dat ze meende dat de kleine

337

Aureliano haar zoon de kolonel was, omstreeks de tijd dat ze hem meenamen om kennis te maken met het ijs, en dat de Jose Arcadio, die op het seminarie zat, in werkelijkheid haar eerst geborene was die met de zigeuners was meegetrokken. Ze praatte zo vaak over haar familie, dat de kinderen gefingeerde bezoeken begonnen te organiseren van mensen die niet alleen allang gestorven waren maar bovendien in geheel verschillende tijdperken hadden geleefd. Rechtop in bed gezeten, met een dikke laag as op haar haar en een rode zakdoek over haar gezicht, beleefde Úrsula dolgelukkige ogenblikken temidden van deze niet bestaande bloedverwanten die door de kinderen tot in de kleinste bijzonderheden werden beschreven alsof ze hen werkelijk hadden gekend. Úrsula praatte met haar voorzaten over gebeurtenissen die lang voor haar eigen bestaan hadden plaatsgevonden en ze genoot van de berichten die ze haar brachten en ze huilde met hen om gestorvenen die veel later waren ontslapen dan haar vermeende gespreksgenoten. De kinderen bemerkten al gauw dat Úrsula tijdens deze spookachtige bezoekuurtjes steeds weer een bepaalde vraag opwierp bedoeld om te achterhalen wie tijdens de oorlog een gipsen Sint Jozef van ware grootte in haar huis had achtergelaten om te bewaren tot de regen voorbij was. Zo kwam het dat Aureliano Segundo zich het fortuin herinnerde dat was begraven op een plek die slechts aan Úrsula bekend was, maar hoeveel ge slepen vragen en slinkse benaderingen hij ook verzon, ze ble ven allemaal zonder resultaat omdat Úrsula in de labyrinten van haar kindsheid een laatste restje helderheid scheen te heb ben bewaard waarmee ze het geheim verdedigde dat ze allee maar wilde onthullen aan degene die kon aantonen dat hij de rechtmatige eigenaar was van het begraven goud. En ze deed dat vakkundig en zorgvuldig genoeg, want toen Aureliano Se gundo een van zijn feestvrienden overhaalde om zich uit te ge ven voor de eigenaar van het fortuin, ving ze de man midde een nauwgezette ondervraging die wemelde van spitsvondige valstrikken.

Overtuigd dat Úrsula het geheim mee zou nemen in haar graf, huurde Aureliano Segundo een ploeg grondwerkers e gaf hen zogenaamd opdracht om afvoerkanalen te graven o

le patio en het erf daarachter, terwijl hijzelf zorgvuldig de
grond afpeilde met lange ijzeren pennen en met allerlei me-
aaldetectors; maar na drie maanden uitputtend exploreren
lad hij nog niets gevonden wat op goud leek. Later riep hij de
lulp in van Pilar Ternera, in de hoop dat haar speelkaarten
neer zouden zien dan de gravers, maar zij begon met hem uit
e leggen dat iedere poging daartoe nutteloos zou zijn zolang
Ursula niet zelf de kaarten had gecoupeerd. Daar stond tegenover dat ze het bestaan van de schat wel bevestigde – met de
ladere mededeling dat het zevenduizend tweehonderdveertien
goudstukken waren, begraven in drie zeildoeken zakken die
net koperdraad waren dichtgebonden en gelegen waren bin-
len een cirkel met een straal van honderdtwintig meter en
Ursula's bed als middelpunt – maar ze waarschuwde hem dat
e schat pas gevonden zou worden als de regen was opgehou-
len en de zonnestralen van drie opeenvolgende junimaanden
e modderpoelen weer in stof hadden veranderd. Die gegevens
varen zo overvloedig en tegelijkertijd zo zorgvuldig in het
age gehouden, dat Aureliano Segundo ze eerder op spiritisti-
che fabeltjes vond lijken en hij zette zijn onderneming dan
ok welgemoed voort, ofschoon het augustus was en hij min-
lens nog drie jaar had moeten wachten om aan de voorwaar-
en van de voorspelling te kunnen voldoen. Het eerste wat
em versteld deed staan, ofschoon het tegelijkertijd ook zijn
erwarring vergrootte, was de constatering dat er inderdaad
en afstand van precies honderdtwintig meter lag tussen het
ed van Úrsula en de omheining van het achtererf. Toen Fer-
anda hem al die metingen zag doen, werd ze bang dat hij
ven gek zou worden als zijn tweelingbroer – vooral toen hij
e graafploegen ook nog beval om de sloten een meter verder
it te diepen. Aureliano Segundo, ten prooi aan een onderzoe-
ingsdrift die nauwelijks onderdeed voor de gedrevenheid
vaarmee zijn overgrootvader de route van de uitvindingen
ocht, verloor de laatste vetkwabben die hem nog restten en de
roegere gelijkenis met zijn tweelingbroer trad opnieuw naar
oren, niet alleen omdat zijn figuur zo afslankte maar ook
oor zijn verstrooide manier van doen en zijn in zichzelf ge-
erde houding. Hij bemoeide zich niet meer met de kinderen.

339

Hij at op elk uur dat hem schikte, van het hoofd tot de voeter onder het slijk en weggedoken in een hoekje van de keuken nauwelijks antwoordend op de vragen die Santa Sofía de la Piedad hem soms stelde. Toen Fernanda hem zo zag zwoegen op een manier waartoe ze hem nooit in staat had geacht, zag ze zijn onbesuisdheid aan voor werklust, zijn hebzucht voor onthechting en zijn eigenzinnigheid voor doorzettingskrach en haar hart draaide om van spijt dat ze met zoveel venijn te keer was gegaan tegen zijn luiheid. Maar Aureliano Segundo had geen tijd voor verzoeningspogingen die door medelijden waren ingegeven. Zodra hij klaar was met de patio en het ach tererf begon hij, tot aan de hals weggezonken in een poel var dode takken en verrotte bloemen, de grond van de tuin diep gaand om te woelen en daarbij raakten de fundamenten van de oostelijke vleugel van het huis dusdanig ondergraven, dat z op een nacht wakkerschrokken van iets wat op een aardver schuiving leek, zowel door de schokken als door het angstwek kende onderaardse gerommel, waarop bleek dat drie kamer bezig waren in te storten en dat er een huiveringwekkend scheur was ontstaan vanaf de waranda tot aan de slaapkame van Fernanda. Voor Aureliano Segundo was dat nog geen rede om van zijn werkzaamheden af te zien. Ook toen zijn laatst hoop al vervlogen was en nog slechts de voorspellingen van d kaarten enig uitzicht leken te bieden, bleef hij doorwerken. H versterkte de afgebrokkelde fundamenten, wierp de gapend kloof vol metselspecie en zette zijn graafwerk voort aan d oostelijke kant. Daar was hij de tweede week van juni no altijd bezig, toen de regen begon te verminderen en de wolke hoger stegen en het duidelijk werd dat het elk ogenblik ko gaan opklaren. Dat gebeurde inderdaad. Op een vrijdag, o twee uur 's middags, lichtte de wereld op onder een sukkeli zonnetje, rood en wrang als steenstof en bijna even kil als he water zelf. Daarna regende het tien jaar niet meer.

Macondo lag in puin. In de modderpoelen op straat dreve uiteengerukte meubelen en de karkassen van dieren, bedel met kleurige waterlelies – de laatste herinneringen aan de ho den vreemdelingen die Macondo even overijld waren ontvlucl als ze er waren opgedoken. De huizen die tijdens de bananer koorts met zoveel haast waren neergezet, waren weer verlaten. De bananenmaatschappij had al zijn installaties ontmanteld. Van het dorp achter het hekwerk waren nog slechts puinhopen overgebleven. De houten huizen en de koele terrassen, waar zich de rustige kaartmiddagjes hadden afgespeeld, leken te zijn meegesleurd door een voorproefje van de profetische wind die Macondo jaren later van het aanschijn der aarde zou wegvagen. Slechts één menselijke toets was door deze allesverslindende zucht achtergelaten: een handschoen van Patricia Brown in de met viooltjes overwoekerde automobiel. Het betoverde gebied, dat in de tijd van de stichting van Macondo door José Arcadio Buendía was verkend en waar later de bananenplatages welig tierden, was veranderd in één groot moeras van weggerotte planten, aan welks verre horizon men nog jarenlang het zwijgend schuimen van de zee kon onderscheiden. Op de eerste zondag dat Aureliano Segundo droge kleren aantrok en naar buiten ging om poolshoogte te nemen in het dorp, kwam hij een ineenstorting van verdriet nabij. De overlevenden van de ramp – dezelfde mensen die al in Macondo hadden gewoond voordat het dorp op zijn grondvesten had getrild door de orkaan van de bananenmaatschappij – zaten midden op straat te genieten van de eerste zonnestralen. Allen droegen in hun huid nog de groene algenkleur en de muffe keldergeur waarvan de regen hen doortrokken had, maar diep in hun hart leken ze allemaal even blij dat ze hun geboortedorp weer hadden teruggekregen. De Straat van de Turken was weer net als vroeger, in de tijd dat de Arabieren met hun pantoffels en hun oorringen door de hele wereld zwierven om papegaaien voor snuisterijen te ruilen en in Macondo een vast punt hadden gevonden om uit te rusten van hun duizendjarige levenswijze als nomadenvolk. Als gevolg van de regen viel de koopwaar in hun bazaars nu uiteen van het vocht en waren de artikelen, die in de deuropeningen stonden uitgestald, met mos overdekt en waren de toonbanken door termieten ondermijnd en de muren aangevreten door het vocht, maar de Arabieren van de derde generatie zaten op dezelfde plek en in dezelfde houding als hun vaders en grootvaders, zwijgend, onverstoorbaar, onkwetsbaar voor tijd en rampspoed, even levend of even dood

341

als ze geweest waren na de slapeloosheidsplaag en de tweeëndertig oorlogen van kolonel Aureliano Buendía. Ze toonden zo'n verbazingwekkende geestkracht tegenover de schamele resten van de goktafeltjes, de eetkraampjes, de schiettenten en het hoekje waar men dromen uitlegde en de toekomst voorspelde, dat Aureliano Segundo hen met zijn gewone openhartigheid vroeg, van welke mysterieuze hulpmiddelen ze zich bediend hadden om niet in het noodweer onder te gaan en hoe ze het goddorie hadden klaargespeeld om niet te verzuipen, en stuk voor stuk, van deur tot deur, schonken ze hem een sluwe glimlach en een dromerige blik en een voor een, zonder zich met elkaar verstaan te hebben, gaven ze hem hetzelfde antwoord:

'Zwemmend.'

Behalve hen was Petra Cotes wellicht de enige inwoner van Macondo die ook een Arabisch hart bezat. Ze had moeten aanzien hoe haar stallen en fokkerijen door het noodweer meegesleurd en definitief vernield werden, maar ze was erin geslaagd het huis overeind te houden. In het laatste jaar had ze Aureliano Segundo meermalen een dringende boodschap gezonden en hij had geantwoord dat hij niet wist wanneer hij naar haar huis zou terugkeren, maar dat hij dan in elk geval een kist met goudstukken zou meebrengen waarmee hij de vloer van haar slaapkamer zou beleggen. Toen was ze in haar hart gaan wroeten, op zoek naar de kracht waarmee ze deze ellende de baas zou kunnen blijven, en ze had er een gerechtvaardigde, weloverwogen woede in aangetroffen waarmee ze zich gezworen had om het fortuin te herscheppen dat haar minnaar zo kwistig had uitgegeven en dat nu geheel vernietigd was door de overstroming. Haar besluit stond onwrikbaar vast en toen Aureliano Segundo acht maanden na haar dringende boodschap in haar huis verscheen en haar groen van ellende aantrof, met klittend haar en ingevallen ogen en een huid die schuilging onder de schurft, zat ze dan ook nummer op stukjes papier te schrijven om een loterij te kunnen organiseren. Aureliano Segundo stond paf van verbazing en hij was zo mager en zo ernstig geworden, dat Petra Cotes eerst niet kon geloven dat de man die haar kwam bezoeken ook werke lijk de liefde van haar leven was, zodat ze hem aanvankelijk voor zijn tweelingbroer versleet.

'Je bent niet goed wijs,' zei hij. 'Of wou je soms je eigen botten verloten?'

Toen zei ze dat hij mee moest komen naar de slaapkamer en daar zag Aureliano Segundo het muildier. De huid van het beest zat tegen zijn botten geplakt, net als bij zijn bazin, maar hij was even springlevend en vastberaden als zij. Petra Cotes had hem met haar woede in leven gehouden en toen ze geen gras, geen maïs en geen wortelen meer had, had ze hem onder-gebracht in haar eigen slaapkamer en hem te eten gegeven van de fijne katoenen lakens, de Perzische tapijten, de pluchen spreien, de fluwelen gordijnen en de zijden kwasten en de goudbestikte hemel van het bisschoppelijk bed.

**
*

Úrsula moest nog grote moeite doen om zich te houden aan haar belofte dat ze zou sterven wanneer het opklaarde. De vla-gen van helderheid, die tijdens de regen zo zeldzaam waren, kwamen vanaf augustus steeds vaker voor, toen eenmaal de droge wind begon te waaien die de rozestruiken verstikte en de modderpoelen deed verharden en over heel Macondo het gloeiendhete stof verspreidde dat voor altijd zou blijven liggen op de verroeste zinkdaken en de honderdjarige amandelbomen. Toen Úrsula hoorde dat ze meer dan drie jaar als speelgoed voor de kinderen had gediend, huilde ze van ontreddering. Ze waste haar bekladderde gezicht, bevrijdde zich van de bontge-kleurde lappen, de uitgedroogde hagedissen en padden, de ro-zenkransen en de oude Arabische kettingen waarmee ze haar hele lichaam hadden opgesmukt en voor het eerst sinds de dood van Amaranta kwam ze zonder hulp van anderen uit bed om opnieuw te gaan deelnemen aan het gezinsleven. Haar moedige en onoverwinnelijke aard leidde haar weer door de duisternissen. Wie haar gestruikel zag of in botsing kwam met haar aartsengelarm, altijd ter hoogte van haar schedel gehe-ven, meende hooguit dat ze ternauwernood nog overweg kon met haar lichaam, maar nog altijd had niemand ontdekt dat ze blind was. En ze hoefde ook niet te kunnen kijken om te beseffen dat de bloemperken, die sinds de eerste verbouwing met zoveel toewijding waren verzorgd, door de regen vernietigd en door Aureliano Segundo's graafwerk omgespit waren en dat de wanden en de cementen vloeren vol scheuren zaten, de meubels wankel en verschoten waren, de deuren uit hun hengsels hingen en de familie bedreigd werd door een gelaten, zwartgallige stemming die in haar tijd ondenkbaar zou zijn geweest. Terwijl ze op de tast door de lege slaapkamers zwierf, bespeurde ze het onafgebroken gedaver van de termieten die het hout doorboorden en het knipgeluid van de motten in de kleerkasten en het vernietigende geknars van de geweldige rode mieren die tijdens de zondvloed welig hadden getierd en nu de fundamenten van het huis ondermijnden. Op een dag deed ze de koffer met de heiligenkleren open en toen moest ze de hulp van Santa Sofía de la Piedad inroepen om zich te bevrijden van de kakkerlakken die eruit sprongen en alle gewaden tot stof hadden doen vergaan. 'In deze verwaarlozing kun je niet leven,' zei ze. 'Als we zo doorgaan, worden we nog verslonden door het ongedierte.' Van toen af aan kende ze geen ogenblik rust. Ze stond al op voordat het licht werd en deed een beroep op eenieder die maar beschikbaar was, de kinderen niet uitgezonderd. Ze luchtte de weinige kleren die nog te dragen waren, verjoeg de kakkerlakken middels verrassingsaanvallen met insecticiden, spoot bijtend zuur in de termietengangen in ramen en deuren en smoorde de mieren in hun nesten met ongebluste kalk. Haar koortsachtige herstelwerkzaamheden voerden haar tenslotte naar lang vergeten vertrekken. Ze liet de rommel en de spinnewebben verwijderen uit de kamer waar José Arcadio Buendía zich de haren uit het hoofd had getrokken op zoek naar de Steen der Wijzen, schiep orde in de zilversmidse die door de soldaten overhoop was gehaald en vroeg tenslotte om de sleutels van het kamertje van Melquíades om te zien in welke toestand dat verkeerde. Santa Sofía de la Piedad, gehoor gevend aan José Arcadio Segundo's uitdrukkelijke wens om geen inmenging toe te staan zolang er geen duidelijke aanwijzingen waren dat hij was gestorven, nam haar toevlucht tot allerlei voorwendsels om Úrsula van haar voornemen af te brengen. Maar deze was vast van plan om ook het meest verborgen en meest onnutte hoekje van het huis van insekten te zuiveren en haar besluit stond zo onwrikbaar vast, dat ze resoluut afrekende met elk obstakel dat men haar maar in de weg legde. Na drie dagen aandringen wist ze gedaan te krijgen dat men het vertrek opende. Ze moest zich aan de deurpost vastklampen om niet om te vallen van de verpestende stank, maar ze had slechts twee seconden nodig om zich te herinneren dat hier de tweeënzeventig nacht-spiegels van de collegemeisjes werden bewaard en dat tijdens een van de eerste regennachten een militaire patrouille het huis had uitgekamd naar José Arcadio Segundo en dat ze hem toen niet hadden kunnen vinden.

'Lieve God!' riep ze uit, alsof ze alles gezien had. 'Nu heb-ben we zo ons best gedaan om je wat fatsoen bij te brengen — en het eindigt ermee dat je leeft als een varken.'

José Arcadio Segundo las en herlas nog steeds de perkamen-ten. Tussen de verwarde haardos waren slechts zijn starre ogen en zijn met groen mos gestreepte tanden zichtbaar. Toen hij de stem van zijn overgrootmoeder herkende, draaide hij zijn gezicht naar de deur, probeerde te glimlachen en herhaal-de zonder het te weten een zin die Úrsula vroeger al eens had uitgesproken.

'Wat wilt u,' mompelde hij. 'De tijd gaat voorbij.'

'Dat is zo,' zei Úrsula. 'Maar niet zo snel.'

Nog terwijl ze het zei, wist ze, dat ze hem hetzelfde ant-woord gaf als ze van kolonel Aureliano Buendía had ontvan-gen in de cel der terdoodveroordeelden. Eens temeer huiverde ze onder het besef dat de tijd niet voorbijging, zoals ze zojuist nog had beaamd, maar dat hij rondjes draaide. Maar ook nu gaf ze haar verslagenheid geen schijn van kans. Ze berispte José Arcadio Segundo alsof hij een kleine jongen was en ze drong erop aan dat hij zich zou wassen en scheren en haar zijn krachten ter beschikking zou stellen om het huis op te knappen. Alleen al de gedachte dat hij het vertrek moest verla-ten waar hem de vrede ten deel was gevallen, joeg José Arca-dio Segundo grote schrik aan. Hij schreeuwde dat geen mensen-

345

hand hem hieruit zou kunnen krijgen, omdat hij niet meer wilde kijken naar de met lijken beladen trein van tweehonderd
wagons die elke middag uit Macondo naar de zee vertrok. 'He-
zijn alle mensen die bij het station waren,' schreeuwde hij
'Drieduizend vierhonderd en acht.' Toen pas begreep Úrsula
dat hij verbleef in een wereld van duisternissen die ondoor-
dringbaarder waren dan de hare en even ontoegankelijk er
eenzaam als de duisternissen van zijn overgrootvader. Ze lie
hem in het kamertje blijven, maar ze wist te bereiken dat mei
het elke dag schoonmaakte, dat men het hangslot niet meer o
de deur deed, dat men slechts een nachtspiegel achterliet en d
rest op de vuilnisbelt wierp en dat men José Arcadio Segundo
even schoon en toonbaar hield als zijn overgrootvader was ge
weest tijdens zijn langdurige kluistering onder de kastanje
boom. In het begin zag Fernanda al deze bedrijvigheid aa
voor een aanval van seniele waanzin en ze kon haar ergerni
maar nauwelijks onderdrukken. Maar omstreeks die tijd lie
José Arcadio haar vanuit Rome weten dat hij van plan wa
naar Macondo te komen voordat hij de eeuwige geloften afleg
de en dit goede nieuws vervulde haar met zoveel enthousias
me, dat ze van de ene dag op de andere de bloemen begon t
begieten, wel viermaal per dag, opdat haar zoon geen slecht
indruk zou krijgen van het huis. Diezelfde aansporing brach
haar ertoe om haar correspondentie met de onzichtbare artse
te verhaasten en de waranda opnieuw te voorzien van bakke
met varens en wilde marjolein en potten begonia's, lang voo
dat Úrsula zou horen dat ze vernietigd waren door de ver
woestende woede van Aureliano Segundo. Later deed ze he
zilveren servies van de hand en kocht aardewerken border
tinnen pollepels en soepterrines en bestekken van alpaca, ie
wat een aanzienlijke verpovering betekende in de keukenka
ten die zo gewend waren aan het Boheemse kristal en het pla
teelwerk van de Indische Compagnie. Úrsula probeerde steed
verder te gaan. 'Gooi alle deuren en ramen open,' riep z
'Maak vlees en vis klaar, koop de grootste schildpadden, la
de vreemdelingen komen om in alle hoeken hun slaapmatte
uit te rollen en op de rozestruiken te urineren, laat ze aan t
fel gaan zitten om zo vaak te eten als ze willen, laat ze boere

346

en kletsen en alles vuil maken met hun laarzen en bij ons doen waar ze zin in hebben, want dat is de enige manier om de ondergang tegen te gaan.' Maar het was een ijdele hoop. Ze was al te oud en had al veel te lang geleefd om het wonder van de suikerbeesten te kunnen herhalen en geen van haar afstammelingen had haar geweldige krachten geërfd. Het huis bleef gesloten op bevel van Fernanda.

Aureliano Segundo, die zijn koffers weer naar het huis van Petra Cotes had overgebracht, beschikte nauwelijks over voldoende middelen om te voorkomen dat de familie van honger zou sterven. Na de verloting van het muildier hadden Petra Cotes en hij weer nieuwe dieren aangeschaft, waarmee ze opnieuw een primitief loterijbedrijfje van de grond hadden gekregen. Aureliano Segundo ging van huis tot huis om de lootjes aan te bieden die hij zelf met gekleurde inkt tekende om ze aantrekkelijker en overtuigender te maken; misschien drong het nooit tot hem door dat vele mensen ze nog kochten uit erkentelijkheid, maar dat de meesten dit deden uit medelijden. Hoe dan ook, zelfs de meest goedertieren kopers hadden dan toch maar een kans om voor twintig centavos een varken te winnen en voor tweeëndertig centavos een jonge koe en de gespannen verwachting bracht zoveel enthousiasme teweeg, dat de patio van Petra Cotes op dinsdagavond wemelde van de mensen die wachtten totdat een willekeurig uitgekozen jongetje het winnende nummer uit de zak zou trekken. Dit veranderde al gauw in een wekelijks volksfeest, want tegen het vallen van de avond werden er eettentjes en drankkraampjes op de patio geplaatst en vele gelukkige winnaars slachtten ter plaatse het gewonnen dier, op voorwaarde dat de anderen voor muziek en brandewijn zorgden – zodat Aureliano Segundo spoedig weer accordeon speelde en deelnam aan bescheiden eetwedstrijden, zonder dat hij dat zelf gewild had. Deze nederige herhalingen van de grootse feesten van weleer deden Aureliano Segundo slechts beseffen hoezeer zijn energie was afgenomen en hoezeer zijn vermogens als magistrale smulpaap waren ingeteerd. Hij was een ander mens geworden. De honderdtwintig kilo's die hij bereikt had in de tijd dat De Olifant hem kwam uitdagen, waren nu afgenomen tot niet meer dan achtenzeventig; zijn glimmende, bolronde schildpaddengezicht was veranderd in een magere leguanensnuit en steeds bevond hij zich aan de grens van verveling en vermoeidheid. Maar voor Petra Cotes was hij nooit een fijnere levensgezel dan nu, waarschijnlijk omdat ze het medelijden, dat hij haar inboezemde, en het gevoel van saamhorigheid, dat de armoede in hen beiden had gewekt, ten onrechte aanzag voor liefde. Het onttakelde bed was niet langer het toneel van teugelloze uitspattingen, maar veranderde in een toevluchtsoord voor vertrouwelijke gedachtenwisselingen. Nu ze bevrijd waren van de vele, elkaar weerkaatsende spiegels, die ze hadden weggedaan om dieren te kunnen kopen voor de loterij, en van de zinnelijke damasten en fluwelen stoffering, die door het muildier was opgegeten, bleven ze tot diep in de nacht wakkerliggen met de argeloze gemoedsrust van twee slapeloze oudjes en de tijd, die ze vroeger misbruikt hadden om zichzelf te misbruiken, vond nu een nuttiger bestemming in het maken van berekeningen en het schuiven met centavos. Soms werden ze door het eerste hanengekraai verrast terwijl ze nog altijd bezig waren hoopjes geldstukken op te werpen en te slechten, hier wat weghalend en daar iets toevoegend, zodat dit voldoende was om Fernanda tevreden te stellen en dat voor de schoenen van Amaranta Úrsula en dit weer voor Santa Sofía de la Piedad, die geen nieuwe jurk meer aan haar lijf had getrokken sinds de tijden van het grote vertier, en dat om de kist te laten maken als Úrsula kwam te overlijden en dit voor de koffie die elke drie maanden een centavo per pond duurder werd en dat voor de suiker die steeds minder zoetigheid gaf en dat voor het brandhout dat nog vochtig was van de zondvloed en dit weer voor het papier en de gekleurde inkt voor de lootjes en dat wat overbleef om daarmee de prijs af te betalen van het kalf van april, dat ineens miltvuur had gekregen toen alle lootjes al bijna verkocht waren maar waarvan ze als door een wonder de huid hadden kunnen redden. Deze eredienst der armoede geschiedde zo zuiver van harte, dat ze altijd het beste deel bestemden voor Fernanda en dat deden ze niet uit wroeging of uit neerbuigende liefdadigheid, maar omdat haar welzijn hen belangrijker voorkwam dan het hunne. In feite kwam

348

het erop neer – ook al beseften ze dat geen van beiden – dat ze Fernanda beschouwden als de dochter die ze hadden willen hebben en nooit hadden gekregen, zodat ze er eenmaal zelfs in berustten om drie dagen maïspap te eten opdat zij een Hollands tafellaken kon kopen. Maar hoezeer ze zich ook kapot werkten, hoeveel geld ze ook uitzuinigden en hoeveel noodsprongen ze ook verzonnen – hun engelbewaarders vielen al van vermoeidheid in slaap, terwijl zijzelf nog altijd geldstukjes toevoegden of weghaalden in hun pogingen ze toereikend te maken voor het dagelijks bestaan. De nimmer kloppende berekeningen lieten hen onveranderlijk in slapeloosheid achter en dan vroegen ze zich af wat er toch met de wereld gebeurd was, dat de dieren niet meer zo onbesuisd jongden als vroeger, en waarom het geld tussen hun vingers door glipte en waarom de mensen, die kort geleden nog bundels bankbiljetten in brand staken tijdens de smulpartijen, het nu een vorm van struikroverij vonden om twaalf centavos te rekenen voor de verloting van zes kippen. Ofschoon Aureliano Segundo het nooit hardop zei, meende hij dat de fout niet gelegen was in de wereld maar in een diep verborgen hoekje van het mysterieuze hart van Petra Cotes, waar tijdens de zondvloed iets gebeurd moest zijn wat de dieren onvruchtbaar en het geld aalglad had gemaakt. Hij raakte door dit raadsel zo geboeid, dat hij diep in haar gevoelens ging rondwroeten en hoewel hij op zoek was naar gewin, vond hij tenslotte de liefde, want zijn pogingen om haar van hem te doen houden eindigden ermee, dat hij haar innig liefkreeg. Wat Petra Cotes betreft, zij begon meer van hem te houden naarmate ze zijn genegenheid voelde groeien en zo kon het gebeuren dat ze in de herfst van haar leven weer geloof hechtte aan haar jeugdige misvatting dat armoede de liefde ten goede komt. Beiden dachten aan de onbesuisde feesten, de pralerige rijkdom en de ongeremde wellust terug als aan een last die hen ontnomen was en ze betreurden het dat het zo'n groot deel van hun leven had gekost om dit paradijs van gedeelde eenzaamheid te kunnen vinden. Na al die jaren van steriele gebondenheid raakten ze pas goed verliefd op elkaar en ze genoten van het wonder dat ze elkaar aan tafel evenzeer beminden als in bed en tenslotte werden ze zo gelukkig dat ze

– ook nog toen ze al een paar amechtige oudjes waren geworden – met elkaar stoeiden als konijntjes en vochten als honden en katten.

De loterijen leverden nooit veel op. In het begin sloot Aureliano Segundo zich drie dagen per week op in het kantoortje waar hij vroeger zijn veehandel bedreef en waar hij nu stuk voor stuk de lootjes tekende en ze niet zonder vaardigheid beschilderde met een rood koetje, een groen varkentje of een groepje blauwe kippetjes, al naar gelang het dier dat verloot ging worden. Met keurig nagebootste drukletters voorzag hij ze van de naam die aan Petra Cotes het geschiktst had geleken en waarmee ze het bedrijf dus hadden gedoopt: *Loterij van de Goddelijke Voorzienigheid*. Maar na verloop van tijd raakte hij zo vermoeid van het tekenen van wel tweeduizend lootjes per week, dat hij rubberstempels liet maken van de dieren, de naam en de nummers en vanaf dat moment bleef zijn werk beperkt tot het bevochtigen van de stempels op verschillend gekleurde kussentjes. In zijn laatste levensjaren vatte hij nog het plan op om de nummers te vervangen door raadseltjes, zodat de prijs verdeeld kon worden onder degenen die de oplossing wisten, maar dit systeem bleek zo ingewikkeld en leende zich voor zoveel achterdocht, dat ze het na de tweede poging al liet varen.

Aureliano Segundo had het zo druk met zijn pogingen de goede naam van zijn loterij te vestigen, dat hem nog nauwelijks tijd overbleef om de kinderen te bezoeken. Fernanda had Amaranta Úrsula op een particulier schooltje gedaan waar niet meer dan zes leerlingen werden aangenomen, maar ze weigerde toe te staan dat Aureliano naar de gewone school ging. Ze vond dat ze al teveel had toegegeven door hem uit zijn kamer te laten. Bovendien werden op de scholen van die tijd slechts wettige kinderen uit katholieke huwelijken toegelaten en op Aureliano's geboortebewijs, dat met een veiligheidsspeld aan zijn kleertjes geprikt zat toen hij in huis werd afgeleverd, stond vermeld dat hij een vondeling was. Zodat hij een gevangene bleef, overgelaten aan de liefderijke waakzaamheid van Santa Sofía de la Piedad en de wisselende buien van Úrsula, en hij de kleine wereld van het huis begon te ontdekken aan de

350

hand van de verklaringen die de beide oudjes hem gaven. Het was een slank, uit de kluiten gewassen jongetje, met een nieuwsgierigheid waarvan de volwassenen versteld stonden; maar zijn oogopslag was weifelend en verstrooid, heel anders dan de onderzoekende en soms helderziende blik die de kolonel op deze leeftijd had bezeten. Terwijl Amaranta Úrsula haar schooltje bezocht, zwierf hij door de tuin waar hij pieren ving en insekten martelde. Maar toen Fernanda hem er eens op betrapte dat hij schorpioenen in een doosje deed om ze in het bed van Úrsula te stoppen, sloot ze hem op in de vroegere slaapkamer van Meme en daar verlichtte hij zijn eenzame uren met het bekijken van de platen van de encyclopedie. Daar ook trof Úrsula hem aan toen ze op een middag met wijwater en een bos brandnetels rondging om het huis te zegenen en ofschoon ze hem al menigmaal had gezien, vroeg ze prompt wie hij was.

'Ik ben Aureliano Buendía,' zei hij.

'Dat is waar ook,' antwoordde ze. 'Dan wordt het tijd dat je de edelsmeedkunst gaat leren.'

Ze verwarde hem opnieuw met haar zoon, want de warme wind die op de zondvloed was gevolgd en in haar hersenen soms een helder ogenblik had gewekt, was alweer voorbij. Van nu af aan kreeg ze haar verstand niet meer terug. Wanneer ze haar slaapkamer betrad, vond ze daar Petronila Iguarán, met haar onhandige hoepelrok en het met kralen bestikte lijfje dat ze altijd aandeed voor een gelegenheidsbezoek, en Tranquilina María Miniata Alacoque Buendía, haar grootmoeder, die verlamd in haar schommelstoel zat en zich koelte toewuifde met een pauweveer, en haar overgrootvader Aureliano Arcadio Buendía, die ten onrechte het wambuis van de lijfwacht van de onderkoning droeg, en Aureliano Iguarán, haar vader, die een gebed had uitgevonden waarmee je de wormen kon verhitten zodat ze uit de koeien kropen, en haar godvrezende moeder en haar neef met de varkensstaart en José Arcadio Buendía en haar gestorven zoons – allen gezeten op stoelen die met de rug tegen de muur stonden, alsof het geen bezoek maar een dodenwake betrof. Zijzelf liet onafgebroken een bont gebrabbel horen over dingen die zich hadden afgespeeld op de meest uiteenlopende plaatsen en in tijden zonder enig onderling ver-

351

band, dus wanneer Amaranta Úrsula uit school kwam en Aureliano genoeg kreeg van de encyclopedie, vonden ze haar rechtop in bed, waar ze in haar eentje zat te prevelen, geheel verloren in een doolhof van doden. 'Brand!' riep ze eens, dodelijk geschrokken, en daarmee zaaide ze heel even paniek in het huis, maar ze waarschuwde slechts voor de brand in een paardenstal die ze op vierjarige leeftijd had meegemaakt. Tenslotte haalde ze het heden en het verleden zozeer door elkaar dat men ook tijdens de twee of drie vlagen van helderheid, die ze voor haar dood nog kreeg, niet met zekerheid kon bepalen of ze nu uiting gaf aan wat ze dacht of aan wat ze zich herinnerde. Langzaam maar zeker begon ze in te krimpen, werd ze weer foetus, raakte ze levend en wel gemummificeerd, totdat ze in haar laatste maanden als een gedroogd pruimpje verloren ging in haar eigen hemd en haar altijd opgeheven arm begon te lijken op het pootje van een klein aapje. Soms bleef ze dagenlang volkomen roerloos liggen en dan moest Santa Sofía de la Piedad haar schudden om te zien of ze nog leefde en haar op haar knieën zetten om haar te voeden met lepeltjes suikerwater. Het leek een pasgeboren oudje. Amaranta Úrsula en Aureliano sleepten haar de slaapkamer rond, legden haar op het altaar om zich ervan te vergewissen dat ze nauwelijks nog groter was dan het Kind Jezus en stopten haar op een middag in een kast in de graanschuur, waar ze door de ratten verslonden had kunnen worden. Op een palmzondag kwamen ze weer de slaapkamer binnen terwijl Fernanda naar de kerk was en opnieuw grepen ze Úrsula bij haar nek en haar enkels.

'Dat arme betovergrootmoedertje,' zei Amaranta Úrsula 'Nu is ze waarachtig van ouderdom gestorven.'

Úrsula schrok hevig.

'Ik leef!' zei ze.

'Zie je wel,' zei Amaranta Úrsula, haar lach onderdrukkend 'ze ademt niet meer.'

'Maar ik praat!' gilde Úrsula.

'En ze praat niet meer ook,' zei Aureliano. 'Ze is doodgegaan als een krekeltje.'

Toen gaf Úrsula zich gewonnen voor de feiten. 'Mijn God, riep ze gesmoord, 'dus zo is de dood.' Ze begon aan een einde

)os, afgeraffeld, innig gebed dat langer dan twee dagen aan-
iield en op dinsdag was verworden tot een samenraapseltje
an smeekbeden tot de Heer en praktische raadgevingen aan
aar nakomelingen om te bereiken dat de rode mieren het huis
iiet zouden slopen, dat ze de lamp voor de daguerrotype van
emedios nooit zouden laten uitgaan, dat ze erop zouden toe-
ien dat geen enkele Buendía trouwde met iemand van hetzelf-
e bloed omdat er kindertjes van kwamen met een varkens-
taart. Aureliano Segundo probeerde van haar ijlkoortsen ge-
ruik te maken om haar te laten zeggen waar het goud begra-
en lag, maar ook nu waren zijn smeekbeden tevergeefs. 'Als de
igenaar de schat komt halen,' zei Úrsula, 'zal God hem ver-
chten zodat hij hem kan vinden.' Santa Sofía de la Piedad
as er zeker van dat ze nu elk ogenblik dood kon gaan, want
e bemerkte in die dagen dat de natuur enigszins van slag was:
e rozen geurden naar witte bieten, een schaal met grauwe
rwten viel om en toen bleven de peulvruchten in een vol-
iaakt meetkundige rangschikking op de vloer liggen, in de
orm van een zeester, en op een avond zag ze een rij fel op-
chtende, oranjekleurige schijven door de lucht trekken.
   Op Witte Donderdag werd ze dood aangetroffen in haar
ed. De laatste keer dat men haar geholpen had haar leeftijd te
erekenen, omstreeks de tijd van de bananenmaatschappij, had
e die geschat tussen de honderdvijftien en honderdtwintig
ar. Ze begroeven haar in een kistje dat nauwelijks groter was
an het mandje waarin Aureliano was afgeleverd en er kwa-
en maar heel weinig mensen op de begrafenis, deels omdat
niet veel meer waren die zich haar herinnerden en deels om-
t het die middag zo heet was, dat de vogels van streek raak-
n en als hagelkorrels tegen de muren kletterden en de meta-
n raamhorren doorbraken om in de slaapkamers te sterven.
   Aanvankelijk meende men dat dit een nieuwe plaag was. De
iisvrouwen raakten uitgeput van alle dode vogels die ze
oesten opvegen, vooral tijdens de siësta, en de mannen wier-
en ze met karrevrachten in de rivier. Op Eerste Paasdag ver-
ndigde de stokoude pater Antonio Isabel vanaf de preekstoel
t de dood van de vogels was toe te schrijven aan de boze in-
oed van de Wandelende Jood, die hijzelf de vorige avond

had gezien. Hij beschreef hem als een bastaardkruising tusse
een geitebok en een ketters wijf, een hels ondier dat met zij
adem de lucht verzengde en door zijn komst zou bewerken da
pas gehuwde vrouwen uitsluitend onvoldragen kinderen krege
Slechts weinige mensen besteedden aandacht aan zijn apoca
lyptische preek, want het hele dorp was ervan overtuigd dat d
parochieherder malende was van ouderdom. Maar op woens
dagmorgen vroeg maakte een vrouw iedereen wakker omda
ze de sporen had ontdekt van een tweebenig wezen met ge
spleten hoeven. De afdrukken waren duidelijk en onmiskenba
en wie ze eenmaal gezien had, twijfelde niet langer aan het be
staan van een angstwekkend schepsel dat beantwoordde aa
de beschrijving van de parochieherder. Men sloeg de hande
ineen om vallen op te zetten op de patio's en zo werd d
vangst mogelijk gemaakt. Twee weken na de dood van Úrsul
schrokken Petra Cotes en Aureliano Segundo wakker van ee
geweldig stierengebrul dat opklonk in de buurt. Toen ze ware
opgestaan, was een groepje mannen al bezig om het monster
dat al niet meer brulde – los te maken van de aangepun
stokken die ze hadden neergezet op de bodem van een m
droge bladeren verhulde valkuil. Het ondier woog zwaar a
een os, hoewel het nauwelijks groter was dan een jongen, e
uit zijn wonden welde groenig, olieachtig bloed. Zijn hele l
chaam was bedekt met een stugge vacht die wemelde van e
teken en het haar op zijn kop was gepantserd met een dik
korst van schaaldieren, maar in tegenstelling tot de beschri
ving van de parochieherder bleek hij in zijn menselijke onde
delen meer overeenkomst te vertonen met een zieke engel da
met een man, want zijn handen waren glad en vaardig en zi
ogen waren groot en donker en op zijn schouderbladen zat
de geheelde, vereelte stompjes van een paar machtige vleug
die afgehouwen moesten zijn met een houthakkersbijl. Ze hi
gen hem aan zijn enkels aan een amandelboom op het dor
plein, zodat iedereen hem wel moest zien, en toen hij eenm
begon te stinken verbrandden ze hem op een brandstapel, o
dat ze niet konden achterhalen of zijn bastaardnatuur hem t
dier maakte, zodat hij in de rivier gegooid kon worden, of t
mens, zodat ze hem moesten begraven. Nooit heeft men ku

en vaststellen of de vogels inderdaad door zijn toedoen stier-en, maar de jongehuwde vrouwen kregen de aangekondigde misgeboorten niet en de intensiteit van de hitte verminderde al venmin.

Tegen het einde van dat jaar stierf Rebeca. Argénida, haar dienstmaagd voor het leven, riep de hulp van de autoriteiten in om de slaapkamer open te breken waar haar meesteres zich drie dagen had opgesloten en toen vonden ze haar in haar eenzame bed, omgekruld als een garnaaltje, met een duim in haar mond en met een hoofd dat kaalgevreten was door hoofdzeer. Aureliano Segundo belastte zich met de begrafenis en probeerde het huis op te knappen om het te verkopen, maar het verval was al zo diep doorgevreten dat de muren afblad-derden zodra ze geschilderd waren en geen mortel was dik ge-noeg om te verhinderen dat het onkruid de cementen vloeren vergruizelde en het klimop de balken deed wegrotten.

Zo ging het met alles, sinds de zondvloed. De willoosheid van de mensen stond in scherpe tegenstelling tot de vraatzucht van de vergetelheid, die langzaam maar zeker en zonder mede-ogen alle herinneringen aantastte – zozeer zelfs, dat toen er weer een nieuwe verjaring van het verdrag van Neerlandia werd gevierd en de president van de republiek een paar verte-genwoordigers naar Macondo zond om eindelijk eens de on-derscheiding uit te reiken die kolonel Aureliano Buendía meer-malen had geweigerd, ze een hele middag verknoeiden met zoeken naar iemand die hen kon vertellen waar ze een van 's mans afstammelingen konden vinden. Aureliano Segundo kwam wel in de verleiding om de medaille te aanvaarden, in de mening dat het ding van puur goud was, maar Petra Cotes wist hem van deze onwaardige daad af te houden toen de af-gezanten al druk bezig waren de proclamaties en de redevoe-ringen voor de plechtigheid op te stellen. Omstreeks die tijd kwamen ook de zigeuners weer, de allerlaatste erfgenamen van de wijsheid van Melquíades, en ze troffen het dorp zo ziel-togend aan en de inwoners zo afgescheiden van de rest van de wereld, dat ze opnieuw hun magnetische staven van huis tot huis sleepten alsof het werkelijk de allerlaatste ontdekking van de wijzen van Babylonië was en opnieuw de zonnestralen bun-

355

delden met de enorme lens – en er waren mensen genoeg die
met open mond stonden te kijken hoe de pannen naar beneden
kwamen en de ketels meerolden en die vijftig centavos betaal
den om zich te vergapen aan een zigeunerin die haar kunst
gebit in en uit haar mond deed. Een geel, waggelend boemel
tje, dat niemand bracht noch wegvoerde en dat nog nauwelijks
stilhield aan het verlaten station, vormde het enige overblijfse
van de bananentreinen van honderdtwintig wagons die een
hele middag nodig hadden om langs te denderen of van de
overvolle personentrein waaraan meneer Brown zijn wagon
met het glazen dak en de bisschoppelijke bekleding placht te
haken. Kerkelijke functionarissen, die een onderzoek kwamen
instellen naar de berichten over de merkwaardige sterfte onder
de vogels en de afslachting van de Wandelende Jood, troffen
pater Antonio Isabel aan terwijl hij blindemannetje speelde
met de kinderen en ze namen hem mee naar een inrichting
overtuigd dat zijn verslag het produkt was geweest van een se
niele zinsbegoocheling. Kort daarop zonden ze pater Augusto
Ángel, een door de wol geverfd man, onplooibaar, voor niets
en niemand beducht, iemand die meermalen per dag eigenhan
dig de klok luidde om de geesten der gelovigen niet te laten in
dommelen en die van huis tot huis ging om slaapkoppen wak
ker te maken en naar de mis te sturen. Maar binnen een jaar
was ook hij verslagen door de algehele onverschilligheid di
met de lucht werd ingeademd, door het gloeiende stof dat alle
deed verslijten en alles in de war stuurde en door de slaperig
heid die tijdens de ondraaglijke hitte van de siësta in alle men
sen werd opgewekt door de gehaktballen van het middagmaa

Na de dood van Úrsula viel het huis opnieuw ten prooi aa
een verregaande verwaarlozing waaruit het nu nooit meer gere
zou worden, zelfs niet door de vastbesloten wilskracht va
Amaranta Úrsula, die jaren later – toen ze al een opgeruimde
moderne jonge vrouw was, zonder vooroordelen en met beid
benen stevig op de grond – alle deuren en ramen wijd open
wierp om de totale ondergang te bezweren en de tuin bijwerk
te en de rode mieren uitroeide die al op klaarlichte dag over d
waranda trippelden en vergeefse pogingen deed om de lan
vergeten geest van gastvrijheid weer tot leven te wekken. Fer

356

anda's bezeten neiging tot afzondering had een onaantastba-
e dam opgeworpen na de honderd kolkende jaren van Úrsula.
Toen de droge wind eenmaal voorbij was, weigerde ze niet al-
een de deuren te openen maar liet ze bovendien de ramen met
kruislatten dichtspijkeren, gehoor gevend aan haar vaders vermaningen om zich levend te begraven. De tijdrovende correspondentie met de onzichtbare artsen was op een mislukking
uitgelopen. Nadat de telepathische ingreep talloze malen was
uitgesteld, waren ze het tenslotte eens geworden over dag en
uur en dus sloot ze zich op in haar slaapkamer, met haar
hoofd naar het noorden en slechts bedekt met een wit laken. Om een uur 's nachts voelde ze dat men haar gezicht bedekte met een doek die gedrenkt was in een ijskoude vloeistof.
Toen ze wakker werd schitterde de zon alweer op het venster
en vertoonde haar lichaam een barbaarse, boogvormige hecht-
raad die in haar lies begon en doorliep tot aan het borstbeen.
Maar nog voordat ze de voorgeschreven rustperiode achter de
rug had, ontving ze een verontruste brief van de onzichtbare
rtsen waarin haar werd medegedeeld dat ze haar zes uur lang
adden onderzocht, maar niets hadden kunnen vinden wat
beantwoordde aan de symptomen die zijzelf zo vaak en zo
nauwkeurig had beschreven. Haar ergerniswekkende gewoon-
e om de dingen nooit bij hun naam te noemen had opnieuw
anleiding gegeven tot grote verwarring, want de telepathi-
che chirurgen hadden wel een verzakking van de baarmoeder
geconstateerd, iets wat met een pessarium te verhelpen was.
De teleurgestelde Fernanda trachtte nadere uitleg te verkrijgen,
maar haar onbekende pennevrienden gaven geen antwoord
meer op haar brieven. Ze ging zozeer gebukt onder het gewicht van dat vreemde woord, dat ze haar schaamte verbeet
en besloot te gaan informeren wat een pessarium was en toen
as hoorde ze dat de Franse dokter zich drie maanden tevoren
aan een balk had verhangen en tegen de wil van het volk begraven was door een oude wapenbroeder van kolonel Aureliano Buendía. Toen vertrouwde ze haar zorgen toe aan haar zoon
José Arcadio en deze zond haar vanuit Rome de pessaria, compleet met een handleiding die ze uit haar hoofd leerde en daarna door het toilet spoelde om te voorkomen dat iemand de

aard van haar klachten zou ontdekken. Het was een volmaakt onnodige voorzorgsmaatregel, want de weinige mensen die nog in huis waren bemoeiden zich nauwelijks met haar. Santa Sofía la Piedad liep verloren in een ouderdom vol eenzaamheid; ze kookte het weinige dat gegeten werd en wijdde zich bijna geheel aan de zorg voor José Arcadio Segundo. Amaranta Úrsula, die bepaalde bekoorlijkheden van Remedios de Schone had geërfd, deed haar huiswerk in de tijd die ze vroeger gebruikt zou hebben om Úrsula te kwellen en begon blijk te geven van een helder inzicht en een toegewijde studiezin die in Aureliano Segundo dezelfde hoop wekten welke ook Meme hem vroeger had ingegeven. Hij had haar beloofd dat ze haar studies in Brussel zou mogen voltooien, een gewoonte die in de tijden van de bananenmaatschappij in zwang was gekomen en met dit ideaal voor ogen probeerde hij nieuw leven te wekken in de akkers die door de zondvloed waren verwoest. De weinige keren dat hij nog naar huis kwam, kwam hij uitsluitend voor Amaranta Úrsula, want de tijd had hem tot een vreemde gemaakt voor Fernanda en de kleine Aureliano werd al schichtiger en eenzelviger naarmate zijn puberteit naderde. Aureliano Segundo had gehoopt dat de ouderdom Fernanda wat weekhartiger zou maken, zodat het jongetje aan het normale leven kon gaan deelnemen in een dorp waar niemand zich de moeite zou geven om zijn afkomst vol achterdocht te gaan navorsen. Maar Aureliano leek zijn opsluiting en zijn eenzaamheid zelf te verkiezen en toonde geen enkele behoefte om de wereld te leren kennen die begon achter de voordeur van het huis. Toen Úrsula het kamertje van Melquíades liet openen, bleef hij in de buurt rondhangen en gluurde hij nieuwsgierig door de half openstaande deur en voordat iemand het besefte, had hij zich sterk aan José Arcadio Segundo gehecht in een wederzijdse genegenheid. Aureliano Segundo ontdekte deze vriendschap eerst lang nadat hij was begonnen toen hij het jongetje hoorde praten over het bloedbad bij het station. Dat gebeurde aan tafel, toen iemand zich erover beklaagde dat het dorp zo in verval was geraakt sinds de bananenmaatschappij het had verlaten en Aureliano hem weer sprak met de rijpheid en spreekvaardigheid van een volwasse ne. Zijn standpunt luidde, in tegenstelling tot de algemeen aanvaarde opvatting, dat Macondo een welvarend oord was geweest, op weg naar een goede toekomst, totdat het ontwricht en bedorven en uitgeperst was door de bananenmaatschappij, welks ingenieurs de zondvloed hadden ontketend, als een voorwendsel om te ontkomen aan een overeenkomst met de arbeiders. De jongen beschreef met uiterst nauwkeurige en overtuigende bijzonderheden hoe het leger de ruim drieduizend arbeiders had neergemaaid die bij het station bijeengedreven waren, hoe ze de lijken in een trein van tweehonderd wagons hadden geladen om ze in zee te werpen, en hij sprak met zoveel scherpzinnigheid dat bij Fernanda de indruk rees van een heiligschennende parodie op Jezus tussen de schriftgeleerden. Fernanda, net als de meeste mensen overtuigd dat er niets gebeurd was, zoals immers de officiële lezing luidde, schrok van de gedachte dat het kind de anarchistische neigingen van kolonel Aureliano Buendía had geërfd en ze beval hem zijn mond te houden. Aureliano Segundo daarentegen herkende onmiddellijk de opvattingen van zijn tweelingbroer. Want ofschoon iedereen hem voor gek versleet, was José Arcadio Segundo in die tijd de meest verlichte bewoner van het huis. Hij had de kleine Aureliano leren lezen en schrijven, leidde zijn eerste stappen bij de studie van de perkamenten en ten aanzien van de betekenis, die de bananenmaatschappij voor Macondo had gehad, prentte hij hem zo'n persoonlijke zienswijze in het hoofd dat Aureliano vele jaren later, toen hij zich eindelijk in de wereld had begeven, allerwegen de indruk wekte dat zijn lezing van de gebeurtenissen een waanvoorstelling was, omdat ze precies tegenovergesteld was aan de juiste versie die inmiddels door alle geschiedschrijvers al lang was aanvaard en in de schoolboekjes was gezet. In het afgelegen vertrekje, waar de dorre wind noch het stof noch de warmte ooit waren doorgedrongen, rees in hun beider herinnering het atavistische visioen op van een oude man met een hoed als ravenvlerken die met zijn rug naar het venster zat en over de wereld sprak, vele jaren voordat zijzelf waren geboren. Beiden ontdekten tegelijkertijd dat het daar altijd maart en altijd maandag was en toen begrepen ze dat José Arcadio Buendía helemaal niet gek was geweest, zoals de familie beweerde, maar dat hij als enige over voldoende inzicht had beschikt om de waarheid te zien doorschemeren, namelijk, dat ook de tijd last had van ongelukjes en onhandigheden, zodat er stukjes vanaf sprongen en één eeuwigdurend splintertje kon achterblijven in een bepaald vertrek. Daarnaast was José Arcadio Segundo erin geslaagd de geheimzinnige lettertekens van de perkamenten uit te sorteren. Hij was er nu zeker van dat ze behoorden tot een alfabet van zevenenveertig tot drieënvijftig letters, die afzonderlijk op krasjes en krabbeltjes leken en die in het keurige handschrift van Melquíades overeenkomst vertoonden met wasgoed dat aan de lijn te drogen hing. Aureliano herinnerde zich dat hij een soortgelijk overzicht in de Engelse encyclopedie had zien staan, zodat hij die naar het kamertje haalde om er de gegevens van José Arcadio Segundo mee te vergelijken. De alfabetten waren inderdaad hetzelfde.

Omstreeks de tijd dat hij het idee van de raadseltjesloterij kreeg, werd Aureliano Segundo steeds vaker wakker met een dikke prop in zijn keel, alsof hij een huilbui onderdrukte. Petra Cotes zag het aan voor een van de vele kwaaltjes die door hun slechte situatie werden veroorzaakt en een jaar lang gaf ze hem rammenasstroop te drinken en tipte ze elke morgen zijn verhemelte aan met een kwastje met bijenhoning. Toen de brok in zijn keel zo lastig werd dat het hem moeite kostte om te ademen, bracht Aureliano Segundo een bezoek aan Pilar Ternera om te zien of zij een kruid wist dat hem verlichting kon brengen. De onverwoestbare oude vrouw, die haar honderdste jaar was ingegaan aan het hoofd van een klandestien bordeeltje, had weinig vertrouwen in de genezende werking van dat soort bijgelovigheden en legde de kwestie liever voor aan haar speelkaarten. Ze zag dat hartenkoning aan zijn keel gewond was door het staal van schoppenboer en daaruit leidde ze af dat Fernanda haar echtgenoot naar huis probeerde te halen middels de verachtelijke methode om spelden in zijn portret te steken, maar dat ze een inwendig gezwel bij hem had veroorzaakt door haar beperkte kennis van haar boze kunsten. Aangezien Aureliano Segundo geen andere portretten bezat dan de foto's van de bruiloft en de afdrukken daarvan geheel

ompleet in het familiealbum zaten, maakte hij van elke on-
plettendheid van zijn echtgenote gebruik om het hele huis te
doorzoeken en zo vond hij tenslotte onderin de kleerkast een
half dozijn pessaria die nog in hun oorspronkelijke verpakking
zaten. Omdat hij de rode gummiringen voor tovermiddelen
aanzag, stak hij er een in zijn zak en liet hem zien aan Pilar
Ternera. Zij kon de aard ervan al evenmin bepalen, maar het
ding leek haar zo verdacht dat ze hem voor alle zekerheid ook
de rest liet halen en alles veraste op een brandstapel die ze op
haar patio ontstak. Om de vermeende hekserij van Fernanda te
bezweren, raadde ze Aureliano Segundo bovendien aan een
roedse kip nat te maken en het beest levend te begraven onder de kastanjeboom en hij deed dat met zoveel vertrouwen,
dat hij zijn ademhaling al een stuk beter voelde gaan nog
voordat hij de omgewoelde aarde met dorre bladeren had bedekt. Wat Fernanda betreft, zij vatte de verdwijning op als een
wraakneming van de onzichtbare artsen en ze naaide aan de
binnenzijde van haar onderjurk een zak met een grote klep
waarin ze de nieuwe pessaria opborg die haar zoon haar toezond.

Een half jaar na het begraven van de kip werd Aureliano Se-
undo midden in de nacht wakker met een geweldige hoestbui
en met het gevoel dat hij van binnen uit werd gewurgd door
de scharen van een kreeft. Toen begreep hij het. Hoeveel ma-
ische pessaria hij ook zou vernietigen en hoeveel bezwerende
kippen hij ook zou bevochtigen, de enige en trieste waarheid
was dat hij ging sterven. Hij zei het tegen niemand. Gekweld
door de angst dat hij zou overlijden voordat hij Amaranta
Ursula naar Brussel had kunnen sturen, werkte hij zoals hij nog
ooit gedaan had en hij organiseerde per week drie loterijen
in plaats van één. Reeds zeer vroeg zag men hem door het
dorp zwerven, tot in de meest afgelegen en armoedigste wij-
ken, terwijl hij zijn lootjes trachtte te verkopen met de gedrevenheid die slechts eigen is aan hen die gaan sterven. 'Hier is
de Goddelijke Voorzienigheid,' riep hij. 'Laat hem niet voorbijgaan, want hij komt maar eens in de honderd jaar.' Hij deed
ontroerende pogingen om vrolijk, sympathiek, joviaal te schijnen, maar men hoefde slechts zijn bezwete en bleke gezicht te

361

zien om te beseffen dat hij met zichzelf geen raad wist. Soms slenterde hij even naar een stuk braakliggend terrein waar niemand hem kon zien en dan ging hij zitten om uit te rusten van de kreeftenscharen die hem van binnen in stukken reten. Nog om middernacht bevond hij zich in de rosse buurt waar hij de vrouwen, die eenzaam zaten te snikken naast hun grammofoons, probeerde te troosten met welbespraakte uiteenzettingen over het geluk. 'Dit nummer is al vier maanden niet getrokken,' zei hij dan, terwijl hij zijn lootjes aan hen liet zien 'Laat het niet aan je neus voorbijgaan, want het leven is korter dan je denkt.' Het eindigde ermee dat ze elk respect voor hem verloren, dat ze zich vrolijk maakten om hem en in zijn laatste levensmaanden niet meer don Aureliano tegen hem zeiden, zoals ze altijd gedaan hadden, maar hem don Goddelijke Voorzienigheid noemden waar hij bij stond. Zijn stem kwam vol valse noten te zitten, raakte steeds meer ontstemd en stierf tenslotte weg in een honds gegrom, maar nog altijd was hij wilskrachtig genoeg om ervoor te zorgen dat de menigte, die op de patio van Petra Cotes op de prijzen wachtte, niet in omvang afnam. En toch, hoe meer hij zijn stem verloor en hoe meer hij besefte dat hij binnenkort de pijn niet meer zou kunnen verdragen, des te beter begon hij te begrijpen dat hij zijn dochter nooit in Brussel zou kunnen krijgen met het verloten van varkens en geiten; vandaar dat hij het roemruchte plan opvatte om een loterij te houden met de grote lappen grond die door de regen waren verwoest, maar die best weer bruikbaar gemaakt konden worden door iemand met geld. Het was zo'n in het oog lopende onderneming, dat de burgemeester zich bereid verklaarde om de loterij met een proclamatie af te kondigen en er werden hele maatschappijen opgericht om de biljetten van honderd pesos per stuk aan te schaffen, zodat ze binnen een week uitverkocht waren. Op de avond van de trekking gaven de winnaars een feest vol pracht en praal dat ergens deed denken aan de goede tijden van de bananenmaatschappij en Aureliano Segundo bracht met zijn accordeon voor de laatste keer de vergeten liedjes van Francisco de Man ten gehore, maar hij kon ze al niet meer zingen.

Twee maanden later vertrok Amaranta Úrsula naar Brussel

Aureliano Segundo gaf haar niet alleen de opbrengst van de buitengewone loterij, maar ook het geld dat hij in de afgelopen maanden had uitgezuinigd en het weinige dat hij nog verkregen had door de verkoop van de pianola, de klavecimbel en andere spulletjes die in onbruik waren geraakt. Volgens zijn berekeningen moest dit bedrag voldoende zijn voor de studie van zijn dochter, ofschoon het geld voor de terugreis in het ongewisse bleef. Fernanda verzette zich tot het laatste ogenblik tegen deze reis, beducht als ze was voor het idee dat Brussel zo licht bij het verderfelijke Parijs lag, maar ze berustte er tenslotte in toen pater Ángel haar een aanbevelingsbrief gaf voor een pension voor katholieke meisjes dat door nonnen werd gedreven en waar Amaranta Úrsula, volgens haar plechtige belofte, zou blijven wonen tot haar studies waren voltooid. Bovendien wist de parochieherder te verkrijgen dat ze op reis mocht gaan onder de hoede van een groep Franciscanessen die naar Toledo moesten, waar ze dan betrouwbare mensen konden zoeken aan wie ze het meisje zouden meegeven tot in België. Tijdens de afwikkeling van de overijlde correspondentie die dit alles mogelijk moest maken, belastte Aureliano Segundo zich met de bagage van Amaranta Úrsula, daarin terzijde gestaan door Petra Cotes. Op de avond dat ze tenslotte een van Fernanda's bruidskoffers inpakten, was alles al zo grondig geregeld dat de studente uit haar hoofd kon zeggen met welke jurken en met welke ribfluwelen muiltjes ze de oversteek over de Atlantische Oceaan moest volvoeren, waarna ze van boord moest gaan met de blauw lakense mantel met koperen knopen en de schoenen van Corduaans leer. Ze wist bovendien hoe ze moest lopen om niet in het water te vallen als ze over de valreep aan boord ging en ze wist dat ze zich geen ogenblik van de nonnen mocht verwijderen, dat ze haar hut niet mocht verlaten tenzij om te gaan eten en dat ze nimmer, onder geen beding, antwoord mocht geven op vragen die haar in volle zee gesteld zouden worden door onbekenden, van welk geslacht ze ook waren. Ze kreeg een flesje mee met druppeltjes tegen zeeziekte en een schoolschrift waarin pater Ángel eigenhandig zes gebeden had geschreven om de storm te bezweren. Fernanda maakte voor haar dochter een zeildoeken gordel waarin ze

363

haar geld kon bewaren en ze wees haar hoe ze het ding op haar naakte huid moest dragen, zodat ze het zelfs niet hoefde af te doen als ze sliep. Ze probeerde haar ook de nachtspiegel te geven nadat ze deze met loogwater gewassen en met alcohol ontsmet had, maar Amaranta Úrsula weigerde hem uit angst dat haar schoolvriendinnen haar daarmee zouden plagen. Een paar maanden later, op het uur van zijn dood, zou Aureliano Segundo zich levendig herinneren hoe hij haar voor de laatste keer zag, terwijl ze vergeefse pogingen deed het stoffige raampje van de tweedeklas-coupé neer te laten om de allerlaatste vermaningen van Fernanda te aanhoren. Ze droeg een jurkje van roze zijde met op de linkerschouder een corsage van namaak-viooltjes, de schoenen van Corduaans leer met de riempjes en de lage hakken en gesatineerde kousen met elastieken banden om haar kuiten. Ze bezat het tengere figuur, het lange en loshangende haar en de levendige ogen die ook Úrsula op die leeftijd bezat en de manier waarop ze afscheid nam, zonder te huilen maar ook zonder te glimlachen, wees op dezelfde karaktersterkte. Aureliano Segundo holde met de langzaam optrekkende wagon mee, terwijl hij Fernanda aan zijn arm meevoerde om te voorkomen dat ze zou struikelen, en hij kon zijn dochter nog maar nauwelijks vaarwel zwaaien toen ze hem een laatste kushand toeblies vanaf haar vingertoppen. Toen bleven de echtelieden roerloos achter onder de verschroeiende zon en zagen hoe de trein versmolt met het zwarte stipje aan de horizon, voor de eerste keer gearmd sinds de dag van hun huwelijk.

Op negen augustus, vlak voordat de eerste brief uit Brussel zou aankomen, zat José Arcadio Segundo in het kamertje van Melquíades te praten met Aureliano en ineens, zonder dat hij ergens op sloeg, zei hij:

'Vergeet nooit dat het er meer dan drieduizend waren en dat ze in zee gesmeten zijn.'

Toen viel hij voorover op de perkamenten en stierf met zijn ogen open. Op datzelfde ogenblik bereikte zijn tweelingbroer in het bed van Fernanda het eindpunt van de langdurige en gruwelijke marteling, hem aangedaan door de stalen kreeften die zijn keel wegvraten. Een week tevoren was hij naar huis teruggekeerd, zonder stem, buiten adem, vrijwel vermagerd tot op het bot, met zijn zwerfkoffers en zijn flodderaccordeon, vast van plan zich te houden aan zijn belofte dat hij naast zijn echtgenote zou sterven. Petra Cotes had hem geholpen zijn kleren bij elkaar te zoeken en ze zei hem vaarwel zonder een traan te laten, maar ze vergat hem de lakschoenen mee te geven die hij in zijn doodskist wilde dragen. Zodat ze op het bericht van zijn dood haar zwarte kleren aantrok, de schoenen in een krant wikkelde en aan Fernanda toestemming vroeg het lijk te mogen zien. Fernanda liet haar de deur niet in.

'Stel uzelf eens in mijn plaats,' smeekte Petra Cotes. 'Bedenk toch, dat ik teveel van hem heb gehouden om deze vernedering te moeten ondergaan.'

'Geen enkele vernedering is zo erg dat een bijzit hem niet verdient,' zei Fernanda. 'Dus wacht maar tot een van de vele anderen doodgaat, dan kun je *hem* die schoenen aantrekken.'

Santa Sofía de la Piedad hield zich getrouw aan haar belofte en met een keukenmes sneed ze de dode José Arcadio Segundo de keel af om er zeker van te zijn dat ze hem niet levend zouden begraven. De lijken werden in twee precies dezelfde kisten gelegd en toen zag men dat de tweelingbroers in de dood weer volkomen gelijk waren, zoals ze dat geweest waren tot aan hun jongelingsjaren. De oude feestvrienden van Aureliano Segundo legden op zijn kist een krans neer waaraan een paars lint zat met het opschrift: *Uit de weg, koeien, want het leven is kort.* Fernanda werd zo boos over deze onsmakelijkheid, dat ze de krans op de vuilnisbelt liet werpen. In de drukte van het laatste uur, toen de overledenen uit huis werden gehaald, werden de kisten door de bedroefde, enigszins aangeschoten dragers verwisseld en bijgezet in de verkeerde graven.

*

Aureliano bleef nog lange tijd in het kamertje van Melquíades. Hij leerde alles uit zijn hoofd, de fantastische verhalen uit het osgetornde boek, het beknopte overzicht van de studies van Hermann de Lamme, de notities aangaande de demonologische

wetenschap, de sleutels tot de Steen der Wijzen, de *Centuries*
van Nostradamus en zijn onderzoekingen over de pest, zodat
hij zijn jongelingsjaren bereikte zonder iets te weten van zijn
eigen tijd maar met de basiskennis van de middeleeuwse mens.
Op welk uur van de dag ze de kamer ook betrad, altijd vond
Santa Sofía de la Piedad hem verdiept in zijn lectuur. 's Morgens
bracht ze hem een kop koffie zonder suiker en rond het middaguur een bord rijst met schijfjes gebakken banaan, het enige
wat in huis nog gegeten werd sinds Aureliano Segundo gestorven was. Ze gaf zich moeite om zijn haar te knippen, de neten
eruit te verwijderen, de oude kleren voor hem te vermaken die
ze in lang vergeten koffers aantrof en toen zijn snor begon op
te komen, bracht ze hem het scheermes en het zeepkommetje
van kolonel Aureliano Buendía. Geen van diens zonen, zelfs
Aureliano José niet, had zo sterk op zijn vader geleken als Aureliano nu op de kolonel begon te lijken, vooral door zijn uitstekende jukbeenderen en door de vastberaden en enigszins
hardvochtige lijn van zijn lippen. Santa Sofía de la Piedad
meende dat Aureliano hardop in zichzelf praatte, zoals Úrsula
dat ook van Aureliano Segundo had gedacht toen deze nog in
het kamertje zat te studeren. Maar in werkelijkheid praatte
ook hij met Melquíades. Op een gloeiendhete namiddag, kort
na de dood van de tweelingbroers, zag hij de sombere oude
man met zijn hoed als ravenvlerken verschijnen tegen de
sprankelende achtergrond van het venster, alsof er een herinnering tastbaar werd die al van vóór zijn geboorte in zijn geheugen zat gegrift. Aureliano had juist het alfabet van de perkamenten ontcijferd. Dus toen Melquíades hem vroeg of hij
ontdekt had in welke taal ze geschreven waren, aarzelde hij
geen ogenblik met zijn antwoord.
'In het Sanskriet,' zei hij.
Melquíades onthulde hem dat de dagen, waarop hij naar het
kamertje kon terugkeren, reeds geteld waren. Maar hij kon
zich nu rustig naar de eeuwige velden van de dood begeven
want in de jaren die nog moesten verlopen voordat de perkamenten een eeuw oud waren en ontcijferd konden worden, zou
Aureliano tijd genoeg hebben om het Sanskriet te leren. Hij
vertelde hem bovendien dat in het steegje, dat uitkwam op de

ivier en waar men in de tijd van de bananenmaatschappij de
oekomst voorspelde en dromen uitlegde, een geleerde Cata-
aan woonde die een boekwinkeltje dreef waar een *Leerboek
oor het Sanskriet* stond, dat over zes jaar door de motten zou
zijn opgevreten als hij het niet haastig ging halen. Voor het
erst van haar lange leven gaf Santa Sofía de la Piedad blijk
van enige gemoedsbeweging, namelijk van stomme verbazing,
oen Aureliano haar verzocht het boek te halen dat ze zou
aantreffen tussen *Jeruzalem Bevrijd* en de gedichten van Mil-
on, aan de uiterste rechterzijde van de tweede plank van het
chap met boeken. Aangezien ze niet kon lezen leerde ze de
anwijzingen uit haar hoofd, waarna ze het benodigde geld
emachtigde door een van de zeventien gouden visjes te ver-
open die in het atelier waren achtergebeven en waarvan al-
een zij en Aureliano de plaats kenden waarop ze waren weg-
estopt op de avond dat de soldaten het huis doorzochten.

Terwijl Aureliano snelle vorderingen maakte in zijn studie
an het Sanskriet, begon Melquíades bij elk bezoek minder
astbaar te worden, steeds verder verwijderd, vervagend in de
tralende helderheid van het middaguur. De laatste keer dat
Aureliano hem hoorde, was hij nog slechts een onzichtbare
anwezigheid die mompelde: 'Ik ben aan de koorts gestorven
1 de duinen van Singapore.' Vanaf die dag viel het kamertje
en prooi aan het stof, de hitte, de termieten, de rode mieren en
e motten, die de wijsheid van boeken en perkamenten op den
uur in zaagsel zouden veranderen.

Aan eten ontbrak het niet in huis. Reeds de dag na de dood
an Aureliano Segundo was een van de vrienden, die de rouw-
rans met het kwalijke opschrift hadden meegebracht, aan Fer-
anda een geldsom komen betalen die hij nog schuldig was
an haar echtgenoot. Daarna bezorgde een loopjongen elke
oensdag een grote mand met etenswaren die ruimschoots
oldoende waren voor de hele week. Nooit kwam iemand te
eten dat deze levensmiddelen gezonden werden door Petra
otes, die in de mening verkeerde dat deze voortgezette liefda-
igheid een mooie manier was om degene te vernederen die
aar zo vernederd had. Maar haar wrok sleet sneller dan ze
erwacht had en toen bleef ze het voedsel sturen uit trots en

tenslotte uit medelijden. Wanneer haar de kracht ontbrak om lootjes te verkopen of wanneer de mensen hun belangstelling voor de loterijen verloren, gebeurde het menigmaal dat ze het voedsel uit haar eigen mond spaarde om Fernanda maar te laten eten en nooit onttrok ze zich aan deze zelfgekozen plicht zolang ze haar begrafenis niet voorbij had zien komen.

De afname van het aantal huisgenoten had aan Santa Sofía de la Piedad de rust moeten bezorgen waarop ze aanspraak mocht maken na meer dan een halve eeuw werken. Nooit had men een klacht gehoord uit de mond van deze zwijgzame, ondoorgrondelijke vrouw, die in de familie het engelachtige zaad van Remedios de Schone had gezaaid en de mysterieuze ernst van José Arcadio Segundo had gewekt en die een heel leven van eenzaamheid en stilte had gewijd aan de opvoeding van een paar kinderen die nauwelijks beseften dat ze haar zoons en kleinzoons waren en die zich tenslotte voor Aureliano inzette alsof hij uit haar eigen schoot was voortgekomen, zonder te weten dat ze zelf zijn overgrootmoeder was. Alleen in een huis als dat van de Buendía's was het mogelijk dat zo iemand altijd op de vloer van het graanschuurtje had geslapen, op haar slaapmatje tussen het nachtelijk lawaai van de ratten, en dat ze – overigens zonder het ooit aan iemand te vertellen – op een nacht was wakkergeschrokken met de angstwekkende gewaarwording dat iemand haar aanstaarde in het donker en toen bleek dat er een adder over haar buik gleed. Als ze het aan Úrsula had verteld, wist ze, zou die haar te slapen hebben gelegd in haar eigen bed; maar het gebeurde in de tijd dat niemand ergens oog voor had tenzij het luidkeels over de waranda werd geschreeuwd, want door de beslommeringen van de bakkerij, de verschrikkingen van de oorlog en de zorg voor de kinderen had niemand tijd over om aan het geluk van anderen te denken. Petra Cotes was de enige die altijd aan haar dacht al hadden ze elkaar nog nooit gezien. Ze lette erop dat Santa Sofía de la Piedad een behoorlijk paar schoenen had om uit te gaan en dat het haar nooit aan een fatsoenlijke japon ontbrak en dat deed ze zelfs nog toen ze wonderen moesten verrichten met het geld van de loterij. Toen Fernanda in huis arriveerde meende ze te mogen aannemen dat dit een eeuwige dienst

haagd was en ofschoon ze meermalen hoorde beweren dat het
e moeder van haar echtgenoot was, kwam dat haar zo onge-
oofwaardig voor dat ze het meteen weer vergat zodra ze het
ad gehoord. Santa Sofía de la Piedad leek zich nooit te stoten
an deze ondergeschikte positie. Integendeel, men had de in-
ruk dat ze het fijn vond om zo te sjouwen, zonder verpozing,
onder een klacht, om reinheid en orde te behoeden in het ge-
veldige huis waar ze vanaf haar meisjesjaren had gewoond en
at vooral in de tijd van de bananenmaatschappij eerder op een
azerne dan op een woonhuis leek. Maar toen Úrsula stierf,
egonnen de bovenmenselijke vlijt en de geweldige werk-
racht van Santa Sofía de la Piedad het te begeven. Dat kwam
iet alleen omdat ze oud en versleten was, maar ook omdat het
uis van de ene dag op de andere verzonk in een penibele toe-
tand van bouwvalligheid. Een zachte mossoort kroop op langs
e muren. Het onkruid liet op de patio geen plek meer kaal en
oorde zich daarna van onderaf door de cementen vloer van de
varanda, zodat die barstte als glas en door de brede scheuren
ezelfde gele bloemetjes opkwamen die Úrsula bijna een eeuw
eleden had opgemerkt in het glas waarin Melquíades zijn
unstgebit bewaarde. Santa Sofía de la Piedad beschikte noch
ver de tijd noch over de middelen om deze uitbundige woeke-
ng van de natuur tot staan te brengen, want ze was al de
ele dag bezig in de slaapkamers waar ze de hagedissen ver-
eg die 's nachts onveranderlijk terugkeerden. Op een dag zag
e hoe de rode mieren de ondermijnde fundamenten verlieten,
e tuin overstaken, de balustrade van de waranda beklommen
aar de begonia's al dezelfde kleur hadden verkregen als de
arde waarin ze stonden, en vandaar doordrongen tot diep in
t huis. Ze probeerde ze eerst te doden met een bezem, daar-
a met bestrijdingsmiddelen en tenslotte met ongebluste kalk,
aar de volgende dag waren ze weer op dezelfde plek aanwe-
g en liepen ze weer verder, onverstoorbaar en onoverwinne-
k. Fernanda schreef brieven aan haar kinderen en had niet
t minste besef van deze onstuitbare aanval van de verwor-
ng. Santa Sofía de la Piedad zette de strijd op haar eentje
ort, vocht met het onkruid om te voorkomen dat het de keu-
n binnendrong, ontdeed de muren van dikke plukken spin-

rag die binnen een paar uur weer aangroeiden en schrapte de termieten van het hout. Maar toen ze zag dat zelfs het kamertje van Melquíades vol spinnewebben en stof raakte, ook a veegde en stofte ze daar driemaal per dag, en dat het ondanks haar schoonmaakwoede eveneens bedreigd werd door het verval en de sfeer van ellende die alleen kolonel Aureliano Buendía en de jonge officier vooraf hadden kunnen zien, begreep ze dat ze verslagen was. Toen hulde ze zich in haar versleten zondagse jurk, een paar oude schoenen van Úrsula en de katoenen kousen die ze van Amaranta Úrsula had gekregen en maakte een bundeltje van de twee of drie verschoningen die haar nog restten.

'Ik geef het op,' zei ze tegen Aureliano. 'Dit huis wordt te veel voor mijn arme botten.'

Aureliano vroeg haar waar ze naartoe ging en ze maakte een vaag handgebaar, alsof ze niet het flauwste idee had van haar bestemming. Ze probeerde echter uit te leggen dat ze haar laatste levensjaren wilde doorbrengen bij een nicht die in Rio hacha woonde. Die verklaring was niet erg geloofwaardig. Sinds de dood van haar ouders had ze met niemand in het dorp nog contact onderhouden, noch ooit brieven of berichten ontvangen, noch ooit een woord gezegd over enig familielid. Aureliano gaf haar veertien gouden visjes mee, want ze was in staat om weg te gaan met het enige wat ze bezat: een peso en vijfentwintig centavos. Vanuit het raam van zijn kamertje zag hij hoe ze met haar bundeltje kleren de patio overstak, slepend met de voeten en gekromd door de jaren, en hoe ze naar buiten stapte en daarna haar hand door het gat in de poort stak om de sluitbalk weer op zijn plaats te doen. Sindsdien vernam men niets meer van haar.

Toen Fernanda van haar vlucht hoorde, ging ze een volle dag als een viswijf tekeer en ze doorzocht alle koffers, kisten en kasten, stuk voor stuk, om zich ervan te vergewissen dat Santa Sofía de la Piedad er met niets vandoor was gegaan. Ze brandde haar vingers toen ze voor het eerst van haar leven probeerde een fornuis aan te steken en ze moest Aureliano vragen haar te leren hoe ze moest koffiezetten. Na verloop van tijd was hij degene die het werk in de keuken deed. Als Fe

anda uit haar bed kwam, vond ze haar ontbijt al klaar staan
n daarna verliet ze haar kamer nog slechts om het avondeten
p te halen dat Aureliano in een afgedekte schotel op de
loeiende sintels achterliet en dat zij dan meenam naar de eet-
amer om het in stijl te nuttigen met linnen tafellakens en zil-
eren kandelaars, eenzaam gezeten aan het hoofd van de tafel
n van vijftien lege stoelen. Zelfs onder deze omstandigheden
onden Aureliano en Fernanda hun eenzaamheid niet delen,
aar ieder bleef leven in zijn eigen verlatenheid en ieder hield
jn eigen kamer schoon, terwijl het spinrag neersneeuwde
ver de rozestruiken en zich langs de balken drapeerde en de
uren met een dikke laag bekleedde. Omstreeks die tijd kreeg
ernanda de indruk dat het huis vol kwelduiveltjes zat. Het
as alsof alle dingen – en vooral de dagelijkse gebruiksvoor-
erpen – het vermogen hadden ontwikkeld om op eigen
racht van plaats te veranderen. Ze bracht uren door met zoe-
n naar de schaar die ze, naar haar vaste overtuiging, op haar
ed had gelegd en die ze, als ze alles overhoop had gehaald,
nslotte terugvond op een richel in de keuken waar ze al in
een vier dagen was geweest. Al gauw was er in de besteklade
een vork meer te bekennen, maar ze vond er zes terug op het
taar en drie in de wastobbe. Dit rondzwerven van de dingen
erd des te ergerlijker wanneer ze wilde gaan schrijven. De
ktpot, die ze altijd aan haar rechterhand zette, dook aan haar
nkerzijde weer op; het vloeiblok raakte zoek en twee dagen
ter vond ze het terug onder haar hoofdkussen; de aan José
rcadio geschreven velletjes raakten steeds weer verwisseld
et die voor Amaranta Úrsula en altijd zat ze met de angst
t ze de brieven in de verkeerde enveloppen had gedaan, iets
at inderdaad een paar maal gebeurde. Op een dag raakte ze
ar pen kwijt. Veertien dagen later kreeg ze hem terug van
: postbode, die hem in zijn zak had gevonden en sindsdien
n huis tot huis geïnformeerd had naar de eigenaar. In het
gin dacht ze dat het weer iets was van de onzichtbare artsen,
t als de verdwijning van de pessaria, en ze begon zelfs aan
n brief om hen te vragen haar met rust te laten, maar ze
oest haar schrijfwerk even onderbreken om iets anders te
an doen en toen ze naar haar kamer terugkeerde, vond ze

niet alleen de brief niet meer terug maar dacht ze zelfs nie
meer aan haar voornemen hem te schrijven. Een poosje meen
de ze dat Aureliano het deed. Ze hield hem scherp in het oo
en legde verschillende dingen op zijn weg, in een poging he»
te betrappen als hij ze van plaats liet veranderen, maar ;
gauw raakte ze ervan overtuigd dat Aureliano het kamertj
van Melquíades slechts verliet om naar de keuken of het toil«
te gaan en dat hij zeker geen grappenmaker was. Zodat ze ter
slotte aannam dat het de guitenstreken van kwelduiveltjes wa
ren en het raadzaam achtte om elk voorwerp vast te leggen o
de plaats waar ze het nodig had. Ze bond de schaar met ee
lang koord aan het hoofdeinde van haar bed. Ze bond ha:
penhouder en het vloeiblok aan de tafelpoot en plakte de ink»
pot met lijm op de tafel, rechts van de plaats waar ze gewoor
lijk zat te schrijven. Daarmee waren de problemen nog lan
niet opgelost, want na een paar uur naaien bleek het koor
van de schaar niet lang genoeg om te kunnen knippen, als»
de kwelduiveltjes het hadden ingekort. Datzelfde overkwa»
haar met het koord van de pen en zelfs met haar eigen arr
die na enige tijd schrijven niet eens meer tot de inktpot reikt
Amaranta Úrsula in Brussel en José Arcadio in Rome vern:
men nooit iets van deze kleine tegenslagen. Fernanda liet h«
weten dat ze gelukkig was en in feite was ze dat ook, omdat :
zich van elke verplichting bevrijd voelde, alsof het leven ha.
had teruggevoerd naar de wereld van haar ouders, waar :
nooit onder dagelijkse problemen gebukt was gegaan omdat :
tevoren reeds in haar verbeelding waren opgelost. Haar eind
loze briefwisseling deed haar elk gevoel voor de tijd verlieze
vooral sinds de dag dat Santa Sofía de la Piedad was vertro)
ken. Ze was eraan gewend geraakt om de dagen, maanden «
jaren bij te houden door de data waarop haar kinderen zoud«
terugkeren als aanknopingspunt te gebruiken. Maar toen d
hun verblijf in het buitenland telkens weer verlengden, raa!
ten de data in de war, vervaagde ieder vast tijdstip en bego:
nen de dagen zozeer op elkaar te lijken dat hun verstrijk«
nauwelijks nog merkbaar was. De steeds trager gaande ti
maakte haar niet ongeduldig, maar bezorgde haar juist een i:
nig gevoel van welbehagen. Het verontrustte haar niet d

osé Arcadio al jaren geleden de nadering van zijn eeuwige ge-
often had aangekondigd en nu nog altijd schreef dat hij zijn
hogere theologische studies binnenkort hoopte te beëindigen
om aan zijn diplomatieke opleiding te kunnen beginnen, want
te begreep best dat de wenteltrap, die naar de Stoel van Petrus
eidde, zeer hoog en vol obstakels moest zijn. Daarentegen
tende haar verrukking geen grenzen als ze iets vernam wat
voor anderen totaal onbelangrijk zou zijn geweest, zoals het
ericht dat haar zoon de Paus had gezien. Een soortgelijke ver-
roering voelde ze ook toen Amaranta Úrsula haar liet weten
at haar studies langer zouden duren dan voorzien was, omdat
aar uitmuntende resultaten haar het recht bezorgden op be-
aalde privileges waaraan haar vader niet gedacht had toen hij
ijn berekeningen had gemaakt.

Meer dan drie jaren waren al voorbijgegaan sinds Santa
ofía de la Piedad de grammatica was gaan halen, toen Aure-
ano er eindelijk in slaagde het eerste vel perkament te verta-
en. Niet dat deze prestatie nutteloos was, maar hij betekende
ooguit een eerste stap op een weg waarvan de lengte nog niet
ras te overzien, want de Spaanse tekst bleef zonder betekenis:
et waren in code geschreven verzen. Aureliano miste de ele-
nentaire kennis om de sleutels te achterhalen waarmee hij ze
ou kunnen ontcijferen, maar omdat Melquíades hem gezegd
ad dat hij in dat winkeltje van de geleerde Catalaan alle boe-
en kon vinden die hij nodig had om tot de kern van de perka-
enten door te dringen, besloot hij met Fernanda te praten en
aar toestemming te vragen om de nodige naslagwerken te
aan zoeken. In het door verwaarlozing geteisterde kamertje,
at door het voortschrijdend verval vrijwel in een puinhoop
as herschapen, dacht hij na over de meest geschikte vorm
aarin hij zijn verzoek moest gieten, trachtte hij de omstan-
gheden vooraf te doorzien en berekende hij de gunstigste
elegenheid om het te vragen, maar toen hij Fernanda eenmaal
genkwam op het moment dat ze haar avondeten van het
uur kwam halen, iets wat de enige kans was om haar te spre-
en, bleef het moeizaam voorbereide verzoek in zijn keel ste-
en en was hij ineens zijn stem kwijt. Voor het eerst van zijn
ven begon hij haar te bespioneren. Hij lette scherp op haar

373

stappen in de slaapkamer, hij hoorde haar naar de deur gaan om de brieven van haar kinderen in ontvangst te nemen en haar eigen brieven aan de besteller te geven en hij luisterde tot diep in de nacht naar de scherpe en felle halen van haar pen op het papier, totdat hij het geluid van de schakelaar hoorde en het gemurmel van haar gebeden opklonk in de duisternis. Pas daarna ging hij zelf slapen, vol vertrouwen dat de volgende dag hem de zozeer verhoopte gelegenheid zou brengen. Hij maakte zich zo vertrouwd met het idee dat ze hem haar toestemming niet zou onthouden, dat hij op een morgen zijn haar bijknipte, aangezien het al tot zijn schouders reikte, en zijn verwarde baard afschoor en zich hulde in een rijbroek en een hemd met boord waarvan hij niet wist van wie hij ze had geërfd en daarna in de keuken ging zitten wachten tot Fernanda kwam ontbijten. Maar wie er binnenkwam was niet de vrouw van elke dag, de vrouw met haar hooggeheven hoofd en haar starre gang, maar een oude dame van bovennatuurlijke schoonheid, met een vergeelde hermelijnen mantel en een kroon van verguld karton en de kwijnende manier van doen van iemand die heimelijk heeft gehuild. Sinds Fernanda door motten aangevreten koninklijke gewaden had teruggevonden in een van de koffers van Aureliano Segundo, had ze al menigmaal aangetrokken. Wie haar voor de spiegel had zien staan, in extatische vervoering over haar eigen vorstelijk gebaren, zou misschien gedacht hebben dat ze gek was. Maar dat was niet zo. Ze had deze koninklijke dos slechts veranderd in een herinneringsmachine. Toen ze zich voor het eerst aankleedde, kon ze niet vermijden dat er een harde knobbel in haar hart ontstond en dat haar ogen volschoten met tranen, omdat ze op datzelfde ogenblik weer de geur bespeurde van de schoensmeer van de laarzen van de militair die haar thuis waren komen opzoeken om haar tot koningin te maken. Haar gemoed verglaasde van heimwee naar haar verloren dromen. Ze voelde zich zo oud, zo afgeleefd, zo ver verwijderd van de beste uren van haar leven, dat ze zelfs terugverlangde naar de slechtste momenten die ze zich herinnerde en toen pas besefte ze hoezeer ze het openbarsten van de wilde marjolein miste, de geur van de rozen bij het vallen van de schemering en ze

374

et beestachtige gedrag van de vreemdelingen. Haar hart van angestampte as, dat onwrikbaar weerstand had geboden aan le meest trefzekere slagen van de dagelijkse werkelijkheid, tortte ineen voor de eerste stormloop van de heimwee. Haar erlangen naar trieste gevoelens veranderde in een ware verslaving naarmate de jaren haar deden aftakelen. In haar eenzaamheid werd ze bijna menselijk. En toch, op de morgen dat e de keuken binnenkwam en geconfronteerd werd met een op koffie die haar werd aangeboden door een benige, bleke ongeling met een hunkerende gloed in de ogen, sloeg de lauw van de belachelijkheid verscheurend op haar neer. Ze reigerde hem niet alleen haar toestemming, maar stak vanaf at ogenblik de huissleutels in de zak waar ze haar ongebruikte pessaria bewaarde. Het was een voorzorgsmaatregel zonder nige zin, want als Aureliano het gewild had, had hij het huis ngezien kunnen verlaten en ongemerkt weer kunnen terugkezen. Maar de langdurige gevangenschap, de ongewisheid van e buitenwereld, zijn gewoonte om steeds te gehoorzamen adden in zijn hart het zaad van de opstandigheid al lang doen erdrogen. Zodat hij zich weer in eenzame opsluiting begaf en e perkamenten las en herlas en tot diep in de nacht luisterde aar het snikken van Fernanda in haar slaapkamer. Op een orgen ging hij als gewoonlijk het fornuis aansteken en toen ond hij op de koud geworden sintels de maaltijd die hij de orige avond voor haar had klaargezet. Toen pas waagde hij ch in de slaapkamer en daar vond hij haar languit op het ed, onder de hermelijnen mantel, mooier dan ooit en met een uid die veranderd leek in een marmeren deklaag. Toen José rcadio vier maanden later thuiskwam, trof hij haar ongerept in.

Het was ondenkbaar dat iemand sterker op zijn moeder kon ken dan hij deed. Hij droeg een somber tafzijden pak en een emd met een stijf rond boord en om zijn hals zat een smal zijen lint gestrikt in plaats van een das. Zijn gezicht was vaalleek en wekelijk en hij bezat een overrompelde blik en slappe ppen. Zijn zwarte haar, glad en glanzend, was midden op de hedel gescheiden met een rechte, bloedeloze lijn en bezat hetelfde kunstmatige uiterlijk als de pruiken van de heiligen. De

schaduw van zijn zorgvuldig afgeschoren baard lag als een ge
wetenskwestie over zijn paraffine-achtige gezicht. Hij had ble
ke handen met groenige adernerven en vingers als parasieten er
hij droeg een massief gouden ring met een ronde katoog-opaa
aan zijn linker wijsvinger. Toen Aureliano de voordeur voo
hem opende, hoefde hij niet te vragen wie hij was om te besef
fen dat hij van zeer ver was gekomen. Op zijn weg door he
huis raakte alles bezwangerd met de geur van het bloesemwa
ter dat Úrsula reeds in zijn kinderjaren over zijn hoofd had ge
goten om hem te kunnen terugvinden in haar duisternissen
Niemand had kunnen zeggen hoe het mogelijk was, maar na a
die jaren van afwezigheid was José Arcadio nog steeds eer
herfstachtig kind gebleven, ontzettend zwaarmoedig en een
zaam. Hij begaf zich regelrecht naar de slaapkamer van zij
moeder, waar Aureliano zijn best had gedaan om het lijk vol
gens de formule van Melquíades tegen bederf te bewaren doo
vier maanden achtereen kwik te verdampen met het destilleer
toestel van de grootvader van zijn grootvader. José Arcadi
stelde hem geen enkele vraag. Hij gaf het lijk een kus op he
voorhoofd, zocht onder haar rok naar de zak met de kle
waarin nog drie ongebruikte pessaria zaten en haalde er d
sleutel van de kleerkast uit. Dit alles deed hij zonder te aarze
len en met vastberaden gebaren die een scherpe tegenstellin
vormden met zijn kwijnende uiterlijk. Uit de kleerkast haald
hij een met goud en zilver ingelegd koffertje waarop het fami
liewapen stond en in het geurende, sandelhouten binnens
daarvan vond hij de omvangrijke brief waarin Fernanda ha
hart had uitgestort en hem de talloze waarheden onthulde d
ze altijd voor hem verborgen had gehouden. Hij las de bri
staande, gretig maar zonder opwinding, en bij de derde blad
onderbrak hij zijn lectuur en bekeek Aureliano met een blik a
van nadere herkenning.

'Dus jij bent de bastaard,' zei hij met een stem die iets va
een scheermes had.

'Ik ben Aureliano Buendía.'

'Ga naar je kamer,' zei José Arcadio.

Aureliano ging naar zijn kamer en kwam er niet meer u
zelfs niet uit nieuwsgierigheid toen hij de geluiden hoorde va

de schrale begrafenis. Soms zag hij vanuit de keuken hoe José Arcadio door het huis zwierf, bijna stikkend in zijn moeizame ademhaling, en tot lang na middernacht hoorde hij zijn voetstappen in de bouwvallige slaapkamers. Maandenlang vernam hij zijn stem niet meer, niet alleen omdat José Arcadio geen woord tegen hem zei, maar ook omdat hij dat zelf niet wenste aangezien hij eenvoudig geen tijd had om aan iets anders te denken dan aan de perkamenten. Na de dood van Fernanda had hij het voorlaatste visje gepakt en was hij naar de boekwinkel van de geleerde Catalaan gegaan om de boeken op te zoeken die hij nodig had. Hij had nauwelijks oog voor wat hij onderweg te zien kreeg, misschien omdat hij de herinneringen miste voor een vergelijking met vroeger, en de verlaten straten en de troosteloze huizen waren precies zoals hij ze zich had voorgesteld in de tijd dat hij nog lust had kunnen voelen om ze te leren kennen. Hij had zichzelf de toestemming verleend die Fernanda hem had onthouden, maar slechts voor één keer en met één enkel doel voor ogen en uitsluitend voor de tijd die hij minimaal nodig zou hebben, vandaar dat hij in looppas en zonder te rusten de elf kwartmijlen aflegde die hem scheidden van het huis in het steegje waar voorheen de dromen werden uitgelegd en hij tenslotte buiten adem binnentrad in de wanordelijke, halfdonkere ruimte waar nauwelijks plaats was om rond te lopen. Het leek niet zozeer op een boekhandel als wel op een opslagplaats voor oud papier en de boeken lagen wanordelijk opgestapeld op rekken die door de termieten waren aangevreten en in hoeken waar de spinrag als droesem was neergeslagen en zelfs in de open plekken die eigenlijk als loopgangetjes hadden moeten dienen. De eigenaar van de winkel zat aan een grote tafel die ook al doorboog onder de folianten en schreef met een violetachtig handschrift, dat stormachtig aandeed, een onverdroten proza neer op de losgescheurde bladjes van een schoolschrift. Hij had een prachtige zilverwitte haardos die als de kuif van een kaketoe over zijn voorhoofd hing en in zijn blauwe, levendige, kleine oogjes blonk de zachtmoedigheid van iemand die alle boeken heeft gelezen. Hij was in onderbroek en droop van het zweet en onderbrak zijn schrijfwerk geen ogenblik om te zien wie er was binnengeko-

377

men. Het kostte Aureliano weinig moeite om in deze fabelachtige wanorde de vijf boeken te vinden die hij zocht, want ze stonden precies op de plaats die Melquíades hem had aangewezen. Zonder een woord te zeggen gaf hij ze samen met het gouden visje aan de geleerde Catalaan en deze bekeek ze even en toen trokken zijn ogen samen als twee mosselen. 'Je bent zeker niet goed wijs,' zei hij schouderophalend in zijn eigen taal en hij gaf Aureliano de vijf boeken en het visje weer terug.

'Neem maar mee,' zei hij, ditmaal in het Spaans. 'De laatste man die deze boeken gelezen heeft was Izaak de Blinde, dus weet wel wat je doet.'

José Arcadio maakte de slaapkamer van Meme weer bewoonbaar, liet de fluwelen gordijnen en het damasten baldakijn van het onderkoningenbed reinigen en repareren en nam de verwaarloosde badkamer weer in gebruik, waar de cementen kuip een zwartachtige tint had gekregen door een vezelige, ruig aanvoelende aanslag. Tot deze twee vertrekken beperkte hij voortaan zijn tweedehands koninkrijkje van versleten exotische spulletjes, verkeerde parfums en goedkope sierstenen. In de rest van het huis scheen hij daarna nog slechts één stoornis te ontdekken en dat waren de heiligen van het huisaltaar, die hij op een middag in as deed verkeren op een brandstapel die hij ontstak op de patio. Hij bleef elke dag tot over elven slapen. Daarna ging hij in een gerafelde tuniek vol vergulde draken en op sloffen met gele kwasten naar de badkamer, waar hij een ritueel volvoerde dat door zijn lange duur en zijn bedachtzame uitvoering deed denken aan Remedios de Schone. Voordat hij zich baadde, parfumeerde hij het bassin met drie soorten badzout die hij in albasten kruikjes had meegebracht. Hij spoelde zich niet af met de kalebas, maar liet zich languit in de geurende wateren zakken en bleef wel twee uur op zijn rug liggen drijven, half in slaap gewiegd door de koelte en door de herinnering aan Amaranta. Een paar dagen na zijn aankomst liet hij het tafzijden pak uit, dat weliswaar zijn enige kostuum was maar toch te warm bleek voor dit dorp; hij verruilde het voor een strakke broek, zoals ook Pietro Crespi ze tijdens de danslessen had gedragen, en een hemd, vervaardigd van door rupsen gesponnen zijde en voorzien van zijn geborduurde initialen ter hoogte van het hart. Tweemaal per week waste hij die kleren in de badkuip en dan bleef hij de tuniek aanhouden tot ze weer droog waren, want hij had niets anders om aan te trekken. Nooit at hij thuis. Hij ging de straat op als de warmte van de siësta wat was afgenomen en keerde pas laat in de avond terug. Dan zette hij zijn beklemmende omzwervingen voort, blazend als een kater en denkend aan Amaranta. Zij en de angstwekkende blik van de heiligen in de gloed van het nachtlampje vormden de twee enige herinneringen die hij van het huis had overgehouden. Tijdens de zinsbegoochelende Romeinse augustusmaanden was het hem vaak overkomen dat hij midden in de slaap zijn ogen opende en Amaranta zag oprijzen uit een fontein van veelkleurig marmer, compleet met haar kanten onderrokken en het zwachtel om haar hand, tot een ideaalbeeld verheven in de hunkering van zijn ballingschap. Anders dan Aureliano José, die haar beeld had willen smoren in de bloedige drek van de oorlog, had hij het juist levendig willen houden in een moeras van zinnelijkheid, terwijl hij zijn moeder bleef zoethouden met het eeuwigdurende smoesje van zijn pauselijke roeping. Hij noch Fernanda was ooit op de gedachte gekomen dat hun correspondentie in feite een uitwisseling van fantasieën was. José Arcadio, die het seminarie uit zijn hoofd had gezet zodra hij in Rome was aangekomen, was de legende van de theologie en het kanoniek recht blijven aanwakkeren om de fabuleuze erfenis niet in gevaar te brengen die telkens weer beschreven werd in de hoogdravende brieven van zijn moeder en die hem eenmaal zou moeten redden uit de ellende, uit het karige bestaan dat hij met twee vrienden deelde op een zolderkamertje in Trastevere. Toen hij Fernanda's laatste brief ontving, welke haar was ingegeven door een voorgevoel van haar naderende dood, had hij de allerlaatste overblijfselen van zijn bedrieglijke praal in een koffertje gestopt en was hij de oceaan overgestoken in het ruim van een schip waar de emigranten als slachtvee op elkaar gepakt zaten en zich voedden met koude macaroni en wormstekige kaas. Nog voordat hij een blik had geslagen in Fernanda's testament, dat in feite slechts bestond uit een nauwgezette en pijnlijk late opsomming van al haar tegenslagen, hadden de

379

wankele meubelen en het onkruid op de waranda hem reeds duidelijk gemaakt dat hij in een val was gelopen waaruit hij nooit meer zou ontsnappen, dat hij voor altijd verdreven was van het diamanten licht en de onvergetelijke lucht van de Romeinse lente. Door zijn astma tot een uitputtende slapeloosheid veroordeeld, peilde hij telkens en telkens weer de diepte van zijn tegenspoed, terwijl hij rondzwierf door het donkere huis waar de seniele bangmakerijen van Úrsula hem vervuld hadden van vrees voor de wereld. Om hem in haar duisternissen niet kwijt te raken placht ze hem neer te zetten in een hoekje van de slaapkamer, het enige vertrek waar hij wellicht veilig was voor de doden die na het vallen van de schemering door het huis dwaalden. 'En als je soms kattekwaad uithaalt,' had Úrsula gezegd, 'dan zullen de heiligen het me verklappen.' De van angst doortrokken avonden van zijn kindertijd waren samengebald in dat ene hoekje, waar hij roerloos op zijn krukje was blijven zitten tot het bedtijd werd, zwetend van angst onder de waakzame, glazige blik van de heilige verklikkers. Het was een onnodige kwelling, want omstreeks die tijd was hij al doodsbang van alles wat hem omringde en had hij al geleerd te schrikken van alles wat hij in zijn leven tegenkwam: de vrouwen op straat, die zijn bloed deden stollen; de vrouwen in huis, die kinderen kregen met een varkensstaart; vechthanen, die iemands dood uitlokten en gewetenswroeging brachten voor de rest van je leven; vuurwapens, die tot twintig jaar oorlog veroordeelden als je ze alleen maar aan raakte; onzinnige ondernemingen, die slechts tot ontgooche ling en waanzin voerden – enfin, alles wat God in zijn oneindige goedheid had geschapen en wat de duivel had verpest. Als hij wakker werd, geradbraakt op de pijnbank van zijn nachtmerries, werd hij van zijn angsten verlost door de helderheid van het venster en door de strelingen van Amaranta in het bad en door de verrukking waarmee ze hem met een zijden kussentje tussen zijn benen poederde. Zelfs Úrsula leek ineen heel anders in het felle licht van de tuin, want daar sprak z niet over angstaanjagende dingen maar poetste ze zijn tande met koolstof om hem de stralende glimlach van een Paus t bezorgen en dan knipte en polijstte ze zijn nagels om d

380

vreemdelingen, die van over de hele wereld naar Rome trokken, verbaasd te doen staan over de verzorgdheid van de handen van de Paus wanneer hij hen zijn zegen gaf en dan kamde ze hem als een Paus en dan doordrenkte ze hem met bloesemwater opdat zijn lichaam en zijn kleren de geur zouden bezitten van een Paus. Later had hij de Paus zelf gezien op een balkon op de binnenplaats van Castelgandolfo, waar hij in zeven verschillende talen dezelfde toespraak hield voor een menigte pelgrims, en toen was zijn aandacht inderdaad slechts getrokken door de blankheid van zijn handen, die in bleekwater geweekt leken, en door de weerkaatsende helderheid van zijn zomerkleding en de vage geur van odeklonje die uit zijn richting kwam waaien.

Ongeveer een jaar na zijn thuiskomst had José Arcadio de zilveren kandelaars en de heraldieke nachtspiegel – waarvan op het uur der waarheid slechts het ingelegde wapen van goud bleek te zijn – al moeten verkopen om te kunnen eten. In die tijd kende hij slechts één verstrooiing en dat was, kleine jongens in het dorp bijeen halen om ze te laten spelen in zijn huis. Tijdens de siësta kwam hij met hen opdagen en dan liet hij hen touwtje springen in de tuin, zingen op de waranda en gymnasiekoefeningen doen op de meubelen in de salon, terwijl hij tussen de groepjes doorliep en lesjes in goede omgangsvormen uitdeelde. In die dagen had hij de strakke broek en het zijden hemd afgedankt en droeg hij een onopvallend pak dat hij gekocht had in de bazaars van de Arabieren, maar hij bleef zijn weke waardigheid en zijn pauselijke gebaren behouden. De jongetjes namen het huis in bezit zoals de vriendinnen van Meme dat vroeger hadden gedaan. Tot laat in de avond kon men ze horen kwebbelen en zingen en met veel hakkengeklik horen dansen, zodat het huis leek op een internaat zonder enige discipline. Aureliano trok zich van die invasie weinig aan, zolang ze hem maar niet stoorden in het kamertje van Melquíades. Op een morgen duwden twee jongetjes de deur open en ze rilden bij het zien van de vervuilde en behaarde man die aan zijn werktafel zat en onafgebroken de perkamenten ontcijferde. Ze durfden niet naar binnen, maar bleven rond de kamer zwerven. Ze gluurden giechelend door de scheuren

381

in de muur, wierpen levend ongedierte door de luchtroosters en op een dag spijkerden ze de deur en het raam aan de buitenzijde dicht, zodat Aureliano een halve dag nodig had om ze weer open te breken. Toen Aureliano op een andere morgen in de keuken wás, stapten vier jongens de kamer binnen, overmoedig geworden door al hun ongestrafte kattekwaad en vastbesloten de perkamenten te verscheuren. Maar zodra ze de vergeelde vellen te pakken hadden, werden ze door een hemelse kracht van de vloer getild en zo bleven ze in de lucht hangen totdat Aureliano terugkeerde en de perkamenten uit hun handen trok. Van toen af aan vielen ze hem niet meer lastig.

De vier oudste jongens, die nog korte broeken droegen ofschoon ze hun jongelingsjaren al genaderd waren, belastten zich met de zorg voor het uiterlijk van José Arcadio. Ze kwamen vroeger dan de anderen en brachten de ochtend door met hem te scheren, hem te masseren met warme handdoeken, de nagels van zijn handen en voeten te knippen en te polijsten en hem te parfumeren met bloesemwater. Meer dan eens stapten ze zelf in de badkuip om hem van het hoofd tot de voeten in te zepen, terwijl hij op zijn rug lag te drijven en aan Amaranta dacht. Daarna droogden ze hem af, poederden hem over zijn hele lichaam en kleedden hem aan. Een van de jongens, een knaap met golvend blond haar en roze kraaloogjes als een konijn, bleef meestal in het huis slapen. Hij was met zulke hechte banden aan José Arcadio verbonden dat hij hem zelfs gezelschap hield tijdens zijn slapeloze astma-uren en zonder een woord te zeggen met hem meedwaalde door het duistere huis. Op een nacht zagen ze in het kamertje waar Úrsula altijd had geslapen een gele gloed door het verkruimelde cement dringen alsof een onderaardse zon de vloer van de slaapkamer in een glazen plaat had veranderd. Ze hoefden de lamp niet aan te steken. Ze hoefden in de hoek waar Úrsula's bed had gestaan en waar de flonkering nu het felst was, alleen maar de cementen brokstukken op te tillen om de geheime kripte te vinden die Aureliano Segundo tot afmattens toe had gezocht met zijn gedreven graafwerk. Daar lagen de drie zeildoeken en met koperen strikken afgesloten zakken en daarin zaten de zevenduizend tweehonderdveertien gouden dubloenen die als gloeiend

:olen bleven oplichten in het donker.

De vondst van de schat deed de gemoederen oplaaien. In
·laats dat José Arcadio met het onverwachte fortuin naar
Rome terugkeerde, een ideaal dat in zijn ellende gerijpt was,
·eranderde hij het huis in een decadent paradijs. Hij liet de
gordijnen en het baldakijn van de slaapkamer door nieuw fluweel vervangen en de vloer en de wanden van de badkamer
·etegelen. De voorraadkast in de eetkamer vulde zich met ge-
·onfeite vruchten, hammen en ingelegde augurken en het in
·nbruik geraakte graanschuurtje werd weer geopend om
·laats te bieden aan de wijnen en likeuren die José Arcadio
·elf van het spoorwegstation afhaalde, in kisten waarop zijn
·aam prijkte. Op een avond hielden hij en de vier oudste jon-
·ens een feest dat tot aan het ochtendgloren voortduurde. Om
·es uur 's morgens stoven ze naakt de slaapkamer uit, lieten de
·adkuip leeglopen en vulden hem met champagne. Ze spron-
·en er met z'n allen in en ploeterden rond als een zwerm vo-
·els die door een lucht vol gouden, geurige belletjes wiekte,
·aar José Arcadio bleef op zijn rug liggen drijven, nauwelijks
·eelhebbend aan het feest, denkend aan Amaranta met wijd
·pen ogen. Zo bleef hij liggen, in zichzelf gekeerd, kauwend
·p de bitterheid van zijn valse genoegens, ook nog toen de
·ngens er genoeg van kregen en naar de slaapkamer terug-
·eerden, waar ze de fluwelen gordijnen afrukten om zich
·roog te wrijven en in het tumult de grote spiegel van berg-
·ristal vernielden en de hemel van het bed deden neerkomen
·en ze zich onder veel gestoei te ruste legden. Toen José Arca-
·o uit de badkamer terugkeerde, lagen ze in een verwarde
·uwen te slapen, spiernaakt en in een kamer als een woestenij.
·ij raakte buiten zichzelf van woede, niet zozeer door de ver-
·elingen als wel door het zelfbeklag en de zelfverachting die
·dens de troosteloze voosheid van het drinkgelag in hem wa-
·n gerezen. Hij greep een boetegesel, die hij samen met een
·emelharen kleed en andere voorwerpen tot onthechting en
·lfkastijding op de bodem van zijn koffer bewaarde, en dreef
·e jongens het huis uit, waarbij hij krijste als een waanzinnige
·n ze ongenadig afranselde, erger dan hij gedaan zou hebben
·et een meute prairiehonden. Na afloop was hij aan het eind

383

van zijn krachten, ten prooi aan een astma-aanval die een paar dagen duurde en hem het uiterlijk van een stervende bezorgde. Op de derde avond van deze marteling gaf hij zich gewonnen voor zijn ademnood en ging naar de kamer van Aureliano om hem te vragen of hij in een nabijgelegen apotheek een paar poeders wilde halen die hij kon inhaleren. Zo kwam het dat Aureliano zijn tweede wandeling op straat maakte. Ditmaal moest hij slechts twee kwartmijlen afleggen naar de kleine apotheek waar aarden potten met Latijnse opschriften in de stoffige vitrines stonden en waar een meisje met de geruisloze schoonheid van een Nijlslang hem hielp aan de medicijnen waarvan José Arcadio de naam op een papiertje had geschreven. Nu hij het dorp voor de tweede maal zag, als uitgestorven en nauwelijks verlicht door de gelige straatlampen, rees er in zijn binnenste al even weinig nieuwsgierigheid als de eerste keer. José Arcadio dacht al dat hij gevlucht was, toen hij hem weer zag komen opdagen, een beetje buiten adem door het snelle lopen en slepend met zijn benen die zwak en stijf waren gewor den door gebrek aan beweging en door zijn langdurige opslui ting. Zijn onverschilligheid jegens de buitenwereld was zo dui delijk, dat José Arcadio een paar dagen later de aan zijn moe der gegeven belofte verbrak en hem de vrijheid gaf om uit te gaan wanneer hij maar wilde.

'Ik heb op straat niets te zoeken,' antwoordde Aureliano.

Hij bleef zich opsluiten, in beslag genomen door de perka menten die hij bij stukjes en beetjes wist te ontwarren maar waarvan hij de betekenis nog steeds niet kon achterhalen. José Arcadio bracht hem plakken ham, geconfeite bloemen die een lente-achtige smaak in zijn mond achterlieten en tweemaal een glas goede wijn. Hij interesseerde zich niet voor de perkamen ten, die hij hooguit beschouwde als een esoterisch tijdverdrijf maar zijn aandacht was getrokken door de zeldzame kennis en de onverklaarbare wereldwijsheid die deze haveloze bloedver want bezat. Toen hoorde hij dat Aureliano Engels kon lezen en dat hij, tussen het bewerken van de perkamenten door, de ze delen van de encyclopedie van de eerste tot de laatste bladz had doorgenomen, alsof het een roman was. Aanvankelij weet hij het daaraan, dat Aureliano over Rome kon praten al

f hij er vele jaren had gewoond; maar al gauw drong het tot
em door, dat hij over een feitenkennis beschikte die niet uit
en encyclopedie te halen viel, zoals de prijzen van allerlei din-
en. 'Alles is bekend,' luidde het enige antwoord dat hij
an Aureliano ontving, toen hij hem vroeg hoe hij deze inlich-
ngen had verkregen. Wat Aureliano betreft, het verbaasde
em dat José Arcadio van dichtbij gezien zo heel anders was
an het beeld dat hij zich van hem had gevormd toen hij hem
oor het huis zag dwalen. Hij bleek te kunnen lachen en sprak
) nu en dan met heimwee over het verleden van het huis en
aakte zich zorgen over de ellendige toestand waarin het ka-
ertje van Melquíades zich bevond. Deze toenadering tussen
nzamelingen van hetzelfde bloed was in de verste verte nog
en vriendschap, maar hielp hen de onpeilbare eenzaamheid
 dragen die hen tegelijkertijd scheidde en verbond. José Ar-
dio kon nu de hulp van Aureliano inroepen bij bepaalde
ishoudelijke problemen die hem wanhopig maakten. En Au-
liano mocht nu op de waranda zitten lezen en de brieven van
maranta Úrsula ontvangen, die altijd stipt op tijd bleven ko-
en, en weer gebruik maken van de badkamer waaruit José
rcadio hem na zijn komst had verbannen.

Op een vroege, drukkende morgen schrokken ze allebei
akker van een paar dringende slagen op de voordeur. Het
as een duistere oude man, met grote groene ogen die zijn ge-
cht een spookachtige doorschijnendheid verleenden en met
n askruisje op zijn voorhoofd. Zijn kleren als vodden, zijn
potte schoenen en de versleten knapzak die hij als enige ba-
ge over zijn schouder droeg bezorgden hem het uiterlijk van
n bedelaar, maar zijn houding bezat een waardigheid die in
enlijke tegenspraak was met zijn verwaarloosde voorkomen.
lfs in het schemerdonker van de salon hoefde men maar
n keer naar hem te kijken om te beseffen dat de geheime
acht, die hem in leven hield, geen drang tot zelfbehoud was
aar een gewenning aan de angst. Het was Aureliano Ama-
r, de enige overlevende van de zeventien zonen van kolonel
ureliano Buendía, op zoek naar een rustpauze in zijn langdu-
e en wisselvallige vluchtelingenbestaan. Hij stelde zich voor
 smeekte hen hem onderdak te verlenen in dit huis, dat hij

in zijn paria-nachten altijd was blijven zien als de laatst
wijkplaats waar hij veilig zou zijn voor de rest van zijn leven
Maar José Arcadio en Aureliano herinnerden zich niets van
zijn bestaan. In de mening dat hij een zwerver was, zetten z
hem met geweld weer op straat. Toen zagen ze vanuit de deur
opening de afloop van een drama dat al begonnen was no
voordat José Arcadio tot de jaren des onderscheids was geko
men. Twee politiemannen, die Aureliano Amador jarenlan
hadden nagejaagd, die als honden zijn spoor hadden gevolg
over de gehele wereld, doken op tussen de amandelbomen o
het trottoir aan de overkant en vuurden met hun mausers twe
kogels op hem af die precies door het askruisje naar binne
drongen.

Sinds José Arcadio de jongens uit het huis had verdreven
wachtte hij inderdaad op nadere berichten over een oceaan
stomer die nog voor Kerstmis naar Napels zou vertrekke
Hij had dit aan Aureliano verteld en zelfs plannen gemaak
om een bedrijfje op te zetten waarvan deze zou kunnen leve
want sinds de begrafenis van Fernanda was de mand m
etenswaren niet meer verschenen. Maar helaas, ook deze laa
ste droom zou niet in vervulling gaan. Op een morgen in sej
tember dronk José Arcadio als gewoonlijk in de keuken ee
kop koffie met Aureliano, waarna hij zich naar de badkam
begaf. Hij legde juist de laatste hand aan zijn dagelijks ba
toen door de gapende openingen tussen de dakpannen de vi
jongens naar binnen sprongen die hij uit zijn huis had ve
jaagd. Ze gaven hem geen tijd om zich te verdedigen, ma
sprongen gekleed bij hem in het bad, grepen hem bij zijn ha
en hielden zijn hoofd onder water totdat het geborrel van zi
doodsnood niet meer naar de oppervlakte rees en het still
bleke dolfijnenlijf naar de bodem van de geurende water
gleed. Daarna namen ze de drie zakken goud mee waarvan a
leen zij en hun slachtoffer wisten waar ze verborgen ware
Het was zo'n snelle, brutale en zorgvuldig beraamde ingree
dat het wel een militaire overval leek. Aureliano, weggedok
in zijn kamertje, bemerkte er niets van. Die middag miste l
José Arcadio in de keuken en dus zocht hij naar hem in h
hele huis en zo vond hij hem tenslotte, drijvend in de geuri

iegelingen van de badkuip, groot en opgezwollen, nog altijd
et zijn gedachten bij Amaranta. Toen pas begreep Aureliano
eveel hij van hem was gaan houden.

***

naranta Úrsula kwam terug met de eerste engeltjes van de-
mber, voortgedreven door een straffe bries, haar echtgenoot
eevoerend aan een zijden koord dat om zijn hals zat. Ze ver-
heen zonder enig voorbericht, met een ivoorkleurige jurk,
n paarlen halssnoer dat bijna tot aan haar knieën reikte, rin-
n met smaragden en topazen en sluik, rondgeknipt haar dat
de oren uitliep als zwaluwstaarten. De man met wie ze een
lf jaar tevoren was getrouwd, was een rijpe, slanke Vlaming
et een zeevarend uiterlijk. Ze hoefde slechts de deur van de
lon open te duwen om te beseffen dat haar aanwezigheid
agduriger en ontwrichtender was geweest dan ze had ver-
cht.
'Lieve God!' riep ze, eerder geamuseerd dan geschrokken,
kunt zien dat hier geen vrouw in huis is!'
Haar bagage paste niet eens op de waranda. Behalve het
de koffertje van Fernanda, waarmee ze naar het college was
zonden, bracht ze twee staande kleerkoffers mee, vier grote
liezen, een linnen buidel met parasols, acht hoedendozen,
n reusachtige kooi met vijftig kanaries en haar mans veloci-
de, gedemonteerd en opgeborgen in een speciaal etui waar-
e hij vervoerd kon worden als een cello. Ze gunde zichzelf
g geen dag rust na haar lange reis. Ze hulde zich in een ver-
ten overall, welke behoorde bij de motorrijderskleding die
ar echtgenoot had meegebracht, en begon aan een nieuwe
stauratie van het huis. Ze verjoeg de rode mieren, die al be-
hadden genomen van de waranda, wekte de rozestruiken
er tot leven, rukte het onkruid met wortel en tak uit en zaai-
weer varens, begonia's en wilde marjolein in de stenen pot-
op de balustrade van de waranda. Ze plaatste zich aan het
ofd van een ploeg timmerlieden, slotenmakers en metse-
rs, die de scheuren in de vloeren aansmeerden, deuren en ra-

men opnieuw afhingen, de meubels vernieuwden en de mure
aan binnen- en buitenzijde witkalkten, zodat het huis reeds dr
maanden na haar terugkeer opnieuw de sfeer van jeugd e
blijheid uitademde die er geheerst had ten tijde van de pian
la. Nooit zag men iemand die beter gehumeurd was, op wel
uur van de dag of onder welke omstandigheden dan ook,
die sneller geneigd was om te zingen en te dansen en al
achterhaalde zaken en gewoonten op de vuilnisbelt te werpe
Met één zwaai van haar bezem rekende ze af met de gedacht
nissen aan alle overledenen, met de stapels nutteloze romm
en bijgelovige prullen die zich in alle hoeken hadden opg
hoopt, en het enige wat ze uit erkentelijkheid jegens Úrsu
bewaarde, was de daguerrotype van Remedios in de salo
'Kijk toch eens wat een luxe!' riep ze, slap van het lachen. 'E
overgrootmoeder van veertien jaar!' Toen een van de mets
laars haar vertelde dat het huis wemelde van de geestversch
ningen en dat men die slechts kon afschrikken door de scha
ten op te zoeken die ze hier begraven hadden, antwoordde
proestend dat ze geen geloof hechtte aan bijgelovige manne
praat. Ze was zo spontaan, zo geëmancipeerd, en bezat zul
moderne en vrijgevochten opvattingen, dat Aureliano m
zichzelf geen raad wist toen hij haar zag binnenkomen. 'W
een barbaar!' riep ze, dolgelukkig, de armen wijd uitgesprei
'Kijk toch eens hoe mijn geliefde menseneter is gegroei
Voordat hij de tijd kreeg om ook maar iets te doen, had ze
een plaat gelegd op de draagbare grammofoon die ze had me
gebracht en was ze al druk bezig hem de dansen te leren d
momenteel in zwang waren. Ze dwong hem de gore broek w
te doen die hij van kolonel Aureliano Buendía had geërfd, g
hem jeugdige hemden en tweekleurige schoenen cadeau en z
te hem zonder omwegen op straat als hij weer te lang in h
kamertje van Melquíades had gezeten.

Ze was actief, tenger, niet klein te krijgen, net als Úrsula,
bijna even knap en uitdagend als Remedios de Schone, ma
daarnaast was ze ook nog begiftigd met een zeldzaam instir
om de mode te voorzien. Wanneer ze per post de allerlaats
modebladen aankreeg, dienden deze slechts om te constater
dat ze zich niet vergist had bij de modellen die ze zelf ontwie
388

n eigenhandig naaide op de primitieve handnaaimachine van
Amaranta. Ze was geabonneerd op alle modebladen, kunstpe-
iodieken en populaire muziektijdschriften die maar in Europa
erschenen en keek ze slechts vluchtig door om zich ervan te
ergewissen dat de dingen in de wereld inderdaad verliepen
oals ze zich dat voorstelde. Het was onbegrijpelijk dat een
rouw met zo'n levensinstelling was teruggekeerd naar een
oods dorp dat gebukt ging onder stof en warmte – en dan
og wel met een echtgenoot die geld genoeg had om waar ook
r wereld comfortabel te kunnen leven en die zoveel van haar
ield dat hij zich in alle onderworpenheid door haar liet mee-
oeren aan een zijden koord om zijn hals. Hoe dan ook, naar-
ate de tijd verstreek werd het steeds duidelijker dat ze van
lan was te blijven, want ze ontwierp slechts plannen die op
inge termijn konden worden uitgevoerd en nam slechts be-
uiten die erop gericht waren om haar een gemakkelijk leven
1 een rustige oude dag te bezorgen in Macondo. De kooi met
anaries bewees al dat dit voornemen niet zomaar was opgere-
en. Haar moeder had haar in een brief verteld over de sterfte
nder de vogels en met die wetenschap in gedachten had ze de
is een paar maanden uitgesteld, totdat ze een boot had ge-
onden die zou aanleggen op de Canarische eilanden, waar ze
e vijfentwintig mooiste kanariepaartjes had uitgezocht om de
emelen boven Macondo weer te bevolken. Dat was misschien
el de meest beklagenswaardige van haar talloze en altijd
eer stuklopende ondernemingen. Amaranta Úrsula liet de vo-
ls paar voor paar los naarmate ze zich vermenigvuldigden,
aar de dieren hadden de vrijheid nog niet geproefd of ze
uchtten al weg uit het dorp. Tevergeefs trachtte ze hen te la-
n wennen aan de volière die Úrsula bij de eerste verbouwing
d laten aanbrengen. Tevergeefs maakte ze nesten van espar-
gras na in de amandelbomen, tevergeefs strooide ze de da-
n vol kanariezaad en zette ze de gekooide vogels ertoe aan
n met hun gezang de deserteurs van hun plannen af te bren-
n – steeds stegen de vogels reeds bij hun eerste vliegpoging
t hoog in de lucht, waar ze dan één rondje draaiden, net
ng genoeg om de koers te bepalen voor hun terugreis naar de
anarische eilanden.

Ofschoon Amaranta Úrsula een jaar na haar terugkeer no
met niemand vriendschap had kunnen sluiten en nog geen en
kel feest had kunnen geven, bleef ze geloven dat het mogelij
was om deze door tegenspoed geslagen gemeenschap nog te red
den. Gaston, haar echtgenoot, wachtte zich ervoor om haar t
dwarsbomen, ofschoon hij op de gloeiendhete middag dat h
uit de trein stapte reeds had begrepen, dat het besluit van zij
vrouw was ingegeven door de fata morgana's van de heimwe
Hij was er zo zeker van dat de realiteit het weer te niet zo
doen, dat hij niet eens de moeite nam zijn velocipède in elkaa
te zetten, maar tussen de spinnewebben, die door de metse
laars werden weggerukt, de fraaiste eieren uitzocht en ze m
zijn nagels openbrak en dan urenlang met een loep bleef zitte
staren naar de piepkleine spinnetjes die eruit kwamen. Late
toen hij begon te vermoeden dat Amaranta Úrsula haar verbe
teringen slechts bleef voortzetten om zich niet te laten kenne
besloot hij de onhandige velocipède, waarvan het achterwi
veel kleiner was dan het voorwiel, toch maar in elkaar te zette
en hierna wijdde hij zich aan het vangen en ontleden van al
inheemse insekten die hij in de buurt maar tegenkwam en d
hij in marmeladepotjes opzond naar zijn vroegere professor
de natuurlijke historie aan de universiteit van Luik, waar h
een hogere opleiding in de entomologie had voltooid ofschoo
zijn eigenlijke bestemming in de luchtvaart lag. Wanneer h
op de velocipède reed, gebruikte hij een acrobatenbroek, ko
sen als van een doedelzakspeler en een detectivepet, ma
wanneer hij te voet was, droeg hij een onberispelijk linn
pak, witte schoenen, een zijden zelfbinder, een matelot en e
rottinkje in zijn hand. Hij had bleke ogen die zijn zeevaren
uiterlijk nog opvallender maakten en een snorretje van st
eekhoornhaar. Hij was minstens vijftien jaar ouder dan zi
vrouw, maar zijn jeugdige interesses, zijn wakkere vastbesl
tenheid om haar gelukkig te maken en zijn deugden als mi
naar maakten dat verschil weer goed. En inderdaad, wie de
veertiger met zijn bedachtzame optreden, zijn zijden halsba
en zijn circusfiets ontmoette, had nooit kunnen denken dat
met zijn jonge vrouw verbonden was in een ongeremde li
desbeleving en dat ze aan hun wederkerig gevoelde aandra

390

oegaven wanneer de inspiratie maar in hen oprees en op de
laatsen die daarvoor het minst in aanmerking kwamen, zoals
e al gedaan hadden sinds ze elkaar leerden kennen en dat dan
net een hartstocht die slechts tot groter diepte en voller rijk-
om uitgroeide naarmate de tijd verstreek en de omstandighe-
en ongebruikelijker waren. Gaston was niet alleen een on-
tuimig minnaar, met een veelzijdigheid en een verbeeldings-
racht die onuitputtelijk waren, hij was wellicht in de geschie-
enis van het mensenras de eerste man die zichzelf en zijn ge-
efde bijna de dood injoeg toen hij een noodlanding maakte
m geen andere reden dan dat ze elkaar wilden beminnen in
en veld vol viooltjes.

Ze hadden elkaar drie jaar voor hun huwelijk leren kennen,
oen de sportieve tweedekker waarmee hij pirouettes draaide
oven Amaranta Úrsula's college, een gedurfde manoeuvre
oest uitvoeren om de vlaggemast te ontwijken en het primi-
eve bouwsel van dun zeildoek en zilverpapier met zijn staart
an de hoogspanningskabels bleef hangen. Vanaf die dag haal-
e hij Amaranta Úrsula elk weekeinde af van het nonnenpen-
on, waar ze altijd was blijven wonen maar waar de voor-
chriften niet zo streng waren als Fernanda wel had gewenst,
a dan nam hij haar mee naar zijn sportclub zonder zich iets
an te trekken van zijn gespalkte been. Ze begonnen elkaar
ef te hebben op vijfhonderd meter hoogte, in de serene zon-
aglucht boven de landerijen, en hoe kleiner de wezentjes op
arde werden, des te meer raakten ze aan elkaar gehecht. Zij
hilderde hem Macondo als het meest zonbeschenen en vre-
gste dorp van de wereld en sprak over een reusachtig huis
at doortrokken was van de geuren van de wilde marjolein,
aar ze tot in hoge ouderdom wilde wonen met een getrouw
htgenoot en twee ontembare zoons die Rodrigo en Gonzalo
oesten heten, en in geen geval Aureliano en José Arcadio, en
et een dochter die ze Virginia zou noemen, en in geen geval
emedios. Ze had het door heimwee geïdealiseerde dorp met
veel hunkerende hardnekkigheid in haar herinnering opge-
epen, dat Gaston begreep dat ze niet met hem zou trouwen
nzij hij met haar in Macondo ging wonen. Hij schikte zich
arin, zoals hij later genoegen nam met de strop om zijn hals,

391

want hij meende dat het een voorbijgaande gril was die hij beter kon ontzenuwen wanneer de tijd daarvoor rijp was. Maar toen er al twee jaar in Macondo waren voorbijgegaan en Amaranta Úrsula nog steeds even gelukkig was als op de eerste dag, begon hij tekenen van verontrusting te vertonen. Tegen die tijd had hij al alle insekten ontleed die maar te ontleden waren, sprak hij Spaans alsof hij hier geboren en getogen was en had hij reeds alle kruiswoordpuzzels opgelost in alle tijdschriften die ze over de post ontvingen. Hij kon het klimaat al evenmin als voorwendsel gebruiken om de terugreis te verhaasten, want de natuur had hem uitgerust met een koloniale lever die onverstoorbaar weerstand bood tegen de drukkende hitte van de siësta en het water vol borstelwormpjes. De creoolse maaltijden bevielen hem zo goed, dat hij eens een streng van tweeëntachtig leguaneneieren achter elkaar opat. Amaranta Úrsula daarentegen liet zich per trein voorzien van vlees in blik, vruchten op sap en vis en schaaldieren in kisten met ijs, want iets anders kon ze niet verdragen, en ze ontving nog steeds haar modebladen over de post en ze bleef zich kleden volgens de Europese mode, ofschoon ze nergens heen kon gaan en niemand kon bezoeken en haar echtgenoot tegen die tijd niet meer in de stemming was om waardering te voelen voor haar korte jurken, haar vilten hoedjes op één oor en haar colliers van zeven toeren. Haar geheim leek erin te bestaan dat ze altijd een manier vond om druk bezig te zijn. Ze loste huiselijke problemen op die ze zelf schiep en deed sommige dingen verkeerd om ze de volgende dag te kunnen verbeteren en dit alles geschiedde met een noeste vlijt die Fernanda zou hebben doen denken aan de erfelijke ondeugd van het scheppen om te vernietigen. Haar aanleg voor feesten was nog lang niet ingesluimerd en telkens wanneer ze nieuwe grammofoonplaten ontving, verlokte ze Gaston ertoe om tot zeer laat in de salon te blijven en de dansen uit te proberen die haar oude schoolvriendinnen haar met tekeningen schetsten in hun brieven en meestal eindigde het ermee dat ze de liefde bedreven in de Weense fauteuils of op de kale vloer. Slechts één ding ontbrak nog om haar volkomen gelukkig te maken en dat was de geboorte van de kinderen, maar ze hield zich aan de afspraak die

:e met haar man had gemaakt en die behelsde, dat ze geen
kinderen zouden krijgen voordat ze vijf huwelijksjaren achter
le rug hadden.

Gaston, die iets zocht waarmee hij zijn ledige uren kon vul-
en, placht de ochtenden door te brengen in het kamertje van
Melquíades, in het gezelschap van de weinig toeschietelijke
Aureliano. Hij vond het fijn om met hem te praten over de in-
iemste plekjes van zijn land, dat Aureliano kende alsof hij er
ange tijd had gewoond. Toen Gaston hem vroeg wat hij in vre-
lesnaam had gedaan om aan een feitenkennis te komen die in
geen enkele encyclopedie stond, ontving hij hetzelfde antwoord als José Arcadio: 'Alles is bekend.' Behalve het Sans-
riet had Aureliano nu ook Engels en Frans geleerd en iets van
atijn en Grieks. Aangezien hij in die tijd elke middag weg-
ing en Amaranta Úrsula hem een wekelijks geldbedrag had
oegekend voor zijn persoonlijke uitgaven, begon zijn kamer te
jken op een filiaal van de boekhandel van de geleerde Cata-
aan. Tot diep in de nacht bleef hij gretig zitten lezen, of-
choon hij over die lectuur sprak op een manier waaruit Gas-
on opmaakte, dat hij de boeken niet kocht om er wijzer van te
orden maar om de juistheid van zijn kennis te controleren en
at geen enkel boek hem zozeer kon boeien als de perkamen-
n, waaraan hij de beste uren van de ochtend besteedde. Gas-
on zowel als zijn echtgenote hadden de jongeman met alle
lezier willen opnemen in het familieleven, maar Aureliano
as en bleef een ongenaakbaar mens, gehuld in een myste-
eus waas dat door de tijd slechts dichter werd. Die omstan-
igheid was zo onoverkomelijk, dat Gaston al zijn pogingen
t vertrouwelijker omgang zag mislukken en tenslotte een an-
er tijdverdrijf moest zoeken om zijn ledige uren te vullen. Zo
ebeurde het dan ook dat hij het plan opvatte om een lucht-
ostdienst op te richten.

Helemaal nieuw was dat plan niet. In feite was het al in een
ergevorderd stadium geweest toen hij Amaranta Úrsula had
ren kennen, ofschoon het toen niet bedoeld was voor Macon-
o maar voor de Belgische Kongo, waar zijn familie investe-
ngen had gedaan in palmolie. Zijn huwelijk en zijn besluit,
n paar maanden in Macondo door te brengen om zijn vrouw

terwille te zijn, hadden hem gedwongen zijn plannen uit te stellen. Maar toen hij bemerkte dat Amaranta Úrsula van plan was een vereniging tot maatschappelijke vooruitgang op te richten en dat ze hem zelfs uitlachte toen hij iets liet doorschemeren over een mogelijke terugreis, begreep hij, dat het wel eens een langdurige kwestie zou kunnen worden en dus nam hij opnieuw contact op met zijn voormalige deelgenoten in Brussel, uitgaande van de gedachte dat het hetzelfde bleef of je nu pionier was in Afrika of in het Caraïbische gebied. Terwijl de papieren rompslomp voortgang vond, legde hij alvast een landingsbaan aan in het voormalige betoverde gebied, dat toen op een vlakte van gebarsten vuursteen leek, en begon hij aan een studie van de richting van de winden, de geografische omstandigheden van het kustgebied en de meest geschikte routes voor het luchtverkeer, zonder te beseffen dat zijn ijver zozeer op die van Mr. Herbert leek, dat hij in het dorp de niet ongevaarlijke verdenking op zich laadde dat hij geen vliegroutes zocht maar van plan was bananen te zaaien. Enthousiast geworden door het vooruitzicht op deze onderneming, die achteraf een rechtvaardiging zou kunnen betekenen voor een definitieve vestiging in Macondo, maakte hij verschillende reizen naar de hoofdstad van de provincie, pleegde overleg met de autoriteiten, bemachtigde de nodige vergunningen en tekende een contract dat hem de alleenrechten bezorgde. Ondertussen voerde hij met zijn partners in Brussel een correspondentie die sterke gelijkenis vertoonde met Fernanda's briefwisseling met de onzichtbare artsen en tenslotte wist hij hen te bewegen om hem per schip het eerste toestel te zenden, onder de hoede van een ervaren mecanicien die het in de meest nabijgelegen haven in elkaar kon zetten en het door de lucht naar Macondo kon brengen. Hij vertrouwde zozeer op de herhaalde beloften van zijn pennevrienden, dat hij een jaar na de eerste metingen en meteorologische berekeningen de gewoonte had aangenomen om naar de hemel te staren als hij op straat liep, rekening houdend met de geluiden van de wind, in afwachting van het moment dat hij het toestel zou zien verschijnen.

Ofschoon ze het zelf niet bemerkt had, had de terugkeer van Amaranta Úrsula een radicale ommekeer teweeggebracht in

1et leven van Aureliano. Na de dood van José Arcadio was hij een vaste klant geworden in de boekhandel van de geleerde Catalaan. De vrijheid die hij toen genoot en de tijd waarover hij kon beschikken wekten bovendien in zijn binnenste een zekere nieuwsgierigheid naar het dorp, zodat hij het ging verkennen zonder zich een ogenblik te verbazen. Hij zwierf door de stoffige, verlaten straten en bekeek – eerder met wetenschappelijke belangstelling dan met menselijk mededogen – de vervallen huizen, de metalen raamhorren die door roest en stervende vogels waren vernield en de bewoners die gebukt gingen onder hun herinneringen. Hij probeerde met zijn fantasie de vergane glorie te herscheppen in de voormalige stad van de bananenmaatschappij, waar het uitgedroogde zwembad nu tot aan de rand gevuld was met rottende mannenlaarzen en vrouwenpantoffels en waar hij in een van de met onkruid overwoekerde huizen het skelet van een Duitse herder aantrof, nog steeds met een ijzeren ketting vastgelegd aan een muurring, en een telefoon die rinkelde en rinkelde en rinkelde, totdat hij de hoorn opnam en moeiteloos verstond wat een hevig verontruste en ver verwijderde vrouw hem in het Engels vroeg, zodat hij antwoordde van ja, de staking was geëindigd en de drieduizend doden waren in zee geworpen en de bananenmaatschappij was vertrokken en in Macondo heerste eindelijk weer rust na al die jaren. Deze omzwervingen voerden hem ook naar de uitgestorven rosse buurt, waar men in vroeger tijden bundels bankbiljetten had verbrand om de feesten op te vrolijken en die nu nog slechts bestond uit een wirwar van straatjes, erger geteisterd en armoediger dan elders, met nog een paar brandende rode lampen en met verlaten danszalen, versierd met flarden van guirlandes, waar magere en dikke niemandsweduwen, Franse overgrootmoeders en weelderige manwijven nog altijd zaten te wachten naast hun grammofoons. Aureliano ontmoette niemand die zich nog iets herinnerde van zijn familie, zelfs niet van kolonel Aureliano Buendía, met uitzondering van de alleroudste Antilliaanse neger, een grijsaard wiens wattenhaar hem het uiterlijk van een fotonegatief bezorgde en die in het portiek van zijn huis nog altijd de droefgeestige psalmen van het avonduur zong. Aureliano praatte

395

met hem in het ingewikkelde Papiamento, dat hij binnen een paar weken leerde, en soms mocht hij de soep van kippenkoppen delen die gekookt werd door een achterkleindochter, een forse negerin met massieve botten, heupen als een merrie, borsten als rijpe meloenen en een rond, volmaakt gevormd hoofd, afgedekt met een harde kap van koperdraadhaar dat leek op de helm van een middeleeuwse ridder. Ze heette Nigromanta. Aureliano leefde in die tijd van de verkoop van borden, blakers en andere spullen uit het huis. Wanneer hij geen centimo op zak had, iets wat het meest voorkwam, zorgde hij ervoor dat men hem aan de kraampjes op de markt de kippenkoppen gaf die anders naar de mestvaalt zouden gaan en deze bracht hij dan naar Nigromanta om er soep van te maken, versterkt met postelein en op smaak gebracht met kruizemunt. Toen haar overgrootvader stierf, bezocht Aureliano het huis niet meer zo dikwijls maar hij bleef Nigromanta ontmoeten onder de donkere amandelbomen op het plein, waar ze met haar gesis als van een wild dier de weinige nachtbrakers mee lokte. Hij hield haar vaak gezelschap om in het Papiamento te kunnen praten over de kippenkoppensoep en andere puikjes van de armoede en hij zou dat zijn blijven doen, als ze hem er niet op had gewezen dat zijn gezelschap haar klanten afschrikte. Ofschoon hij wel eens in de verleiding was gekomen en Nigromanta zelf het slechts gezien zou hebben als een natuurlijke bekroning van hun gedeelde weemoed, ging hij nooit met haar naar bed. Zodat Aureliano nog altijd maagdelijk was toen Amaranta Úrsula naar Macondo terugkeerde en hem een zusterlijke omhelzing gaf die hem buiten adem achterliet. Telkens wanneer hij haar zag en vooral wanneer ze hem de modernste dansen leerde, voelde hij in zijn botten dezelfde sponsachtige machteloosheid die ook zijn betovergrootvader had gekweld toen Pilar Ternera hem met kaarttrucjes in het graanschuurtje lokte. In een poging deze kwelling te verstikken, verdiepte hij zich nog meer in de perkamenten en ontweek hij de argeloze aanhalingen van die tante, die zijn nachten vergalde met vlagen van verdriet; maar hoe meer hij haar uit de weg ging, des te groter werd de ongedurigheid waarmee hij wachtte op haar kiezelende lach, haar gelukkige kattengekroel en haar dankba re getjilp wanneer ze in de liefde bezweek op elk uur van de dag en op de meest onwaarschijnlijke plaatsen in het huis. Op een nacht gebeurde het op tien meter van zijn bed, bovenop de werkbank van de zilversmidse, en de echtelieden met hun los-geslagen buiken vernielden daarbij de glazenkast zodat ze el-kaar tenslotte bezaten in een plas zoutzuur. Aureliano deed geen oog dicht en de volgende dag liep hij rond met koorts en snikte hij van machteloze woede. Het duurde een eeuwigheid voordat de avond kwam, de eerste avond dat hij Nigromanta opwachtte in de schaduw van de amandelbomen, doorpriemd door de ijzig kille naalden van de onzekerheid, met in zijn vuist de anderhalve peso geklemd die hij aan Amaranta Úrsula had gevraagd – niet zozeer omdat hij ze nodig had, als wel om haar medeplichtig te maken, haar door het slijk te slepen, haar te bezoedelen met dit avontuur. Nigromanta voerde hem mee naar haar kamer met het schijnsel van namaakkaarsen, naar haar vouwbed met het door slechte liefdes bezwadderde lin-nengoed, naar haar prachtige, steenharde, gevoelloze tevenlijf, dat zich opmaakte om hem af te schepen alsof hij een angstig jongetje was en dat zich plotseling geconfronteerd zag met een man wiens geweldige potentie het vanbinnen dwong tot een seismische aanpassingsbeweging.

Ze werden elkaars liefjes. Aureliano besteedde de ochtenden aan het ontcijferen van de perkamenten en tijdens de siësta be-gaf hij zich naar het snikhete slaapkamertje waar Nigromanta op hem wachtte en hem leerde hoe hij eerst moest doen als de wormen en daarna als de slakken en tenslotte als de kreeften, totdat ze hem weer moest verlaten om de liefde van anderen op dwaalwegen te lokken. Het duurde een paar weken voordat Aureliano ontdekte dat ze om haar middel een band had zitten die gemaakt leek te zijn van een cellosnaar, maar die zo hard was als staal en begin noch einde bezat omdat hij met haar was geboren en gegroeid. Tussen het bedrijven van de liefde door aten ze meestal naakt in bed, in de zinsbegoochelende warmte en onder de daagse sterren die door de roest tevoor-schijn werden getoverd in het zinken dak. Het was de eerste keer dat Nigromanta een vaste vriend had, iemand die in haar geworteld was, zoals ze zelf slap van het lachen beweerde, en ze begon zich al illusies te maken over een hartsliefde, toen Aureliano haar zijn verdrongen hartstocht voor Amaranta Úrsula bekende, een hartstocht die hij met haar als plaatsvervangster niet had kunnen verhelpen en die zijn ingewanden steeds meer in de knoop bracht naarmate de horizon van de liefde zich verruimde door zijn grotere ervaring. Daarna bleef Nigromanta hem met evenveel warmte ontvangen, maar ze liet zich voortaan voor haar diensten betalen en als Aureliano geen geld had, zette ze het op de rekening die ze niet bijhield met cijfers maar met streepjes die ze achter de deur in het hout trok met de nagel van haar duim. 's Avonds, als zij weer rondzwierf in de schaduwen van het plein, liep Aureliano als een vreemde over de waranda, had nauwelijks een groet over voor Amaranta Úrsula en Gaston, die op dat uur gewoonlijk aan tafel zaten, en sloot zich weer op in zijn kamertje, waar hij niet kon lezen of schrijven en zelfs niet meer kon denken vanwege de angstige spanning die in zijn binnenste werd opgeroepen door het gelach, het gegiechel, het inleidende gestoei en daarna de uitbarstingen van smartelijk genot waarvan de nachten in het huis overvloeiden. Zo was zijn leven, twee jaar voordat Gaston op het vliegtuig begon te wachten; en zo was het nog steeds op de middag dat hij naar de boekwinkel van de geleerde Catalaan ging en daar vier breedsprakerige jongemannen aantrof die gewikkeld waren in een verhit debat over de methoden waarmee men in de middeleeuwen kakkerlakken placht te doden. De oude boekhandelaar, die Aureliano's voorliefde kende voor boeken die slechts door Beda de Eerbiedwaardige waren gelezen, drong er vaderlijk maar niet zonder boosaardigheid op aan dat hij als bemiddelaar zou optreden tussen de uiteenlopende standpunten en voordat Aureliano op adem was gekomen, was hij al aan het uitleggen dat de kakkerlak, het oudste gevleugelde insekt ter wereld, reeds het favoriete slachtoffer was geweest van slagen met pantoffels in het Oud Testament, maar dat het soort als zodanig volkomen ongevoelig was voor elke uitroeiingsmethode, van schijfjes tomaat met borax tot aan meel met suiker, aangezien zijn zestienhonderd en drie variëteiten weerstand hadden geboden aan de meest onwaarschijnlijke, volhardende en meedogenloze vervolging

398

lie de mens vanaf zijn ontstaan jegens een levend wezen had ontketend, de mens zelf daarbij niet uitgezonderd, zodat men het menselijk geslacht niet alleen een voortplantingsdrift zou kunnen toeschrijven maar ook een andere, dringender en duidelijker behoefte, namelijk het instinct om kakkerlakken te verdelgen, en het feit dat deze dieren erin geslaagd waren aan de menselijke wreedheid te ontkomen, was slechts te wijten aan hun wijsheid om een toevlucht te zoeken in de duisternissen, waar ze onkwetsbaar waren vanwege de angst voor het donker die de mens is ingeboren, wat niet wegnam dat ze weer even kwetsbaar zouden worden in het volle daglicht, zodat er niet alleen in de middeleeuwen, maar ook in het heden en tot in de eeuwen der eeuwen slechts één doeltreffend middel bestond om kakkerlakken te doden en dat was het verblindende zonlicht.

Deze encyclopedische noodlotsleer was het begin van een grootse vriendschap. Elke middag voegde Aureliano zich bij de vier debatterende jongelui, die Álvaro, Germán, Alfonso en Gabriel heetten en die de eerste en de laatste vrienden waren die hij van zijn leven bezat. Voor een man als hij, die zich altijd verschanst had in de geschreven werkelijkheid, was het een openbaring om deel te nemen aan deze stormachtige bijeenkomsten, die 's middags om zes uur in de boekwinkel begonnen en onveranderlijk tegen het ochtendgloren eindigen in de bordelen. Nooit was hij op de gedachte gekomen om de literatuur op te vatten als het mooiste spel dat ooit was uitgevonden om andere mensen bij de neus te nemen, zoals Álvaro hem tijdens een feestelijke nacht bewees. Het duurde wel even voordat hij besefte dat al die luchthartigheid zijn oorsprong vond in het voorbeeld van de geleerde Catalaan, voor wie geen enkele kennis waarde had als hij niet te gebruiken was om een nieuwe manier te vinden voor de bereiding van rauwe erwten.

Op de avond dat Aureliano zijn betoog over de kakkerlakken hield, eindigde de discussie in het huis van de meisjes die de liefde bedreven uit honger – een bordeel vol verzinsels in een buitenwijk van Macondo. De eigenares was een glimlachende kwezel die gekweld werd door een maniakale neiging om deuren open en dicht te doen. Haar eeuwigdurende glimlach leek te worden opgeroepen door de lichtgelovigheid van haar klanten, die alles voor waar aannamen in een bordeel dat slechts in de verbeelding bestond, want zelfs de tastbare dingen waren er nog onwerkelijk: de meubelen die uiteenvielen als men erop ging zitten, de onttakelde grammofoon waarin een kip zat te broeden, de tuin met papieren bloemen, de kalenders nog van voor de komst van de bananenmaatschappij en de schilderijen, vervaardigd van uitgeknipte prenten uit tijdschriften die nooit waren uitgegeven. Zelfs de verlegen hoertjes, die uit de buurt kwamen opdagen als de eigenares hen liet weten dat er klanten waren, waren louter bedenksels. Ze verschenen zonder te groeten, met dezelfde bloemetjesjurken als toen ze nog vijf jaar jonger waren, en ze ontkleedden zich met dezelfde onschuld waarmee ze zich hadden aangekleed en op het hoogtepunt van de liefde riepen ze stomverbaasd wat ontzettend, kijk toch eens hoe het dak eruit ziet, en zodra ze hun anderhalve peso hadden ontvangen, kochten ze daarvoor een broodje en een stuk kaas bij de eigenares, die harder glimlachte dan ooit omdat slechts zij wist dat ook dit voedsel niet echt was. Voor Aureliano, wiens wereld toen begon bij de perkamenten van Melquíades en eindigde in het bed van Nigromanta, vormde dit fantasie-bordeel een waar paardemiddel tegen zijn verlegenheid. In het begin kreeg hij niets gedaan, in een kamer waar de eigenares op de mooiste ogenblikken binnen kwam en allerlei opmerkingen maakte over de intiemste genoegens van de hoofdpersonen in het liefdesspel. Maar na verloop van tijd raakte hij gewend aan dit soort ongemakken in de buitenwereld – zozeer zelfs, dat hij op een nacht die onstuimiger verliep dan anders, zich spiernaakt uitkleedde in het ontvangstzaaltje en door het hele huis liep met een bierflesje in evenwicht op zijn ongelooflijke geslachtsdeel. Hij was degene die dit soort ongerijmdheden in zwang bracht, iets wat de eigenares aanzag met haar eeuwige glimlach, zonder te protesteren, zonder erin te geloven, zoals ze ook deed toen Germán het huis in brand wilde steken om te bewijzen dat het niet bestond en Alfonso haar papegaai de nek omdraaide en het ding in de soeppan wierp waarin de kippenragoût al be

400

on te pruttelen.

Ofschoon Aureliano zich met evenveel genegenheid en een ven grote saamhorigheid met al de vrienden verbonden voele, zodat hij aan ze dacht alsof het er slechts één was, voelde ij zich toch het meest aangetrokken tot Gabriel. Die band ntstond op de avond dat hij toevallig begon over kolonel Aureliano Buendía en Gabriel de enige was die niet geloofde dat ij de boel voor de gek hield. Zelfs de eigenares, die zich gevoonlijk niet in hun gesprekken mengde, hield met hartstochelijke bakerpraat vol dat kolonel Aureliano Buendía, over wie e inderdaad wel eens had horen praten, slechts door de regeng was uitgevonden als een voorwendsel om liberalen te kunen vermoorden. Gabriel daarentegen twijfelde niet aan het are bestaan van kolonel Aureliano Buendía, want die was n wapenbroeder en een onafscheidelijke vriend geweest van ijn eigen overgrootvader, kolonel Gerineldo Márquez. Deze prispingen van de herinnering werden nog pijnlijker wanneer : gesproken werd over het uitmoorden van de arbeiders. Telens wanneer Aureliano dit onderwerp aansneed, begon niet leen de eigenares, maar ook menigeen die ouder was dan zij, ftig af te geven op het fabeltje van de drieduizend arbeiders e in de val waren gelopen bij het station en van de trein van veehonderd wagons die afgeladen was met doden; ze hielden lfs koppig vast aan datgene wat achteraf was vastgelegd in erechtelijke uitspraken en in de boekjes van de lagere school, amelijk, dat de bananenmaatschappij nooit had bestaan. Zot Aureliano en Gabriel verbonden waren door een soort meplichtigheid, gebaseerd op werkelijke feiten die door nieand werden geloofd maar die hun beider levens zozeer hadn beïnvloed, dat ze op drift waren geraakt in het kielzog van n voorbije wereld waarvan nog slechts de weemoed was ergebleven. Gabriel placht te gaan slapen op de plaats waar : behoefte ertoe hem overviel. Aureliano verleende hem eermalen onderdak in de zilversmidse, maar daar bleef hij le nachten wakker omdat hij gestoord werd door het in en t lopen van de doden die tot aan de dageraad door de slaapmers zwierven. Later beval hij hem aan bij Nigromanta, die m in haar vrije ogenblikken meenam naar haar veelbetreden

kamertje en zijn rekening bijhield met verticale streepjes ach
ter de deur, op de weinige open plekken die overbleven tusser
de schulden van Aureliano.

Ondanks hun wanordelijke levenswijze trachtte het groepj
toch iets te doen wat van blijvend belang was, daartoe aange
zet door de geleerde Catalaan. Hij, met zijn verzameling zeld
zame boeken en zijn brede ervaring als voormalig hoogleraa
in de klassieke letteren, hij was het die hen zover wist te krij
gen dat ze een hele nacht bleven zoeken naar de zevenender
tigste dramatische situatie – en dat dan in een dorp waar nie
mand de belangstelling of de mogelijkheden bezat om verde
te komen dan de lagere school. Geboeid door de ontdekkin
van de vriendschap en overrompeld door de bekoringen va
een wereld die hem door Fernanda's benepenheid altijd wa
ontzegd, stopte Aureliano met het doorvorsen van de perka
menten, juist toen het hem duidelijk begon te worden dat he
voorspellingen waren in de vorm van gecodeerde verzen. Maa
later, toen hij bemerkte dat hij voor alles tijd genoeg had en d
bordelen dus niet hoefde te laten schieten, kreeg hij weer zi
om naar het kamertje van Melquíades terug te keren en na
hij zich voor om in zijn streven niet te verslappen totdat hij d
allerlaatste sleutel had ontdekt. Dat gebeurde omstreeks de tij
dat Gaston op het vliegtuig ging lopen wachten en Amarant
Úrsula zich zo eenzaam voelde, dat ze op een ochtend in h
kamertje verscheen.

'Hallo, menseneter,' zei ze. 'Zit je weer in je hol?'

Ze was onweerstaanbaar in haar zelfontworpen japonnet
en met een van de langste kettingen van elftenwervels die
ook al zelf gemaakt had. Ze achtte de zijden strop niet lang
nodig, overtuigd als ze was van de trouw van haar echtgenoo
en voor het eerst sinds haar terugkeer leek ze over een pa
vrije ogenblikken te beschikken. Aureliano had niet naar ha
hoeven kijken om te weten dat ze binnenkwam. Ze ging m
haar ellebogen op de werktafel leunen en informeerde naar
perkamenten en ze was zo dichtbij en zo weerloos, dat Aureli
no het diepe gerommel in zijn botten kon horen. Hij deed zi
uiterste best om zijn verwarring de baas te blijven en klauw
wanhopig naar zijn stem, die hem ontviel, en naar het leve
402

t hem ontglipte, en naar zijn geheugen, dat veranderd was
een versteend weekdier, en toen begon hij te vertellen over
: levitische bestemming van het Sanskriet en over de weten-
happelijk bewezen mogelijkheid om daarin de toekomst te
zen, doorlicht in de tijd, zoals men kan zien wat er aan de
hterzijde van een vel papier geschreven staat als men het te-
·n het licht houdt. Hij sprak over de noodzaak om de perka-
enten te ontcijferen aangezien ze anders vanzelf tot stof zou-
·n vergaan en over de *Centuries* van Nostradamus en over de
·rwoesting van Cantabrië die door de heilige Milanus was
ngekondigd. Plotseling, zonder zijn woordenstroom te on-
rbreken en gedreven door een aanvechting die al sinds zijn
boorte in zijn binnenste sluimerde, legde Aureliano zijn
·nd op de hare, in de mening dat deze beslissende daad een
·de zou maken aan zijn geprangdheid. Maar zij greep zijn
jsvinger vast met dezelfde argeloze genegenheid waarmee ze
·t in hun jeugd zo vaak had gedaan en ze bleef hem vasthou-
·n terwijl hij doorging met antwoorden op haar vragen. Zo
·ven ze zitten, verbonden door een kille wijsvinger waarmee
·ets niemendal tussen hen werd overgebracht, totdat ze uit
·ar kortstondige dromerigheid ontwaakte en zich op het
orhoofd sloeg. 'De mieren!' riep ze uit. En toen vergat ze de
·nuscripten, was met één danspas bij de deur en blies Aure-
·no vanaf die plaats een kushand toe van haar vingertoppen,
·zelfde kushand waarmee ze haar vader vaarwel had gezegd
de middag dat men haar naar Brussel zond.
'Leg het later maar eens uit,' zei ze. 'Ik was vergeten dat het
·ndaag de dag is om kalk in de mierenholletjes te gooien.'
Vanaf die dag kwam ze van tijd tot tijd het kamertje binnen
ze in de buurt iets te doen had en dan bleef ze een paar mi-
·ten bij hem, terwijl haar echtgenoot de hemel afspeurde.
·reliano, die moed putte uit deze verandering, bleef weer aan
·el meeëten, iets wat hij niet meer had gedaan sinds de eerste
·anden na Amaranta Úrsula's terugkeer. Gaston stelde dat
·r op prijs. Tijdens de gesprekken na de maaltijd, die soms
·ger dan een uur werden voortgezet, klaagde hij dat zijn
·tners in Brussel hem bedrogen. Ze hadden hem laten weten
·: het toestel verscheept was, maar de boot kwam maar niet

aan en ofschoon zijn eigen scheepsbevrachters volhielden d
hij nooit zou aankomen omdat hij niet voorkwam op de lij
van schepen die het Caraïbische gebied tot bestemming ha
den, bleven zijn partners beweren dat hun berichten juist w
ren en ze lieten zelfs doorschemeren dat Gaston hen in zij
brieven beloog. De correspondentie raakte tenslotte zoze
doortrokken van wederzijds wantrouwen, dat Gaston h
beter achtte om niet meer te schrijven en de mogelijkhede
van een snelle reis naar Brussel overwoog, zodat hij daar
zaken kon ophelderen en met een vliegtuig kon terugkere
Maar dat plan viel in duigen zodra Amaranta Úrsula vastb
sloten herhaalde dat ze niet uit Macondo weg wilde, al moe
ze er achterblijven zonder echtgenoot. De eerste tijd had Aur
liano de algemene opvatting gedeeld dat Gaston een goedz
op een fiets was en dat had in hem een vaag gevoel van med
lijden gewekt. Later, toen hij in de bordelen een dieper inzic
verkreeg in de aard van mensen, meende hij dat Gasto
zachtmoedigheid was toe te schrijven aan zijn ongebreidel
hartstocht. Maar toen hij hem beter leerde kennen en het t
hem doordrong dat zijn ware karakter in scherpe tegenstelli
stond met zijn onderworpen gedrag, rees bij hem de kwaadaa
dige verdenking dat zelfs het wachten op het vliegtuig g
speeld was. Toen meende hij dat Gaston lang niet zo gek w
als hij eruit zag; integendeel, het leek hem een man wiens v
harding, sluwheid en geduld geen grenzen kenden, iemand
zich had voorgenomen zijn vrouw klein te krijgen door ha
murw te slaan met zijn eeuwigdurende inschikkelijkheid, do
nooit iets te verbieden, door een onbegrensde meegaandhe
voor te wenden, totdat ze zich in haar eigen web zou verstr
ken, totdat ze op een dag de verveling van haar dagelijkse
doe niet meer kon verdragen en zelf haar koffers zou pakk
om naar Europa terug te keren. Aureliano's vroegere medel
den veranderde nu in een heftige vijandigheid. Het syste
van Gaston leek hem zo verachtelijk en tegelijkertijd zo do
treffend, dat hij het waagde om Amaranta Úrsula ertegen
waarschuwen. Maar zij lachte om zijn achterdocht, zonder i
te bespeuren van de hartverscheurende last van liefde, on
kerheid en jaloezie die hij met zich meedroeg. Het was no

bij haar opgekomen dat ze in Aureliano iets meer opwekte dan louter broederlijke genegenheid, totdat ze op een dag een blik perziken openmaakte en zich in de vingers sneed en Aureliano als een bezetene het bloed begon weg te likken, met een gretigheid en een toewijding die haar koude rillingen bezorgde.

'Aureliano!' lachte ze geschrokken. 'Je bent veel te ondeugend om een goede vleermuis te zijn!'

Toen stortte Aureliano zijn hart uit. Terwijl hij haar als verweesd bleef kussen in de holte van haar hand, opende hij de meest verborgen krochten van zijn hart en ontdeed zich van een eindeloos, uitgemergeld ingewand, van het verschrikkelijke dier dat aan hem had gevreten en dat hij in zijn gemarteldheid had uitgebroed. Hij vertelde hoe hij midden in de nacht opstond om van ontreddering en woede te huilen met zijn hoofd op het ondergoed dat zij in de badkamer te drogen legde. Hij vertelde met hoeveel aandrang hij aan Nigromanta vroeg om te kroelen als een kat en gastongastongaston te hijgen in zijn oor. Hij vertelde met hoeveel geslepenheid hij haar flesjes parfum ontvreemde om haar geur terug te vinden in de hals van de meisjes die de liefde bedreven uit honger. Amaranta Úrsula, hevig ontsteld door de hartstocht van deze ontboezeming, kneep haar vingers licht, liet ze samentrekken als een weekdier, totdat haar gewonde hand, beroofd van alle kleur en ieder spoor van medegevoel, veranderd was in één knobbel vol smaragden en topazen en steenharde, ongevoelige beentjes.

'Schoft!' zei ze, alsof ze spuwde. 'Ik ga naar België met de eerstvolgende boot die vertrekt.'

In die tijd was Álvaro op een middag de boekhandel van de geleerde Catalaan binnen komen rennen terwijl hij luidkeels zijn allerlaatste vondst bekend maakte: een zoölogisch bordeel. Het heette *Het Gouden Kind* en bestond uit een reusachtige openluchtzaal, waar niet minder dan tweehonderd roerdompen vrij rondliepen en met een oorverdovend gekakel de tijd aangaven. Tussen de enorme Amazone-camelia's in de met koperdraad afgezette ruimten rondom de dansvloer zaten veelkleurige reigers, kaaimannen als vette varkens, slangen met twaalf ratels en een schildpad met een verguld schild die rondploeterde in een kleine namaak-oceaan. Er was een grote, witte, tamme hond die pederast was, maar die ook dekdiensten verleende al je hem maar te eten gaf. De lucht was van een ongekunstelde volheid, alsof hij net was uitgevonden, en de prachtige mulat tinnen, die zonder hoop zaten te wachten tussen bloedkleurige bloemblaadjes en uit de mode geraakte grammofoonplaten kenden liefdesbenaderingen die de mens al lang achter zich had gelaten in het aardse paradijs. De eerste nacht dat het groepje een bezoek bracht aan deze broedplaats van illusies, rees bij de prachtige, zwijgende, oeroude vrouw, die vanuit een rieten schommelstoel de ingang bewaakte, het overrompelende gevoel op dat de tijd naar zijn oorspronkelijke bronnen terug vloeide, want tussen de vijf nieuwkomers ontdekte ze een benige, droefgeestige man met Tartaarse jukbeenderen, een man die voor altijd en reeds vanaf het begin van de wereld getekend was met de pokken van de eenzaamheid.

'O!' zuchtte ze. 'Aureliano!'

Want opnieuw zag ze kolonel Aureliano Buendía voor zich zoals ze hem gezien had in het licht van haar lamp – lang voor de burgeroorlogen, lang voor de troosteloosheid van zijn roem en de ballingschap van zijn ontgoocheling, op de lang vervlogen ochtend dat hij naar haar slaapkamer kwam om het eerste bevel van zijn hele leven te geven: het bevel hem te beminnen. Het was Pilar Ternera. Jaren tevoren, toen ze honderd vijfen veertig was geworden, had ze resoluut een eind gemaakt aan de verderfelijke gewoonte om haar leeftijd bij te houden en nu leefde ze in de statische, uitgerangeerde tijd van de herinneringen, in een toekomst die volmaakt onthuld en vastgelegd was en die veel verder reikte dan de verwarde toekomsten van haar speelkaarten, die altijd verstoord waren door valstrikken en arglistige bedriegerijen.

Vanaf die nacht had Aureliano steeds een toevlucht gezocht in de tederheid en het meevoelende begrip van zijn ongeweten betovergrootmoeder. Gezeten in haar rieten schommelstoel riep ze het verleden op, herschiep ze de grootsheid en de tegenspoed van de familie en de vergane glorie van Macondo, terwijl Álvaro de kaaimannen opschrikte met zijn schallende schaterlach en Alfonso de wrede geschiedenis verzon van roerdompen die vier klanten de ogen uitpikten omdat ze zich

e vorige week zo slecht hadden gedragen en Gabriel in het
amertje van het peinzende mulattenmeisje verbleef dat haar
efde niet liet betalen met geld maar met brieven aan een ver-
oofde die smokkelaar was en die aan de andere kant van de
rinoco gevangen zat omdat de grenswachters hem een
xeermiddel hadden gegeven en hem op een pot hadden gezet
ie later gevuld bleek met poep en diamanten. Dit echte bor-
eel, met zijn moederlijke eigenares, belichaamde voor Aure-
ano de wereld waarvan hij in zijn langdurige gevangenschap
ad gedroomd. Hij voelde zich daar zozeer thuis, zozeer opge-
omen in een volmaakt gezelschap, dat hem geen ander toe-
luchtsoord in gedachten kwam toen Amaranta Úrsula die
iddag al zijn illusies vergruizelde. Hij was van plan zijn hart
it te storten met woorden, in de hoop dat iemand de knopen
on losmaken die zijn borst insnoerden, maar hij kon niet an-
rs dan losbarsten in vloeiende, hete en verkwikkende tranen,
rwijl hij bij Pilar Ternera op schoot zat. Ze liet hem rustig
thuilen en aaide met de binnenkant van haar vingertoppen
ver zijn hoofd en ofschoon hij niet verteld had dat hij huilde
t liefde, herkende ze onmiddellijk de alleroudste smart uit de
schiedenis der mensen.
'Stil maar, jongetje,' troostte ze hem. 'Vertel me maar eens
ie het is.'
Toen Aureliano het zei, uitte Pilar Ternera een holle lach, de
de aanstekelijke lach die nu nog slechts op het koekeroe van
iven leek. In het hart van een Buendía kon geen enkel ge-
im bestaan dat voor haar niet toegankelijk was, want een
uw van speelkaarten en ervaringen hadden haar geleerd dat
geschiedenis van de familie één reusachtig raderwerk van
ontkoombare herhalingen was, een wentelend wiel dat tot in
r eeuwigheid zou zijn blijven draaien als de as niet onderhe-
g was geweest aan een onherroepelijk voortschrijdende slij-
ge.
'Maak je maar niet ongerust,' glimlachte ze. 'Waar ze op dit
enblik ook moge zijn, ze wacht op je.'
Het was half vijf in de middag, toen Amaranta Úrsula de
dkamer verliet. Aureliano zag haar langs zijn kamer komen,
een badjas vol fijne plooitjes en met een opgerolde hand-

407

doek als een tulband om haar hoofd. Hij volgde haar op zij tenen, nog waggelend van de kater die hij had, en stapte he echtelijk slaapvertrek binnen op het ogenblik dat ze de badja opendeed en hem geschrokken weer sloot. In stilte maakte z een waarschuwend gebaar in de richting van de aangrenzend kamer, waarvan de deur op een kier stond en waar Gasto juist aan een brief was begonnen.

'Ga weg,' zei ze geluidloos.

Aureliano glimlachte, greep haar met beide handen om haa middel, alsof ze een pot met begonia's was, en wierp haar ach terover op het bed. Voordat ze het kon beletten, beroofde h haar met één brute ruk van de badjas en toen blikte hij verbijs terd neer in de afgrond van een pasgewassen naaktheid waa aan geen kleurschakering in de huid, geen schaduw van beha ring, geen geheime moedervlek ontbrak die hij zich niet reed had voorgesteld in het donker van andere kamers. Amarant Úrsula verweerde zich in alle oprechtheid en met de sluwhei van een wereldwijze vrouw, wezelwriggelend met haar gladd soepele en geurende wezellichaam, terwijl ze met haar knieë zijn nieren trachtte te vermorzelen en zijn gezicht schramd met nagels als schorpioenen, maar zonder dat zij noch hij oo maar een zuchtje uitte dat niet kon worden opgevat als de ru tige ademhaling van iemand die voor het geopende venst stond en de vage aprilschemering bekeek. Het was een verbi terd gevecht, een strijd op leven en dood, die echter ontbloc leek te zijn van alle geweld, omdat hij gevoerd werd met ve wrongen aanvallen en spookachtige, langzame, omzichtige e doodernstige uitwijkmanoeuvres, zodat intussen de petunia konden bloeien en Gaston in het belendende vertrek zijn vli geniersdromen kon vergeten, alsof ze twee kibbelende gelie den waren die zich met elkaar trachtten te verzoenen op de b dem van een doorschijnende vijver. In de hitte van deze verb ten en plechtstatige krachtmeting besefte Amaranta Úrsula ii eens, dat hun zorgvuldig in acht genomen stilte minstens z onwerkelijk was als het strijdgewoel dat ze probeerden te ve mijden en dat de achterdocht van haar nabije echtgenoot hie door juist veel eerder zou worden opgewekt. Toen begon ze lachen met opeengeklemde lippen, zonder de strijd op te g ven, maar de beten van haar verdediging waren nu niet echt meer en langzaam maar zeker begon ze haar lichaam te ontwezelen, totdat ze allebei beseften dat ze tegelijkertijd tegenstanders en medeplichtigen waren en de strijd overging in een gewoon stoeipartijtje en hun aanvallen veranderden in liefkozingen. Ineens, bijna speels, alsof het niet meer dan een guitenstreek was, liet Amaranta Úrsula haar verdediging varen en toen ze daar iets aan wilde doen, verbaasd dat ze het zelf zover had laten komen, was het al te laat. Een ongehoorde schok deed haar verstarren in haar zwaartepunt, plantte haar op haar plaats, en haar afweerpogingen begaven het voor het onweerstaanbare verlangen om te ontdekken wat het oranjekleurige gefluit en de onzichtbare bollen waren die haar wachtten aan de andere kant van de dood. Ze had nog net de tijd om haar hand uit te steken en blindelings naar de handdoek te tasten en een hoekje ervan tussen haar tanden te klemmen om te voorkomen dat het kattengekroel naar buiten drong dat haar ingewanden al uiteenrafelde.

Pilar Ternera stierf in haar rieten schommelstoel, terwijl ze op een feestelijke nacht de wacht hield bij de ingang van haar paradijs. Geheel in overeenstemming met haar laatste wil werd ze niet begraven in een doodskist maar gezeten in de schommelstoel, welke door acht mannen aan kabels werd neergelaten in een enorme kuil die in het midden van de dansvloer was uitgegraven. De in het zwart geklede mulattinnen, bleek van het wenen, improviseerden de donkere metten door zich te ontdoen van hun oorbellen, broches en ringen en ze in de verse groeve te werpen, waarna deze werd afgedekt met een steen zonder naam of data en bedolven werd onder een berg Amazone-camelia's. Nadat ze alle dieren hadden vergiftigd, metselden ze de deuren en ramen met bakstenen dicht en zwermden uit over de wereld, zeulend met hun houten koffers die van binnen waren beplakt met heiligenprentjes, kleurige platen uit tijdschriften en foto's van verre, fantastische eendagsverloofden die diamanten poepten of kannibalen verslonden of in volle zee tot hartenkoning werden gekroond.

Dit betekende het einde. In het graf van Pilar Ternera, tussen de psalmen en de goedkope snuisterijen van de hoertjes, gingen de laatste overblijfselen van het verleden tot ontbinding over, de schamele resten die nog waren achtergebleven nadat de geleerde Catalaan zijn boekhandel had verkocht en vermorzeld door de heimwee naar een langdurig rekkende lente, was teruggegaan naar het dorp aan de Middellandse Zee waar hij was geboren. Niemand had dat besluit kunnen voorzien. Hij was in Macondo aangekomen in de glorietijd van de bananenmaatschappij, vluchtend voor de zoveelste oorlog, en niets had hem toen handiger geleken dan een boekhandel te beginnen met wiegedrukken en oorspronkelijke uitgaven in verschillende talen, boeken die zijn klanten vol argwaan doorbladerden, alsof het vuiligheid was, terwijl ze op hun beurt wachtten om hun dromen te laten uitleggen in het huis aan de overkant. Hij had zijn halve leven doorgebracht in het snikhete kamertje achter de winkel, waar hij met paarse inkt zijn petieterige letterwerk neerkrabbelde op blaadjes die hij uit schoolschriften scheurde, zonder dat ooit iemand te weten kwam wat hij nu eigenlijk schreef. Toen Aureliano hem leerde kennen had hij al twee koffers vol met grillig volgekrabbelde blaadjes die op de een of andere manier aan de perkamenten van Melquíades deden denken, en vanaf die tijd tot aan de dag dat hij vertrok, had hij nog een derde kist gevuld – zodat men in alle redelijkheid mocht aannemen dat hij tijdens zijn verblijf in Macondo nooit iets anders had gedaan. De vier vrienden waren de enige inwoners met wie hij betrekkingen onderhield. Toen ze nog op de lagere school zaten had hij hun tollen en hun vliegers al voor boeken verruild en ze aan het lezen gezet in Seneca en Ovidius. Hij sprak over de klassieken met een huiselijke vertrouwdheid, alsof ze stuk voor stuk al eens een kamer met hem hadden gedeeld, en hij wist allerlei dingen die men eenvoudig niet kon weten, bij voorbeeld dat Sint Augustinus onder zijn habijt een wollen borstrok droeg die hij in geen veertig jaar uittrok en dat Arnaldo de Vilanova, de beoefenaar der zwarte kunsten, als jongen al impotent was

;eworden door de beet van een schorpioen. Zijn hartstochelijke verering voor het geschreven woord bestond in fei-
e uit een mengsel van ernstig respect en loslippige oneer-
iedigheid. Zelfs zijn eigen manuscripten ontkwamen niet
an deze dubbelzinnige houding. Alfonso, die het Cata-
aans had geleerd om ze te kunnen vertalen, stak op een dag
en hele rol blaadjes in zijn zakken – die hij altijd volpropte
et kranteknipsels en handleidingen voor de merkwaardigste
ezigheden – en diezelfde nacht nog verloor hij ze in het huis
an de meisjes die de liefde bedreven uit honger. Toen de oude
eleerde dit hoorde ontstak hij niet in woede, zoals ze gevreesd
adden, maar barstte hij in lachen uit en merkte op dat dit de
atuurlijke bestemming was van alle literatuur. Daar stond te-
enover dat hij bij zijn vertrek naar zijn geboortedorp door
een levende ziel kon worden overgehaald om de drie kisten
chter te laten en toen de inspecteurs van de spoorweg ze als
rachtgoed wilden verzenden, overstelpte bij hen met Car-
aagse verwensingen – net zolang totdat de kisten met hem
eemochten in de reizigerscoupé. 'Op de dag dat de mensen
ersteklas reizen en de literatuur in de goederenwagon moet, is
et afgelopen met deze klotenwereld,' zei hij bij die gelegen-
eid. Het was het laatste wat men hem hoorde zeggen. Hij had
n ellendige week achter de rug met alle voorbereidingen
oor zijn reis en naarmate het uur van vertrek naderde, begon
jn humeur het te begeven en raakten al zijn plannen in de
ar en als hij iets ergens neerlegde, dook het later op een an-
ere plek weer op, omdat ook hij bestookt werd door dezelfde
welduiveltjes die Fernanda hadden getreiterd.
'Collons!' vloekte hij. 'Ik heb schijt aan canon 27 van de sy-
de van Londen!'
Germán en Aureliano namen hem onder hun hoede. Ze
elpen hem alsof hij een kleine jongen was, staken passage-
ljetten en grensdocumenten met veiligheidsspelden vast in
n zakken en stelden een uitgebreide lijst op van alles wat hij
oest doen vanaf het moment dat hij Macondo verliet totdat
j in Barcelona van de boot ging, maar ondanks dat slaagde
j erin een broek op de vuilnisbelt te gooien waarin de helft
n zijn geld zat. Op de vooravond van zijn vertrek, toen hij

411

de kisten eenmaal had dichtgespijkerd en zijn kleren had weg
geborgen in dezelfde koffer waarmee hij was aangekomer
kneep hij zijn mosselogen half dicht, wees met een onbe
schaamd zegenend gebaar naar de stapels boeken waarmee h
zijn ballingschap had uitgezeten en zei tot zijn vrienden:
'Ziezo, jullie mogen de rotzooi houden!'

Drie maanden later ontvingen ze een grote envelop waari
negenentwintig brieven en meer dan vijftig foto's zaten d
zich hadden opgehoopt tijdens zijn ledige uren op zee. O:
schoon hij nergens data vermeldde, was het duidelijk in well
volgorde hij de brieven had geschreven. In de eerste vertele
hij met zijn gewone gelijkmoedigheid over de wederwaardig
heden van de oversteek, over zijn opwelling om de offici
overboord te werpen die toezicht hield bij het laden en he
niet toestond zijn drie kisten in zijn hut te bewaren, over c
helderziende imbeciliteit van een dame die doodsbenauwd w
voor het nummer 13, niet uit bijgelovigheid maar omdat h
haar een getal leek dat niet af was, en over de weddenscha
die hij al tijdens het eerste diner had gewonnen omdat hij
het drinkwater aan boord de nachtschadensmaak had herke
van de bronnen van Lérida. Maar toen de dagen verstreke
werd de werkelijkheid van het leven aan boord steeds mind
belangrijk voor hem en leken de meest recente en meest all
daagse gebeurtenissen in Macondo hem nog de moeite van h
heimwee waard, want naarmate het schip zich verder verw
derde werden zijn herinneringen al triester en triester. Dit pr
ces van toenemende verweemoediging bleek al evenzeer uit
foto's. Op de eerste zag hij er gelukkig uit in het glinsteren
oktoberlicht van de Caraïbische Zee, met zijn hemd als v
een zieke en zijn besneeuwde kuif. Op de laatste foto's z
men hem met een donkere overjas en een zijden bouffan
bleek van zelfbespiegelingen en stom geworden door afwezi
heid, op het dek van een spookschip dat als slaapwandele
voortgleed over de herfstige oceanen. Germán en Aurelia
beantwoordden al zijn brieven. De eerste maanden schreef
zo vaak, dat ze zich nauwer met hem verbonden voelden d
toen hij nog in Macondo was en dit bevrijdde hen bijna v
hun ontstemming over het feit dat hij was weggegaan. In h

begin liet hij hen weten dat alles nog hetzelfde was, dat de
met rozen overwoekerde wenteltrap nog altijd aanwezig was
in zijn geboortehuis, dat de gedroogde haring nog steeds hetzelfde smaakte op geroosterd brood, dat de watervallen in het
dorp nog altijd begonnen te geuren als de avond viel. Het waren weer precies dezelfde, met violetachtig gekriebel overdekte
schriftblaadjes en hij wijdde aan elke vriend een afzonderlijke
paragraaf. En toch, ook deze brieven vol stimulerende berichten en herwonnen vreugden begonnen langzaam maar zeker te
veranderen in herderlijke epistels vol ontgoocheling, ofschoon
hij dat zelf niet scheen te bemerken. Wanneer op winteravon-
den de soep op zijn fornuis stond te koken, verlangde hij terug
naar de warmte van zijn kamertje achter de winkel, naar het
gonzen van de zon op de bestofte amandelbomen, naar het ge-
luit van de trein in de sufheid van de siësta – zoals hij in Ma-
ondo altijd had terugverlangd naar de wintersoep op het fornuis, naar de kreten van de koffieventer en naar de vluchtige
enteleeuwerikken. Uit het veld geslagen door twee soorten
heimwee die als twee spiegels tegenover elkaar stonden, begon
hij geleidelijk zijn wonderlijke gevoel voor het onwerkelijke te
verliezen, totdat hij iedereen begon te bezweren om Macondo
te verlaten, om alles te vergeten wat hij hen geleerd had over
de wereld en het menselijk hart, om schijt te hebben aan Hora-
tius, om nooit of te nimmer te vergeten dat het verleden een
leugen was, dat de herinnering geen weg terug kende, dat alle
vergangen lentes onherroepelijk waren en dat ook de meest
oldrieste en de meest getrouwe liefde niet meer was dan een
eendagsbelevenis.

Álvaro was de eerste die gehoor gaf aan zijn advies Macondo te verlaten. Hij verkocht alles wat hij bezat, zelfs de gevangen tijger die zich op de patio van zijn huis vermaakte met argeloze voorbijgangers, en kocht een eeuwigdurend plaatsbe-
wijs in een trein die nooit aan het einde van zijn reis zou komen. Op de briefkaarten, die hij vanaf de tussenstations zond,
gaf hij uitbundige beschrijvingen van de vluchtige beelden die
hij uit het raampje van zijn coupé had gezien en bij het lezen
daarvan was het of men het grote gedicht van de vergankelijk-
heid langzaam in snippers scheurde en in de vergetelheid

wierp: de chimerische negers op de katoenvelden van Louisiana, de vliegensvlugge paarden in het blauwe gras van Kentucky, de Griekse geliefden in de helse duisternis van Arizona, het meisje met de rode sweater dat aan de Michiganmeren aquarellen schilderde en hem met haar penselen een groet toewuifde die geen afscheid maar verwachting inhield, omdat ze niet wist dat ze een trein zag langskomen die nooit terugkeerde. Later vertrokken Alfonso en Germán, op een zaterdag, met de bedoeling op maandag terug te keren, maar men hoorde nooit meer iets van hen. Een jaar na het vertrek van de geleerde Catalaan was Gabriel nog als enige in Macondo overgebleven, nog altijd op drift, nog altijd overgeleverd aan de wisselvallige sympathieën van Nigromanta en druk bezig de vragenlijsten te beantwoorden van een prijsvraag in een Frans tijdschrift dat als hoofdprijs een reis naar Parijs had uitgeloofd. Aureliano op wiens naam het abonnement in feite stond, hielp hem de formulieren in te vullen, soms thuis, maar meestal tussen de aarden potten en in de valeriaanlucht van de enige apotheek die in Macondo was overgebleven, het woonhuis van Mercedes, de geruisloze verloofde van Gabriel. Dit was het allerlaatste wat alsmaar bleef overblijven van een verleden, welks uitwissing maar niet tot een einde kwam omdat het zich eindeloos bleef uitwissen en binnen zichzelf een einde zocht en elke minuut méér afliep, maar zonder dat het aflopen ooit afgelopen was. Het dorp was in zijn futloosheid tot het allerlaagste dieptepunt geraakt – zozeer zelfs, dat toen Gabriel de prijsvraag won en met twee verschoningen, een paar schoenen en de volledige werken van Rabelais naar Parijs vertrok, hij de aandacht van de machinist moest trekken om de trein te laten stoppen. De oude Straat van de Turken was nog slechts een oord van trooteloze verlatenheid, waar de allerlaatste Arabieren zich naar de dood lieten slepen middels hun eeuwenoud gewoonte om in de deuropening plaats te nemen, ofschoon in de donkere vitrines nog slechts onthoofde etalagepoppen stonden en ze hun laatste el wollen stof al vele jaren geleden hadden verkocht. De stad van de bananenmaatschappij, waarover Patricia Brown nu misschien verhalen vertelde aan haar kleinkinderen, op avonden vol intolerantie en zure bommen in

rattville, Alabama, was nog slechts een trieste vlakte vol
oekerend kruid. De oude pastoor die pater Angel was opge-
olgd – niemand had de moeite genomen naar zijn naam te in-
ormeren – wachtte languit en lethargisch in zijn hangmat op
ods mededogen, gekweld door jicht en door de slapeloosheid
an de twijfel, terwijl ratten en hagedissen elkaar de erfenis
an de nabijgelegen kerk betwistten. In dit Macondo, dat zelfs
oor de vogels was vergeten en waar stof en hitte zo hardnek-
ig waren geworden dat het ademhalen moeite kostte, en in
n huis, waar slapen nauwelijks mogelijk was door het lawaai
an de rode mieren en waar de wereld was buitengesloten
oor de eenzaamheid en de liefde en de eenzaamheid van de
efde, waren Aureliano en Amaranta Úrsula de enige gelukki-
e wezens en zelfs de gelukkigste wezens van de hele aarde.

Gaston was naar Brussel teruggekeerd. Op een dag had hij
noeg gekregen van het wachten op het vliegtuig, zodat hij
e noodzakelijkste dingen en zijn correspondentie-archief in een
offertje stopte en op weg ging met het vaste voornemen om
oor de lucht terug te komen, voordat zijn alleenrechten zou-
n vervallen aan een groepje Duitse vliegeniers die het pro-
nciale bestuur een plan hadden voorgelegd dat veel stout-
oediger was dan het zijne. Sinds de middag dat Aureliano en
maranta Úrsula voor het eerst hun liefde beleefden, hadden
iedere onoplettendheid van Gaston aangegrepen om elkaar te
minnen, met moeizaam gesmoorde vurigheid en tijdens ha-
elijke ontmoetingen die bijna altijd verstoord werden door
n ongelegen thuiskomst. Maar toen ze eenmaal alleen in
is waren, gaven ze zich volledig over aan het delirium van
n te laat ontdekte liefde. Het was een dolzinnige, meesle-
nde hartstocht die de beenderen in Fernanda's graf deden
lderen van ontzetting en die hen in een onafgebroken staat
n vervoering hield. Het kattengekroel en het smartelijke ge-
lp van Amaranta Úrsula barstten onophoudelijk los, of het
was om twee uur 's middags op de eetkamertafel of om
ee uur 's nachts in het graanschuurtje. 'Wat me nog het
est spijt,' lachte ze, 'is dat we zoveel tijd verloren hebben
en gaan.' Bedwelmd door haar hartstocht zag ze toe hoe de
eren de tuin verwoestten en hun prehistorische honger stil-

den aan het houtwerk van het huis, zag ze hoe een stroom va
levende lava opnieuw bezit nam van de waranda, maar ze na
pas de moeite ze te bestrijden toen ze de dieren in hun slaap
kamer tegenkwam. Aureliano liet de perkamenten voor wat z
waren, kwam het huis niet meer uit en beantwoordde de brie
ven van de geleerde Catalaan wanneer het hem uitkwam. Z
verloren alle gevoel voor de werkelijkheid, ieder besef van c
tijd en het normale ritme van de dagelijkse gewoonten. Ze lie
ten deuren en ramen weer stijfdicht om geen tijd te verdoe
met uitkleden en liepen door het huis zoals Remedios de Sch
ne altijd had willen rondlopen en wentelden zich spiernaakt i
de modderplassen op de patio en op een middag stierven z
bijna de verdrinkingsdood toen ze elkaar liefhadden in de ba
kuip. In korte tijd richtten ze meer vernielingen aan dan c
rode mieren: ze verruïneerden de meubels in de salon, scheu
den met hun dwaasheden de hangmat die bestand was gewee
tegen de trieste kampliefdes van kolonel Aureliano Buendía
sneden de matrassen open en schudden ze leeg op de vloer
om naar adem te snakken in stormen van kapok. Ofschoc
Aureliano als minnaar even onstuimig was als zijn rivaal, w
het Amaranta Úrsula die dit rampenparadijs beheerste m
haar ongerijmde vindingrijkheid en haar lyrische genotzuc
alsof ze de liefde tot brandpunt had gemaakt van dezelfde o
tembare energie die haar betovergrootmoeder had gewijd a
de vervaardiging van suikerbeesten. Daar kwam nog bij dat :
van vreugde zong en zich wild lachte om haar eigen uitvindi
gen, terwijl Aureliano juist steeds zwijgzamer en ingetogen
werd, omdat zijn hartstocht naar binnen was gericht en ve
kalkend werkte. Hoe dan ook, hun virtuositeit steeg tot zul
grote hoogten dat ze zelfs profijt wisten te trekken van de ve
moeidheid, wanneer ze door hun vervoering de uitputti
nabij waren. Ze verafgoodden elkaars lichamen en ontdekt
dat ook de luwten van de liefde ongekende mogelijkheden k
zaten, veel rijker nog dan de vooruitzichten van de hunkerin
Terwijl Aureliano met het wit van een ei de zich gretig o
richtende borsten van Amaranta Úrsula masseerde of ha
elastische dijen en haar perzikbuik met kokosboter zachtwre
speelde zij poppetje met zijn kolossale jongeheer, tekende

416

ownoogjes op met lippenstift en een Turkensnorretje met
enkbrauwpotlood, deed hem zijden dasjes om en zette hem
oedjes op van zilverpapier. Op een avond smeerden ze elkaar
an het hoofd tot de voeten in met perzikken op sap, likten el-
aar af als honden en beminden elkaar als gekken op de naak-
e vloer van de waranda, waarna ze wakkerschrokken van een
room vleesetende mieren die zich opmaakten hen levend te
erslinden.

Wanneer het delirium hen even verpozing schonk, beant-
oordde Amaranta Úrsula de brieven van Gaston. Ze had het
evoel dat hij zo ver weg en zo druk bezet was, dat zijn terug-
er een onmogelijkheid leek. In een van zijn eerste brieven
id hij geschreven dat zijn partners het vliegtuig inderdaad
idden afgezonden, maar dat een scheepsbevrachter in Brussel
et per ongeluk had verscheept met als bestemming Tanganji-
i, waar het was afgeleverd bij de verspreid wonende stam der
akondos. Deze vergissing had zoveel moeilijkheden opgeroe-
en, dat het wel twee jaar kon kosten om het toestel terug te
ijgen. Zodat Amaranta Úrsula de mogelijkheid van een on-
rwachte thuiskomst van zich af zette. Wat Aureliano be-
eft, zijn enige contact met de buitenwereld bestond uit de
ieven van de geleerde Catalaan en uit de berichten die hij
n Gabriel ontving via Mercedes, de zwijgzame apothekeres.
het begin waren het volkomen reële contacten. Gabriel had
n retourbiljet te gelde gemaakt om in Parijs te kunnen blij-
n, waar hij nu de oude tijdschriften en de lege flessen ver-
cht die de kamermeisjes wegstalen uit een luguber hotel in
Rue Dauphine. Aureliano kon zich zo goed voorstellen hoe
i nu een trui met een rolkraag droeg die hij pas uitdeed als
terrasjes van Montparnasse zich in de lente vulden met verfde paartjes en hoe hij overdag sliep en 's nachts schreef om
n honger om de tuin te leiden, weggedoken in een kamertje
aar de kooklucht van bloemkool hing en waar Rocamadour
est sterven. Hoe dan ook, de berichten van Gabriel werden
eidelijk vager en de brieven van de geleerde Catalaan kwa-
n steeds minder en werden steeds melancholischer, zodat
reliano tenslotte over hen begon te denken zoals Amaranta
sula over haar echtgenoot dacht en samen dobberden ze ver-

der in een leeg universum, waar slechts één dagelijkse en eeu
wige werkelijkheid bestond en dat was de liefde.

Plotseling, als een luide ontploffing in die wereld van geluk
kig half-denken, kwam het bericht van Gaston's terugkee
Aureliano en Amaranta Úrsula openden hun ogen, peilde
hun zielen, keken elkaar aan met de hand op het hart en be
grepen dat ze zozeer vereend waren, dat ze de dood zoude
verkiezen boven een scheiding. Toen schreef Amaranta Úrsul
haar man een brief vol tegenstrijdige waarheden waarin ze u
ting gaf aan haar liefde en haar verlangen hem terug te zie
maar hem tegelijkertijd mededeelde wat ze als haar lotsb
stemming zag, namelijk dat het haar onmogelijk zou zijn zor
der Aureliano te leven. In tegenstelling tot wat ze allebei ve
wachtten zond Gaston hen een beheerst, bijna vaderlijk an
woord. Hij besteedde er twee hele velletjes aan om hen
waarschuwen voor de wispelturigheden van de hartstocht e
in de laatste alinea uitte hij de ondubbelzinnige wens dat :
even gelukkig zouden worden als hijzelf was geweest in zi
kortstondige ervaring met het echtelijk juk. Zijn houding w
zo onvoorzien, dat Amaranta Úrsula zich vernederd voelde e
het vermoeden kreeg dat haar man haar al lang in de ste
had willen laten en dat ze hem nu het voorwendsel daart
had bezorgd. Haar verbittering werd nog groter toen Gasto
een half jaar later opnieuw een brief schreef vanuit Leopoldvi
le, waar hij de vliegmachine eindelijk had teruggekregen,
hen alleen maar vroeg de velocipède terug te sturen, het eni
wat voor hem nog gevoelswaarde bezat van alles wat hij
Macondo had achtergelaten. Aureliano wist Amaranta Úrs
la's ergernis geduldig te verdragen en hij deed zijn best haar
laten merken dat hij een even goede echtgenoot was in vóó
en tegenspoed en de dagelijkse zorgen, die hen bestormden z
dra ze het laatste geld van Gaston hadden uitgegeven, schiep
tussen hen beiden een band van saamhorigheid die wel niet
verblindend was en niet zo naar het hoofd steeg als hun vro
gere hartstocht, maar die toch goed genoeg bleek om elka
evenveel te beminnen en om even gelukkig te zijn als in
woelige tijden van de wellust. Toen Pilar Ternera stierf, v
wachtten ze een kindje.

Ondanks de loomheid van haar zwangerschap probeerde
~naranta Úrsula nog een bedrijfje te beginnen met zelfver-
ardigde halskettingen van vissewervels, maar met uitzonde-
~g van Mercedes, die er een dozijn van afnam, vond ze nie-
and die ze wilde kopen. Voor het eerst besefte Aureliano dat
n talenknobbel, zijn encyclopedische kennis en zijn zeldzame
rmogen om van ver verwijderde plaatsen en lang vervlogen
~beurtenissen alle bijzonderheden te weten zonder er iets van
leerd te hebben, nu al even weinig nut afwierpen als Ama-
~ta Úrsula's kistje met echte juwelen, die waarschijnlijk
~enveel waard waren als al het geld dat de allerlaatste inwo-
~rs van Macondo bij elkaar hadden kunnen brengen. Ze leef-
~n van de hand in de tand. Ofschoon Amaranta Úrsula nooit
~ar goede humeur noch haar fijne neus voor erotische avon-
~en verloor, kreeg ze geleidelijk de gewoonte om na het mid-
~gmaal op de waranda te gaan zitten waar ze een soort slape-
~e peinssiësta hield. Aureliano hield haar daarbij gezelschap.
~ms bleven ze zwijgend zitten tot het donker werd, tegenover
~aar, terwijl ze elkaar diep in de ogen keken en elkaar in
~e verstildheid met evenveel vuur beminden als ze gedaan
~dden tijdens hun uitspattingen. Hun onzekere toekomst was
~ de oorzaak van dat hun gedachten teruggingen naar het
~rleden. Ze zagen zichzelf weer in het verloren paradijs van
~ zondvloed, toen ze nog rondploeterden in de modderpoelen
~ de patio en hagedissen doodsloegen om Úrsula ermee te be-
~ngen en speelden dat ze het oudje levend begroeven, en al
~ herinneringen brachten hen tot het besef dat ze in feite al-
~ al gelukkig waren geweest met elkaar, al zolang ze zich
~den herinneren. Amaranta Úrsula, die steeds dieper door-
~ef in het verleden, vertelde hoe ze op een middag de zil-
~smidse was binnengestapt en hoe haar moeder toen had ge-
~d dat de kleine Aureliano een kind van niemand was, om-
~ men hem drijvend in een mandje had aangetroffen. Of-
~oon deze verklaring hen onwaarschijnlijk voorkwam, be-
~ikten ze niet over gegevens om er de ware toedracht voor
~ de plaats te zetten. Toen ze alle mogelijkheden hadden over-
~gen, waren ze slechts van één ding overtuigd: Fernanda
~ Aureliano's moeder niet geweest zijn. Amaranta Úrsula

neigde ertoe te geloven dat hij een zoon was van Petra Cote
van wie ze zich alleen maar schandaaltjes herinnerde, en d
veronderstelling wekte in hun binnenste een huivering v:
angst.

Gekweld door de zekerheid dat hij een broer was van zijn (
gen vrouw, bracht Aureliano een haastig bezoekje aan de pa
torie om in de doorzwete en door motten aangevreten archi
ven te zoeken naar aanwijzingen over zijn afkomst. Het ouds
doopceel dat hij kon vinden was van Amaranta Buendía, d
in haar meisjesjaren gedoopt was door pater Nicanor Reyr
omstreeks de tijd dat deze het bestaan van God trachtte te b
wijzen met chocoladekunstjes. Hij begon de illusie te koester
dat hij een van de zeventien Aureliano's was wier geboorteb
wijzen hij in vier boekdelen bij elkaar zocht, maar de data
gen te ver terug in het verleden om bij zijn leeftijd te kunn
passen. Trillend van onzekerheid bleef hij ronddwalen door
labyrinten van zijn familie, totdat de jichtige pastoor, die he
vanuit zijn hangmat had gadegeslagen, vol deelneming vro
wat zijn naam was.

'Aureliano Buendía,' zei hij.

'Dan hoef je je niet suf te zoeken,' riep de parochieher
met stellige overtuiging. 'Jaren geleden was hier een straat (
zo heette en in die tijd hadden de mensen de gewoonte h
kinderen te dopen met de namen van de straten.'

Aureliano beefde van woede.

'Aha!' zei hij. 'Dus u gelooft het ook niet.'

'Wat?'

'Dat kolonel Aureliano Buendía tweeëndertig burgeroor
gen heeft uitgeroepen en ze allemaal heeft verloren,' a
woordde Aureliano. 'Dat het leger drieduizend arbeiders bij
kaar heeft gedreven en ze met mitrailleurs heeft neergema;
en dat ze de lijken in een trein van tweehonderd wagons he
ben weggevoerd om ze in zee te gooien.'

De pastoor nam hem op met een medelijdende blik.

'Ach, jongen,' zuchtte hij, 'ik zou al blij zijn als ik ze
wist dat jij en ik op dit moment echt bestaan.'

Zodat Aureliano en Amaranta Úrsula de lezing van
mandje maar aanvaardden, niet omdat ze erin geloofden m;

mdat ze op die manier gevrijwaard bleven van hun angsten. Naarmate de zwangerschap vorderde, begonnen ze te vergroeien tot één enkel wezen en raakten ze steeds meer ingebed in de troosteloze verlatenheid van een huis dat door het geringste zuchtje omver geblazen had kunnen worden. Ze beperkten zich nog slechts tot de allernoodzakelijkste leefruimte, vanaf de slaapkamer van Fernanda, waar de bekoringen van een huiselijke liefde waren gaan dagen, tot aan het voorste deel van de waranda, waar Amaranta Úrsula de sokjes en mutsjes voor haar baby zat te breien en Aureliano de brieven van de geleerde Catalaan beantwoordde die zo nu en dan nog kwamen. De rest van het huis werd overgelaten aan de hardnekkige stormloop van het verval. De zilversmidse, het kamertje van Melquíades, de primitieve en doodstille ruimten waar Santa Sofía de la Piedad de scepter had gezwaaid – alles geraakte in de greep van een binnenshuis opschietend struikgewas dat geen levende ziel had durven bestrijden. Aureliano en Amaranta Úrsula, op elkaar teruggeworpen door de vraatzucht van de natuur, bleven de begonia's en de wilde marjolein verzorgen, verdedigden hun wereld met demarcatielijnen van onbluste kalk en legden de laatste loopgraven aan in de oorlog die al sinds onheuglijke tijden gevoerd wordt tussen mens en dier. Het lange en onverzorgde haar, de zwangerschapsvlekken die op haar gezicht verschenen, de zwelling van haar benen en de misvorming van het vroeger zo lieftallige wezellijf hadden Amaranta Úrsula beroofd van het jeugdige uiterlijk waarmee ze in huis was komen opdagen, met haar kooi vol ongelukkige kanaries en haar man aan de leiband, maar haar levendige geest onderging geen enkele verandering. 'Lieve help!' lachte ze. 'Wie had nu kunnen denken dat we ooit nog zouden leven als echte menseneters!' De laatste draad die hen nog met de wereld verbond, brak tenslotte in de zesde zwangerschapsmaand, toen ze een brief ontvingen die duidelijk niet van de geleerde Catalaan afkomstig was. Hij was afgestempeld in Barcelona, maar de envelop was geschreven met gewone blauwe inkt en in een ambtelijke hand en bezat het onschuldige, onpersoonlijke uiterlijk van alle kwade tijdingen. Toen Amaranta Úrsula hem wilde openen, rukte Aureliano hem uit haar handen.

'Deze niet,' zei hij. 'Ik wil niet weten wat er in staat.'

Zoals hij had voorvoeld, schreef de geleerde Catalaan daar na niet meer. De vreemde brief kwam ongelezen terecht op d richel waar Fernanda eens haar trouwring had laten liggen e daar viel hij ten prooi aan de motten, langzaam wegterend i het innerlijk vuur van zijn slechte nieuws, terwijl de twee ver eenzaamde geliefden moeizaam oproeiden tegen de stroom va die tijden vol laatste waarheden, die tijden vol verstokt onhei die vergleden in het nutteloos pogen ze om te buigen naar d woestijn van ontgoocheling en vergetelheid. Aureliano e Amaranta Úrsula, zich bewust van de naderende dreigin₁ brachten de laatste maanden hand in hand door en zo voltoo den ze in liefdevolle getrouwheid het kind waaraan ze in bu tensporige wellust waren begonnen. 's Nachts, in bed, in e kaars armen, lieten ze zich niet bang maken door de onde₁ maanse ontploffingen van de mieren of het knarsen van (motten of het onafgebroken, ijle gesis van het oprukkende o₁ kruid in de aangrenzende vertrekken. Meer dan eens werde ze wakker van de drukke bezigheden van de doden. Ze hoo den hoe Úrsula zich tegen de wetten van de schepping tewe₁ stelde om haar geslacht te behoeden, hoe José Arcadio Buend de duistere waarheid van de grote uitvindingen bleef zoeke₁ hoe Fernanda nog altijd zat te bidden, hoe kolonel Aureliar Buendía verdierlijkte door de teleurstelling van de oorlog (door zijn gouden visjes, hoe Aureliano Segundo van eenzaan heid verkommerde in de bedwelming van zijn grootse feeste — en toen begrepen ze dat iemands bezetenheid het zelfs wi₁ van de dood en ze voelden zich gelukkig bij de zekerheid d ze elkaar in spokengedaante zouden blijven beminnen, n₁ lang nadat andere, toekomstige diersoorten aan de huidige i₁ sekten het miserabele paradijs hadden ontroofd dat ze nu ₁ mensen afhandig maakten.

Op een zondag om zes uur 's middags voelde Amaran₁ Úrsula dat de bevalling ophanden was. De glimlachende kw₁ zel van de meisjes die de liefde uit honger bedreven trad ₁ vroedvrouw op. Ze liet haar op de eetkamertafel leggen, na schrijlings plaats op haar buik en mishandelde haar met e₁

ilde galop totdat haar kreten werden overstemd door het ge-
rijs van een formidabel jongmens. Dwars door haar tranen
een zag Amaranta Úrsula dat het een Buendía van het beste
oort was, stevig en eigengereid als de José Arcadio's en met
e helderziende, wijd open ogen van de Aureliano's, voorbe-
temd om het geslacht weer van voren af aan op te bouwen en
et te verfijnen met zijn verderfelijke ondeugden en zijn roe-
ing tot eenzaamheid, omdat hij sinds honderd jaar de enige
as die in liefde was ontvangen.

'Het is van top tot teen een menseneter,' zei ze. 'We noemen
em Rodrigo.'

'Nee,' wierp haar man tegen. 'We noemen hem Aureliano
a hij zal tweeëndertig oorlogen winnen.'

Toen de vroedvrouw zijn navelstreng had doorgeknipt, be-
on ze met een doekje de blauwe zalf weg te vegen waarmee
jn lichaam overdekt was. Aureliano lichtte haar bij met een
mp. Pas toen ze hem op zijn buik draaiden, ontdekten ze dat
j iets méér bezat dan de rest van de mannen en ze bukten
ch om het te bekijken. Het was een varkensstaart.

Ze maakten zich niet ongerust. Aureliano en Amaranta
rsula kenden het precedent in de familie niet en ze wisten
ets van de angstaanjagende waarschuwingen van Úrsula en
e vroedvrouw stelde hen nog gerust met de veronderstelling
at die nutteloze staart wel afgeknipt kon worden als het kind
in tandjes ging wisselen. Daarna kregen ze geen kans meer
n eraan te denken, want Amaranta Úrsula begon in een on-
uitbare stortvloed leeg te bloeden. Ze probeerden haar te hel-
n met compressen van spinrag en samengeperste as, maar
t leek wel of ze een waterstraal wilden tegenhouden met
n handen. De eerste uren deed ze haar best om haar goede
meur te bewaren. Ze greep de geschrokken Aureliano bij
n hand, smeekte hem zich niet ongerust te maken, beweerde
t mensen als zij niet geschapen waren om tegen hun wil te
erven en lachte zich slap om de woeste ingrepen van de
oedvrouw. Maar naarmate Aureliano de hoop liet varen, be-
n zij steeds minder zichtbaar te worden, alsof ze weggewist
rd uit het licht, totdat ze wegzonk in een bezwijming.
aandagmorgen in alle vroegte haalden ze er nog een vrouw

423

bij die zich naast het bed neerzette en bezwerende spreuke
prevelde die hun uitwerking misten bij mens noch dier, maa
het hartstochtelijke bloed van Amaranta Úrsula was ongevoe
lig voor elke kunstgreep die niets uitstaande had met de liefde
Die middag, na vierentwintig wanhopige uren, begrepen z
dat ze dood was, want de stroom hield zonder hulpmiddele
op en haar profiel werd messcherp en de striemen in haar ge
zicht vervaagden in een ontluikende albasten tint en ze bego
weer te glimlachen.

Tot aan dat ogenblik had Aureliano niet beseft hoeveel h
van zijn vrienden hield, hoezeer hij ze miste en hoeveel hij e
voor gegeven zou hebben om nu bij hen te zijn. Hij legde h
kind in het mandje dat zijn vrouw had klaargemaakt, bedek
het gezicht van het lijk met een deken en begon doelloos ron
te zwerven door het verlaten dorp, op zoek naar een ontsnap
pingsweg waarlangs hij naar het verleden kon terugkeren. H
klopte aan bij de apotheek, waar hij lange tijd niet gewee
was en waar hij nu een timmermanswerkplaats aantrof. Ee
oude vrouw met een lamp in haar hand deed open en ofschoo
ze duidelijk meevoelde met zijn onsamenhangende geraaska
bleef ze volhouden dat daar nooit een apotheek was gewee
en dat ze nooit een vrouw met een slanke hals en slaperig
ogen had gekend die Mercedes heette. Hij huilde bitter m
zijn voorhoofd tegen de deur van de voormalige boekwink
van de geleerde Catalaan, wetend dat hij nu de verlate tran
inloste om een dode die hij niet op tijd had willen bewenen o
de betovering van de liefde niet te verbreken. Hij schamp
zijn vuisten aan de met specie afgestreken muren van *H
Gouden Kind*, roepend om Pilar Ternera, onverschillig voor
fel oplichtende, oranjekleurige schijven die door de hem
trokken en die hij zo vaak met kinderlijke geboeidheid had g
degeslagen tijdens feestelijke nachten op de patio met de roe
dompen. In de onttakelde rosse buurt was nog slechts één et
blissement geopend en daar speelde een accordeonorkestje
gezangen van Rafael Escalona, neef van de bisschop en erfg
naam van de geheimen van Francisco de Man. De kroegba
wiens ene arm verdord en als aangebrand was omdat hij he
tegen zijn moeder had opgeheven, trakteerde Aureliano op e

424

les brandewijn en Aureliano trakteerde hem op een andere
les. De kroegbaas vertelde hem het ongelukkige verhaal van
ijn arm. Aureliano vertelde hem het ongelukkige verhaal van
ijn hart, verdord en als aangebrand omdat hij het had opge-
even tegen zijn zuster. Ze eindigden allebei in tranen en Aueliano kreeg heel even het gevoel dat zijn verdriet over was.
Maar toen hij weer alleen was onder de allerlaatste dageraad
an Macondo, spreidde hij midden op het dorpsplein zijn ar-
nen uit en vast van plan de hele wereld wakker te maken,
chreeuwde hij met heel zijn hart:
'Vrienden zijn allemaal klootzakken!'
Nigromanta redde hem uit een poel van braaksel en tranen.
Ze nam hem mee naar haar kamer, waste hem en liet hem een
op soep drinken. In de mening dat het hem zou troosten,
aalde ze een potloodstreep door de ontelbare liefdes die hij
aar nog schuldig was en ze zocht uit eigen beweging haar
erinnering af naar haar allereenzaamste droefenissen, om
em maar niet alleen te laten in zijn verdriet. De volgende mor-
en, na een korte en loodzware slaap, werd Aureliano zich
eer bewust van zijn hoofdpijn. Hij sloeg zijn ogen op en toen
acht hij aan het kind.
In het mandje vond hij het niet meer. Die schokkende ont-
ekking bezorgde hem eerst een opwelling van vreugde, omdat
ij meende dat Amaranta Úrsula uit de dood ontwaakt was om
et kind te verzorgen. Maar het lijk lag als een hoop stenen
nder de deken. Wetend dat de slaapkamerdeur bij zijn thuis-
omst open had gestaan, liep hij verder naar de waranda, die
erzadigd was van de ochtendzuchtjes van de wilde marjolein,
n daarna ging hij de eetkamer binnen waar alle rommel van
e bevalling nog aanwezig was: de grote waterketel, de bebloe-
e lakens, de potten met as en op de tafel, in een opengevou-
en luier, de verschrompelde navelstreng van het kind, naast
e schaar en het afbindsnoer. Toen kwam hij op de gedachte
at de vroedvrouw in de loop van de nacht was teruggekeerd
n het kind te halen en dat bezorgde hem een ogenblik rust
aarin hij kon nadenken. Hij liet zich neervallen in de schom-
elstoel, dezelfde schommelstoel waarin Rebeca in de begin-
d van het huis haar borduurlessen had zitten geven, waarin

Amaranta gedamd had met kolonel Gerineldo Márquez, waar
in Amaranta Úrsula de kleertjes voor de baby had genaaid -
en in een vlaag van helderheid besefte hij, dat zijn ziel he
overstelpende gewicht van zo'n lang verleden nooit zou kun
nen verdragen. Geraakt door de dodelijke lanssteken van ei
gen en andermans heimweeën, staarde hij naar de onverzette
lijkheid van de spinnewebben op de dode rozestruiken, naar d
hardnekkigheid van het onkruid, naar het geduld van de luch
in deze heldere februarischemering. En toen zag hij het kind
Het was nog slechts een opgeblazen, uitgedroogd vel en all
mieren van de hele wereld sleepten het moeizaam naar hu:
nesten over het stenen paadje in de tuin. Aureliano kon zic
niet bewegen. Niet omdat hij verlamd was van ontzetting
maar omdat hem op dat wonderlijke ogenblik de allerlaatst
geheimsleutels van Melquíades werden geopenbaard en hij he
motto van de perkamenten voor zich zag, in volmaakte samen
hang met de tijd en de ruimte van de mensen: *De eerste van he
geslacht is vastgelegd aan een boom en de laatste wordt opge
vreten door de mieren.*

Nooit, bij geen enkele daad in zijn hele leven, was Aurelia
no helderder van geest geweest dan nu, nu hij zijn doden en d
smart om zijn doden vergat en ramen en deuren weer dich
sloeg met de kruislatten van Fernanda om zich door geen enke
le wereldse verleiding te laten storen, want nu wist hij dat i
de perkamenten van Melquíades zijn eigen lot beschreve
stond. Hij vond ze volkomen gaaf terug, tussen de prehistor
sche planten en de walmenden plassen en de lichtgevende ir
sekten die in het kamertje elk spoor van de gang der mense
over de wereld hadden uitgewist, en hij bezat niet eens c
kalmte om de geschriften mee te nemen in het daglicht, maz
begon ze ter plaatse te vertalen, staande, hardop, zonder dz
het hem moeite kostte, alsof ze geschreven waren in het Spaar
en hij ze voor zich zag in het verblindende licht van het middaç
uur. Het was de geschiedenis van de familie, honderd ja:
van te voren en tot in de meest banale bijzonderheden beschr
ven door Melquíades. De zigeuner had ze verwoord in h
Sanskriet, wat zijn moedertaal was, en hij had de even verze
omgezet met de persoonlijke geheimsleutel van keizer Augu
426

ıs en de oneven verzen met de militaire geheimsleutel van de
partanen. De allerlaatste afgrendeling, die Aureliano al was
aan doorzien toen hij door zijn liefde voor Amaranta Úrsula
p een dwaalspoor was gebracht, was bereikt doordat
Melquíades de feiten niet had gerangschikt in de normale tijd
an de mensen, maar de dagelijkse voorvallen van een hele
euw had samengebald, zodat ze alle op hetzelfde ogenblik ge-
eurden. Geboeid door deze vondst begon Aureliano hardop
n zonder iets over te slaan de gezongen encyclieken door te
ezen die Melquíades zelf aan Arcadio had laten horen en die
a werkelijkheid de voorspelling van zijn executie waren en
aarna vond hij de aankondiging van de geboorte van de
ooiste vrouw van de wereld die met lichaam en ziel ten heel voer en leerde hij de oorsprong kennen van de tweelingen
e eerst na de dood van hun vader werden geboren en die de
ntcijfering van de perkamenten hadden opgegeven, niet uit
ebrek aan kennis of doorzettingsvermogen, maar omdat hun
gingen te vroegtijdig waren. Eenmaal zover gekomen, raak-
Aureliano zo benieuwd naar zijn eigen oorsprong dat hij een
uk oversloeg. Op dat moment stak de wind op, zoel, nog in
jn beginfase, vervuld van stemmen uit het verleden, van het
emurmel van geraniums uit vroeger tijden, van de zuchten
an ontgoocheling die lang vóór het hardnekkigste heimwee
aren geslaakt. Aureliano bemerkte er niets van, want op dat
genblik begon hij de eerste aanwijzingen van zijn eigen be-
aan te ontdekken in een zinnelijk grootvader, die zich door
gen wellust over een hallucinerende vlakte liet slepen, op
ek naar een mooie vrouw die hij niet gelukkig zou maken.
ureliano herkende wie dat was, zette zijn speurtocht langs de
uistere wegen van zijn afstamming voort en toen stuitte hij
o het ogenblik van zijn eigen ontvangenis tussen de schor-
oenen en de gele vlinders in een donkere badkamer waar een
andarbeider zijn geilheid bevredigde aan een vrouw die zich
t opstandigheid aan hem overgaf. Hij was zozeer in zijn lec-
ur verdiept, dat hij al evenmin iets bemerkte van de tweede
nval van de wind, die met cycloonkracht de deuren en ra-
en uit hun hengsels sloeg, het dak van de oostelijke vleugel
rukte en de fundamenten loswrikte uit de grond. Toen pas

427

ontdekte hij dat Amaranta Úrsula niet zijn zus maar zijn tant
was en dat Francis Drake zijn aanval op Riohacha slechts ha
uitgevoerd om te bewerken dat zij elkaar zouden opzoeken i
de ingewikkelde doolhoven van hun bloed, zodat ze het my
thologische dier konden verwekken dat een eind zou make
aan het geslacht. Macondo was reeds een angstwekkend
maalstroom van stof en puin, rondgeslingerd door de toor
van de bijbelse orkaan, toen Aureliano opnieuw elf pagina
oversloeg om geen tijd te verdoen met overbekende zaken e
begon aan de ontcijfering van het ogenblik dat hij beleefd
het ontcijferend naarmate hij het beleefde, zichzelf voorspe
lend door de laatste bladzijde van de perkamenten te ontcijf
ren, alsof hij zichzelf zag in een gesproken spiegel. Toen sloe
hij nog een stukje over om op de voorspellingen vooruit te lc
pen en de datum en de omstandigheden van zijn dood op
zoeken. Maar nog voordat hij bij het laatste vers was gekome
had hij al begrepen dat hij deze kamer nooit meer zou verla
ten, want het stond geschreven dat de stad van de spiegels (c
spiegelingen) door de wind weggevaagd en uit de herinnerin
der mensen weggewist zou worden zodra Aureliano Babilon:
de perkamenten tot het einde toe ontcijferd had — en dat alle
wat daarin beschreven stond, voor altijd en eeuwig onherhaa
baar was, omdat de geslachten, die gedoemd zijn tot honder
jaar eenzaamheid, geen tweede kans krijgen op aarde.

Gabriel García Márquez *De herfst van de patriarch*

De herfst van de patriarch (*El otoño del patriarca*, 1976) wa
in Latijns-Amerika al vóór de publikatie aangekondigd als eer
literaire gebeurtenis van de eerste orde. Márquez heeft vele ja
ren aan het boek geschreven. Op het eerste gezicht lijkt het mis
schien minder alomvattend dan zijn fameuze *Honderd jaar een
zaamheid*, dat de geschiedenis van een heel dorp beschrijft
Maar in feite vertelt *De herfst van de patriarch* méér over d
Latijns-Amerikaanse werkelijkheid. Het verhaal van de stok
oude dictator die langzaam doodgaat in eenzaamheid, de 'ma
rionet' die in de illusie verkeert dat de geschiedenis door zij
toedoen is veranderd, laat zien hoe dorpen als Macondo ui
Honderd jaar eenzaamheid konden ontstaan, raakt de essenti
van een realiteit waarin haast lachwekkende operafiguren tc
de meest gruwelijke dictators kunnen uitgroeien.

Márquez' dictator-patriarch is een onvergetelijke figuur, gee
karikatuur maar een mens, met zijn goede en slechte kanter
Márquez zei zelf over hem: 'Ik geloof wel dat hij erg slecht i
Ik heb de dictator in Latijns-Amerika niet uitgevonden. D
Latijns-Amerikaanse dictator is misschien wel de enige *myth
sche* figuur in de geschiedenis van het continent. Uit het b
studeren van de Latijns-Amerikaanse geschiedenis blijkt dat
feodale dictators analfabeten zijn geweest, die stom waren. E
interessante figuren om te bestuderen. Soms waren ze zel
sympathiek, maar dat wil nog niet zeggen dat ze niet slec
waren. Maar je kunt hem niet zwart-wit zien... Ik wilde ni
het prototype van een slechte man, maar van een man maker

Meulenhoff Editie

Mario Vargas Llosa *Pantaleón*
vertaald door Michiel Tjebbes
Mario Vargas Llosa *De jonge honden van Miraflores*
vertaald door Michiel Tjebbes
Mario Vargas Llosa *Tante Julia en meneer de schrijver*
vertaald door Mariolein Sabarte Belacortu